DERECHO ADMINISTRATIVO PRÁCTICO

DERECHO ADMINISTRATIVO PRÁCTICO

5ª edición

Prólogo de D. **Eduardo García de Enterría**

**A. Jiménez-Blanco, J. Suay Rincón,
J. L. Piñar Mañas, R. García Macho**
(Directores)

**E. Arana, R. Barranco, D. Blanquer, A. Canales,
J. Castelao, F. A. Castillo, J. Cuesta, F. Delgado,
S. Fernández Polanco, M. Franch,
J. A. Hernández Corchete, A. González Quinzá,
F. de B. López-Jurado, A. Llamas, J. A. Moreno, J. Muñoz,
I. Pont, Mª del P. Rodríguez, M. Sarmiento y F. Villalba**

tirant lo blanch
Valencia, 2002

© ANTONIO JIMÉNEZ-BLANCO
JOSÉ SUAY RINCÓN
JOSÉ LUIS PIÑAR MAÑAS
RICARDO GARCÍA MACHO
y otros

© TIRANT LO BLANCH
EDITA: TIRANT LO BLANCH
C/ Artes Gráficas, 14 - 46010 - Valencia
TELFS.: 96/361 00 48 - 50
FAX: 96/369 41 51
Email:tlb@vlc.servicom.es
http://www.tirant.com
Librería virtual: http://www.tirant.es
DEPOSITO LEGAL: V - 3712 - 2002
I.S.B.N.: 84 - 8442 - 694 - 7
IMPRIME: GUADA LITOGRAFIA, S.L. - PMc

Prólogo[*]

La presentación pública de un libro de calidad es siempre un menester grato.

En este caso la calidad del libro que presentamos, *Derecho Administrativo práctico*, viene avalada por sus autores (cuatro ejemplares Catedráticos, asistidos de un grupo cualificado de colaboradores, que acredita la eficacia formativa de aquéllos), pero, sobre todo, por la originalidad de su planteamiento y el rigor con que se ha llevado a cabo.

Originalidad de su planteamiento: no es un libro de casos prácticos, que hay bastantes y, en general, bastante aburridos, con alguna excepción. El caso práctico enuncia un supuesto abstracto y deja al alumno a la intemperie para resolverlo. Por fuerza tiene que ser un caso simple, pues el alumno carece de un sistema de referencias múltiples, que son las que han de entrar en juego cuando el caso —como es lo común— presenta algún grado de complejidad. El alumno está por eso desarmado, porque carece no sólo de una formación general en Derecho Administrativo, sino en todo el sistema jurídico, que suele entrar en juego con normalidad en los casos controvertidos (Derecho Procesal común y administrativo, Derecho Constitucional, Derecho Civil, Derecho Penal).

La originalidad del libro que ahora presentamos es que no rehuye los casos complejos, como son la mayor parte de los mismos, pero que facilita a los alumnos, después del enunciado, los principios doctrinales que entrarán en juego y más aun: las fuentes normativas generales y particulares que han de consultarse para poder resolver el caso y, finalmente, un elenco de fuentes literarias (Tratados, artículos de revista) que facilitarán la comprensión del problema.

El alumno queda, pues, en perfectas condiciones de abordar el caso por sí mismo y de poder resolverlo con los materiales normativos y doctrinales específicos que se le facilitan.

---

[*] El presente prólogo recoge la intervención del Profesor García de Enterría en la presentación de la 1ª edición del libro, que tuvo lugar en la Universidad San Pablo CEU, de Madrid, el 11 de mayo de 1998. Agradecemos, muy sinceramente, su autorización para reproducirla aquí.

Es una idea nueva y fecunda en nuestro Derecho. Yo no conozco ningún libro de casos prácticos de este contenido y tan prometedor para que los alumnos puedan entrar en la resolución de los casos.

Podría hablarse de una recepción y una depuración del *case method* que es común en las Facultades y Escuelas de Derecho americanas (y, en las inglesas, en menor medida). Allí los casos son debatidos en profundidad, de modo que los alumnos no aprendan unas simples teorías, que muy pronto olvidarán, probablemente, sino que aprenden a razonar en Derecho, a consultar los materiales (*cases and materials*) con los que ese razonamiento debe ser acompañado; a hacerse juristas, en fin.

Una grave carencia de nuestras Facultades es prescindir de esta enseñanza para resolver casos y utilizar los instrumentos que ello requiere. Solemos enseñar a nuestros alumnos un *corpus* teórico abstracto, desde el cual no resulta fácil pasar, sin más, al campo de las aplicaciones.

Ahora bien, el Derecho no es una teoría, como puede serlo la Filosofía. El Derecho es una técnica social de articulación de la sociedad, y de ordenarla para solucionar sus inevitables conflictos en términos de justicia.

Nadie comprendería que los cirujanos enseñasen su ciencia como una simple teoría, sin adiestrar a sus alumnos en el manejo del bisturí y resolver los problemas que la intervención quirúrgica suele producir. Pues los Profesores de Derecho hacemos esto, justamente: *mea culpa, nostra culpa*.

El aprendizaje de la práctica suele ser, o bien al lado de un experto (pasantía), o bien a costa del justiciable o del cliente, como ocurre con algunos funcionarios y jueces (aunque el Consejo General del Poder Judicial ha instaurado el sistema de prácticas en Juzgados).

Este libro pretende romper con estas malas prácticas. Marca, por eso, un hito importante, que es de esperar que influya en otras disciplinas.

Felicito a los autores, a sus colaboradores y, sobre todo, a sus alumnos. Marca un progreso seguro de la enseñanza del Derecho en España.

Los cuatro Catedráticos que han dirigido este curso merecen, por ello, felicitación y gratitud; en un momento, además, en el que el contencioso-administrativo, en España y en todo el mundo, ha pasado a ser un «contencioso de masas». En 10 años en España se han multiplicado por 31 —y sigue la tendencia—.

Si no formamos buenos administrativistas en la cantidad y calidad que el foro nos reclama, ese contencioso de masas puede parar en una masa de despropósitos.

Los autores prestan un gran servicio, pues, a la Ciencia jurídica, a los métodos de docencia, pero también a la sociedad española.

Merecen, por tanto, nuestra gratitud más sincera.

EDUARDO GARCÍA DE ENTERRÍA
Catedrático de Derecho administrativo

Presentación de la 1ª edición

Para empezar por el principio: la idea inicial de este libro. Su autoría fue de Rafael Barranco, de la Universidad de Granada, quien nos convenció de la extraordinaria necesidad de un Manual de Derecho Administrativo Práctico y además nos expresó la disponibilidad de un grupo de profesores de aquella Universidad para ponerse en seguida a trabajar.

El procedimiento de gestación y elaboración de un libro es, muchas veces, irrelevante. Pero en este caso creemos que vale la pena explicarlo, porque hemos intentado que, si el resultado final puede presentar cierta homogeneidad, sea precisamente a causa de haber seguido todos unas determinadas pautas de conducta.

El grupo primero estaba formado por cuatro granadinos —el propio Barranco junto con Federico A. Castillo, Francisca Villalba y Estanislao Arana— y a rueda fuimos, desde enero de 1997, los cuatro que firmamos esta presentación.

En seguida nos dimos cuenta de la conveniencia, por el mejor fin del libro, de ampliar el círculo de autores. Por un lado, llamando a los docentes de Derecho Administrativo de nuestras propias Universidades. Así, José Cuesta, de Jaén; o Julio Castelao, Silverio Fernández Polanco, Alvaro Canales y Arturo González Quinzá, de la San Pablo-CEU; o Manuel Sarmiento, M. del Pino Rodríguez y A. Llamas, de Las Palmas de Gran Canaria; o, en fin, David Blanquer y José Muñoz Castillo, de la Jaime I, de Castellón.

Y, en segundo lugar, se incorporaron también otros docentes, así de la Universidad de Navarra (Francisco de Borja López-Jurado) o de la Autónoma de Barcelona (Marta Franch e Isabel Pont) o, en fin, de la de Castilla-La Mancha (Francisco Delgado y José Antonio Moreno).

Que el trabajo de 23 autores no resulte para el lector una galimatía, o al menos una mera yuxtaposición, es difícil. Nada nos habría gustado tanto como que el resultado —los 22 capítulos— parezca mínimamente homogéneo. En orden a ese objetivo, tuvimos, durante la primavera de 1997, varias reuniones, con asistencia casi unánime, en el Decanato de la Facultad de Ciencias Jurídicas y de la Administración de la Universidad San Pablo-CEU.

Con posterioridad a la entrega de la última versión de los trabajos por cada uno de los 23 autores, entre julio y octubre, ha sido necesario un segundo impulso coordinador, que los autores han vuelto a soportar —en demérito de su creatividad y de su propia autonomía— con una resignación digna de encomio. El artífice de tan ingrato menester, que ha llevado los meses de noviembre y diciembre de 1997, ha sido José Cuesta, y así se debe reconocer de nuevo de manera expresa.

Para nosotros cuatro ésta ha sido una gratísima ocasión de volver a colaborar. Terminamos la licenciatura casi al mismo tiempo y nos iniciamos en la investigación del Derecho Administración también al par —a comienzos de los años ochenta, para redondear— y de la misma mano —la de Eduardo García de Enterría, sobre todo en sus Seminarios de los miércoles en la Complutense—. Han pasado casi veinte años desde entonces y nos hemos hecho un poco más viejos, hasta el punto de que ya aparecemos los cuatro a veces con papeles protagonistas, como sucede por ejemplo en este libro. Pero todo no ha sido más que el desarrollo de lo aprendido entonces y allí.

ANTONIO JIMÉNEZ-BLANCO
JOSÉ SUAY RINCÓN
JOSÉ LUIS PIÑAR MAÑAS
RICARDO GARCÍA MACHO

Catedráticos de Derecho Administrativo
Enero de 1998

Presentación de la 5ª edición

Al igual que en las anteriores ediciones, el libro, en lo básico, sigue siendo el mismo. El principal cometido de la actual ha sido la puesta al día de la legislación, la jurisprudencia y la bibliografía, fundamentalmente en aquellas materias que, en los últimos meses, han experimentado mayores cambios: contratación, educación, medio ambiente, sanidad...

Sólo nos queda agradecer a nuestro lectores la buena acogida que están dispensando a esta obra año tras año.

ANTONIO JIMÉNEZ-BLANCO
JOSÉ SUAY RINCÓN
JOSÉ LUIS PIÑAR MAÑAS
RICARDO GARCÍA MACHO

Catedráticos de Derecho Administrativo
Septiembre de 2002

Abreviaturas

A

AA	Revista: Actualidad Administrativa
AAVV	Autores Varios
Ap	Apartado
art	Artículo
ATC	Auto del Tribunal Constitucional
ATS	Auto del Tribunal Supremo

B

BJC	Boletín de Jurisprudencia Constitucional
BOA	Boletín Oficial de Aragón
BOCG	Boletín Oficial de las Cortes Generales
BOCyL	Boletín Oficial de Castilla y León
BOCM	Boletín Oficial de Castilla-La Mancha
BOE	Boletín Oficial del Estado
BOJA	Boletín Oficial de la Junta de Andalucía
BOLR	Boletín Oficial de La Rioja

C

CA	Comunidad Autónoma
CC	Código Civil
CCAA	Comunidades Autónomas
CE	Constitución Española
CGPJ	Consejo General del Poder Judicial
CMT	Comisión del Mercado de las Telecomunicaciones

D

DA	Revista: Documentación Administrativa
Disp.	Disposición
DOG	Diario Oficial de Galicia
DOGC	Diario Oficial de la Generalidad de Cataluña
DOGV	Diario Oficial de la Generalidad Valenciana

J

JA	Revista: Justicia Administrativa

JCCA	Junta Consultiva de Contratación Administrativa

L

LA	Ley de Aguas, de 2 de agosto de 1985
LAP	Ley de Régimen Jurídico de las Administraciones Públicas y del Procedimiento Administrativo Común, de 26 de noviembre de 1992
LBRTP	Ley Básica de Residuos Tóxicos y Peligrosos, de 14 de mayo de 1986
LC	Ley de Costas, de 28 de julio de 1988
LCa	Ley de Carreteras, de 29 de julio de 1988
LCAP	Ley de Contratos de las Administraciones Públicas, de 18 de mayo de 1995
LCE	Ley de Contratos del Estado, de 8 de abril de 1965
LEF	Ley de Expropiación Forzosa, de 16 de diciembre de 1954
LFCE	Ley de Funcionarios Civiles del Estado, de 7 de febrero de 1964
LGP	Ley General Presupuestaria, de 23 de septiembre de 1988
LGS	Ley General de Sanidad, de 25 de abril de 1986
LGT	Ley General Tributaria, de 28 de diciembre de 1963
LGTe	Ley General de Telecomunicaciones, de 24 de abril de 1998
LH	Ley Hipotecaria, de 8 de febrero de 1946
LJCA	Ley reguladora de la Jurisdicción Contencioso-Administrativa, de 13 de julio de 1998
LLT	Ley de Liberalización de las Telecomunicaciones, de 24 de abril de 1997
LMRFP	Ley de Medidas para la Reforma de la Función Pública,de 2 de agosto de 1984
LNCCT	Ley sobre negociación colectiva y participación en la determinación de las condiciones de trabajo de los empleados públicos, de 19 de junio de 1990
LOCE	Ley Orgánica del Consejo de Estado, de 22 de abril de 1980
LODE	Ley Orgánica Reguladora del Derecho a la Educación, de 3 de julio de 1985
LOE	Ley de Ordenación de la Edificación, de 5 de noviembre de 1999
LOFAGE	Ley de Organización y Funcionamiento de la Administración General del Estado, de 14 de abril de 1997
LOGSE	Ley de Ordenación General del Sistema Educativo, de 3 de octubre de 1990
LOPJ	Ley Orgánica del Poder Judicial de 1 de julio de 1985
LORCTP	Ley de órganos de representación, determinación de las condiciones de trabajo y participación del personal al servicio de las Administraciones Públicas, de 12 de junio de 1987
LOREG	Ley Orgánica del Régimen Electoral General, de 19 de junio de 1985
LOTC	Ley Orgánica del Tribunal Constitucional, de 3 de octubre de 1979

LOTe	Ley de Ordenación de las Telecomunicaciones, de 18 de diciembre de 1987
LOTT	Ley de Ordenación de los Transportes Terrestres, de 30 de julio de 1987
LOU	Ley Orgánica 3/2001, de 21 de diciembre, de Universidades.
LPA	Ley de Procedimiento Administrativo, de 17 de julio de 1958
LPE	Ley del Patrimonio del Estado, de 15 de abril de 1964
LPHE	Ley de Regulación del Patrimonio Histórico Español, de 25 de junio de 1985
LRBRL	Ley Reguladora de las Bases de Régimen Local, de 2 de abril de 1985
LRHL	Ley Reguladora de las Haciendas Locales, de 28 de diciembre de 1988
LS 98	Ley sobre Régimen del Suelo y Valoraciones, de 13 de abril de 1998
LTCa	Ley de Telecomunicaciones por Cable, de 22 de diciembre de 1995

O

OM	Orden Ministerial

P

PJ	Revista: Poder Judicial

R

RAAP	Revista Andaluza de Administración Pública
RAMINP	Reglamento de Actividades Molestas, Insalubres, Nocivas y Peligrosas de 30 de noviembre de 1961
RArAP	Revista Aragonesa de Administración Pública
RAP	Revista de Administración Pública
RBEL	Reglamento de Bienes de las Entidades Locales, de 13 de junio de 1986
RD	Real Decreto
RDGRN	Resolución de la Dirección General de los Registros y el Notariado
REALA	Revista de Estudios de la Administración Local y Autonómica
REDA	Revista Española de Derecho Administrativo
RGIPAE	Reglamento General de Ingreso del Personal al servicio de la Administración del Estado, de 10 de marzo de 1995
RGLCAP	Reglamento General de la Ley de Contratos de las Administraciones Públicas aprobado por RD 1089/2001, de 12 de octubre.
RGU	Reglamento de Gestión Urbanística, de 25 de agosto de 1978
RJCA	Repertorio Aranzadi de Jurisprudencia de Tribunales Superiores de Justicia
ROF	Reglamento de Organización, Funcionamiento y Régimen

	Jurídico de las Entidades Locales, de 28 de noviembre de 1986
RP	Reglamento de Planeamiento, de 23 de junio de 1978
RPo	Reglamento de Población y Demarcación Territorial de las Entidades Locales, de 11 de julio de 1986
RSCL	Reglamento de Servicios de las Corporaciones Locales, de 17 de junio de 1955
RVAP	Revista Vasca de Administración Pública

S

SAN	Sentencia de la Audiencia Nacional
SS	Sentencias
STC	Sentencia del Tribunal Constitucional
STCu	Sentencia del Tribunal de Cuentas
STEDH	Sentencia del Tribunal Europeo de Derechos Humanos
STSJ	Sentencia del Tribunal Superior de Justicia
STJCE	Sentencia del Tribunal de Justicia de la Comunidad Europea
STS	Sentencia del Tribunal Supremo

T

TC	Tribunal Constitucional
TEDH	Tribunal Europeo de Derechos Humanos
TJCE	Tribunal de Justicia de la Comunidad Europea
TR	Texto Refundido
TRLCAP	Texto Refundido de la Ley de Contratos de las Administraciones Públicas, de 16 de junio de 2000
TRLS 76	Texto Refundido de la Ley sobre Régimen del Suelo y Ordenación Urbana, de 9 de abril de 1976
TRLS 92	Texto Refundido de la Ley sobre Régimen del Suelo y Ordenación Urbana, de 26 de junio de 1992
TRRL	Texto Refundido de las Disposiciones Legales vigentes en materia de Régimen Local, de 18 de abril de 1986
TS	Tribunal Supremo
TUE	Tratado de la Unión Europea, de 7 de febrero de 1992

U

UE	Unión Europea

Índice

CAPÍTULO X: RESPONSABILIDAD
José Luis Piñar Mañas

CAPÍTULO XI: EXPROPIACIÓN
Antonio Jiménez-Blanco Carrillo de Albornoz

CAPÍTULO XII: FUNCIONARIOS PÚBLICOS
Federico A. Castillo Blanco

CAPÍTULO XIII: BIENES PÚBLICOS
José Cuesta Revilla

CAPÍTULO XXIII: TRANSPORTES Y ENERGÍA

Juan Antonio Hernández Corchete

CAPÍTULO I | FUENTES

Ricardo García Macho
Universidad Jaime I. Castellón

Caso nº 1: ORDENANZA MUNICIPAL

PLANTEAMIENTO

El Ayuntamiento de Castellet aprueba con fecha 17 de mayo de 1997 una Ordenanza por la que se regula el reparto de propaganda en domicilios particulares. El acuerdo de su aprobación por el Pleno del Ayuntamiento se publica en el Boletín Oficial de la Provincia el día 30 siguiente. La Asociación de Comerciantes de Castellet no está de acuerdo con algunos de sus preceptos, pues entiende que limitan lo que considera una parte fundamental de su actividad, como es la de dar a conocer sus productos al vecindario. Con el fin de recurrirla se solicita un informe jurídico que verse sobre las siguientes cuestiones:

1. Legalidad de que la Ordenanza incorpore nuevas reglas de Derecho al ordenamiento, afectando a la actividad privada.
2. Dado que dicha Asociación no ha sido consultada con carácter previo a la elaboración de la Ordenanza, por lo que sólo ha podido participar en el trámite de información pública, se plantea la posible obligatoriedad de consultar expresamente a las entidades o gremios afectados por la normativa local.
3. ¿Puede la Ordenanza incorporar un régimen sancionador?
4. Eficacia de la ordenanza por el modo de su publicación.

DOCTRINA

La autonomía de las Entidades locales implica la capacidad de dictar normas por medio de sus propias instituciones, en el ámbito de la garantía institucional de carácter competencial, que tiene un ente público. Una consecuencia esencial de la consagración a nivel constitucional (art. 137 CE) del principio de autonomía local es el reconocimiento en favor de los Entes locales de una potestad reglamentaria, de un derecho a intervenir en cuantos asuntos afecten directamente al círculo de sus intereses (art. 2.1 LRBRL). Si se tiene en cuenta que las Corporaciones locales tienen una legitimidad democrática directa, esa potestad reglamentaria, aunque tiene límites determinados por la Constitución y las leyes estatales y autonómicas, que establecen un sistema de fuentes, el cual vincula a los Entes locales en su elaboración de normas, sin embargo no responde a la relación establecida ley-reglamento propia de las Administraciones Públicas estatales y autonómicas. Los Entes locales tienen, por tanto, una vinculación negativa a la ley, que les permite una amplia autonomía normativa, y su acción comprende todo aquello que no les prohiba la ley. El legislador habilita a las Corporaciones locales mediante ley, pero una vez conferida dicha legitimación, las Entidades disponen de poderes normativos propios.

En el marco de la ley ordinaria, el art. 4.1-a) LRBRL determina que los Entes locales ejercen las potestades reglamentarias y de autoorganización. La ordenanza es una manifestación de esa potestad reglamentaria, cuya naturaleza jurídica es la misma que la de los reglamentos, siendo disposiciones de carácter general. La ordenanza constituye una potestad doméstica de las Corporaciones locales, y se dicta en el ámbito de sus competencias propias en régimen de autonomía y bajo la propia responsabilidad (art. 7.2 LRBRL).

Las Corporaciones locales pueden intervenir mediante ordenanzas en los diversos ámbitos de la vida local (art. 84.1-a LBRL), que afectan tanto al ciudadano como a la realidad social (Ordenanzas de policía, fiscales, de servicios públicos, de edificación y uso del suelo, de aprovechamiento de bienes comunales, etc...), siendo elaboradas específicamente conforme a un procedimiento que garantice su racionalidad y la realización del interés general. Tal procedimiento se instrumenta mediante su aprobación inicial, información pública y aprobación definitiva, debiendo ser publicadas en el Boletín Oficial de la Provincia (art. 70.2 LBRL). Sin embargo, el Tribunal Constitucional (ATC 647/86) no considera imprescindible la publicación integra de las Ordenanzas municipales, apoyándose en el art. 7.2 RSCL.

LEGISLACIÓN

- CE: arts. 105.a), 137 y 140.
- LRBRL: arts. 4.1, 21.1.k, 25.1 y 2, 49, 70.2 y 84.

- TRRL: arts. 55, 56 y 59.
- RSCL: arts. 1, 5.a), 7 y 11.
- ROF: art. 196.2.

JURISPRUDENCIA

- STC 214/1989, de 21 de diciembre: Autonomía local y posición ordinamental de la ordenanza.
- ATC 647/1986, de 23 de julio: no necesidad de publicación *in toto* de las Ordenanzas municipales.
- SSTS 20.9.94 (6973), 15.6.92 (5378): competencia local; STS 22.6.94 (5092): competencia local y procedimiento de elaboración de las ordenanzas; SSTS 14.6.94 (4597), 1.4.93 (2635), 10.3.92 (2140), 18.10.93 (9714), 14.6.94, (4597) y 26.4.93 (5031): procedimiento de elaboración de las ordenanzas; STS 22.7.92 (6581): autonomía local; STS 25.5.92 (4462): autonomía local y potestad reglamentaria; STS 25.5.93 (3815): régimen sancionador.

BIBLIOGRAFÍA

- EMBID IRUJO, A.: «Ordenanzas y reglamentos municipales», en *Tratado de Derecho Municipal,* t. I, Civitas, Madrid, 1988, págs. 389-439.
- FANLO LORAS, A.: voz «Ordenanza local», en *Enciclopedia Jurídica Básica,* vol. III, Civitas, Madrid, 1995.
- MORELL OCAÑA, L.: *El régimen local español,* t. I, Madrid, 1988.
- PAREJO ALFONSO, L.: *La potestad normativa local,* Madrid, 1998.
- DE LA VALLINA VELARDE, V.: voz «Ordenanzas locales», en *Nueva Enciclopedia Jurídica Seix,* Barcelona, 1986.

Caso nº 2: REGLAMENTO EJECUTIVO

PLANTEAMIENTO

El Decreto 42/1994, de 21 de febrero, del Consell de la Generalitat Valenciana, regula los horarios comerciales en el ámbito de la Comunidad Autónoma. En el mismo se menciona que está desarrollando el Real Decreto-Ley 22/1993, de 29 de diciembre, por el que se establecen las bases para la regulación de los horarios comerciales, disposición en la que se da a las Comunidades Autónomas con competencia en «comercio interior», como la Valenciana, la posibilidad de realizar tal regulación. La asociación «Pequeño Comercio del Maestrazgo», que fue consultada en el proceso de elaboración de la norma autonómica, considera que la misma perjudica sus intereses por la rigidez de los horarios que establece. El informe jurídico que solicita deberá versar sobre las siguientes cuestiones:

1. ¿Vulnera el principio de reserva de ley el que tal regulación se haya realizado por medio de una norma reglamentaria y no mediante una ley autonómica?
2. Con posterioridad a la audiencia concedida a la asociación se introdujeron diversas modificaciones en el texto reglamentario ¿supone ello la nulidad de tales modificaciones?
3. Aduce la asociación que no se evacuó dictamen por el Consejo de Estado ¿Es necesario tal dictamen pese a tratarse de una norma autonómica, dado que ello puede atentar contra la potestad de autoorganización autonómica, estableciendo una suerte de control indirecto sobre su actividad normativa?

DOCTRINA

El reglamento ejecutivo implica la existencia de una ley previa en base a la cual el Gobierno desarrolla la materia concreta ya regulada. El Consejo de Estado ha configurado tal tipo de reglamento estableciendo, en una moción de 22 de mayo de 1969, que son reglamentos «directa y concretamente ligados a una ley, a un artículo o artículos de una ley, o a un conjunto de leyes, de forma que dicha ley (o leyes) es completada, desarrollada, pormenorizada, aplicada, cumplimentada o ejecutada por el Reglamento». La STC 18/1982 (f.j. 4) ha hecho suya la doctrina del alto Organo consultivo, y puntualizándola establece que la finalidad de estos reglamentos es dictar normas de desarrollo, aplicación y ejecución de una ley. El alto Tribunal, con ello, pretende restringir la capacidad innovativa del reglamento ejecutivo, y que las leyes realicen remisiones genéricas normativas.

El Decreto valenciano es un desarrollo reglamentario de una norma básica (Real Decreto-ley 22/1993, de 29 de diciembre) sobre horarios comerciales, planteando dificultades en este supuesto dilucidar si puede una Comunidad Autónoma desarrollar mediante una norma reglamentaria una materia que, si afectase a la libertad de empresa del art. 38 CE, estaría reservada a la ley. Sin embargo, la STC 225/93 (f.j. 3-B) establece que la libertad de horarios no forma parte del contenido de la libertad garantizada en el art. 38 CE.

Otra cuestión planteada es la exigencia de informe preceptivo del Consejo de Estado en la elaboración de disposiciones reglamentarias de las Comunidades Autónomas, que ha sido una cuestión singularmente controvertida, en la que ha estado presente el debate sobre la posición institucional que la Constitución otorga a dicho Consejo en el seno del Estado Autonómico.

LEGISLACIÓN

- CE: artículos 107 y 137.
- Ley Orgánica 3/1980, de 22 de abril, del Consejo de Estado: arts. 2.1, 22.3 y 23.
- Estatuto de Autonomía de la Comunidad Valenciana: art. 34.
- Real Decreto-Ley 22/1993, de 29 de diciembre.
- Decreto 42/1994, de 21 de febrero.

JURISPRUDENCIA

- STC 18/1982, de 4 de mayo: conforma el contenido del reglamento ejecutivo.
- STC 204/1992, de 26 de noviembre: dictamen del Consejo de Estado en el procedimiento de elaboración de normas reglamentarias.
- STC 225/93, de 8 de julio: la libertad de horarios no es un desarrollo del art. 38 CE, ni afecta a la libertad garantizada por ese precepto.
- SSTS 12.05.87 (5258), 2.6.87 (3986), 21.2.89 (1132), 16.1.93 (342), 1.6.90 (6307), 17.2.88 (1184), 13.6.92 (5910), 24.11.89 (3953), 19.10.89 (3882), 23.12.91 (302), 16.01.93 (342), 21.03.95 (2623) y 27.11.95 (8944): dictamen Consejo de Estado en el procedimiento de elaboración de

normas reglamentarias; SSTS 19.05.88 (5060) y 25.09.89 (7401): participación en la elaboración; SSTS 13.02.92 (926) y 27.11.95 (8944): contenido reglamento ejecutivo; SSTS 9.1.92 (524), 16.1.92 (602), 11.05.95 (844): vulneración principio legalidad; STS 30.09.91 (7760): desarrollo autonómico de Ley estatal.

BIBLIOGRAFÍA

- GARCÍA ÁLVAREZ, J. M.: «El concepto de Reglamento ejecutivo en la jurisprudencia reciente del Tribunal Supremo», en *La protección jurídica del ciudadano. Estudios en homenaje al Profesor J. González Pérez*, tomo II, Madrid, 1993.
- GARCÍA DE ENTERRÍA, E. y FERNÁNDEZ RODRÍGUEZ, T. R.: *Curso de Derecho Administrativo*, I, Madrid, 2002.
- GARCÍA MACHO, R.: *Reserva de ley y potestad reglamentaria*, Barcelona, 1988.
- PARADA VÁZQUEZ, R., *Derecho Administrativo*, t. I, Marcial Pons, Madrid, 2000.
- PAREJO ALFONSO, L./JIMÉNEZ-BLANCO, A./ORTEGA ÁLVAREZ, L., *Manual de Derecho Administrativo*, t. I, Barcelona, 1998.
- SANTAMARÍA PASTOR, J. A., *Principios de Derecho Administrativo*, vol. I, Madrid, 2000.

Caso nº 3: DECRETO-LEY

PLANTEAMIENTO

En plena *crisis del petróleo*, el Gobierno de la Nación, atendiendo al importante encarecimiento que estaba experimentando esta fuente energética, dictó un Real Decreto-Ley, en el cual se establecían normas y principios básicos para la conservación de la energía, así como medidas para la promoción de las llamadas energías alternativas. Se debe informar sobre los siguientes extremos:

1. ¿Es posible la actuación normativa por medio del decreto-ley en la materia regulada?
2. Si la anterior respuesta fuese negativa, ¿quien y ante qué instancia puede plantearse tal extremo?
3. ¿Considera que se da o no se da el presupuesto de hecho habilitante del decreto-ley?

DOCTRINA

El concepto de decreto-ley se configura como una manifestación de la potestad del Gobierno, que crea normas, de forma excepcional, con la misma fuerza y rango que la Ley, pero con carácter provisional, dado que deberán ser convalidados posteriormente, o bien derogados.

El decreto-ley, debido a que el Gobierno dicta una norma con rango de ley, y a que ello implica la quiebra del principio de la división de poderes, no puede promulgarse sobre determinadas materias, recogidas en el art. 86.1 CE. En base a la misma idea de excepcionalidad hay un presupuesto de hecho que condiciona su promulgación, la necesidad de que exista «extraordinaria y urgente necesidad», que es un concepto jurídico indeterminado, cuyo control en cada situación concreta corresponde al Tribunal Constitucional (STC 29/82, f.j. 3). Se percibe, entonces, que el Gobierno podrá hacer uso del decreto-ley, pero dentro de los estrictos límites fijados por la Constitución, tarea de la que se ocupó el Tribunal Constitucional en sus primeras sentencias sobre la cuestión.

LEGISLACIÓN

- CE: arts. 86, 149.1.22 y 25, 161 y 162.
- LOTC: arts. 28 y 32.

JURISPRUDENCIA

- STC 29/1982, de 31 de mayo: extraordinaria y urgente necesidad.
- STC 6/1983, de 4 de febrero: significado jurídico-político de los Decretos-leyes.
- STC 111/1983, de 2 de diciembre: reserva material de ley, Decreto-ley.
- STC 60/1986, de 28 de mayo: reserva material de ley, presupuesto de hecho habilitante.
- STC 182/1997, de 28 de octubre: la «extraordinaria y urgente necesidad» implica un límite jurídico a la actuación del Gobierno mediante Decretos-leyes.
- SSTS 17.05.83 (3260), 28.01.85 (275), 15.05.84 (2889), 5.4.84 (2201): posición ordinamental del decreto-ley; SSTS 3.3.84 (1276) y 30.06.86 (3637): concepto de urgencia; SSTS 23.11.83 (5820), 13.01.84 (47) y 14.03.84 (1427): límites materiales del decreto-ley; SSTS 17.05.83 (3261), 5.4.84 (2201) y 30.12.86 (7708): recurribilidad.

BIBLIOGRAFÍA

- COSCULLUELA MONTANER, L.: *Manual de Derecho Administrativo,* Civitas, Madrid, 2002.
- GARCÍA DE ENTERRÍA, E. y FERNÁNDEZ, T. R.: *Curso de Derecho Administrativo,* I, Civitas, Madrid, 2000.
- PARADA VÁZQUEZ, R.: *Derecho Administrativo,* t. I, Marcial Pons, Madrid, 2000.
- SALAS, J.: «Los decretos-leyes en la teoría y en la práctica constitucional», en *Estudios sobre la Constitución Española. Homenaje al profesor Eduardo García de Enterría,* I, Madrid, 1991, págs. 267-327.
- SANTAOLALLA MACHETTI, P.: *El régimen constitucional de los decretos-leyes,* Madrid, 1998.
- TRAYTER, J. M.: *Los límites materiales del Decreto-ley en la Constitución,* Santiago de Compostela, 1988.

Caso nº 4: REGLAMENTO INDEPENDIENTE

PLANTEAMIENTO

Un Real Decreto transforma la Real Escuela de la Seda de Valencia, creando nuevas Escuelas Profesionales de Diseñadores Textiles. El fin perseguido por esta norma es procurar que los profesionales del diseño, con la nueva organización administrativa y pedagógica, adquieran una formación cualificada, procurando igualmente mejorar la atención al alumno. El Colectivo de Profesores de Diseño Textil entiende que con esta disposición reglamentaria se vulnera la LOGSE, y que además se ha incurrido en diversos vicios procedimentales en su elaboración, por lo que se plantean interponer un recurso contra el mismo basado en los siguientes extremos, sobre los que se deberá informar:

1. ¿Se dictó el Real Decreto que se quiere impugnar en ejecución de los preceptos de la LOGSE que más adelante se consignan o se trata de una disposición de carácter organizativo? ¿Qué ámbito corresponde a los reglamentos independientes frente a los ejecutivos?
2. Se argumenta que el Real Decreto adolece de vicio de nulidad al omitirse en su elaboración el dictamen del Consejo de Estado.
3. El Colectivo alega igualmente que no fue consultado en el procedimiento de su elaboración. ¿Es necesaria dicha consulta en una norma como ésta?

DOCTRINA

¿Existen los reglamentos independientes, esto es reglamentos dictados al margen de una ley? Si se parte de que en la Constitución no se ha previsto una reserva de reglamento, tal como ha destacado el Tribunal Constitucional (SSTC 18/82, f.j. 3 y 35/82, f.j. 2) al establecer la supremacía de la ley sobre el reglamento y la inexistencia de tal reserva, parece que a los reglamentos independientes la Constitución no les ofrece ámbito de actuación. La regla general en el Derecho español es la utilización de los reglamentos ejecutivos, que se dictan para desarrollar una ley, y responde al modelo delineado en la Constitución de relación ley-reglamento

Sin embargo, aunque no puede deducirse de la Constitución una potestad reglamentaria independiente del Gobierno, si parece inferirse de la STC 18/82 (f.j. 4) la posibilidad de que el Gobierno dicte reglamentos independientes en la esfera organizatoria. El alto Tribunal no se define sobre si esos reglamentos tienen el carácter de independientes, pero si dice que «los mismos no aparecen necesariamente como complementarios de la Ley».

Se percibe, llegados a este punto, que los órganos ejecutivos dictan reglamentos independientes en el Derecho español, y asimismo que ofrece dificultades determinar los límites de estos reglamentos. En las materias reservadas a la ley tales reglamentos no tienen cabida. En aquellos ámbitos en los que los reglamentos independientes pueden incidir, por ejemplo organización y esfera económica, la jurisprudencia ha sido oscilante en lo que se refiere al contenido y límites de esos reglamentos, e incluso en algunos supuestos ha ampliado su ámbito más allá de lo que puede considerarse las materias propias de tales reglamentos.

LEGISLACIÓN

- CE: art. 105.a).
- LOGSE: arts. 38, 46 y 47.
- LOCE: art. 23.2.

JURISPRUDENCIA

- STC 18/1982, de 4 de mayo: no existencia del principio de reserva reglamentaria en el Derecho español y relación ley -reglamento.
- STC 83/1984, de 24 de julio: las leyes pueden contener remisiones a normas reglamentarias, pero tales remisiones no pueden permitir unas regulación independiente y que no esté claramente subordinada a la ley.
- SSTS 27.01.92 (681), 20.05.93 (3420), 6.11.95 (8165), 9.02.96 (1812): dictamen del Consejo de Estado; SSTS 25.09.89 (7401), 8.06.92 (4789), 11.03.91 (2382), 16.04.91 (552), 27.03.93 (1918), 5.04.94 (4127) y 28.01.97 (534): participación en la elaboración; SSTS 10.03.82 (1245), 12.02.86 (1436), 12.11.86 (8063), 30.03.92 (3236), 25.07.96 (6345), 3.10.96 (7203) y 28.01.97 (534): distinción entre reglamento ejecutivo y reglamento independiente.

BIBLIOGRAFÍA

- BAÑO LEÓN, J. M.: *Los Límites constitucionales de la potestad reglamentaria. Remisión normativa y reglamento independiente en la Constitución de 1978,* Madrid, 1991.
- GARCÍA DE ENTERRÍA, E y FERNÁNDEZ RODRÍGUEZ, T. R.: *Curso de Derecho Administrativo,* I, Madrid, 2002.
- GARCÍA MACHO, R., *Reserva de ley y potestad reglamentaria,* Barcelona, 1988.
- SANTAMARÍA PASTOR, J.A.: *Fundamentos de Derecho Administrativo I,* Madrid, 1988.

Caso nº 5: DESLEGALIZACIÓN

PLANTEAMIENTO

La disposición adicional octava de la Ley 7/1992, de 28 de diciembre, de Presupuestos de la Generalitat Valenciana para el ejercicio de 1993, establece que el Gobierno Valenciano delegará en los Ayuntamientos las funciones y servicios de interés general agrario que antes podían ejercerse y prestarse por las extintas Cámaras Agrarias locales. Por medio del Decreto 36/1993, de 8 de marzo, del Gobierno Valenciano, se regula el procedimiento para la atribución del patrimonio y adscripción de los medios de aquellas, incorporando un Anexo donde se concretan e individualizan las adscripciones de personal a cada Ayuntamiento afectado, fijando los costes del mismo con el compromiso de sufragarlos.

El Ayuntamiento de Vilanova es uno de los afectados por tal delegación obligatoria, y entendiendo que ello va a suponer un perjuicio para sus intereses, solicita un dictamen que debe versar sobre los siguientes extremos:

1. ¿Se ha producido un supuesto de deslegalización?
2. ¿Debería haber llevado aparejada la delegación operada en la Ley de Presupuestos la dotación o el incremento de los medios económicos para su desempeño?
3. ¿Considera lesivo lo anterior para la autonomía local?

DOCTRINA

La jerarquía normativa (art. 9.3 CE) puede sufrir en determinadas situaciones degradaciones, sin incurrir en ilegalidad y/o inconstitucionalidad. Una de ellas es la deslegalización, técnica jurídica mediante la que una materia determinada pasa de ser regulada por una ley formal a ser objeto de normación de rango inferior. Por medio de la deslegalización se amplia la potestad reglamentaria, al abrirse a ésta una materia que hasta entonces estaba fuera de su alcance. Es, por ello, que tal ampliación tiene límites establecidos y tasados.

La técnica deslegalizadora no puede incidir en los ámbitos reservados a la ley, y que este límite se respete es preocupación constante de la jurisprudencia del Tribunal Constitucional (por ejemplo, SSTC 99/87, f.j. 3 y 284/93, f.j. 3), pues con ello, al permitir que una materia que debe ser regulada por ley se haga a través del Reglamento, se quiebra la división de poderes y el principio democrático. Desde estos presupuestos, la deslegalización tiene ámbitos de actuación muy reducidos, dado que debe otorgarse de forma concreta y para materia determinada. En este contexto, las esferas habituales de actuación de tal técnica jurídica son la organización administrativa y cuando tengan que ser tomados en consideración factores técnicos que difícilmente pueden ser concretados por ley, por lo que se habilita al reglamento para que concrete la materia (STC 185/95, f.j. 6).

LEGISLACIÓN

- CE. art. 103.
- LRBRL: arts. 27.1 y 3.
- Ley 7/1992, de 28 de diciembre, de Presupuestos de la Generalitat Valenciana para el ejercicio de 1993: disposición adicional octava (BOE de 20 de marzo de 1993, núm. 68).
- Decreto 36/1993, de 8 de marzo, del Gobierno Valenciano, art. 7: «La Consellería de Economía y hacienda adoptará las medidas necesarias para que se transfieran a los Ayuntamientos respectivos dotaciones presupuestarias necesarias de los puestos de trabajo para cubrir los gastos que en materia de personal origine su integración».

JURISPRUDENCIA

- STC 83/1984, de 24 de julio: la habilitación genérica al Gobierno equivale a una deslegalización, que viola la reserva de ley.
- STC 99/1987, de 11 de junio: la deslegalización es contraria a la reserva constitucional, si en ella se contienen puras y simples remisiones al reglamento, vacías de todo vínculo sustantivo.
- STC 185/1995, de 5 de diciembre: factores técnicos pueden justificar que la ley encomiende a normas reglamentarias la regulación de una materia.
- SSTS 18.11.94 (8830 y 8831) y 28.11.94 (8955): concepto deslegalización; SSTS 11.01.1995 (461), 24.01.1995 (478), 11.01.96 (179), 6.02.91 (1211), 14.11.90 (8657), 19.12.94 (10050 y 10051), 29.12.94 (10060), 30.12.94 (10062) y STS 11.01.96 (179): supuestos y límites de la deslegalización.

BIBLIOGRAFÍA

- GARCÍA DE ENTERRÍA, E. y FERNÁNDEZ RODRÍGUEZ, T. R.: *Curso de Derecho Administrativo*, II, Civitas, Madrid, 2002.
- VILLAR PALASÍ, J. L.: voz «Deslegalización», en *Enciclopedia Jurídica*, Civitas, Madrid, 1994.

Caso nº 6: DECRETO LEGISLATIVO

PLANTEAMIENTO

Por medio de una Ley de Bases sobre Viviendas de Protección Oficial, se autoriza al Gobierno para refundir en el plazo de un año y en un sólo texto las disposiciones legales vigentes en la materia, debiendo comprender también la refundición la regularización, aclaración y armonización de dichas disposiciones. En este tiempo se dicta el Real Decreto Legislativo que aprueba un Texto Refundido de las Disposiciones Vigentes en Materia de Viviendas de Protección Oficial. Este texto modifica sustancialmente el Real Decreto Ley 31/1978, de 31 de octubre, sobre Política de Viviendas de Protección Oficial, en lo que se refiere al régimen sancionador. La Asociación de Promotores Inmobiliarios se plantea recurrir dicha norma, basándose en las siguientes cuestiones:

1. ¿Qué diferencias encuentra entre los decretos leyes y los decretos legislativos, atendiendo que ambos son actos del Gobierno con fuerza de ley?
2. ¿Puede operar tal modificación un Decreto legislativo?, ¿qué órgano es el competente para juzgar la posible extralimitación?
3. ¿Qué consecuencias conllevaría que el Decreto Legislativo no se hubiera dictado en el plazo establecido al efecto?

DOCTRINA

El Decreto legislativo (art. 85 CE) es una disposición que emana del Gobierno con rango de ley, dictada en virtud de una previa delegación legislativa, que quiebra el monopolio legislativo del Parlamento, y que, debido a esta circunstancia, está sometido a unos requisitos formales contenidos en el art. 82 CE, que tienden a delimitarlo, encuadrándolo en un marco necesariamente más estrecho que aquél en el que se mueven las Cortes Generales en cuanto órgano legislador soberano (STC 51/82, f.j. 1). La delegación es otorgada por las Cortes Generales exclusivamente al Gobierno (art. 82.1 CE), pudiendo utilizar esta técnica jurídica también los Gobiernos de las Comunidades Autónomas mediante ley de sus respectivos Parlamentos, siempre que sus Estatutos de Autonomía hayan incluido como fuente del derecho la delegación legislativa. Debido a la excepcionalidad de tal técnica jurídica la delegación se otorga al

Gobierno con unos límites, contenidos en el art. 82.3 CE. La Constitución ha dicho el TC (STC 205/93, f.j. 3) «no sólo exige una delegación expresa, excluyendo la posibilidad de delegaciones tácitas o implícitas, y prevé un límite temporal para el ejercicio de la delegación, que se agota con su uso, sino que además impone que la delegación legislativa habrá de determinar expresamente la materia concreta, el objeto y alcance de la delegación legislativa y los principios y criterios que han de seguirse en su ejercicio».

La Constitución admite dos posibilidades de delegación legislativa (art. 82.2). Por una parte, ley de refundición-texto refundido, en la que la capacidad de innovación está restringida, y se limita a la labor de regularización, aclaración y armonización de textos legales (art. 82.5), y, por otra, leyes de bases-textos articulados, en el que la capacidad innovadora es más amplia, y frecuentemente implica un proceso de reforma legislativa.

Una cuestión que debe destacarse es la referente al control de los límites, establecidos constitucionalmente, de la delegación legislativa. Existen diversos planteamientos doctrinales sobre el tema, en el sentido de si el TC dispone del monopolio para ejercer el control de los excesos de la delegación legislativa, o bien si la jurisdicción ordinaria puede también ejercer tal control. El TC se ha definido sobre la cuestión, estableciendo que la competencia de los tribunales ordinarios para enjuiciar la adecuación de los Decretos legislativos a la leyes de delegación se deduce del art. 82.6 CE (STC 47/84, f.j. 3).

Los Decretos legislativos y los Decretos-leyes tienen una cosa en común, y es que ambos son normas que emanan del Gobierno y tienen fuerza de ley. Sin embargo, existe una diferencia esencial, dado que el ejercicio de la potestad legislativa está sometida a límites diversos. Así, los primeros sólo pueden dictarse mediante una previa habilitación por ley, mientras que los Decretos-leyes no necesitan tal apoderamiento.

LEGISLACIÓN

- CE: arts. 82 a 85.
- Real Decreto Ley 31/1978, de 31 de octubre, sobre Política de Viviendas de Protección Oficial (BOE núm. 267, de 8.11.1978): art. 8.

JURISPRUDENCIA

- STC 51/1982, de 19 de julio: control de los decretos legislativos.
- STC 47/1984, de 4 de abril: el control de los excesos de la delegación legislativa corresponde también a la jurisdicción ordinaria.
- STC 13/1992, de 6 de febrero: la delegación legislativa se otorga al Gobierno para «materia concreta».
- STS 3.02.97 (1552): decreto legislativo; STS 6.03.91 (2883): distinción entre decreto-ley y decreto legislativo; SSTS 25.09.81 (3294), 12.07.83 (3950) y 30.12.86 (7708): control del ejercicio de la delegación.

BIBLIOGRAFÍA

- DE LA QUADRA-SALCEDO, T.: «La delegación legislativa en la Constitución Española», en *Estudios sobre la Constitución Española. Homenaje al profesor Eduardo García de Enterría*, I, Madrid, 1991.
- GARCÍA DE ENTERRÍA y FERNÁNDEZ RODRÍGUEZ, T. R.: *Curso de Derecho Administrativo*, I, Madrid, 2000.
- MORELL OCAÑA, L.: *Curso de Derecho Administrativo*, I, Aranzadi, Pamplona, 2001.
- PAREJO ALFONSO, L./JIMÉNEZ-BLANCO, A./ORTEGA ÁLVAREZ, L.: *Manual de Derecho Administrativo I*, Ariel, Barcelona, 1998.
- SANTAMARÍA PASTOR, J. A.: *Fundamentos de Derecho Administrativo*, CEURA, Madrid, 1988.

CAPÍTULO | **ORGANIZACIÓN**

II

David Blanquer Criado
Universidad Jaime I. Castellón

Caso nº 1: COMPETENCIA

PLANTEAMIENTO

La Generalidad de Cataluña pide a la Administración General del Estado una indemnización por los daños sufridos por la fauna piscícola de las Islas Medas como consecuencia de una intervención de las Fuerzas de Seguridad del Estado. Un submarinista deportivo descubrió en el lecho marino adyacente a las Islas Medas (Girona) una mina abandonada desde tiempos de la Guerra Civil, por lo que avisó a las citadas Fuerzas de Seguridad. Después de retirarla un equipo especializado de submarinistas dependiente de la Administración General del Estado procedió a su explosión controlada, causando daños en la fauna y la flora marina. La Generalidad de Cataluña justifica su legitimación en las potestades que ostenta sobre el fondo marino de las Islas Medas, reserva natural cuya gestión corresponde a esa Comunidad Autónoma.

A la vista de esos antecedentes debe hacerse un informe jurídico sobre los problemas que plantea la doctrina y jurisprudencia aplicables, debiendo responderse, cuando menos a las siguientes preguntas:

1. ¿Qué competencias tiene el Estado en materia de costas?
2. ¿Qué competencias tiene la Generalidad de Cataluña en relación a la conservación de la flora y la fauna del fondo marino de las Islas Medas?
3. ¿Qué relación existe entre la titularidad de una competencia y la titularidad de un bien?; ¿tiene la Generalidad de Cataluña la consideración jurídica de lesionado legitimado para reclamar la indemnización de daños y perjuicios?

DOCTRINA

Una empresa o administración privada tiene un amplio margen de libertad para fijar en sus estatutos cuál es su objeto social, y disfruta de un amplio margen de discrecionalidad para elegir qué actividades va a desarrollar. No sucede lo mismo con las Administraciones Públicas, que no puede elegir a su antojo en qué ámbitos de la realidad van a ejercer sus potestades. Son las normas del ordenamiento jurídico (fundamentalmente la Constitución y las Leyes), las que externamente determinan el espacio competencial de las Administraciones Públicas. Es de capital importancia que las Administraciones Públicas respeten ese marco competencial, toda vez que son nulos de pleno derecho los actos administrativos dictados por órganos manifiestamente incompetentes por razón de la materia o el territorio (art. 62.1.b LAP).

El nudo central del problema es la delimitación conceptual entre la competencia de una Administración Pública y la titularidad del dominio público (que puede corresponder a otra Administración Pública distinta). La competencia es la medida de capacidad de una Administración Pública o de órgano incrustado en ella. De la misma resulta las potestades (normativas, ejecutivas) que ostenta una Administración Pública sobre una determinada materia (costas, protección del medio ambiente). Cuestión distinta a la titularidad de una competencia es la titularidad de un bien o derecho. Que la titularidad de un bien de dominio público como es una calle corresponda a un Ayuntamiento no tiene como consecuencia necesaria que el Ayuntamiento tenga competencia (normativa, ejecutiva) sobre todas las actividades que se desarrollan sobre ese bien (desde la terraza de un bar hasta una estación de autobuses interurbanos).

LEGISLACIÓN

- CE: arts. 106.2, 132, 148.1.9, 149.1.4, 149.1.23 y 149.1.29.
- Ley 22/1988, de 22 de julio, de Costas: arts. 3, 4 y 5.
- Ley del Parlamento de Cataluña 19/1990, de 10 de diciembre, de conservación de la flora y la fauna del fondo marino de las Islas Medas (BOE nº 8, de 9 de enero de 1991).
- LAP: arts. 4.12 y 139.
- LOTT: arts. 127 a 132.

JURISPRUDENCIA

- SSTC 329/1993, 12.11, 149/1991, 4.7, 137/1989, 20.7, 227/1988, 29.11, 64/1982, 4.11: reparto de competencias normativas y ejecutivas entre el Estado y las Comunidades Autónomas en materia de medio ambiente.
- Dictamen del Consejo de Estado 7.7.1948 (expediente número 3.534): diferencia entre titularidad de una competencia y titularidad de un bien de dominio público.
- Dictamen del Consejo de Estado 7.2.1991 (expediente número 55.672, marginal 150 de la Recopilación de Doctrina Legal del Consejo de Estado del año 1991): diferencia entre titularidad de una competencia y titularidad de un bien de dominio público a efecto de indemnización de daños y perjuicios.

BIBLIOGRAFÍA

- COSCULLUELA MONTANER, L.: *Manual de Derecho Administrativo I*, Civitas, Madrid, 2002.
- GARCÍA DE ENTERRÍA, E. y FERNÁNDEZ, T. R.: *Curso de Derecho Administrativo*, Civitas, Madrid, 2002.
- FERNÁNDEZ, T. R.: «Las obras públicas», *Revista de Administración Pública*, n° 100-102, volumen III, en especial página 2429 y ss. (de especial interés para conocer y comprender la diferencia entre titularidad de una competencia y titularidad de un bien de dominio público).

Caso nº 2: DELEGACIÓN DE COMPETENCIAS ENTRE ÓRGANOS DE UNA MISMA ADMINISTRACIÓN PÚBLICA

PLANTEAMIENTO

En los últimos años los padres de alumnos de centros docentes dependientes de la Administración General del Estado presentan un elevado número de reclamaciones de indemnización de daños y perjuicios por los sufridos por sus hijos con ocasión o como consecuencia del funcionamiento de los centros docentes. Como es competencia de la Ministra de Educación y Cultura la estimación o desestimación de las reclamaciones, la Ministra experimenta un considerable aumento de su carga cotidiana de trabajo, y por ello considera la viabilidad jurídica de delegar a un subordinado jerárquico esa competencia.

A la vista de esos antecedentes debe hacerse un informe jurídico sobre los problemas que plantea la doctrina y jurisprudencia aplicables, debiendo responderse, cuando menos a las siguientes preguntas:

1. ¿En qué circunstancias cabe delegar una competencia?
2. ¿Existe algún límite que impida que un Ministro delegue sus competencias?
3. ¿Qué requisitos deberían cumplirse para realizar la delegación?
4. ¿Cómo debería ejercerse la competencia una vez delegada?

DOCTRINA

Cada Administración Pública es una persona jurídica autónoma y distinta de los demás sujetos de Derecho. Dentro de cada persona jurídica administrativa (Administración General del Estado, Administración de la Comunidad Autónoma, Diputación Provincial, Ayuntamiento) hay distintos órganos (por ejemplo, dentro de la primera Consejo de Ministros, Ministros, Secretarios de Estado, Subsecretarios, Directores Generales ...). Las normas de distribución de competencias siempre designan la persona jurídica a la que se atribuye una competencia, y además es frecuente que especifiquen qué órgano administrativo debe ejercerlas. Esa atribución competencial puede ser rígida (no admite modificaciones) o elástica (permite la traslación).

La delegación de competencias es una traslación provisional o reasignación del ejercicio de una competencia. Se trata de una institución jurídica que se dirige a cumplir determinados fines de interés público relacionados con la eficacia administrativa y la celeridad en la tramitación de expedientes. Por ello, las Administraciones Públicas no pueden decidir arbitraria o caprichosamente la delegación de competencias; únicamente pueden hacerlo cuando concurran las razones de interés público señaladas en la Ley. Además de ese, existen otros límites en materia de delegación de competencias, toda vez que la trascendencia política, social, económica o jurídica de determinadas disposiciones y actos impiden la delegación por razón de su importancia. Finalmente, razones de seguridad jurídica imponen que una vez realizada la delegación se cumplan ciertos requisitos que condicionan el ejercicio de la competencia ya delegada, para garantizar así su publicidad. Hay que tener en cuenta que para interponer en vía administrativa un recurso para impugnar un acto debe conocerse qué órgano lo ha dictado, por lo que es relevante poner de manifiesto si la competencia es propia o delegada.

LEGISLACIÓN

- LAP: arts. 13 y 142.2.
- LOCE: art. 22.13.
- LOGSE
- Ley de 17 de julio de 1953, de Regulación del Seguro Escolar: art. 2.
- Orden Ministerial de 11 de agosto de 1953, por la que se aprueban los Estatutos de la Mutualidad de Previsión Escolar (BOE nº 240, de 28 de agosto: Disp. transitoria primera).

JURISPRUDENCIA

- SSTS 11.5.1992 (4305), 23.11.1989 (4970/92), 21.5.1987 (5831), 12.11.1984 (6211), y 17.10.1984 (6190): la competencia para acordar el ejercicio de acciones judiciales en defensa del Ordenamiento jurídico, que corresponde al Subdelegado del Gobierno, no es delegable a la Abogacía del Estado.
- SSTS 11.5.1992 (4305), 16.3.1992 (2984), 6.4.1988 (2626) y 4.11.1985 (6298): reasignación de competencias.
- Dictamen del Consejo de Estado 20.6.1996 (expediente número 2.428/96): delegación de competencias de un Ministro a un órgano jerárquicamente subordinado.

BIBLIOGRAFÍA

- COSCULLUELA MONTANER, L.: *Manual de Derecho Administrativo I*, Civitas, Madrid, 2002.
- PAREJO, L., JIMÉNEZ-BLANCO, A. y ORTEGA, L.: *Manual de Derecho Administrativo*, vol. 1, 5ª ed., Ariel, Barcelona, 1998.
- SANTAMARÍA PASTOR, J. A.: *Fundamentos de Derecho Administrativo I*, Centro de Estudios Ramón Areces, Madrid, 1988, págs. 911 y ss.

Caso nº 3: DELEGACIÓN DE COMPETENCIAS ENTRE ÓRGANOS DE DISTINTAS ADMINISTRACIONES PÚBLICAS

PLANTEAMIENTO

Con el fin de agilizar la gestión administrativa en materia de personal de los Organismos Autónomos que dependen del Ministerio de Fomento, ese Departamento Ministerial ha elaborado un proyecto de disposición de carácter general que posibilita que el Subsecretario de Fomento delegue ciertas competencias en favor de los Presidentes y Directores de aquellos Organismos Autónomos, como las relativas a la formalización de las tomas de posesión y ceses, concesión de licencias y permisos, autorización para residir fuera del término municipal de destino, reconocimiento de trienios, declaración de jubilación por edad o por incapacidad física.

A la vista de esos antecedentes debe hacerse un informe jurídico sobre los problemas que plantea la doctrina y jurisprudencia aplicables, debiendo responderse, cuando menos a las siguientes preguntas:

1. ¿Existe un fundamento objetivo y razonable que pueda justificar esa delegación de competencias?; ¿cuál es ese fundamento?
2. ¿Es posible una delegación de competencias entre dos órganos (Ministro y Subsecretario) de una misma persona jurídica (Administración General del Estado)?; ¿es posible que un órgano (Subsecretario) de una persona jurídica (Administración General del Estado) delegue competencias a un órgano (Presidente o Director) de otra persona jurídica distinta (Organismo Autónomo)?; ¿en qué se diferencia la delegación de competencias de la desconcentración de competencias?

DOCTRINA

En el caso 2 ya hemos explicado la distinción entre los órganos administrativos y la personalidad jurídica de las Administraciones Públicas. Dentro de éstas últimas hay personas territoriales (Administración General del Estado, Administración de las Comunidades Autónomas, Diputación Provincial, Ayuntamiento) y otras personas institucionales (como los Organismos Autónomos). Estas últimas tienen un cierto espacio de autonomía, pero son creadas por las Administraciones Territoriales para desarrollar competencias concretas y específicas. Como consecuencia de ello, esas personificaciones instrumentales se encuadran en alguna de las territoriales. Esa vinculación justifica con alguna frecuencia la traslación de competencias entre distintas personas jurídicas.

Para resolver correctamente este caso debe partirse de la comprensión de la diferencia entre el concepto de persona jurídica y el de órgano. A efectos de reasignación de competencias, no es lo mismo que la delegación se realice entre dos órganos incardinados en una misma persona jurídica, que la reasignación de competencias entre órganos de distintas personas jurídicas. Se suscita también la cuestión relativa a la diferencia entre los conceptos de delegación y desconcentración; se trata de dos técnicas jurídicas que permiten modificar la distribución de competencias; en un caso la reasignación tiene carácter provisional y por tanto revocable, mientras que en el otro reviste las notas de permanencia e irrevocabilidad; la primera se proyecta sobre el ejercicio de la potestad y la segunda sobre la titularidad de la potestad. Establecida la distinción entre la delegación y la desconcentración, se trata de estudiar cuál es el régimen legal vigente de una y otra técnica de reasignación de competencias.

LEGISLACIÓN

- CE: art. 103.1.
- LAP: arts. 12.2 y 13.
- LOFAGE: arts. 1, 2, 15.1.f), 47 y Disp. adicional decimotercera.

JURISPRUDENCIA

- SSTS 11.5.92 (4305), 16.3.92 (2984), 6.4.88 (2626) y 4.11.85 (6298): reasignación de competencias.
- Dictamen del Consejo de Estado 27.4.1995 (expediente número 2058/94, marginal 46 de la Recopilación de Doctrina Legal del Consejo de Estado del año 1995).

BIBLIOGRAFÍA

- PAREJO, L., JIMÉNEZ-BLANCO, A. y ORTEGA, L.: *Manual de Derecho Administrativo*, vol. 1, 5ª ed., Ariel, Barcelona, 1998.
- SANTAMARÍA PASTOR, J. A.: *Fundamentos de Derecho Administrativo I*, Centro de Estudios Ramón Areces, Madrid, 1988, págs. 911 y ss.

Caso nº 4: CONFLICTO DE ATRIBUCIONES

PLANTEAMIENTO

Un Guardia Civil es sancionado disciplinariamente a dos semanas de arresto domiciliario por la comisión de una infracción leve. Pese a interponer un recurso contra la sanción y pedir cautelarmente la suspensión de su ejecución (mientras se sustancian los trámites previos a la estimación o desestimación del recurso), el Guardia Civil cumplió todo ese tiempo de arresto domiciliario antes de que se resolviese el recurso. Ocurre que al final, por falta de pruebas y en aplicación de la presunción constitucional de inocencia, la sanción fue anulada por Sentencia dictada por el Tribunal Militar Territorial. A la vista de la anulación de la sanción ya cumplida, el Guardia Civil dirige al Ministro del Interior una reclamación de indemnización de daños y perjuicios por los sufridos como consecuencia de una sanción anulada por Sentencia. Sucede que al tener noticia el Ministerio de Defensa de la tramitación de ese expediente de responsabilidad patrimonial, requiere al Ministerio del Interior que se inhiba por entender que la competencia para conocer la reclamación indemnizatoria estimándola o desestimándola corresponde al Ministerio de Defensa.

A la vista de esos antecedentes debe hacerse un informe jurídico sobre los problemas que plantea la doctrina y jurisprudencia aplicables, debiendo responderse, cuando menos a las siguientes preguntas:

1. ¿A quién corresponde la competencia para poner fin al expediente de indemnización de daños y perjuicios?
2. ¿Por qué el Ministerio de Defensa requiere que se inhiba el Ministerio del Interior?
3. ¿A través de qué procedimiento se resuelven los conflictos de atribución de competencias entre distintos órganos de una misma Administración Pública?
4. ¿Cuál es el procedimiento cuando se trata de un conflicto entre órganos de un mismo Departamento Ministerial?

DOCTRINA

Sólo son válidos los actos dictados por el órgano administrativo que tiene atribuida la competencia correspondiente, quien además debe seguir el procedimiento legalmente establecido. Las relaciones entre órganos de una misma persona jurídica administrativa no siempre son pacíficas; como existen solapamientos competenciales, con frecuencia se suscitan conflictos acerca de cuál tiene atribuida una concreta potestad, bien porque ninguno quiera ejercerla, bien porque todos la reclaman como propia. En ocasiones el conflicto se origina porque las normas de atribución de competencias utilizan conceptos jurídicos indeterminados que se abren a interpretaciones divergentes.

Se suscita entonces un conflicto encaminado a la determinación del órgano competente para poner fin a un procedimiento administrativo, lo que indirectamente conduce a señalar qué órganos son incompetentes. A través del procedimiento para la resolución de los conflictos de atribuciones se garantiza que los actos administrativos se dicten por el órgano competente (art. 53.1 Ley 30/1992), evitando la injerencia de un órgano en la esfera de competencias de otro órgano distinto. La Ley 30/1992 regula la resolución pacífica de los conflictos de atribuciones entre distintos órganos de una misma Administración Pública. Los conflictos de atribuciones pueden ser positivos (cuando más de un órgano reclama la misma competencia) o negativos (cuando ningún órgano asume una competencia determinada). Mientras que esos conflictos pueden ser resueltos sin necesidad de acudir a los Tribunales (precisante por producirse en el seno de una sola persona jurídica administrativa), los conflictos entre distintas Administraciones Públicas deben residenciarse bien ante los Tribunales de la Jurisdicción Contencioso-Administrativa, bien ante el Tribunal Constitucional.

LEGISLACIÓN

- Ley Orgánica 2/1986, de 13 de marzo,de Cuerpos y Fuerzas de Seguridad del Estado: art. 15.1.
- Ley Orgánica 11/1991, de 17 de junio, del Régimen Disciplinario de la Guardia Civil: arts. 18 a 30 y 63 a 67.
- Ley Orgánica 4/1987, de 15 de julio, de la Competencia y la Organización de la Jurisdicción Militar: art. 45.6.
- LAP: arts. 20, 53.1, 62.1.b), 67.3 y 142.2.
- LOFAGE: Disp. adicional decimocuarta.
- LOTC: arts. 59 a 75.
- LRBRL: arts. 22.2.h), 33.2.i), 50, 63.3 y 66.

JURISPRUDENCIA

- Dictamen del Consejo de Estado 5.7.1979 (expediente número 42.178, marginal 2 de la Recopilación de Doctrina Legal del Consejo de Estado 1978-79): conflicto de atribuciones entre el Ministerio de Obras Públicas y Urbanismo y el Ministerio de Industria, en relación a la competencia para otorgar una concesión de aguas de un manantial.
- Dictamen del Consejo de Estado 9.2.1995 (expediente número 124/95, marginal 213 de la Recopilación de Doctrinal Legal del Consejo de Estado 1995): competencia del Instituto de la Vivienda de las Fuerzas Armadas para resolver las reclamaciones de indemnización de daños y perjuicios causados por edificios a él asignados.
- Dictámenes del Consejo de Estado 21.12.1995 (expediente número 2156/95, marginal 306 de la Recopilación de Doctrina Legal del Consejo de Estado 1995) y 30.6.1994 (expediente número 402/94, marginal 287 de la Recopilación de Doctrina Legal del Consejo de Estado 1994): indemnización de daños y perjuicios causados a un militar por el cumplimiento de una sanción disciplinaria después anulada.
- Dictámenes del Consejo de Estado 16.3.1995 (expediente número 464/95, marginal 222 de la Recopilación de Doctrina Legal del Consejo de Estado 1995), 27.4.1995 (expediente número 2557/94, marginal 288 de la Recopilación de Doctrina Legal del Consejo de Estado 1995) y 29.4.1993 (expediente número 276/93, marginal 199 de la Recopilación de Doctrina Legal del Consejo de Estado 1993): indemnización de daños y perjuicios a un Guardia Civil, por los causados por una sanción disciplinaria después anulada por Sentencia judicial.

BIBLIOGRAFÍA

- BLANQUER, D.: *Ciudadano y soldado. La Constitución y el servicio militar*, Civitas, Madrid, 1996, págs. 687 y ss. (en relación a la indemnización de daños y perjuicios causados por sanción disciplinaria después anulada).
- PAREJO, L., JIMÉNEZ-BLANCO, A. y ORTEGA, L.: *Manual de Derecho Administrativo*, vol. 1, 5ª ed., Ariel, Barcelona, 1998.
- SANTAMARÍA PASTOR, J. A.: *Fundamentos de Derecho Administrativo I*, Centro de Estudios Ramón Areces, Madrid, 1988, págs. 929 y ss. (en relación a los conflictos de atribuciones).

Caso nº 5: RÉGIMEN DE FUNCIONAMIENTO DE ÓRGANOS COLEGIADOS

PLANTEAMIENTO

En el orden del día de la Comisión Interministerial de Asilo y Refugio del 17 de marzo del año en curso, consta que, tras el oportuno examen y deliberación, se aprobarán las correspondientes propuestas de resolución que se elevarán al Ministro del Interior para que otorgue o deniegue el asilo político solicitado por tres ciudadanos de Libia y un ciudadano de Irán. Reunida en esa fecha la citada Comisión Interministerial y después de tratar todos los asuntos que figuraban en el orden del día, los representantes de los Ministerios de Asuntos Exteriores, Justicia y Trabajo y Asuntos Sociales piden que se amplíe el orden del día para tratar además la solicitud de asilo político presentada por una ciudadana de Cuba. Se opone a ello el representante del Ministerio del Interior, quien argumenta que ese asunto no puede ser tratado al no figurar en el orden del día. Añade además que para tratar esa cuestión debe abstenerse el representante del Ministerio de Asuntos Exteriores, quien anteriormente estuvo destinado en La Habana y durante ese tiempo conoció y entabló amistad con la solicitante de asilo político. Pese a ello, los demás miembros de la Comisión Interministerial acuerdan deliberar acerca de la solicitud de asilo presentada por la ciudadana cubana. Enfadado por la situación, el representante del Ministerio del Interior abandona la reunión, pese a lo cual los demás miembros de la Comisión Interministerial, tras la oportuna deliberación, acuerdan elevar propuesta favorable al otorgamiento del asilo político.

A la vista de esos antecedentes debe hacerse un informe jurídico sobre los problemas que plantea la doctrina y jurisprudencia aplicables, debiendo responderse, cuando menos a las siguientes preguntas:

1. ¿Cuál es la composición de la Comisión Interministerial de Asilo y Refugio?; ¿qué funciones tiene esa Comisión Interministerial?
2. ¿Cuáles son las reglas esenciales de formación de la voluntad de los órganos colegiados?; ¿qué incidencia tiene que se adopte un acuerdo que no figura en el orden del día?; ¿reúne la Comisión Interministerial el *quorum* necesario para adoptar acuerdos después de que el representante del Ministerio del Interior abandona la reunión?; ¿puede intervenir el representante del Ministerio de

Asuntos Exteriores a la vista de su relación de amistad con la cubana solicitante de asilo político?; ¿qué sucede si su voto es determinante de que se apruebe una propuesta de resolución favorable al otorgamiento de asilo político, porque descontado ese voto hay empate?

DOCTRINA

Dentro de una Administración Pública con personalidad jurídica propia coexisten órganos unipersonales (Ministro, Subsecretario, Director General) y órganos colegiados (Consejo de Ministros, Comisiones Delegadas del Gobierno, Comisiones Interministeriales). A diferencia de los órganos unipersonales, los órganos colegiados se rigen por unas reglas especiales que determinan cuál debe ser su funcionamiento y qué trámites deben cumplir para formar válidamente la voluntad del órgano (fruto de las deliberaciones desarrolladas por sus miembros y como consecuencia de las correspondientes votaciones). El cumplimiento o incumplimiento de esas reglas tiene una gran trascendencia pues determina la validez o eventual nulidad de los acuerdos adoptados por el órgano colegiado. No toda vulneración de las reglas de funcionamiento puede determinar la nulidad radical de los actos dictados por el órgano colegiado; ese efecto únicamente se asocia a las reglas esenciales. El problema es que la Ley no ha especificado cuáles son esas reglas esenciales, por lo que para evitar una laguna jurídica ha sido la jurisprudencia quien las ha establecido. Además del régimen de funcionamiento de los órganos colegiados se plantea el problema de las reglas de abstención y recusación establecidas por la Ley para garantizar la imparcialidad y neutralidad de las personas físicas que se integran en un órgano administrativo. Una relación de amistad debilita la objetividad e imparcialidad. El problema es conocer en qué medida afecta a un acto administrativo la vulneración de la exigencia de abstención, en especial cuando el acto administrativo es adoptado por un órgano colegiado en el que la causa de abstención sólo se predica de uno de sus miembros, aunque su voto es determinante del sentido del acuerdo adoptado, ya que de haberse abstenido se habría producido un empate.

LEGISLACIÓN

- LOFAGE: arts. 36, 38, 39 y 40.
- LAP: arts. 23 a 29 y 62.1.e).

- Ley 5/1984, de 26 de marzo, reguladora del derecho de asilo y de la condición de refugiado, parcialmente modificada por la Ley 9/1994, de 19 de mayo: arts. 5.6, 6 y 7.
- RD 203/1995, de 10 de febrero, por el que se aprueba el Reglamento de aplicación de la Ley 5/1984, de 26 de marzo, reguladora del derecho de asilo y de la condición de refugiado, parcialmente modificada por la Ley 9/1994, de 19 de mayo: arts. 2 y 26.

JURISPRUDENCIA

- STC 50/1999, de 6 de abril de 1999: Declara que el inciso «por quien designe el órgano competente para el nombramiento de aquéllos» del art. 17.1; el art. 23.1 y 2; el art. 24.1, 2 y 3; el art. 25.2 y 3, y el art. 27.2, 3 y 5 de la Ley 30/1992, no tienen carácter básico, por lo que son contrarios al orden constitucional de competencias.
- STS 3.3.78 (1025): precisa cuáles son las reglas esenciales de formación de la voluntad de los órganos colegiados.
- STS 16.5.77 (3312): señala la trascendencia de los acuerdos adoptados por un órgano colegiado cuando no figuran en el orden del día.
- STS 18.2.83 (908): establece la diferencia entre el *quorum* de constitución de un órgano colegiado y el *quorum* de funcionamiento y adopción de acuerdos.
- SSTS 25.6.91 (6326), 4.10.93 (8620) y 19.10.93 (7367): relativas al régimen legal de abstención y recusación.
- STS 10.2.93 (550): el órgano colegial adopta un acuerdo por mayoría simple; repercusión del voto emitido por quien debió abstenerse y no lo hizo.
- STS 9.6.92 (5149): el órgano colegial adopta un acuerdo por unanimidad; repercusión del voto emitido por quien debió abstenerse y no lo hizo. Ver también SSTS 19.2.92 (1132) y 16.7.84 (4235).
- Dictamen del Consejo de Estado de 11.1.1990 (expediente número 53.358 y 52.529, marginal 47 de la Recopilación de Doctrina Legal del Consejo de Estado del año 1990): reunión de un órgano colegiado en la que participan quienes han dejado de formar parte del mismo por haber sido cesados.

BIBLIOGRAFÍA

- BLANQUER, D.: *Asilo político en España. Garantías del extranjero y garantías del interés general*, Civitas, Madrid, 1997, págs. 115 y ss.
- COSCULLUELA MONTANER, L.: *Manual de Derecho Administrativo I*, Civitas, Madrid, 2002.
- PAREJO, L., JIMÉNEZ-BLANCO, A. y ORTEGA, L.: *Manual de Derecho Administrativo*, vol. 1, 5ª ed., Ariel, Barcelona, 1998.

ADMINISTRACIÓN LOCAL

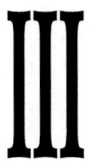

Julio Castelao Rodríguez
Universidad San Pablo-CEU, Madrid

Caso nº 1: ALTERACIÓN DE TÉRMINOS MUNICIPALES

PLANTEAMIENTO

En un núcleo urbano de la costa andaluza, cuya población ha aumentado espectacularmente en los últimos años y distante 8 Kms. de la capitalidad del Municipio, 2.190 personas inscritas en el Padrón Municipal como residentes en dicho núcleo (de las 4.050 del total de inscritos en él) presentan en las oficinas municipales un escrito solicitando la segregación del citado núcleo urbano del resto del Municipio, para constituir un Municipio nuevo, basándose para ello, fundamentalmente, en que las nuevas circunstancias urbanísticas, sociológicas y económicas derivadas del incremento turístico en la zona, aconsejan la gestión separada de sus respectivos intereses, por los representantes de los que los firmantes del escrito consideran una auténticamente nueva comunidad vecinal.

Se desea saber (con cita de normativa y jurisprudencia al respecto):

1. ¿Es legalmente posible al Ayuntamiento impedir la tramitación del expediente de segregación?
2. El acuerdo municipal desfavorable, en su caso, respecto de la solicitud vecinal de segregación ¿es vinculante para la Comunidad Autónoma?, ¿qué quórum precisa el acuerdo municipal?
3. ¿Deberá intervenir el Consejo de Estado?
4. ¿Es vicio invalidante del expediente la carencia de planos del nuevo término municipal que se pretende crear?
5. ¿Tiene la Administración General del Estado el derecho a conocer la alteración que, en su caso, se produzca?

Redáctese Dictamen sobre si deberá quedar acreditado por los solicitantes:

a) Su condición de vecinos. Téngase en cuenta que entre los solicitantes figuran 127 extranjeros.
b) Que el número de solicitantes es legalmente suficiente. Téngase en cuenta que entre los solicitantes figuran 32 menores de edad.
c) Que el Municipio del que pretenden segregarse no carecerá, después de la segregación, de los recursos suficientes para el cumplimiento de las competencias locales, ni padecerá una disminución en la calidad de los servicios que venían siendo prestados por él.

DOCTRINA

En el siglo XX y durante 80 años se ha mantenido una continuada tendencia a la disminución del número de Municipios españoles, que no es sino continuación de la misma orientación mantenida desde mediados del siglo pasado. En efecto, en 103 años (de 1857 a 1960) el número de municipios desciende a 9.202 desde 9.315. Es decir, el descenso producido es de 113 Municipios. Pues bien, la tendencia a partir de 1960 no hace otra cosa que acentuarse, ya que desde esta fecha hasta 1981 el número desciende desde los citados 9.202 a 8.022. Es decir, en 21 años desciende el número de municipios españoles en 180.

Es precisamente desde 1981 cuando, por primera vez, se invierte la tendencia y, en sólo ocho años se llega a la cifra de 8.072 municipios, el 31 de diciembre de 1.989. El aumento es, pues, de 50 municipios. En marzo de 1997 el número de Municipios españoles es ya de 8.097. Puede ser una explicación, entre otras, la profunda mutación político-administrativa operada en España desde 1975.

La doctrina ha sido unánime en la opinión de que el número de municipios españoles no es, precisamente, pequeño, por lo que su aumento no parece lo más deseable. No debe olvidarse la referencia que en la LRBRL se hace a la política de fusión de municipios, atribuyendo la competencia de su fomento expresamente al Estado.

Una de las notas características del término municipal es, precisamente, la de la estabilidad. Es la seguridad jurídica misma la que padecería si los términos municipales estuvieran continuamente modificándose con normas facilitadoras que podrían convertir en difícilmente cognoscible —en un momento dado— el mapa municipal español. Por eso, la constante previsión normativa de exigir quórum reforzado para adoptar válidamente los acuerdos municipales relativos a creación, supresión y alteración de términos municipales (art. 47.2,a) LRBRL) parece una prudente previsión. La previsión del artículo 9.3 TRRL, en supuestos de segregación parcial de carácter voluntario, en el sentido de que la iniciativa vecinal debe tener carácter de «petición escrita» (ver también art.14.4 RPo) tiene que partir de «la mayoría de los vecinos».

La segregación parcial a la que este caso se refiere, se regula en el artículo 6 TRRL. El RPo vigente desarrolla este precepto en el artículo 6, con el tenor literal siguiente:

«1. Podrán ser constituidos nuevos municipios mediante la segregación de parte del territorio de otro u otros cuando existan motivos permanentes de interés público, relacionados con la colonización interior, explotación de minas, instalación de nuevas industrias, creación de regadíos, obras públicas y otros análogos.

2. Será necesario que los nuevos municipios reúnan las condiciones previstas en el artículo 3 y que los municipios de los que se segreguen las partes correspondientes no queden privados de dichas condiciones.»

Obsérvese que el RPo utiliza correctamente la expresión «nuevos Municipios» para referirse a los resultantes de la segregación.

El Consejo de Estado ha mantenido una prudente doctrina al respecto, a lo largo del tiempo. Repárese en que ya hacía referencia a la convivencia en su Dictamen de 6 de junio de 1953, expediente nº 12.252: «En términos generales, la intensidad de la acción administrativa que hoy, por múltiples razones, asumen las Corporaciones locales y que se refleja en el volumen e importancia de los fines que con el carácter de obligatorios pone la Ley a su cargo, no hacen recomendable una política favorable a la creación de municipios sobre bases económicas y de población tan exiguas, pues es indudable que la multiplicidad e importancia de los fines a cargo de los Municipios según la legislación vigente exigen bases reales adecuadas, si bien es ésta una materia en la que se procura moderar las alteraciones para herir lo menos posible la convivencia tradicional, pero sin que ello suponga que las situaciones creadas puedan servir de precedente o de orientación para la constitución de nuevos Municipios»

Precisamente la pacífica convivencia es la que justifica que no deba mantenerse «a ultranza una situación real indeseada y de imposible mantenimiento de espaldas a la realidad, ante una generalizada y dramática resistencia», según se puede leer en el Dictamen de 26 de mayo de 1983, expediente nº 45.303. Para el Consejo de Estado la acreditada realidad de la falta de convivencia justifica la segregación. En realidad, tal segregación no hará otra cosa que dar estado real al hecho de que existan dos comunidades vecinales diferentes, cada una de ellas con conciencia de su propia identidad. En el mismo sentido de lograr una «decorosa convivencia» se ha pronunciado el TS en su Sentencia de 12 de noviembre de 1973, relativa a una fusión de Municipios.

La legislación autonómica andaluza en la materia, sigue un criterio no facilitador de tendencias centrífugas a partir del concepto de la autonomía local y en la Ley 7/1993, de 27 de julio, Reguladora de la Demarcación Municipal de Andalucía, en su art. 8 prevé:

«Podrá crearse un nuevo municipio, por segregación de parte de otro u otros, cuando concurran, de forma simultánea, las siguientes circunstancias:

1. Que el nuevo municipio cuente con una población no inferior a 4.000 habitantes y que entre aquél y el municipio matriz exista una franja de terreno clasificada como suelo no urbanizable de una anchura mínima de 7.500 metros entre los núcleos principales».

LEGISLACIÓN

- LRBRL: art. 13.
- TRRL: arts. 3 y 6 al 10.
- Ley Orgánica 1/97 de 30 de mayo, de modificación de la LOREG, para la trasposición de la Directiva 94/80/CE, de Elecciones Municipales (Esta Ley modifica los arts. 85, 176, 177, 178 y se añade un art. 187 bis LOREG).
- RPo (RD 1.690/86 de 11 de julio, cuyo Título II fue modificado por RD 2.612/96 de 20 de diciembre).
- RD 382/86 de 10 de febrero por el que se crea, organiza y regula el funcionamiento del Registro de Entidades Locales (Modificado por RD 1499/90 de 23 de noviembre).
- OM de 3 de junio de 1.986 de desarrollo del RD 382/86 de 10 de febrero.
- Ley 7/1993, de 27 de julio, Reguladora de la Demarcación Municipal de Andalucía: Exposición de Motivos y arts. 6 y 8.

JURISPRUDENCIA

Las competencias del Estado en materia de alteraciones de términos municipales se han reducido ostensiblemente a partir de la LRBRL. No obstante, existe un mínimo en las relaciones interadministrativas que obliga a todas las partes del todo a una recíproca comunicación del ejercicio de las competencias propias. —STC de 21 de diciembre de 1989 (recursos 613/85 y 617/85, respectivamente): «no puede negarse el carácter básico de la norma cuestionada, por cuanto la previsión ahora enjuiciada reconoce a la Administración del Estado una competencia propia que es necesaria, dado el ámbito nacional del interés afectado. Y es que, como ya dijéramos en nuestra Sentencia 4/1981, de 2 de febrero (FJ 9°), la concepción del Estado como organización compleja, expresamente reflejada en el título VIII de la Constitución, permite sostener que el cambio de aspectos relevantes de una de las partes que la constituyen no es indiferente y —de alguna manera— puede afectar a las demás».

El Tribunal en el mismo Fundamento Jurídico Décimo precisa el estricto alcance informativo de carácter general del precepto impugnado.

- STS 31.3.86 (2337) en relación con los requisitos necesarios para que pueda prosperar la segregación establece la siguiente doctrina: «Es preciso acreditar tanto los posibles ingresos del nuevo Municipio derivados de los rendimientos de los distintos conceptos impositivos a hacer efectivos, cuanto las cargas indispensables a sostener. Y ello con señalamiento de las mermas que en ambos conceptos, ingresos y gastos, se han de producir en el presupuesto de la Corporación donde la segregación se produce...».

En la misma Sentencia se señala la importancia de los documentos a los que se refiere el art. 14.1 RPo, puesto que la falta de aportación de un croquis o mapa debidamente confeccionado y la falta de detalles tan transcendentales como la ubicación en él de determinados núcleos y localidades, puede inducir sin duda a error en la resolución del expediente y a tal efecto recuerda la STS de 7.7.70 (3455) que estimaba infracción grave determinante de la nulidad.

- STS 30.1.90: No existe irracionalidad en el deslinde o división territorial entre el Municipio matriz y el surgido por segregación, si el territorio de éste se acomoda al de la anterior Entidad Local Menor y Parroquia eclesiástica.
- SSTS 24.10.89 (7490) y 30.10.89 (7590): relativas a la creación de nuevos municipios por segregación.

BIBLIOGRAFÍA

- BALLESTEROS FERNÁNDEZ, A.: *Manual de Administración Local*, Comares, Granada, 1998.
- BARRANCO VELA, R.: *Creación y segregación de municipios,* Marcial Pons, Madrid, 1993.
- BENÍTEZ DE LUGO, J.M.: *El Municipio y sus elementos esenciales*, Madrid, 1986.

– CASTELAO RODRÍGUEZ, J.: *El Término Municipal. Extensión y Alteraciones.* El Consultor de los Ayuntamientos, Madrid, 1994.
– CASTELAO RODRÍGUEZ, J.: *Reglamento de Población y Demarcación Territorial*, 2ª ed., El Consultor de los Ayuntamientos, Madrid, 1997.
– JIMÉNEZ-BLANCO, A.: «Doctrina Constitucional sobre Régimen Local. La Sentencia 214/89 de 21 de diciembre del Tribunal Constitucional sobre la LBL», *CEMCI*, Granada, 1990.
– LARUMBE BIURRUM, P. M.: En *Tratado de Derecho Municipal*, (Coord. MUÑOZ MACHADO), Civitas, Madrid, 1988.
– PERDIGÓ Y SOLA, J.: «El Municipio y su Territorio», *Serie Manual del Alcalde*, nº 19 del BCLE, 1987.
– SOSA WAGNER, F. y DE MIGUEL, P.: *Creación, Modificación y Supresión de Municipios*, IEAL, Madrid, 1987.
– SOSA WAGNER, F.: *Manual de Derecho Local*, Aranzadi, Pamplona, 2002.

Caso n° 2: LA RENUNCIA DE CONCEJALES

PLANTEAMIENTO

El Concejal del Ayuntamiento de Leganés ha decidido renunciar al cargo por razones particulares y a tal efecto presenta en las oficinas municipales un escrito dirigido al Pleno de dicho Ayuntamiento con fecha 14 de marzo de 1997. Antes de celebrarse la sesión ordinaria del Pleno, prevista para el 2 de abril de 1997, presenta dicho Concejal otro escrito con fecha 18 de marzo de 1997 en el Registro de Entrada de las citadas oficinas municipales, expresando su voluntad de revocar su decisión de renunciar al cargo de Concejal. El Alcalde, al confeccionar el Orden del Día de la Sesión Plenaria que, con carácter extraordinario, ha decidido convocar para su celebración en el día 22 de marzo de 1997 duda sobre la oportunidad de incluir en él, para su conocimiento por el Pleno, el primero, el último escrito del Concejal citado o ninguno de ellos.

Por ello, el Alcalde solicita la emisión de un Dictamen urgente que deberá versar sobre:

1. Revocabilidad de la renuncia presentada el 14 de marzo de 1997.
2. Posibilidad de que el Pleno se pronuncie en sesión extraordinaria sobre el escrito de renuncia o su innecesariedad, dada la existencia de un escrito posterior de revocación de la renuncia.
3. Estudiar, en el caso de que no se hubiera producido el segundo escrito, si el Concejal renunciante podría seguir «en funciones» hasta la toma de posesión de su sustituto legal.

DOCTRINA

El Estatuto de los miembros de las Corporaciones Locales (Capítulo V LRBRL) comprende el conjunto de sus deberes, derechos y responsabilidades. Todos los ciudadanos (art. 23 CE) «tienen el derecho a participar en los asuntos públicos... Asimismo, tienen derecho a acceder en condiciones de igualdad a las funciones y cargos públicos...».

El mismo Texto Constitucional vigente, en su art. 140 se refiere a los Concejales, expresamente, ordenando que «serán elegidos por los vecinos del Municipio mediante sufragio universal, igual, libre, directo y secreto, en la forma establecida por la Ley. La Ley regulará las condiciones en las que proceda el régimen de concejo abierto.

Derivan, pues, tantos los deberes como los derechos de los Concejales, en primera instancia, de la propia Constitución que —además— tutela el ejercicio de sus funciones (art. 24 CE).

Todos los miembros corporativos locales tienen derecho a permanecer en el cargo, ya que es condición indispensable para su ejercicio y porque su legitimación deriva del pueblo y no de otra autoridad que pudiera hacerle perder esta condición sin causa legalmente justificada. Así se ha pronunciado el T.C., en cuya Sentencia de 21 de febrero de 1983 ha afirmado que el cargo público procede de la voluntad popular y no puede ser removido sino por el procedimiento legalmente establecido.

El TC, en su Sentencia de 2 de febrero de 1981, señaló la inconstitucionalidad de «cualquier disposición que establezca la posibilidad de suspensión o destitución de los miembros de estas Corporaciones —o la disolución de la propia Corporación— por razón de la gestión inadecuada de los intereses peculiares de la Provincia o Municipio...». Lógicamente, todo ello, sin perjuicio de la posibilidad extraordinaria de disolución de órganos municipales, prevista en el art. 61 LRBRL.

Los supuestos de pérdida del cargo están tasados en la normativa vigente. La renuncia es, precisamente, uno de los supuestos, expresamente recogidos en el ROF (art.9), de pérdida del cargo de Concejal por el art. 9.4 ROF. En esta materia debe tenerse en cuenta la importante doctrina, acerca de cuándo empieza a ser efectiva la pérdida del cargo, que se recoge en Sentencias que sucesivamente fueron manteniendo posiciones diversas al respecto.

En efecto, la doctrina de los Tribunales comenzó considerando la imposibilidad de la revocación de la renuncia válidamente manifestada, por considerar el carácter voluntario del cargo de Concejal y estimando que a dicha renuncia no podía oponerse un nuevo escrito modificando dicha voluntad «pues ya no estaba en su esfera jurídica, ni es posible renunciar a lo que no se tiene».

Posteriormente se han dictado, en diferente sentido, otras Sentencias que consideran el carácter unilateral pero recepticio de la renuncia, por lo que es perfectamente posible la revocación posterior de la renuncia presentada, siempre que dicha revocación se presente antes de que se haga efectiva ante el Pleno la renuncia inicial.

El TC en su Sentencia 14/94 de 14 de marzo, respecto de un Parlamentario de la Comunidad Autónoma de Cantabria consideró en este caso que «la renuncia funciona, pues, con pleno automatismo si es clara, precisa y terminante, incondicionada». Repárese en que el art. 9.4 ROF condiciona la validez de la renuncia a que ésta deberá hacerse efectiva por escrito ante el Pleno de la Corporación.

Una vez producida la pérdida de la condición de Concejal, éste es sustituido por el siguiente en la lista. Lógicamente esta sustitución exige la existencia de sustitutos. Por ello, la LOREG en su art. 182 párrafos 2 y 3 prevé que:

«En el caso de que, de acuerdo con el procedimiento anterior, no quedasen más posibles candidatos a suplentes a nombrar, los quórum de asistencia y votación previstos en la legislación vigente se entenderán automáticamente referidos al número de hecho de miembros de la Corporación subsistente.

Sólo en el caso de que tal número de hecho llegase a ser inferior a los dos tercios del número legal de miembros de la Corporación se constituirá una Comisión Gestora integrada por todos los miembros de la Corporación que continúen y las personas de adecuada idoneidad o arraigo que, teniendo en cuenta los resultados de la última elección municipal, designe la Diputación provincial o, en su caso, el órgano competente de la Comunidad Autónoma correspondiente, para completar el número legal de miembros de la Corporación». Si el Concejal todavía no hubiera tomado posesión, renuncia ante la Junta Electoral de Zona. (Ver Resolución de la Dirección General de Administración Local de 25 de mayo de 1.979).

LEGISLACIÓN

- CE: arts. 23, 24 y 140.
- LRBRL: art. 73.1.
- LOREG: arts. 176 y 182.
- ROF: art. 9.4.
- Instrucción de la Junta Electoral Central de 19.6.91.
- Circular de 22.10.85.

JURISPRUDENCIA

- STSJ de Extremadura de 12 de diciembre de 1989, revocada por STS 31.3.92 (3240); STSJ de Aragón 24.9.90; Sentencia de la Audiencia de La Coruña de 8.10.84 y STS 28.12.84 (6737): Imposibilidad de revocar la renuncia válidamente manifestada.
- STS 12.2.92 (2252): La no asistencia al acto de constitución de la Corporación, no supone renuncia al cargo, ya que la renuncia a un derecho fundamental ha de ser expresa.
- STS 5.5.88 (4039): La renuncia de un Concejal se considera una declaración de voluntad unilateral y recepticia, de carácter personalísimo, lo que implica que su autor es libre de revocarla antes de que haya sido aceptada por su destinatario.
- STS 25.1.90 (97): La revocación de la renuncia se considera válida si los Concejales cambian su opinión antes de que se produzca el acuerdo plenario.
- STS 31.3.92 (3.240): La renuncia pertenece a la voluntad del Concejal que deberá hacerse efectiva ante el Pleno (art. 9.4 ROF). Importante matización acerca del carácter del acuerdo plenario.

BIBLIOGRAFÍA

- BALLESTEROS FERNÁNDEZ, A.: *Manual de Administración Local*, Comares, Granada, 1998.
- BOCOS REDONDO, P.: «Renuncia al Cargo. Comentarios a una Sentencia del Tribunal Constitucional», *Rev. El Consultor* nº 10, 1996.
- CASTELAO RODRÍGUEZ, J.: *Manual de Organización y Funcionamiento de las Entidades Locales*, MAP, Madrid, 1990.
- CASTELAO RODRÍGUEZ, J.: «El Reglamento Orgánico de las Entidades Locales», *Rev. El Consultor* nº 24, 1994.
- CASTELAO RODRÍGUEZ, J./ GONZÁLEZ QUINZÁ, A. y VILLAR EZCURRA, M.: *Régimen Local y Autonómico*, Universitas, 1996.
- CUERNO YATA, J. R.: «La modalidad de renuncia como pérdida de la condición de Concejal. Los efectos jurídicos de su revocación: una aproximación crítica», *Rev. El Consultor* nº 13, 1996.
- ROMERO HERNÁNDEZ, F.: «El Reglamento Orgánico Municipal», *BCLE*, 1990.

Caso nº 3: MOCIÓN DE CENSURA AL ALCALDE

PLANTEAMIENTO

El Alcalde de Lepe, enterado de la presentación de una moción de censura contra él por la mayoría de los Concejales del Ayuntamiento, inicialmente se niega a la convocatoria de un Pleno Extraordinario en el que se debata dicha moción, por considerarla injustificada. Posteriormente, y sin convocar dicho Pleno, decide dimitir del cargo de Alcalde. En el referido Ayuntamiento, uno de sus concejales fallece dos días después de la presentación de la moción de censura y el Alcalde demora la comunicación de tal hecho a la Junta Electoral Central. Esto último, motiva que el Concejal siguiente en la Lista Electoral del fallecido considere que su derecho al acceso a un cargo público está siendo impedido por la conducta del Alcalde y plantea un recurso en el que acusa al Alcalde dimitido de prevaricación. El primer Teniente de Alcalde, antes de decidir la convocatoria de un Pleno Extraordinario, se plantea si debe convocarlo para cubrir la vacante de la alcaldía por la dimisión del anterior Alcalde o para debatir la moción de censura presentada contra el Alcalde dimitido. Ante su duda solicita Dictamen sobre:

1. ¿Debe justificarse la moción de censura?
2. La conducta del Alcalde dimitido ¿podría ser considerada fraudulenta?
3. El derecho de los Concejales a celebrar la sesión extraordinaria para debatir y votar la moción de censura ¿es un derecho fundamental protegible por el procedimiento previsto en la LJCA (arts. 114 a 122)?
4. El Pleno a celebrar ¿deberá ser convocado para cubrir la vacante de la alcaldía por la dimisión del anterior Alcalde o para debatir la moción de censura presentada contra el Alcalde dimitido?

DOCTRINA

La LRBRL recoge el precepto constitucional que atribuye al Ayuntamiento el gobierno y administración del Municipio (arts. 140 CE y 19.1 LRBRL) y, en consecuencia, atribuye al Pleno «el control y fiscalización de los órganos de gobierno» (art. 22.2 a)); control que carecería de significado si no se llegase a la conclusión de que: «pertenece igualmente al Pleno la votación sobre la moción de censura al Alcalde, que se rige por lo dispuesto en la legislación electoral general» (art. 22.3).

La LOREG regula el tema procedimental de la tramitación de la moción de censura. El artículo 197 prevé la moción de censura presentada por los Concejales para proceder a la destitución del Alcalde. Puede considerarse fraude de Ley la conducta del Alcalde que cita a la Sesión extraordinaria para debatir la moción de censura presentada contra él, con dos horas de antelación (STS 21.3.1995).

En el caso de que se produzca la vacante en el cargo de Alcalde, ésta se resuelve «conforme» lo previsto en el artículo 196, considerándose a estos efectos que encabeza la lista en que figuraba el Alcalde, el siguiente de la misma, a no ser que renuncie a la candidatura» (art. 198 LOREG).

Debe tenerse en cuenta que el Alcalde dimitido no pierde la condición de Concejal y pasa a ocupar el último lugar en su propia lista. En efecto, lo dispuesto en el artículo 182, párrafo 1º de la LOREG impide la posibilidad de intercalar al Concejal, dimitido como Alcalde, entre dos Concejales ordenados correlativamente, ya que esta referencia legal es terminante en cuanto se debe respetar «su orden de colocación». (Véase la STS 28.3.1989 recogida en la Jurisprudencia).

El cese del Alcalde tras la aprobación plenaria de la Moción de Censura, se produce —exactamente— en el momento de la adopción del acuerdo (art. 40.6 ROF)

El procedimiento legalmente correcto puede sintetizarse así, según el art. 197 LOREG:

1. El Alcalde puede ser destituido mediante moción de censura cuya presentación, tramitación y votación se regirá por las siguientes normas:

a) La moción de censura deberá ser propuesta al menos por la mayoría absoluta del número legal de miembros de la Corporación y habrá de incluir un candidato a la Alcaldía, pudiendo serlo cualquier concejal, cuya aceptación expresa conste en el escrito de proposición de la moción.

b) El escrito en el que se proponga la moción de censura deberá incluir las firmas debidamente autenticadas por Notario o por el Secretario General de la Corporación y deberá presentarse ante éste por cualquiera de sus firmantes. El Secretario General comprobará que la moción de censura reúne los requisitos exigidos en este artículo y extenderá en el mismo acto la correspondiente diligencia acreditativa.

c) El documento así diligenciado se presentará en el Registro General de la Corporación por cualquiera de los suscriptores de la moción, quedando el Pleno automáticamente convocado para las doce horas del décimo día hábil siguiente al de su registro. El Secretario de la Corporación deberá remitir notificación indicativa de tal circunstancia a todos los miembros de la misma en el plazo máximo de un día a contar desde la presentación del documento en el Registro, a los efectos de su asistencia a la sesión, especificando la fecha y hora de la misma.

d) El Pleno será presidido por una Mesa de edad, integrada por los concejales de mayor y menor edad de los presentes, excluidos el Alcalde y el candidato a la Alcaldía, actuando como Secretario el que lo sea de la Corporación, quien acreditará tal circunstancia.

e) La Mesa se limitará a dar lectura a la Moción de censura, a conceder la palabra durante un tiempo breve, si estuvieren presentes, al candidato a la Alcaldía, al Alcalde y a los portavoces de los grupos municipales, y a someter a votación la moción de censura.

f) El candidato incluido en la moción de censura quedará proclamado Alcalde si ésta prosperase con el voto favorable de la mayoría absoluta del número de concejales que legalmente componen la Corporación.

2. Ningún Concejal puede suscribir durante su mandato más de una Moción de censura.

3. De los Municipios en los que se aplique el régimen de Concejo abierto la moción de censura se regulará por las normas contenidas en los dos números anteriores, con las siguientes especialidades:

a) Las referencias hechas a los Concejales a efectos de suscripción, presentación y votación de la moción de censura, así como a la constitución de la Mesa de edad, se entenderán efectuadas a los electores incluidos en el censo electoral del Municipio, vigente en la fecha de presentación de la moción de censura.

b) Podrá ser candidato cualquier elector residente en el municipio con derecho de sufragio pasivo.

c) Las referencias hechas al Pleno se entenderán efectuadas a la Asamblea vecinal.

d) La notificación por el Secretario a los Concejales del día y la hora de la sesión plenaria se sustituirá por un anuncio a los vecinos de tal circunstancia, efectuado de la forma localmente usada para las convocatorias de la Asamblea vecinal.

e) La Mesa de edad concederá la palabra solamente al candidato a la Alcaldía y al Alcalde.

4. Los cambios de Alcalde como consecuencia de una moción de censura en los municipios en los que se aplica el sistema de Concejo abierto no tendrán incidencia en la composición de las Diputaciones Provinciales.

LEGISLACIÓN

- CE: arts. 23 y 24.
- LOREG: arts. 182, 196, 197 y 198.
- LRBRL: arts. 22 y 47.
- ROF: art. 40.6.

JURISPRUDENCIA

- STC 7/92 de 16 de enero: El derecho constitucional a acceder y permanecer en los cargos solamente puede ser extinguido por las causas y de acuerdo con los procedimientos legalmente previstos.
- STS 28.3.89 (2138): ordena la reanudación de una sesión de un Pleno que había sido suspendido por el Alcalde. En el Pleno se trataba de debatir una Moción de Censura al Alcalde. No procede motivar la moción de Censura. No obstante, la Jurisprudencia, en algunas ocasiones, ha considerado necesaria la concurrencia de causa justa para evitar arbitrariedades de los poderes públicos: SSTS 27.3.84 (1494), 1.6.88 (4519) y 21.4.87 (2890).
- STS 10.10.84: mantiene, como argumentación justificadora de las mociones de censura, la doctrina del *contrario actus*.
- STS 14.7.83 (3993) y 27.3.84 (1494): Acerca de la posibilidad de destituir a los Alcaldes y la imposibilidad de hacerlo respecto de los Concejales.
- STS 2.4.93 (2755): considera que vulnera el derecho fundamental de acceso a cargos públicos, la actuación del Alcalde que adopta posturas dilatorias y formalistas para no dar posesión a un Concejal de su cargo, sustituto del fallecido, en la sesión convocada para debatir una moción de censura, impidiendo con ello que prosperase la misma.
- SSTS 28.10.93, 25.2.94 y 8.2.93 (Sala de lo Penal): Para que pueda estimarse cometido el delito de prevaricación es preciso que no exista duda razonable acerca de que la resolución es manifiestamente injusta, pues, en otro

caso, desaparecería el aspecto penal de la infracción para quedar reducida a una mera ilegalidad a depurar en vía distinta a la penal.

– STS 18.6.94 (5184): La vulneración de la legalidad por una resolución administrativa no es suficiente para configurar el delito de prevaricación culposa en quienes la adoptaron, cuando las omisiones o irregularidades merecen la calificación de simple negligencia y la ligereza en la adopción del acuerdo no alcanza el grado de temeridad que exige el ilícito penal.

BIBLIOGRAFÍA

– ARNALDO ALCUBILLA, E. y DELGADO-IRIBARREN GARCÍA-CAMPERO, M.: *Código Electoral,* El Consultor de los Ayuntamientos, 2ª ed., Madrid, 1995.
– BALLESTEROS FERNÁNDEZ, A.: *Manual de Administración Local*, Comares, Granada, 1998.
– CASTELAO RODRÍGUEZ, J.: *Manual de Organización y Funcionamiento de las Entidades Locales*, MAP, Madrid, 1990.
– CASTELAO RODRÍGUEZ, J./ GONZÁLEZ QUINZÁ, A. y VILLAR EZCURRA, M.: *Régimen Local y Autonómico*, Universitas, 1996.
– CRUZ VILLALÓN, P.: voz «Derechos Fundamentales», *Enciclopedia Jurídica Básica*, t. II, Civitas, Madrid, 1995.
– GARCÍA TORRES, J. y JIMÉNEZ-BLANCO, A.: *Derechos Fundamentales y garantías entre particulares*, Madrid, 1986.
– LUZÓN CUESTA, J.M.: voz «Prevaricación», *Enciclopedia Jurídica Básica*, t. III, Civitas, Madrid, 1995.
– REBOLLO PUIG, M.: «La moción de censura en la Administración Local», *REALA* nº 227, 1985.

Caso nº 4: SESIONES PLENARIAS: FACULTADES DEL ALCALDE

PLANTEAMIENTO

El Alcalde de un Ayuntamiento de la provincia de Tarragona, recibe un escrito en el que, sin justificar sus causas, una cuarta parte de los Concejales solicitan la celebración de un Pleno extraordinario en el que deberán tratarse cuatro asuntos. El Alcalde se niega a convocarla. Pasados ocho días desde la solicitud, el Alcalde decide convocar la Sesión extraordinaria solicitada, pero excluyendo del Orden del día, uno de los cuatro asuntos propuestos por los Concejales, por considerarlo constitutivo de ilegalidad.

Iniciada la Sesión, por uno de los Concejales se solicita que quede sobre la Mesa uno de los asuntos incluidos en el Orden del día, por no haber podido disponer de información suficiente sobre dicho asunto, de la que constaba en el expediente, a lo que el Alcalde se niega y lo somete a votación. Por un Concejal se solicita que el Secretario, antes de la votación, emita informe sobre la legalidad de adoptar acuerdo acerca de dicho asunto, pues entiende que, además, no es de competencia municipal.

El Secretario solicita la palabra para informar a la Corporación sobre dicha cuestión, pero el Alcalde le niega el uso de la palabra y, asimismo, ordena al Concejal interviniente que no siga usando una grabadora que dicho Concejal utilizaba para registrar las intervenciones hasta ese momento emitidas por los asistentes al Pleno.

Se desea saber:

1. Si el Alcalde,
   a) Puede demorar legalmente la convocatoria, a partir de la solicitud por 1/4 de Concejales.
   b) Puede negarse a convocar la Sesión por considerar injustificada esta solicitud de convocatoria.
   c) Puede negarse a incluir un asunto determinado en el Orden del día por considerarlo ilegal.
2. La falta de información de los Concejales ¿en qué casos puede invalidar un acuerdo adoptado, si se denuncia por ellos tal carencia?

3. El Alcalde ¿puede prohibir el uso de grabadoras en el Salón de Sesiones?

DOCTRINA

En relación con las sesiones extraordinarias, el art. 78.2 y 3 ROF prevé:

«2. Son sesiones extraordinarias aquéllas que convoque el Alcalde o Presidente con tal carácter. Por iniciativa propia o a solicitud de la cuarta parte, al menos, del número legal de miembros de la Corporación. Tal solicitud habrá de hacerse por escrito en el que se razone el asunto o asuntos que la motiven, firmado personalmente por todos los que la suscriben. La relación de asuntos incluidos en el escrito no enerva la facultad del Alcalde o Presidente para determinar los puntos del Orden del día, si bien la exclusión de éste de alguno de los asuntos propuestos deberá ser motivada.

3. La convocatoria de la sesión extraordinaria a instancias de miembros de la Corporación deberá efectuarse dentro de los cuatro días siguientes a la petición y no podrá demorarse su celebración por más de dos meses desde que el escrito tuviera entrada en el Registro General». Téngase en cuenta la nueva redacción del art. 46.2 a) LRBRL, según la Ley 11/99, de 21 de abril.

Esta previsión reglamentaria es desarrollo de los arts. 46 LRBRL (la citada Ley 11/99, de 21 de abril, modifica también su redacción inicial) y 48 TRRL. En este sentido, por tanto, las previsiones del ROF, que son mera reproducción de la LRBRL, son también básicas y, en consecuencia, de obligado cumplimiento en todo el Estado español.

Pero el ROF, en dicho art. 78.2 concreta cuestiones no incluidas en los textos legales que desarrolla y, lógicamente, no contempla el texto legal vigente que es de redacción posterior a su entrada en vigor. Así, establece que correspondiendo al Presidente la fijación del Orden del día, puede, aún convocando la sesión extraordinaria solicitada, no incluir alguno de los puntos exigidos, si bien motivando la razón de la no inclusión. Y en el caso de que no convocase sesión podrán interponerse por los interesados los correspondientes recursos, sin perjuicio de que la Administración del Estado o de la Comunidad Autónoma respectiva pueda hacer uso de las facultades a que se refiere el art. 65 (modificado por la Ley 11/99) de la Ley 7/85 de 2 de abril (art. 78.4 ROF).

Como se ve, el ROF ha preferido mantener el principio del art. 6.2 LRBRL, y deferir a los Tribunales el control de la legalidad del acto expreso o presunto, de la convocatoria o desestimación de la pretensión en tal sentido. Debe recordarse la reiterada doctrina jurisprudencial que concede amparo sumario y urgente en estos casos, por infracción del art. 23 CE (véanse los arts. 114 a 122 LJCA).

De todos modos el Alcalde no es garante de la legalidad de los acuerdos de la Corporación que preside, a cuyos mandatos se encuentra sometido. Por ello, si considera que el eventual acuerdo que se adoptase por la Corporación, una vez convocada, fuera ilegal, lo que puede —y debe hacer— es votar en contra en la sesión para eludir su responsabilidad por la adopción de tal acuerdo, pero lo que no puede hacer es impedir la celebración de la sesión extraordinaria.

La Ley de Régimen Local de Cataluña, prudentemente, prevé la posibilidad de añadir puntos al orden del día propuesto por los Concejales, pero no dice nada sobre excluirlos. Así, el art. 100.2 de dicha Ley establece que:

«2. En las sesiones extraordinarias, convocadas a solicitud de los miembros de la Corporación, la convocatoria incluirá el Orden del día propuesto por quienes hayan adoptado la iniciativa. Sin embargo, el Presidente podrá incluir en la convocatoria otros asuntos si lo considera conveniente».

Aunque, efectivamente, la justificación de la celebración de sesiones extraordinarias, normalmente, es la de no poder esperar a la fecha en que deba celebrarse una ordinaria, es lo cierto que la normativa vigente establece también supuestos concretos en que no es el tiempo, sino la materia lo que determina la necesidad de convocar la celebración de una sesión de carácter extraordinario; así en el ROF, podemos encontrar los supuestos siguientes:

1º. Los comprendidos entre los enumerados en el art. 38, según el cual:

«Dentro de los treinta días siguientes al de la sesión constitutiva, el Alcalde convocará la sesión o sesiones extraordinarias del Pleno de la Corporación que sean precisas, a fin de resolver sobre los siguientes puntos:

a) Periodicidad de sesiones del Pleno (ver la nueva redacción del art. 46.2 LRBRL según la Ley 11/99).

b) Creación y composición de las Comisiones informativas permanentes.

c) Nombramientos de representantes de la Corporación en órganos colegiados, que sean de la competencia del Pleno.

d) Conocimiento de las resoluciones del Alcalde en materia de nombramientos de Tenientes de Alcalde, miembros de la Comisión de Gobierno, si debe existir, y Presidentes de las Comisiones informativas, así como de las delegaciones que la Alcaldía estime oportuno conferir».

2º. El supuesto de convocatoria de sesión a petición de la cuarta parte de los Concejales. Esta sesión debe ser extraordinaria (art. 78).

3º. El supuesto de debate de la gestión de la Comisión de Gobierno (art. 106.1).

4º. El supuesto de deliberar y votar la moción de censura al Alcalde (art. 108.1).

LEGISLACIÓN

- CE: arts. 23 y 24.
- LRBRL: arts. 6, 46 y 65 (estos dos últimos han sido modificados por la Ley 11/99).
- TRRL: arts. 46 a 54.
- ROF: arts. 38, 78, 88, 106 y 108.
- Ley 8/1.987, de 15 de abril, municipal y de régimen local de Cataluña: art. 100.

JURISPRUDENCIA

- SSTS 8.11.84 y 18.12.90 (10407): Al Alcalde le compete autorizar el uso de grabadoras o, según se previene en el art. 88.2 R.O.F., cualquiera de los sistemas megafónicos o circuitos cerrados de televisión que permitan la ampliación y difusión auditiva o visual del desarrollo de las sesiones.
- STS 9.6.88 (4588): Los Concejales firmantes de una petición de celebración de sesión extraordinaria, «...tienen el derecho a ejercitar las facultades que a su cargo corresponden y, entre ellas, las de intervenir en las sesiones plenarias proponiendo, discutiendo y votando acuerdos, por lo que la negativa, expresa o tácita, a convocar sesión plenaria municipal impide a los Concejales el ejercicio de ese derecho fundamental...»

- STS 18.12.90: No se lesiona el derecho fundamental a la información, pues «... el medio que en esta ocasión pretendió utilizar el Concejal, aunque pudiera ser con la finalidad por parte de éste de informar al público de lo que se debatiera y acordara en el pleno municipal ... no era legalmente idóneo, ... porque —y es lo más decisivo— no se puede prescindir de la doctrina del Tribunal Constitucional en cuya Sentencia de 22 de diciembre de 1986 explicó que el citado precepto de la Constitución "reconoce dos derechos íntimamente conectados que, en aras del interés de todos en conocer los hechos de actualidad que puedan tener trascendencia pública, se concretan en la libre comunicación y recepción de información veraz, de tal manera que los sujetos de este derecho son no sólo los titulares del órgano o medio difusor de la información, ...sino primordialmente la colectividad y cada uno de sus miembros"...lo que proyectado al caso enjuiciado, lleva a la conclusión de que, aunque el Concejal que asistió a la sesión tenía, como tal y como ciudadano, derecho a comunicar información, sólo podía hacerlo a través de esos medios de comunicación expresamente previstos por la Constitución y no valiéndose de otros».

  En esta STS se afirma que esta restricción no afecta a los profesionales de la información, «...porque es a estos a quienes no se les puede privar en el ejercicio de sus funciones de lo que es normal, ordinario y usualmente un imprescindible elemento de trabajo y, desde el mismo punto de vista, la más absoluta garantía de la veracidad de la información que la Constitución demanda».

- STS 29.4.92 (4092): La ausencia de razonamiento sobre los asuntos a tratar es defecto subsanable y como tal insuficiente para denegar la convocatoria sin habilitar la posibilidad de su subsanación.

- STS 24.1.93 (9040): Declara la nulidad de un acuerdo, por no haber tenido a su disposición algunos Concejales la documentación necesaria para su debate y votación.

- STS 21.5.93: La Jurisprudencia ha considerado inaplicable al régimen de sesiones municipales, la previsión del art. 26 LRJAP y PAC en lo concerniente a la llamada autoconvocatoria. Precisamente en esta sentencia de 1985 el Tribunal Supremo sostiene que la no convocatoria del Pleno, acordada por unanimidad de los miembros que integran la Corporación, constituye no solo una vulneración de art. 46.2 a) LBL, sino que también vulnera el derecho fundamental consagrado en el art. 23 CE, pues la no convocatoria priva no sólo a los Concejales sino a la totalidad de los vecinos del derecho a participar en los asuntos públicos municipales a través de los Concejales que los representan.

BIBLIOGRAFÍA

- BALLESTEROS FERNÁNDEZ, A.: *Manual de Administración Local,* Comares, Granada, 1998.

– BALLESTEROS FERNÁNDEZ, A.: *Cien preguntas en torno al Régimen de Sesiones de las Corporaciones Locales*, CEMCI, 1997.
– CASTELAO RODRÍGUEZ, J.: *Manual de Organización y Funcionamiento de las Entidades Locales*, MAP, 1990.
– CASTELAO RODRÍGUEZ, J. y D'ANJOU GONZÁLEZ, J.: *Guía práctica del Regidor Municipal,* 2ª ed., Bayers Hnos., Barcelona, 1999.
– CASTELAO RODRÍGUEZ, J./GONZÁLEZ QUINZÁ, A. y VILLAR EZCURRA, M.: *Régimen Local y Autonómico*, Universitas, 1996.
– LÓPEZ GONZÁLEZ, J.I.: «Legitimación de las Corporaciones Locales para recurrir en amparo», *REDA* nº 38, 1983.
– MORENO MOYA, J.: *Impugnación de actos y Acuerdos de las Corporaciones Locales*, 1988.
– SOSA WAGNER, F.: *Manual de Derecho Local*, Aranzadi, Pamplona, 2002.

ESTATUTO DEL ADMINISTRADO

Manuel J. Sarmiento Acosta
Universidad de Las Palmas de Gran Canaria

Caso nº 1: ABSTENCIÓN Y RECUSACIÓN

PLANTEAMIENTO

El Ayuntamiento de Oviedo convocó un concurso para adjudicar una plaza de Letrado. A tal fin se nombró el Tribunal calificador y, entre sus miembros, se encontraba un profesor de Derecho Administrativo propuesto libremente por la Universidad, quien, además, es abogado en ejercicio. Uno de los candidatos, abogado en ejercicio, también había concurrido como defensor de la parte contraria con el profesor en distintos juicios y, por esta razón, lo recusó aduciendo, en primer lugar, cuestión litigiosa, y, en segundo término, enemistad manifiesta, ya que el tono de algunos escritos del profesor mostraba una agresividad impropia del estilo forense. Conocida la recusación, el Presidente del Tribunal, sin practicar ningún trámite, la desestimó al considerar que no tenía ningún fundamento.

A la vista de estos antecedentes, se formulan las siguientes cuestiones:

1. ¿Es posible legalmente invocar los motivos referidos como causa de recusación?
2. ¿Qué requisitos deben tener tales motivos para que la recusación prospere?
3. ¿Debió el miembro del Tribunal abstenerse?
4. ¿Cuál es el órgano competente para resolver la recusación?
5. ¿Actuó correctamente el Presidente del Tribunal?, ¿por qué?

DOCTRINA

La Administración Pública sirve con objetividad los intereses generales (art. 103.1 CE), lo que exige que su personal deba actuar con imparcialidad y ecuanimidad. En este contexto la abstención y la recusación desempeñan un papel fundamental, pues son mecanismos que tienen por objeto el apartamiento del personal cuando las relaciones personales de los administrados u otras circunstancias proclives a la parcialidad despierten recelos acerca de la rectitud y neutralidad del personal. Sin embargo, es claro que al desarrollarse en un ámbito en el cual los intereses públicos y privados deben ser conjugados armónicamente, tanto la abstención como la recusación tienen que obedecer a motivos serios que estén previstos en el Ordenamiento jurídico, para excluir un uso abusivo de tales institutos que pervierta el fundamento de los mismos. Esto significa que el procedimiento que debe seguirse y los motivos que pueden invocarse tienen que ajustarse al Ordenamiento.

LEGISLACIÓN

- CE: art. 103.1.
- LAP: arts. 28, 29 y 114.1.
- RD 33/1986, de 10 de enero, por el que se aprueba el Reglamento de Régimen disciplinario de los funcionarios de la Administración del Estado (BOE nº 15, de 17 de enero): art. 7.1.g).
- ROF: arts. 182 a 185.
- RD 391/1996, de 1 de marzo, por el que se aprueba el Reglamento de procedimiento en las reclamaciones económico-administrativas (BOE nº 72, de 23 de marzo; corrección de errores en BOE nº 168, de 12 de julio: art. 28).

JURISPRUDENCIA

- STC 47/1982: el derecho de recusar forma parte del derecho al proceso reconocido en el artículo 24 CE.
- STS 26.4.80 (2655): necesidad de señalar exactamente cuál es el motivo de la recusación.
- STS 26.9.83 (4651): necesidad de oír al recusado en la tramitación de la pieza separada.
- SSTS 26.2.90 (3401) y 29.4.93 (3129): efectos de la no abstención.
- STS 26.10.88 (8288): exigencia de tramitar el incidente de recusación.
- STS 4.10.93 (8620): sobre el concepto de enemistad manifiesta.
- STS 21.2.98 (2363): acerca de la recusación por un no interesado, cuando no está en curso la tramitación de un procedimiento.

– STS 23.2.1998 (2364): concepto de «cuestión litigiosa e interés personal» en el caso de profesionales que han asumido la representación y defensa de las partes.

BIBLIOGRAFÍA

– GONZÁLEZ PÉREZ, J. y GONZÁLEZ NAVARRO, F.: *Comentarios a la Ley de Régimen Jurídico de las Administraciones Públicas y Procedimiento Administrativo Común (Ley 30/1992, de 26 de noviembre)*, vol. I, Madrid, 1997, págs. 548 y ss.
– GONZÁLEZ SALINAS, J.: «Algunos problemas de la concurrencia de causas de abstención en los concejales, con especial referencia a los acuerdos de aprobación del planeamiento urbanístico», *Poder Judicial* nº 14, 1989, págs. 197 y ss.
– PARADA VÁZQUEZ, R.: *Régimen jurídico de las Administraciones Públicas y Procedimiento Administrativo Común (Estudio, comentarios y texto de la Ley 30/1992, de 26 de noviembre)*, 1ª ed., Madrid, 1993, págs. 129 y ss.
– PAREJO ALFONSO, L./JIMÉNEZ-BLANCO, A./ORTEGA ÁLVAREZ, L.: *Manual de Derecho Administrativo*, t. I, 5ª ed., Ariel, Barcelona, 1998.

Caso nº 2: CAPACIDAD DE OBRAR

PLANTEAMIENTO

Tres menores de edad, tras recibir las calificaciones finales en la asignatura de matemáticas, deciden, enfurecidos, golpear y quemar el coche del profesor de la asignatura. La acción la ejecutan en el aparcamiento del instituto al anochecer para evitar ser vistos e identificados. Sin embargo, otro alumno del centro que se encontraba en el interior del coche de su padre observó el vandálico comportamiento de los alumnos. Abierto el correspondiente expediente disciplinario y practicadas todas las actuaciones pertinentes, el instituto decidió expulsar a los referidos alumnos. Éstos recurren la sanción aduciendo que el único testigo de su acción es un menor de edad, cuyo testimonio no tiene la aptitud suficiente para desvirtuar la presunción de inocencia que reconoce y garantiza el Ordenamiento jurídico.

A la vista de estos antecedentes, se formulan las siguientes preguntas:

1. ¿Tiene un menor de edad capacidad suficiente para que su testimonio resulte determinante a fin de imponer una sanción administrativa?, ¿hay alguna singularidad en Derecho Administrativo respecto de la capacidad de obrar?
2. ¿Qué actuaciones puede realizar un menor, en sus relaciones con la Administración Pública, sin asistencia o tutela?
3. ¿Puede un menor interponer un recurso administrativo contra un acto que le afecte directamente?
4. ¿Las actuaciones que ejecuta un menor sin asistencia tienen siempre que ser convalidadas por quienes ostentan la patria potestad, tutela o curatela?

DOCTRINA

La dicotomía capacidad jurídica-capacidad de obrar ofrece algunas singularidades en el ámbito del Derecho Administrativo, lo que se explicita, en primer lugar, en la tendencia hacia la identificación de ambos conceptos y, en segundo término, en el casuismo del Ordenamiento jurídico-administrativo, que configura sus normas en función del concreto interés público que subyace en cada relación jurídica. Así, en algunos supuestos, como acontece con la posibilidad de constituir asociaciones de alumnos, las normas administrativas permiten a los menores de edad el ejercicio y la defensa de ciertos derechos sin necesidad de asistencia de la persona que ejerce la patria potestad, tutela o curatela. Hay otros casos, en cambio, en los que se impone la asistencia porque se parte del presupuesto de que la defensa de determinados derechos exige un complemento que por su escasa edad el menor no tiene.

LEGISLACIÓN

- CE: art. 12.
- LAP: art. 30.
- LJCA: art. 18.
- LGT : art. 42.
- Ley Orgánica 1/1996, de 15 de enero, de Protección Jurídica al menor.
- CC: arts. 92, 154, 156, 157, 215 a 302 y 315.

JURISPRUDENCIA

- STS 7.2.75 (6624): posibilidad de formular recurso en materia de orden público.
- STS 10.11.86 (6182): capacidad de la sindicatura de quiebra para formular reclamación por indemnización.
- STS 9.5.94 (4370): sobre el testimonio de un menor de edad en el ámbito de un expediente sancionador abierto por hechos que acontecen en un centro de enseñanza.

BIBLIOGRAFÍA

- GARCÍA DE ENTERRÍA, E. y FERNÁNDEZ RODRÍGUEZ, T.R: *Curso de Derecho Administrativo*, II, Madrid, 2002.
- GONZÁLEZ PÉREZ, J. y GONZÁLEZ NAVARRO, F.: *Comentarios a la Ley de Régimen Jurídico de las Administraciones Públicas y Procedimiento Administrativo Común (Ley 30/1992, de 26 de noviembre), t.* I, Madrid, 1997, págs. 263 y ss.
- PARADA VÁZQUEZ, R.: *Régimen jurídico de las Administraciones Públicas y Procedimiento Administrativo Común (Estudio, comentarios y texto de la Ley 30/1992, de 26 de noviembre)*, Marcial Pons, Madrid, 1993, pág. 135.
- PAREJO ALFONSO, L., JIMÉNEZ-BLANCO, A. y ORTEGA ÁLVAREZ, L.: *Manual de Derecho Administrativo*, t. I, 5ª ed., Ariel, Barcelona, 1998.

Caso nº 3: LEGITIMACIÓN: LOS INTERESES COLECTIVOS

PLANTEAMIENTO

El Alcalde de Santa Cruz de Bezana concedió una licencia a D. Álvaro Ramírez en virtud de la cual le permitía establecer un criadero de perros, sin finalidad lucrativa, en el jardín anejo a su vivienda. Ante los ladridos permanentes de los perros, la Asociación de vecinos del lugar impugnó el acto administrativo al considerar que vulneraba el Ordenamiento jurídico. Frente a este argumento, D. Álvaro arguye que la Asociación no está legitimada para interponer el recurso, pues no tiene ningún interés legítimo y directo en el asunto, y además no representa el sentir de todo el vecindario, toda vez que él tiene una lista de firmas de vecinos que no tienen nada en contra del criadero, y que demuestra que éste no produce molestias

Conforme a estos antecedentes, se plantean las siguientes cuestiones:

1. ¿Hay algún interés legítimo que pueda invocar la Asociación?, ¿cuál es?
2. ¿Para poder formular el recurso tiene la Asociación que tener un interés directo en el asunto?
3. El hecho de que D. Álvaro disponga de una lista de firmas de vecinos que no consideran molesto el criadero ¿desvirtúa la dimensión colectiva del interés?
4. ¿En qué términos puede defenderse un interés colectivo?
5. ¿Puede invocar la Asociación de vecinos, en cualquier caso, un mero interés en que la legalidad vigente se cumpla?

DOCTRINA

Para intervenir en un procedimiento administrativo, sea o no de recurso, es preciso no sólo tener capacidad de obrar, sino además estar legitimado, lo cual se manifiesta en una relación del sujeto con lo que constituye el objeto del procedimiento. Hay casos en que se reconoce legitimación con carácter general, como sucede en el ámbito del urbanismo; pero ordinariamente se impone esta aptitud especial para la intervención, si bien en los últimos tiempos, por virtud de la fuerza que irradia el artículo 24.1 de la Constitución Española, la legitimación se ha ampliado considerablemente, toda vez que ésta se tiene por la titularidad de un derecho subjetivo y, también, por un interés legítimo, sea individual o colectivo. De forma que la tutela y defensa de muchos intereses es ahora más completa.

LEGISLACIÓN

- CE : art. 24.1.
- LOPJ. art. 7.3.
- LAP: art. 31.
- LJCA: art. 19.1.b).
- Ley 26/1984, de 19 de julio, General para la Defensa de los Consumidores y Usuarios: arts. 20 a 22.

JURISPRUDENCIA

- SSTC 60/1982, de 11 de octubre, 62/1983, de 11 de julio, 160/1985, de 28 de noviembre, 214/1991, de 11 de noviembre y 195/1992, de 16 de noviembre: sobre el concepto de interés legítimo.
- SSTS 1.7.85 (3398), 4.3.94 (1994), 8.4.94 (3016), 9.5 y 25 y 26.9.95 (5304, 6836 y 7339, respectivamente): acerca de la aplicación del interés legítimo a la vía administrativa.
- STS 7.10.92 (8023): perfil del mero interés a la legalidad a efectos de legitimación.
- STS 21.12.01: alcance del concepto de interés legítimo
- STS 25.2.02: interés legítimo de una Asociación sindical para participar en los procedimientos administrativos y contencioso-administrativos.
- STS 23.7.01: necesidad de ostentar un derecho subjetivo para pedir el reconocimiento de una situación jurídica individualizada

BIBLIOGRAFÍA

- EMBID IRUJO, A.: *El ciudadano y la Administración*, Madrid, 1994, págs. 42 y ss.
- GARCÍA DE ENTERRÍA, E. y FERNÁNDEZ RODRÍGUEZ, T.R.: *Curso de Derecho Administrativo*, II, Civitas, Madrid, 2002.
- NIETO GARCÍA, A.: «La vocación del Derecho Administrativo de nuestro tiempo», *RAP* n° 76, 1975, págs. 9 y ss.
- SARMIENTO ACOSTA, M.J.: *Los recursos administrativos en el marco de la justicia administrativa*, Madrid, 1996, págs. 298 y ss.

Caso nº 4: LA REPRESENTACIÓN

PLANTEAMIENTO

Siguiendo las pautas marcadas para la política de personal, la entidad mercantil «Forcasa, S.A.» ha asumido la representación de sus empleados de forma habitual. No ha formalizado para ello ningún documento específico, sino que sólo ha recibido la aquiescencia verbal de los trabajadores. En los últimos tiempos ha presentado solicitudes y entablado distintos recursos y reclamaciones económico-administrativas, y la Administración Pública no ha puesto ningún impedimento para su tramitación. No obstante, la Dirección General de Tráfico ha dictado una resolución, de 16 de mayo de 1996, por la cual prohíbe la representación de la citada entidad ante la Jefatura de Tráfico de Madrid, pues considera que no ha formalizado debidamente la representación y, además, aunque hubiera suscrito algún documento, no puede la empresa ser representante con carácter habitual, ya que sólo pueden actuar así los que tienen la titulación adecuada y reúnan los requisitos que las normas jurídicas imponen.

A la vista de estos antecedentes, se hacen las siguientes preguntas:

1. ¿Puede «Forcasa, S.A.» asumir la representación de sus empleados con carácter habitual?, ¿qué requisitos debe observar para actuar como representante?
2. ¿Es necesaria la formalización de un documento escrito para otorgar la representación?, ¿cómo puede acreditarse la representación?
3. ¿Hay alguna diferencia a efectos de acreditación entre la representación aislada y la habitual?
4. ¿Se requiere alguna titulación específica para la representación habitual?
5. ¿Son válidas todas las actuaciones que ha hecho «Forcasa, S.A.» como representante de sus empleados?
6. En el caso de que alguna actuación estuviere viciada por una irregularidad, ¿qué consecuencias tiene?

DOCTRINA

Uno de los principios informadores del procedimiento administrativo es el informalismo. El particular o administrado no tiene que estar asistido por un abogado o procurador, salvo en algún supuesto excepcional. Por esta razón puede actuar por sí o por medio de un representante que tenga la debida capacidad de obrar. Hay, por el contrario, casos en los que, debido a la trascendencia de las actuaciones administrativas y los efectos que de ellas derivan, se exige el cumplimiento de determinadas formas para actuar como representante. Sin embargo, estas formas sólo tienen una dimensión instrumental, que en ningún caso puede ser exacerbada.

LEGISLACIÓN

- LAP: arts. 32, 46.3 y 85.2.
- CC: arts. 1.216 y 1.259.
- LGT: art. 43.
- RD 391/1996, de 1 de marzo, por el que se aprueba el Reg. de procedimiento en las reclamaciones económico-administrativas (BOE nº 72, de 23 de marzo; corrección de errores en BOE nº 168, de 12 de julio): arts. 33 y 34.

JURISPRUDENCIA

- STS 3.5.85 (2892): sobre los efectos de la falta de acreditación de la representación.
- STS 12.4.89 (3105): posibilidad de subsanación de la falta de representación.
- SSTS 29.1.92 (29), y 19.1.96 (435): acerca de las características y el ámbito de operaciones de los gestores administrativos.
- STS 7.5.94 (3492): representación ante la Administración tributaria para actos que no son de mero trámite.
- STS 21.5.94 (3532): sobre los casos en que ante la Administración tributaria hay que acreditar la representación con poder bastante, y los que admiten la representación presunta.
- STS 18.10.95 (7301): la representación para actos de mero trámite en la esfera tributaria.
- RDGRN 5.3.96 (5043): no puede atribuirse la representación de su cónyuge sin que previamente le hubiera sido conferida.

BIBLIOGRAFÍA

- FALCÓN Y TELLA, R.: voz «Representación», *Enciclopedia Jurídica Básica*, t. IV, Civitas, Madrid, 1995, págs. 5814 y 5815.
- GONZÁLEZ PÉREZ, J.: «La representación de los interesados en la LPA», *RAP* nº 52, 1967, págs. 19 y ss.

– GONZÁLEZ PÉREZ, J. y GONZÁLEZ NAVARRO, F.: *Comentarios a la Ley de Régimen Jurídico de las Administraciones Públicas y Procedimiento Administrativo Común (Ley 30/1992, de 26 de noviembre)*, t. I, Madrid, 1997, págs. 589 y ss.
– GONZÁLEZ PÉREZ, J. y TOLEDO JÁUDENES, J.: *Comentarios al Reglamento de Procedimiento en las reclamaciones económico-administrativas*, 2ª ed., Madrid, 1997, págs. 629 y ss.

Caso nº 5: DERECHO A OBTENER INFORMACIÓN

PLANTEAMIENTO

D. Juan Martínez, vecino del pueblo de Hermosilla, solicitó del Ayuntamiento copia de diversos acuerdos dictados por la Corporación que versaban sobre asuntos relativos a la situación urbanística en que se encuentran varias fincas, con vistas a ejecutar obras para la creación de una biblioteca y un parque público. El Ayuntamiento, tras recabar informe del Letrado consistorial, denegó la petición de información porque entiende que ni los acuerdos afectan directamente a derechos e intereses de D. Juan ni él tiene ningún título jurídico válido para exigir las copias de los acuerdos. Sin embargo, este ciudadano entiende que no tiene que invocar ningún título para pedir una simple información.

A la vista de estos antecedentes, se formulan las siguientes preguntas:

1. ¿Tiene D. Juan derecho a obtener información?, ¿la información sólo se puede solicitar en el marco de un procedimiento administrativo?
2. ¿Es preciso tener legitimación para ejercer el derecho a solicitar información?
3. ¿Puede la Administración Pública establecer trámites adicionales a los previstos en las Leyes para el ejercicio del derecho a obtener información?
4. ¿Se necesita una autorización o algún otro título jurídico para obtener información?
5. ¿Cuáles son los supuestos en los que por fuerza debe negarse la información?

DOCTRINA

Una de las señas de identidad de la Administración Pública de un Estado democrático es su riguroso sometimiento a la Ley y al Derecho, y su transparencia. Frente a una Administración autoritaria que se refugia en el secretismo y la inseguridad que la falta de datos comporta para el ciudadano, la Administración de un Estado de Derecho debe ser, en la medida de lo constitucionalmente posible, dialogante y transparente. En este sentido, el Ordenamiento jurídico español permite a los particulares solicitar información sobre la actividad administrativa, lo cual se muestra con mayor nitidez en la esfera local. No obstante, el derecho a obtener información no reúne las características precisas para ser conceptuado como un verdadero derecho subjetivo, aparte de que existen materias en las que necesariamente está restringido el acceso a particulares porque en ellas concurren intereses que deben ser protegidos con eficacia. El núcleo central de la cuestión está, pues, en saber hasta dónde puede llegar la pretensión del particular, y cuándo, por el contrario, se impone la negativa de la Administración para salvaguardar otros valores e intereses que el Ordenamiento también tutela y protege.

LEGISLACIÓN

- CE: arts. 9.3 y 105.
- LAP: arts. 3.2, 35, g), h), i), y 37.8.
- LRBRL: arts. 18 e) y 70.3.
- LPHE : art. 57.
- Ley 38/1995, de 12 de diciembre, sobre el derecho de acceso a la información en materia de medio ambiente.
- LS 98: arts. 6.2 y 16.2.
- ROF: art. 230.

JURISPRUDENCIA

- STS 9.4.87 (2873): derecho de los ciudadanos a obtener copias y certificaciones acreditativas de los entes públicos.
- STS 18.12.90 (10407): posibilidad de que el público en general pueda recibir información de los actos municipales.
- STS 27.12.94 (10459): el derecho a la información comprende la expedición de copias o fotocopias.
- SSTS 13.2.98 (2185) y 29.4.98 (4574): el art. 37.8 LAP no consagra un derecho a la obtención indiscriminada de fotocopias por los particulares, sin límites en cuanto a su posible autorización.

BIBLIOGRAFÍA

- BAÑO LEÓN, J.M.: «Los interesados y los derechos y deberes de los ciudadanos ante la Administración», en *La nueva Ley de Régimen Jurídico de las Administraciones Públicas y del Procedimiento Administrativo Común* (Dirs. LEGUINA VILLA y SÁNCHEZ MORÓN), Madrid, 1993, págs. 84 y ss.

- EMBID IRUJO, A.: *El Ciudadano y la Administración*, Madrid, 1994, págs. 80 y ss.
- SÁINZ MORENO, F.: «Secreto e información en el Derecho público», en *Estudios sobre la Constitución Española. Homenaje al Profesor E. García de Enterría*, t. III., Civitas, Madrid, 1991, págs. 2863 y ss.
- SÁNCHEZ BLANCO, A.: «Los derechos ciudadanos en la Ley de Administraciones Públicas», *RAP* n° 123, 1993, págs. 63 y ss.
- SÁNCHEZ MORÓN, M.: «El derecho de acceso a la información en materia de medio ambiente», *RAP* n° 137, 1995, págs. 31 y ss.

ACTO ADMINISTRATIVO

V

Mª del Pino Rodríguez González
Universidad de Las Palmas de Gran Canaria

Caso nº 1: CLASES DE ACTOS. ACTOS DE TRÁMITE Y ACTOS DEFINITIVOS

PLANTEAMIENTO

El 28 de de febrero de 2001, el Ayuntamiento de Arucas, en la isla de Gran Canaria, adoptó el acuerdo plenario de denegar la aprobación inicial del Plan Parcial del suelo urbanizable, número 17 —Hoya de Pineda— del Plan General de Ordenación, promovido por D. Juan Sánchez Acosta; cuya resolución se notificó al administrado el 23 de marzo siguiente. Contra dicha resolución denegatoria, el Sr. Sánchez Acosta interpuso el correspondiente recurso contencioso administrativo.

A tenor de lo expuesto, el promotor del planeamiento solicita informe jurídico, que deberá responder a las siguientes cuestiones:

1. ¿Cuáles son las notas que caracterizan los actos de trámite y sus principales diferencias con los actos definitivos?
2. ¿Cuál es la doctrina general que rige en materia de impugnación de los actos administrativos de trámite?, ¿cabe recurrirlos individualmente? En caso afirmativo: ¿En qué supuestos pueden recurrirse?
3. ¿La denegación de la aprobación inicial de un Plan Parcial puede considerarse como un acto de trámite o es, por el contrario, un acto definitivo?
4. ¿Puede el Sr. Sánchez Acosta recurrir individualizadamente tal denegación?, ¿agota dicha denegación la vía administrativa?, ¿es correcto, en este caso, interponer un recurso contencioso administrativo?

DOCTRINA

La Administración es un aparato organizativo complejo cuya forma de actuación es procedimentalizada: sus decisiones no son, por lo común, producto de un acto único de reflexión y voluntad, sino el resultado final de un procedimiento que finaliza, normalmente, con una decisión. De ahí surge la distinción elemental, entre los llamados actos definitivos, que ponen fin al procedimiento, y los que integran el mismo, preparando su resolución final, a los que se denomina actos de trámite.

Tal distinción posee, ante todo, fundamentales consecuencias prácticas en el orden de los recursos, por cuanto, en principio, sólo los actos definitivos son susceptibles de impugnación separada e independiente, tanto en vía administrativa como en la contencioso-administrativa. Ello no significa que los actos de trámite sean, en sentido estricto, inimpugnables, sino que su revisión ha de canalizarse a través de la del acto definitivo o final. Esto no obstante, y con carácter excepcional, tales actos de trámite pueden ser objeto de impugnación autónoma —administrativa o jurisdiccional—.

LEGISLACIÓN

- LJCA: art. 25.1, en relación con el art. 69.c).
- LAP: arts. 89, 107 y 109. c).
- LRBRL: art. 52.
- ROF: art. 209.
- RPU: arts. 136 y ss.

JURISPRUDENCIA

- STS 23.4.92 (3843): Los actos de trámite han sido definidos por nuestra jurisprudencia como todos aquellos carentes de sustantividad en materia decisoria trascendental, como simples eslabones del procedimiento, sin individualidad propia, al ser absorbida por la unidad del mismo.
- SSTS 16.2.96 (9404), 25.6.97 (5340), 16.7.97 (5937), 12.11.97 (8538), 17.3.98 (2822), '9.12.99 (8560) y 16.12.99 (8999): su definición posee fundamentales consecuencias prácticas en el orden de los recursos.
- SSTS 15.3.97 (1677), 18.6.97 (4709), 23.7.97 (6124), 11.7.97 (6245) y 17.3.98 (2822): Existen determinados supuestos en los que cada una de las fases del expediente dejan de ser meros actos de trámite para constituirse en

verdaderos actos administrativos decisorios, con efectos jurídicos peculiares respecto al interesado.

BIBLIOGRAFÍA

– BOQUERA OLIVER, J. M.: *Estudios sobre el acto administrativo*, Madrid, 1993.
– BOQUERA OLIVER, J. M.: Voz «Acto Administrativo», en *Enciclopedia Jurídica Básica*, t. I, Civitas, Madrid, 1995.
– ENTRENA CUESTA, R.: *Curso de Derecho Administrativo*, t. I/1, Tecnos, Madrid, 1996.
– GARCÍA DE ENTERRÍA, E. y FERNÁNDEZ RODRÍGUEZ, T. R.: *Curso de Derecho Administrativo*, t. I, Civitas, Madrid, 2002.
– GARCÍA TREVIJANO, J. A.: *La impugnación de los actos administrativos de trámite*, Madrid, 1993.
– PARADA VÁZQUEZ, R.: *Derecho Administrativo*, t. I, Marcial Pons, Madrid, 2000.
– PIÑAR MAÑAS, J.L. (Dir.) y otros: *La reforma del Procedimiento administrativo. Comentarios a la Ley 4/1999, de 13 de enero*, Dykinson, Madrid, 1999.
– SANTAMARÍA PASTOR, J.A.: *Principios de Derecho Administrativo*, t. 2, Ceura, Madrid, 2000.
– VILLAR EZCURRA, J. L.: «Los actos administrativos de trámite: los actos reiterativos y la indefensión del particular», *RAP* n° 86.

Caso nº 2: LA MOTIVACIÓN DEL ACTO ADMINISTRATIVO

PLANTEAMIENTO

Doña Ana Pérez Rijo solicita licencia municipal de obra mayor para reformar y levantar la segunda planta de una vivienda sita en el término municipal de Tejeda —isla de Gran Canaria—. El 28 de mayo de 2001, el Alcalde-Presidente del Ayuntamiento de Tejeda dictó Decreto, en virtud del cual, y de conformidad con el informe del Técnico municipal, de 25 de enero de 2001, al que allí alude, denegó la expresada licencia por los siguientes motivos: «1º) No ajustarse el proyecto presentado para el otorgamiento de la licencia, en cuanto a altura, cuerpos volados sobre la vía pública y volúmenes, a la normativa urbanística aplicable. 2º) Por no cumplir el proyecto arquitectónico la Orden del Director General de Disciplina Urbanística y Medioambiental, de fecha 5 de diciembre de 2000, de legalizar las obras ya ejecutadas».

La administrada pretende solicitar la anulación del referido Decreto, al considerar que los motivos esgrimidos por la Alcaldía son genéricos e insuficientes. Por ello, encarga el estudio del tema a un despacho de abogados, que debe emitir un informe sobre los siguientes extremos:

1. ¿Es la motivación un elemento del acto administrativo, exigible en todo caso? En caso afirmativo: ¿Cuándo se considera que un acto está suficientemente motivado?
2. ¿A tenor de la transcripción hecha, el acto que denegó la licencia a la Sra. Pérez Rijo está correctamente motivado o, por el contrario, está viciado por defecto de forma?
3. ¿Cabe motivar el acto refiriéndose, únicamente, al informe del Técnico municipal? Razone jurídicamente la respuesta.
4. La falta de motivación o motivación insuficiente ¿es vicio que acarrea la nulidad absoluta o la simple anulabilidad? Y, en caso de resultar insuficiente la motivación, ¿cabría subsanar el acto?

DOCTRINA

La cuestión principal se centra en determinar cuál es el verdadero significado de la motivación y su alcance. Así, dicho elemento debe dar razón plena del proceso lógico y jurídico que ha motivado la decisión, sin sustituir un concepto jurídico indeterminado que esté en la base de la Ley por otro igualmente indeterminado, con prohibición de las fórmulas *passe-partout*, o comodines, que valen para cualquier supuesto y no para el concreto que se está decidiendo (García de Enterría y Fernández Rodríguez)

En otro orden de cosas, la virtud invalidante de la falta de motivación se encuentra expresamente reducida a unos límites modestos, y sólo adquiere relieve propio en aquellos casos en que el acto carezca de los requisitos formales indispensables para alcanzar su fin, o se produzca una situación de indefensión de los interesados. Por su parte, la motivación defectuosa tendrá los mismos efectos que la falta de ella si el defecto tiene la misma trascendencia que la ausencia de motivación.

LEGISLACIÓN

- LAP: arts. 54 y 89, 62, 63 y 67.
- LRBRL: art. 52.
- TRLS 76: arts. 178 a 180.
- TRLS 92: art. 243.2.
- Decreto Legislativo 1/2000, de 8 de mayo, por el que se aprueba el Texto Refundido de las Leyes de Ordenación del territorio y de espacios Naturales de Canarias: arts. 166 y 168.

JURISPRUDENCIA

- SSTC 1981, de 17 de julio y 128/1992, de 28 de septiembre.
- STC 1994, de 25 de abril y 2116/1998, de 13 de febrero.
- SSTS 12.1.98 (594), 20.1.98 (1418), 11.2.98, 2.11.99 (2294), 14.12.99 (9793) y 31.1.00 (1928): La motivación no es sólo una elemental cortesía, sino un requisito del acto de sacrificio de derechos. Desde el punto de vista de interno no asegura la formación de la voluntad de la Administración, constituye una garantía para el administrado y facilita el control jurisdiccional. Debe ser suficientemente indicativa a fin de posibilitar que el afectado pueda conocer esas razones o motivos y con ello pueda articular adecuadamente sus medios de defensa.
- SSTS 22.6.95 (4922), 30.9.96 (6807), 7.7.92 (5745), 23.1.95 (551) y 5.5.99 (3973): Sin embargo, la fuerza invalidante de la falta o insuficiencia de la motivación ha sido interpretada de modo muy restrictivo, habiéndose señalado los casos en que la ausencia de motivación o su insuficiencia es relevante.

- SSTS 19.10.93 (7366), 3.12.96 (8930), 14.11.97 (8461), 9.3.98 (2294), 14.6.99 (1970) y 5.2.00 (136): Esta flexibilidad interpretativa llega a su máxima expresión con la abundante jurisprudencia sobre la motivación *in aliunde* especificándose los requisitos que han de concurrir para su admisión.

BIBLIOGRAFÍA

- BOQUERA OLIVER, J.M.: voz «Notificación del acto administrativo», en *Enciclopedia Jurídica Básica*, t.III, Civitas, Madrid, 1995.
- FERNÁNDEZ RODRÍGUEZ, T.R.: *Arbitrariedad y discrecionalidad*, Madrid, 1991.
- FERNANDO PABLO, M.: *La motivación del acto administrativo*, Madrid, 1993.
- GARCÍA DE ENTERRÍA, E. y FERNÁNDEZ RODRÍGUEZ, T.R.: *Curso de Derecho Administrativo*, t. 1, Civitas, Madrid, 2002.
- GONZÁLEZ PÉREZ, J., GONZÁLEZ NAVARRO, F. y GONZÁLEZ RIVAS, J.J.: *Comentarios a la Ley 4/1999, de modificación de la Ley 30/1992*, Civitas, Madrid, 1999.
- HUERGO LORA, A.: «La motivación de los actos administrativos y la aportación de nuevos motivos en el proceso contencioso-administrativo», *RAP* nº 145, 1998.
- PARADA VÁZQUEZ, R.: *Derecho Administrativo*, t. I, Marcial Pons, Madrid, 2000.
- PARADA VÁZQUEZ, R.: «Nulidad y anulabilidad de los actos administrativos» en *Estudio, comentarios y texto de la Ley 30/1992, de 26 de noviembre*, Marcial Pons, Madrid, 1999.
- PIÑAR MAÑAS, J.L. (Dir.) y otros: *La reforma del Procedimiento administrativo. Comentarios a la Ley 4/1999, de 13 de enero*, Dykinson, Madrid, 1999.

Caso nº 3: LA NOTIFICACIÓN DEL ACTO ADMINISTRATIVO

PLANTEAMIENTO

El 10 de octubre de 1996, la «Comunidad de Regantes de San Juan», domiciliada en Teror, fue notificada, en su condición de interesada, de la resolución de la Alcaldía terorense del día 12 de agosto anterior, en virtud de la cual se le daba trámite de información pública y audiencia para formular, en su caso, alegaciones en relación con los Estatutos y Bases de Actuación de la Junta de Compensación del Sector número 10 denominado «Lomo del Pino». Así las cosas, y tras consultar el Boletín Oficial de la Provincia que se citaba en dicha resolución, esa Comunidad de Regantes tuvo noticia, por primera vez, de que el 3 de noviembre de 1994 había sido aprobado definitivamente el Texto Refundido del Plan Parcial de iniciativa particular, del Sector 10 de las Normas Subsidiarias de Teror; todo ello sin que hubiese sido notificada personalmente la Comunidad y, por consiguiente, sin otorgarle directamente trámite de audiencia y alegaciones respecto de tal instrumento de planificación urbanística, a pesar de estar afectada por la inclusión, en el antedicho Sector 10, de un pozo propiedad de la Comunidad.

Desconcertados, su Presidente solicita un informe jurídico sobre el tema, que habrá de versar sobre los siguientes extremos:

1. ¿Es obligatoria la notificación personal de todos los actos administrativos o, por el contrario, puede considerarse que está válidamente notificado cuando sólo se publica en el correspondiente Boletín Oficial?
2. ¿En todo caso, es la notificación un requisito de eficacia del Plan Parcial que ahora nos ocupa?; ¿qué efectos tiene para la Comunidad de Regantes la falta de notificación personal del acto aprobatorio de ese Plan Parcial de iniciativa particular?
3. ¿Determina esa ausencia de notificación personal la nulidad de pleno derecho del Plan aprobado o bien su anulabilidad? Razone jurídicamente la respuesta.

DOCTRINA

La notificación es la comunicación individualizada del acto administrativo a su destinatario. En principio, los actos administrativos gozan de eficacia inmediata, si bien, y para que así sea, es necesario que se den ciertos requisitos, tales como su correcta notificación o publicación. De este modo, la notificación constituye una *conditio iuris*, de cuya realización depende la eficacia de los actos administrativos que afecten a derechos o intereses de los ciudadanos y, asimismo, actúa como presupuesto para que transcurran los plazos de impugnación del acto.

En determinados supuestos expresamente tasados en la LAP, y con el alcance que allí se fija, se admite la utilización de dos medidas complementarias, esto es, la notificación edictal y la publicación en el Boletín Oficial correspondiente.

LEGISLACIÓN

- LAP: arts. 57 y 58, en relación con el 31, 59, 60, 61, 63, 66, 67 y 89.3.
- TRLS 76: art. 53.
- RPU: arts. 64 y 139.2.

JURISPRUDENCIA

- SSTC 117/1993, de 29 de marzo y 18/1995, de 24 de enero, y STS 14.11.97 (8336): La notificación representa una exigencia ineludible en defensa y garantía de los interesados.
- SSTS 10.2.97 (8868), 19.1.98 (238) y 29.1.98 (1020): Para que la notificación sea válida deberá practicarse cumpliendo determinados requisitos.
- SSTS 14.10.96 (La Ley 10679), 2.12.96 (9199): Se impone la obligación de notificar personalmente en determinados supuestos.
- STS 10.10.95 (7840): Sin perjuicio de la necesaria publicación de los acuerdos cuando puedan afectar a una generalidad de personas, lo cierto es que tal publicación no enerva la obligación de las notificaciones personales cuando éstas sean preceptivas.
- SSTS 20.2.97 (*La Ley* 1996/3421), 29.1.97 (*Actualidad Administrativa* 552/1997), 14.11.97 (8461) y 6.2.98 (1823): La falta de audiencia o notificación constituye una infracción que puede llevar aparejada la anulación del acto dictado si concurren determinadas circunstancias y con los efectos que se establezcan.

BIBLIOGRAFÍA

- BOQUERA OLIVER, J.M.: voz «Notificación del acto administrativo», en *Enciclopedia Jurídica Básica*, t.III, Civitas, Madrid, 1994.
- GONZÁLEZ PEREZ, J.: «La notificación de los actos administrativos», *Documentación Administrativa* nº 12.
- GONZÁLEZ PÉREZ, J. y GONZÁLEZ NAVARRO, F.: *Comentarios a la Ley de Régimen Jurídico de las Administraciones Públicas y del Procedimiento Administrativo Común (Ley 30/1992, de 30 de noviembre.* Incluye las modificaciones introducidas por la Ley 4/99), Civitas, Madrid, 1999.
- LEGUINA VILLA, J. y SÁNCHEZ MORÓN, M.: *La nueva Ley de Régimen Jurídico de las Administraciones Públicas y del Procedimiento Administrativo Común*, Madrid, 1993.
- LÓPEZ MERINO: *La notificación en el Ordenamiento Jurídico español*, Granada, 1989.
- PARADA VÁZQUEZ, R.: *Régimen jurídico de las Administraciones Públicas y del Procedimiento Administrativo Común*, Marcial Pons, Madrid, 1999.
- PIÑAR MAÑAS, J.L. (Dir.) y otros: *La reforma del Procedimiento administrativo. Comentarios a la Ley 4/1999, de 13 de enero*, Dykinson, Madrid, 1999.
- TARRES VIVES: «Notificación y publicación de los actos administrativos», en *Administración Pública y Procedimiento Administrativo* (Coord. TORNOS MÁS), Barcelona, 1994.

Caso n° 4: LA EJECUTIVIDAD DEL ACTO ADMINISTRATIVO

PLANTEAMIENTO

Por Decreto del Alcalde-Presidente, de fecha 11 de abril de 1999, del Ilustre Ayuntamiento de Telde —isla de Gran Canaria—, se ordenó el cierre y clausura de la industria de extracción de áridos de D. Andrés Rodríguez Medina, situada en dicha localidad, por considerar caducada la licencia municipal de apertura, no obstante disponer de autorización minera vigente otorgada por la Consejería de Industria y Energía del Gobierno Autónomo de Canarias. El acto se notificó al empresario, señalando día y hora para practicar la diligencia de cierre, clausura y precinto de la maquinaria y demás instalaciones; a todo lo cual éste se opuso. Por esa razón, la Corporación recabó auxilio de la fuerza pública y procedió al citado cierre.

Antes de interponer el correspondiente recurso contencioso-administrativo, y a la vista de lo sucedido, el Sr. Rodríguez Medina acude a un despacho de abogados para encomendar el tema, quienes emiten informe sobre los siguientes extremos:

1. ¿Puede la Corporación proceder, por la fuerza, al cierre del negocio aun cuando cuenta con una licencia de explotación que le había sido otorgada sin plazo de finalización? Razone jurídicamente la respuesta.
2. En caso afirmativo, ¿qué requisitos legales debe cumplir la Administración para proceder al cierre de la cantera?
3. ¿Qué camino debe seguir el Sr. Rodríguez Medina para conseguir la reapertura de la cantera?
4. ¿Cuál es la doctrina general que rige en materia de suspensión de los actos administrativos?, ¿qué posibilidades tiene dicho empresario de conseguir una resolución favorable a la suspensión del acto administrativo, y en base a qué argumentos?
5. ¿Mediante qué tipo de resolución podrá suspenderse la ejecutividad del acto y, por ende, reabrir la industria?

DOCTRINA

La eficacia peculiar del acto administrativo descansa en la presunción *iuris tantum* de su legalidad. Así, de una parte, permite que el acto administrativo sea eficaz mientras no se destruya, y, de la otra, hace posible que los titulares de derechos e intereses lesionados por aquél puedan probar que dicha presunción no es correcta y lograr la destrucción del acto, a través de la interposición del recurso que en cada caso corresponda.

En virtud de dichos principios, y como regla general, se proclama la ejecutividad inmediata de los actos administrativos, lo que significa que la Administración podrá proceder en determinados casos y previo cumplimiento de ciertos requisitos legales a su ejecución, aun en contra de la voluntad de los administrados. No obstante, tal rigidez se encuentra atemperada por la posibilidad de que, excepcionalmente y a instancia del particular, los Tribunales puedan acordar la suspensión cautelar de la eficacia del acto administrativo, paralizando su ejecución. Y ello porque una aplicación absoluta de la regla general de la no suspensión podría hacer ilusorio el derecho del ciudadano a la tutela judicial efectiva de los jueces y Tribunales si, a posteriori, se estimara el recurso interpuesto y fuese imposible reconstituir la situación que el acto recurrido, por su efectividad inmediata, hubiese alterado.

LEGISLACIÓN

- – CE: arts. 24 y 103.
- – LJCA: arts. 129 y ss.
- – LAP: arts. 56, 57, 93, 94, 95 y 111.
- – LRBRL: arts. 4 y 51.

JURISPRUDENCIA

- – STC 14/1992, de 10 de febrero.
- – STC 148/1993.
- – Auto 7171/1995, de 11 de octubre: La suspensión de la eficacia de los actos administrativos en sede judicial es una medida de excepción al principio general de autotutela de la Administración, cuya finalidad es asegurar la eficacia real del pronunciamiento futuro que recaiga en el proceso.
- – Auto 1667/1997, de 7 de marzo; SSTS 18.1.90 (830), 24.2.98 (1792), 28.2.98 (2403) y 30.3.98 (2902): Los Tribunales han fijado las circunstancias

que deben concurrir para que pueda acordarse la suspensión del acto; las cuales deberán ser probadas en todo caso por el particular, al menos indiciariamente.

– SSTS 16.9.96 (8856), 4.11.96 (7889) y 21.7.97 (6243); Autos 21.1.97 (84) y 8.7.97 (5832): En cada supuesto deberán ponderarse los intereses públicos y privados en juego, para determinar cuál debe prevalecer. Se trata de coordinar, en todo caso, el principio de efectividad de la tutela judicial con el de la eficacia administrativa.

– SSTS 13.12.96 (8856), 1.12.97 (8910), 13.2.98 (2181) y 28.2.98 (2403); Autos 8.7.97 (5832) y 16.2.98 (2150): La aplicación de la doctrina del *fumus boni iuris* se valorará cuando concurran otras circunstancias, tales como la existencia de daños o perjuicios de reparación imposible o difícil, considerando en qué medida el interés público puede resultar afectado si se suspende la ejecutividad del acto administrativo. En cualquier caso el *fumus boni iuris* debe ser enjuiciado con ponderación para no incurrir en equívocas incursiones en el fondo del asunto, habiendo señalado la jurisprudencia algunos supuestos en los que no procede su aplicación.

BIBLIOGRAFÍA

– AGUIRREAZCUENAGA, I: voz «ejecución forzosa» en *Enciclopedia Jurídica Básica*, t.II, Civitas, Madrid, 1994.
– BARCELONA LLOP, J.: Ejecutividad, ejecutoriedad y ejecución forzosa de los actos administrativos, Santander, 1995.
– BOQUERA OLIVER, J. M.: voces «Eficacia» y «suspensión», *Enciclopedia Jurídica Básica*, t. II y IV, Civitas, Madrid, 1995.
– CHINCHILLA MARÍN, C.: «El derecho a la tutela cautelar como garantía de la efectividad de las resoluciones judiciales», *RAP* n° 131.
– CHINCHILLA MARÍN, C.: voz «medidas cautelares», *Enciclopedia Jurídica Básica*, t. III, Civitas, Madrid, 1995.
– GARCÍA DE ENTERRÍA, E.: *La batalla por las medidas cautelares*, Madrid, 1995.
– LAFUENTE BENACHES, M.: *La ejecución forzosa de los actos por la Administración Pública*, Madrid, 1991.
– PIÑAR MAÑAS, J.L. (Dir.) y otros: *La reforma del Procedimiento administrativo. Comentarios a la Ley 4/1999, de 13 de enero*, Dykinson, Madrid, 1999.

Caso n° 5: OBLIGACIÓN DE RESOLVER Y ACTOS PRESUNTOS

PLANTEAMIENTO

El 29 de noviembre de 2000, D. Luis Morales Guedes solicitó de la Demarcación de Costas en Canarias, adscrita al Ministerio de Medio Ambiente, concesión administrativa para instalar un restaurante en la playa de San Agustín, en el término municipal de San Bartolomé de Tirajana, a cuyo efecto acompañó la documentación exigida legalmente. El 3 de agosto de 2001, y como quiera que habían transcurrido con exceso más de tres meses desde su petición, el Sr. Morales Guedes presentó un escrito en el citado Servicio Periférico de Costas, en virtud del cual dijo considerarla otorgada por silencio administrativo positivo. Con fecha 20 de agosto siguiente, el Ministerio de Medio Ambiente dictó acto administrativo expreso por el que denegó motivadamente la referida concesión. Contra la citada resolución, el administrado pretende interponer recurso contencioso-administrativo y basar la demanda en el hecho de estimar otorgada por silencio positivo la expresada concesión, al amparo del art. 43.2 de la LAP.

El Sr. Morales Guedes acude a un despacho de Abogados y solicita informe sobre el asunto, para lo cual éstos se plantean las siguientes cuestiones:

1. ¿Está la Administración obligada a resolver expresamente este asunto?
2. En este caso, ¿puede D. Luis Morales Guedes entender estimada su petición por silencio positivo?
3. ¿Es correcta la resolución expresa dictada por el Ministerio de Medio Ambiente en el sentido de denegar la solicitud del empresario? Explique el régimen de las resoluciones tardías.
4. Si con posterioridad el Sr. Morales recurriera en vía administrativa sin obtener tampoco resolución expresa, ¿qué sentido tendría entonces el silencio?
5. ¿Desde cuándo se puede entender producido el silencio? Explique la forma en que D. Luis Morales puede acreditar la producción del silencio.
6. ¿Qué requisitos debe cumplir dicho empresario para interponer el correspondiente recurso contencioso-administrativo?

DOCTRINA

La legislación común sobre procedimiento administrativo establece la obligación general que tiene la Administración de resolver todos los procedimientos que incoa, así como los plazos máximos previstos para dar cumplimiento a la indicada obligación legal. La reciente reforma de que ha sido objeto dicha legislación introduce importantes novedades, si bien mantiene con carácter general el mismo plazo supletorio previsto con anterioridad.

En esa misma legislación se regula seguidamente la institución del silencio administrativo, diferenciando nítidamente la naturaleza jurídica del silencio positivo y del negativo.

En cualquier caso, los actos administrativos producidos por silencio se podrán hacer valer ante la Administración y ante cualquier persona física o jurídica, pública o privada, produciendo efectos desde el vencimiento del plazo máximo en el que debe dictarse la resolución expresa sin que la misma se haya producido, y su existencia puede acreditarse por cualquier medio de prueba admitido en Derecho, incluido el certificado acreditativo del silencio producido que pudiera solicitarse del órgano competente para resolver.

LEGISLACIÓN

- LAP: art. 42 en relación con el 89.4, 43 y 44.
- RD 1471/1989, de 1 de diciembre, por el que se aprobó el Reglamento de la Ley de Costas: art. 146.13, modificado por el RD 1771/1994, de 5 de agosto, de adaptación de procedimientos administrativos a la Ley 30/1992.

JURISPRUDENCIA

- SSTS 23.5.95 (4024) y 22.1.98 (917); SSTSJ de Canarias de 12.12.96 (Ref.394, *Rev. Canaria de Derecho*, abril, 1997) y 27.5.98: declaran la obligación que tiene la Administración de responder expresamente a los ciudadanos dentro del plazo establecido por el Ordenamiento Jurídico (deber que impide que el silencio de la Administración sea interpretado en su beneficio), habiéndose establecido determinados ámbitos en los que necesariamente será de aplicación el silencio positivo o negativo según los casos y la adecuación reglamentaria de los procedimientos.

– Dictamen del Consejo de Estado, n° 423/1994, de 2 de junio (Ref. 126, Recopilación de Doctrina Legal, 1994) y STS 8.10.96 (6992): Sobre el alcance de la certificación de actos presuntos y su relativización en determinados supuestos, cuando tal exigencia representa una carga adicional.

BIBLIOGRAFÍA

– AGUADO I CUDOLÁ, V.: «La certificación de acto presunto ante la Reforma de la Ley 30/1992», *Revista Jurídica de Cataluña* n° 2, 1998.
– BOQUERA OLIVER, J. M.: voz «silencio administrativo» en *Enciclopedia Jurídica Básica*, t. IV, Civitas, Madrid, 1995.
– FERNÁNDEZ POLANCO, S.: «La nueva regulación del silencio administrativo. Comentario a los artículos 42, 43 y 43 LAP» en PIÑAR MAÑAS, J.L. (Dir.) y otros: *La reforma del Procedimiento administrativo. Comentarios a la Ley 4/1999, de 13 de enero*, Dykinson, Madrid, 1999, pp. 154 y ss.
– FERNÁNDEZ VALVERDE, R.: «De nuevo el silencio administrativo», *REDA* n° 105, 2000.
– GARCÍA-TREVIJANO GARNICA, E.: *El silencio administrativo en la nueva Ley de Régimen Jurídico de las Administraciones Públicas y del Procedimiento Administrativo Común*, Madrid, 1994.
– SÁINZ MORENO, F.: voz «resolución presunta» en *Enciclopedia Jurídica Básica*, t. IV, Civitas, Madrid, 1995.

PROCEDIMIENTO ADMINISTRATIVO

Silverio Fernández Polanco
Universidad San Pablo-CEU. Madrid

Caso nº 1: INICIACIÓN DEL PROCEDIMIENTO. SUBSANACIÓN DE DEFECTOS DEL ESCRITO DE SOLICITUD

PLANTEAMIENTO

La Entidad Mercantil D.A.M., S.A. solicitó del Ayuntamiento de Cercs licencia urbanística para la construcción de unos caminos forestales dentro de una finca propiedad de dicha entidad.

Remitida la petición a informe del Arquitecto Municipal, éste emite un informe en el que propone la desestimación de la licencia al no constar aportado con la solicitud el preceptivo proyecto suscrito por técnico competente (art. 9 RSCL). En base al referido informe del técnico municipal, el Ayuntamiento deniega la solicitud de licencia.

A la vista de estos antecedentes se formulan las siguientes preguntas.

1. ¿Cuáles son las formas de iniciación de los procedimientos administrativos?
2. ¿Qué requisitos deben contener las solicitudes dirigidas por los interesados?, ¿puede exigir la Administración un modelo determinado de escrito de solicitud?,¿dónde pueden presentarse los escritos de solicitud de iniciación?
3. ¿Qué efectos produce y qué derechos confiere la solicitud de iniciación de un procedimiento?
4. ¿Es el mismo régimen en el caso del derecho de petición a que se refiere el artículo 29.1 CE?
5. ¿Ha actuado correctamente el Ayuntamiento en el presente supuesto?

DOCTRINA

La LAP en su artículo 68 determina las formas de iniciación de los procedimientos administrativos, siguiendo en este punto con la dualidad de formas que se establecía en la LPA de 1958. La iniciación será pues de oficio o a solicitud de persona interesada. Dentro de la iniciación de oficio, el artículo 69 LAP establece, a su vez, los distintos supuestos que pueden determinarla. La forma de iniciación vendrá determinada por la propia naturaleza del objeto del procedimiento y la concreta situación jurídica del administrado respecto de tal objeto.

En el caso de la iniciación mediante solicitud de persona interesada, el procedimiento se inicia con el escrito de solicitud (cambiando el término tradicional de «instancia» a que se refería la LPA de 1958); dicho escrito debe contener como mínimo los extremos que se señalan en el art. 70.1 LAP, a salvo de legislación específica aplicable (art. 71.1 LAP). Es de aplicación a este escrito el principio antiformalista por lo cual no es exigible seguir el orden descrito en el citado artículo a la hora de redactar el escrito de solicitud.

Cabe la posibilidad de que la Administración establezca modelos y sistemas normalizados de solicitudes cuando se trate de procedimientos que impliquen la resolución numerosa de una serie de solicitudes, debiendo estar a disposición de los ciudadanos en las dependencias administrativas. Lo anterior no obsta que los solicitantes puedan acompañar los elementos que estimen convenientes para completar o precisar los datos del modelo que en todo caso deberán ser tenidos en cuenta por la Administración al adoptar la resolución que proceda.

Respecto del lugar de presentación de los escritos de solicitud es de aplicación lo dispuesto con carácter general para la presentación de escritos en el artículo 38.4 LAP, pudiendo exigir los interesados un recibo que acredite la fecha de presentación, admitiéndose como tal una copia del escrito en el que figure la fecha de presentación anotada por la oficina correspondiente.

Para el caso de que el escrito de solicitud no reúna los requisitos mínimos a que se refiere el artículo 70.1 LAP, los exigibles en virtud de norma de procedimiento específica, o que no se ajuste al modelo o sistema normalizado en su caso, la ley exige que la Administración conceda un plazo de diez días —ampliables a quince— para que puedan subsanarse los defectos de que adolezca el escrito de solicitud. En el caso de que el particular desatienda el requerimiento para subsanar los defectos del escrito de solicitud, se establece como consecuencia un supuesto de desistimiento tácito, con el archivo de actuaciones y cesando la obligación de dictar resolución en los términos previstos en el artículo 42.1 LAP.

Una novedad introducida por la LAP es que la Administración pueda recabar también la mejora de la solicitud, entendiendo que también opera aquí el límite de que no se trate de procedimientos selectivos o de concurrencia competitiva.

La presentación del escrito de solicitud de iniciación de un procedimiento conlleva una serie de efectos, como son: la obligación de resolver, —para cuyo plazo deberá tenerse en cuenta el artículo 42 LAP, y la DA 15ª de la misma ley— y, en su caso, el inicio del cómputo para la producción el silencio administrativo; la impulsión de oficio del procedimiento, guardando el orden de incoación —artículo 74.1 y 2 LAP—; la interrupción de los plazos de prescripción; la adopción de medidas provisionales, no sólo en los supuestos de iniciación de oficio; el orden de prioridad para determinados derechos sustantivos, etc. Paralelamente surgen en el particular los derechos inherentes a su condición de interesado.

LEGISLACIÓN

– LAP: arts. 68 y ss.

JURISPRUDENCIA

– SSTS 19.10.92 (7834) y 2.10.95 (7207): Deficiencias subsanables en el escrito de solicitud.
– STS 15.2.94 (1022): Escritos de solicitudes a la Administración y distinción con figuras afines.

BIBLIOGRAFÍA

– FANLO LORAS, A.: «Disposiciones Generales sobre los procedimientos administrativos: iniciación, ordenación e instrucción» en *La Nueva Ley de Régimen Jurídico de las Administraciones Públicas y del Procedimiento Administrativo Común* (Dirs. LEGUINA VILLA y SANCHEZ MORÓN), Tecnos, Madrid 1993, págs 224 y ss.

- FERNÁNDEZ MONTALVO, R.: «De las disposiciones Generales sobre los procedimientos administrativos» en *Comentario Sistemático a la Ley de Régimen Jurídico de las Administraciones Públicas y del Procedimiento Administrativo Común,* Carperi, Madrid 1993, págs 283 y ss.
- FERNÁNDEZ POLANCO, S. «Comentario a los artículos 42 y 43, y D.A. 15ª LAP» en PIÑAR MAÑAS, J.L.(Dir.) y otros: *La reforma del procedimiento administrativo. Comentarios a la Ley 4/1.999, de 13 de enero,* Dykinson, Madrid 1999, págs. 164 y ss, y 423 y ss.
- GÁLVEZ MONTES, F.J.: «Comentario al artículo 71 LAP» en PIÑAR MAÑAS, J.L.(Dir.)y otros: *La reforma del procedimiento administrativo. Comentarios a la Ley 4/1.999, de 13 de enero,* Dykinson, Madrid, 1999, págs. 237 y ss.
- GARCÍA DE ENTERRÍA, E. y FERNÁNDEZ RODRÍGUEZ, T. R.: *Curso de Derecho Administrativo,* II, Civitas, Madrid, 2002.
- GARRIDO FALLA, F. y FERNÁNDEZ PASTRANA, J. M.: *Régimen Jurídico y Procedimiento de las Administraciones Públicas,* Civitas, Madrid, 1993.
- GONZÁLEZ NAVARRO, F.: *Derecho Administrativo Español,* t. III, EUNSA, Navarra, 1997.
- GONZÁLEZ PÉREZ, J.: *Comentarios a la Ley de Procedimiento Administrativo.* 3ª ed., Civitas, Madrid 1989.
- GONZÁLEZ PÉREZ, J. y GONZÁLEZ NAVARRO, F.: *Régimen Jurídico de las Administraciones Públicas y Procedimiento Administrativo Común,* 2ª ed., Civitas, Madrid, 1997.
- JIMÉNEZ CRUZ, J.M.: «Iniciación, ordenación e instrucción del procedimiento» en *Administraciones Públicas y Ciudadano* (Coord. PENDÁS GARCÍA), Praxis, Barcelona, 1993, págs. 529 y ss.
- PARADA VÁZQUEZ, R.: *Régimen Jurídico de las Administraciones Públicas y Procedimiento Administrativo Común,* Marcial Pons, Madrid, 1993.
- PAREJO ALFONSO, L. JIMÉNEZ-BLANCO, A. y ORTEGA ÁLVAREZ, L. *Manual de Derecho Administrativo,* t. 1. 5ª ed., Ariel, Barcelona, 1998.
- SANTAMARÍA PASTOR, J. A. y PAREJO ALFONSO, L. *Derecho Administrativo, la Jurisprudencia del Tribunal Supremo,* CEURA, Madrid, 1989.
- VILLAR PALASÍ, J. L. y VILLAR EZCURRA, J. L.: *Principios de Derecho Administrativo,* t. I. Sección de Publicaciones de la Facultad de Derecho, Universidad Complutense, Madrid, 1993.

Caso nº 2: INFORMES

PLANTEAMIENTO

La Comisión Delegada para Asuntos Económicos, en su reunión de 29 de junio de 1985, adoptó una resolución en la que se consideraba rebajar el margen comercial correspondiente a los farmacéuticos por la venta de medicamentos en las oficinas de farmacia. Dicha resolución se hizo efectiva mediante Orden de la Presidencia del Gobierno de 10 de agosto de 1985 y por Resolución de la misma fecha del Director General de Farmacia y Productos Sanitarios del Ministerio de Sanidad y Consumo. Posteriormente ambas disposiciones fueron anuladas mediante Sentencia del Tribunal Supremo de 4 de julio de 1987.

Un colectivo de farmacéuticos, afectados por la rebaja sufrida en sus márgenes comerciales desde la aplicación de las disposiciones anuladas, presenta con fecha 30 de junio de 1988 una petición de responsabilidad patrimonial de la Administración del Estado solicitando ser indemnizados por las cuantías dejadas de percibir en aplicación de la mencionada rebaja.

Desestimada la petición por silencio administrativo interponen recurso contencioso-administrativo frente a la desestimación presunta. El Abogado del Estado en su contestación a la demanda opone la improcedencia de la pretensión ya que en el expediente administrativo no consta el informe preceptivo del Consejo de Estado.

A la vista de estos antecedentes se formulan las siguientes preguntas.

1. ¿Qué tipos de informes se recogen en la legislación sobre procedimiento administrativo?
2. ¿Qué plazos se determinan para evacuar los informes en la LAP?
3. ¿Ante la falta de un informe se puede suspender la tramitación del procedimiento?
4. ¿Es preceptivo el informe del Consejo de Estado en el presente supuesto?
5. ¿La omisión de un informe preceptivo conlleva la nulidad del procedimiento?

DOCTRINA

Dentro de los actos de instrucción, cobran especial importancia los llamados «informes», comprensivos en nuestra legislación de otras expresiones como «dictámenes», «consultas», etc., consistentes en declaraciones de juicio emitidas por órganos especialmente cualificados, (distints de los que tienen que resolver el procedimiento), destinados a proporcionar elementos de juicio necesarios para mayor garantía de acierto en la resolución a dictar.

Existen distintas clasificaciones de los mismos, siendo las más significativas las que atienden a los datos de su obligatoriedad de inserción en el procedimiento administrativo y de su eficacia vinculatoria para el órgano encargado de resolver. Así, los informes pueden ser preceptivos o facultativos y vinculantes o no vinculantes. Salvo disposición expresa en contrario, los informes se entenderán facultativos y no vinculantes. En la LAP parece advertirse un *tertium genus* dentro de los informes, como son los que denomina «determinantes» (art. 42.5 y 83.3 LAP).

La ausencia de estos informes en los distintos procedimientos ha sido abordada por la jurisprudencia, con especial referencia a los efectos de su ausencia en procedimientos en los que serían preceptivos, aunque con distintos efectos jurídicos si se trata de resoluciones presuntas en las que ha operado el silencio administrativo.

LEGISLACIÓN

- CE: art. 107.
- LAP: arts. 82, 83.
- RD 429/1993, de 26 de marzo, por el que se aprueba el Reglamento de los procedimientos de las Administraciones Públicas en materia de responsabilidad: arts. 12 y 16.
- LOCE : art. 22.13 y concordantes del Reglamento del Consejo de Estado, aprobado por Real Decreto 1674/1980, de 18 de julio.

JURISPRUDENCIA

- SSTS 15.10.90 (8126), 30.11.90 (9344), 5.12.91 (9283), 9.3.92 (2138), 9.12.93 (9254), 14.7.94 (5630), 25.4.95 (3073) y 25.9.96 (4530): Falta de dictamen preceptivo del Consejo de Estado en expedientes finalizados por resolución presunta, efectos.

- STS 29.11.95 (8802): Falta de dictamen preceptivo del Consejo de Estado. Ausencia de expediente administrativo.
- STS 13.12.95 (9463) Denegación de autorización en base a informe vinculante de la Administración del Estado. Control jurisdiccional.

BIBLIOGRAFÍA

- BLANCO DE TELLA, L. y GONZÁLEZ NAVARRO, F.: *Organización y Procedimiento Administrativos. Estudios*, Montecorvo, Madrid, 1975, págs. 299 y ss.
- FANLO LORAS, A.: «Disposiciones Generales sobre los procedimientos administrativos: iniciación, ordenación e instrucción» en *La Nueva Ley de Régimen Jurídico de las Administraciones Públicas y del Procedimiento Administrativo Común* (Dirs. LEGUINA VILLA y SÁNCHEZ MORÓN), Tecnos, Madrid, 1993, págs. 241 y ss.
- FERNÁNDEZ MONTALVO, R.: «De las disposiciones Generales sobre los procedimientos administrativos» en *Comentario Sistemático a la Ley de Régimen Jurídico de las Administraciones Públicas y del Procedimiento Administrativo Común* (SANTAMARÍA PASTOR y otros), Carperi, Madrid, 1993, págs. 296 y ss.
- GARCÍA DE ENTERRÍA, E. y FERNÁNDEZ RODRÍGUEZ, T. R.: *Curso de Derecho Administrativo*. II, Civitas, Madrid, 2002.
- GARRIDO FALLA, F. y FERNÁNDEZ PASTRANA, J. Mª.: *Régimen Jurídico y Procedimiento de las Administraciones Públicas*, Civitas, Madrid, 1993.
- GONZÁLEZ NAVARRO, F.: *Derecho Administrativo Español,* t. III, EUNSA, Navarra, 1997.
- GONZÁLEZ PÉREZ, J.: *Comentarios a la Ley de Procedimiento Administrativo*, 3ª ed., Civitas, Madrid, 1989.
- GONZÁLEZ PÉREZ, J. y GONZÁLEZ NAVARRO, F.: *Régimen Jurídico de las Administraciones Públicas y Procedimiento Administrativo Común*, 2ª ed., Civitas, Madrid, 1997.
- JIMÉNEZ CRUZ, J.M.: «Iniciación, ordenación e instrucción del procedimiento» en *Administraciones Públicas y Ciudadanos* (Coord. PENDÁS GARCÍA), Praxis, Barcelona, 1993, págs. 555 y ss.
- PARADA VÁZQUEZ, R.: *Régimen Jurídico de las Administraciones Públicas y Procedimiento Administrativo Común*, Marcial Pons, Madrid, 1993.
- PAREJO ALFONSO, L./ JIMÉNEZ-BLANCO, A. y ORTEGA ÁLVAREZ, L.: *Manual de Derecho Administrativo*, t. I, 5ª ed., Ariel, Barcelona, 1998.
- SANTAMARÍA PASTOR, J. A. y PAREJO ALFONSO, L.: *Derecho Administrativo. La Jurisprudencia del Tribunal Supremo*, CEURA, Madrid, 1989.
- VILLAR PALASÍ, J. L. y VILLAR EZCURRA, J. L.: *Principios de Derecho Administrativo*, t. I, Servicio de Publicaciones de la Facultad de Derecho de la Universidad Complutense, Madrid, 1993.

Caso nº 3: AUDIENCIA AL INTERESADO

PLANTEAMIENTO

La Cooperativa concesionaria de la explotación de un Mercado municipal solicita del Ayuntamiento un incremento de las tarifas mensuales que percibe de los distintos comerciantes por la ocupación de puestos y bancas de los que son adjudicatarios. La solicitud motivada trae causa del acuerdo adoptado por la Asamblea General Extraordinaria de la Cooperativa concesionaria.

Dicho incremento es autorizado por resolución del Alcalde.

Dos comerciantes, adjudicatarios de sendos puestos y que no pertenecen a la Cooperativa, recurren jurisdiccionalmente la resolución municipal y solicitan la declaración de nulidad absoluta de la misma, alegando entre otras cosas que en el procedimiento seguido para el incremento de las tarifas se ha prescindido del trámite de audiencia al interesado ya que ellos no han tenido oportunidad de alegar acerca de la improcedencia del aumento tarifario.

A la vista de estos antecedentes se formulan las siguientes preguntas:

1. ¿Procede el trámite de audiencia al interesado en todo caso, o existen excepciones?
2. En el caso de que sea preceptivo y se omita ¿supondría un vicio de nulidad absoluta o de mera anulabilidad?, ¿con qué efectos sobre lo actuado en el procedimiento?
3. ¿Puede entenderse subsanado por actuaciones posteriores de los interesados?
4. ¿Tiene alguna trascendencia ser un tercero interesado que no ha iniciado el procedimiento?

DOCTRINA

El trámite de audiencia al interesado, que incluye la vista del expediente, es un trámite específico que permite a los interesados con carácter general conocer la totalidad de lo actuado en el expediente administrativo y realizar una defensa completa y eficaz de sus intereses, con aportación de datos, documentos y fundamentación de sus derechos, que deberán ser tenidos en cuenta a la hora de resolver el procedimiento.

Su ubicación en el *iter* procedimental, antes de la propuesta de resolución, asegura esta plenitud argumental ya que tendrá conocimiento de todos los elementos que serán tenidos en cuenta por la Administración para dictar la resolución que proceda. Aquella finalidad explica la excepción clásica de este trámite cuando no figuren en el procedimiento ni vayan a ser tenidos en cuenta en la resolución otros hechos ni otras alegaciones y pruebas que las aducidas por el interesado.

Directamente vinculado al principio *audi alteram partem*, es el único trámite de los procedimientos administrativos explicitado en el texto constitucional (art. 105. c) CE).

El trámite de audiencia es independiente de la posibilidad de formular alegaciones en cualquier momento del procedimiento, que se establece en el artículo 79 LAP. La omisión de este trámite preceptivo conlleva, en principio, la consideración de vicio de nulidad absoluta, equiparándose a la falta absoluta de procedimiento al ser un trámite esencial; si bien debe concurrir la existencia de indefensión para el interesado, razón por la cual la jurisprudencia analiza bajo ese prisma los diferentes supuestos que se le plantean, dejando sin sanción jurídica aquellos en los que la indefensión no es real y efectiva, haciendo primar el principio de economía procesal. Incluso, pese a su inicial postura, la jurisprudencia parece permitir obviarlo cuando pueda demostrarse que la decisión final hubiese tenido que ser la misma en todo caso. En este sentido, sólo conectado con la indefensión adquiere relevancia constitucional, siendo, en principio, cuestión de mera legalidad ordinaria en el resto de los supuestos.

LEGISLACIÓN

- CE: art. 105 c).
- LAP: arts. 84, 62 y ss.

JURISPRUDENCIA

- STS 8.4.92 (3435): Falta de audiencia determinante de nulidad.
- STS 26.11.92 (9333): Falta de audiencia determinante de nulidad por causar indefensión. Obligación de retrotraer las actuaciones.
- STS 28.3.92 (2466): Falta de audiencia a tercero interesado determinante de nulidad por causar indefensión.

- STS 30.4.92 (4207): Examen de la distinta configuración de la ausencia del trámite de audiencia (como vicio de nulidad o de anulabilidad) concurriendo en cualquier caso la circunstancia de indefensión para el particular. Obligación de retrotraer las actuaciones.
- STS 3.1.85 (2589): Contradictoria con la STS 8.4.92. No se aprecia indefensión por presumir que los recurrentes conocían el acuerdo de iniciación del procedimiento.
- STS 29.1.92 (1242): No cabe alegar indefensión por ausencia del trámite de audiencia al haberse interpuesto recurso en vía administrativa. Prevalencia del principio de economía procesal.
- SSTS 30.11.92 (10516), 17.12.92 (10044) y 5.3.93 (1579): Inexistencia de indefensión por no ser tenidos en cuenta en la resolución otros hechos ni otras alegaciones y pruebas que las aducidas por el interesado.

BIBLIOGRAFÍA

- DIEZ SÁNCHEZ, J. J.: *El Procedimiento Administrativo Común y la Doctrina Constitucional*, Civitas, Madrid 1992, págs. 183 y ss.
- FANLO LORAS, A.: «Disposiciones Generales sobre los procedimientos administrativos: iniciación, ordenación e instrucción» en *La Nueva Ley de Régimen Jurídico de las Administraciones Públicas y del Procedimiento Administrativo Común* (Dirs. LEGUINA VILLA y SÁNCHEZ MORÓN), Tecnos, Madrid, 1993, págs 242 y ss.
- FERNÁNDEZ MONTALVO, R.: «De las disposiciones Generales sobre los procedimientos administrativos» en *Comentario Sistemático a la Ley de Régimen Jurídico de las Administraciones Públicas y del Procedimiento Administrativo Común* (SANTAMARÍA PASTOR y otros), Carperi, Madrid, 1993, págs 299 y ss.
- GARCÍA DE ENTERRÍA, E. y FERNÁNDEZ RODRÍGUEZ, T. R.: *Curso de Derecho Administrativo*. II, Civitas, Madrid, 2002.
- GARRIDO FALLA, F. y FERNÁNDEZ PASTRANA, J. Mª.: *Régimen Jurídico y Procedimiento de las Administraciones Públicas*, Civitas, Madrid, 1993.
- GONZÁLEZ NAVARRO, F.: *Derecho Administrativo Español,* t. III, EUNSA, Navarra, 1997.
- GONZÁLEZ PÉREZ, J.: *Comentarios a la Ley de Procedimiento Administrativo*, 3ª ed., Civitas, Madrid, 1989.
- GONZÁLEZ PÉREZ, J. y GONZÁLEZ NAVARRO, F.: *Régimen Jurídico de las Administraciones Públicas y Procedimiento Administrativo Común*, 2 ª ed., Civitas, Madrid, 1997.
- JIMÉNEZ CRUZ, J.M.: «Iniciación, ordenación e instrucción del procedimiento» en *Administraciones Públicas y Ciudadanos* (Coord. PENDÁS GARCÍA), Praxis, Barcelona, 1993, págs. 558 y ss.
- PARADA VÁZQUEZ, R.: *Régimen Jurídico de las Administraciones Públicas y Procedimiento Administrativo Común*, Marcial Pons, Madrid, 1993.
- PAREJO ALFONSO, L./ JIMÉNEZ-BLANCO, A. y ORTEGA ÁLVAREZ, L.: *Manual de Derecho Administrativo*, t. I, 5ª ed., Ariel, Barcelona, 1998.
- SANTAMARÍA PASTOR, J. A. y PAREJO ALFONSO, L.: *Derecho Administrativo. La Jurisprudencia del Tribunal Supremo*, CEURA, Madrid, 1989.

– VILLAR PALASÍ, J. L. y VILLAR EZCURRA, J. L.: *Principios de Derecho Administrativo*, t. I, Servicio de Publicaciones de la Facultad de Derecho de la Universidad Complutense, Madrid, 1993.

Caso n° 4: OTRAS FORMAS DE TERMINACIÓN DEL PROCEDIMIENTO. CADUCIDAD IMPUTABLE AL INTERESADO

PLANTEAMIENTO

María Consuelo M.P., farmacéutica, solicita el día 16 de abril de 1995 de la Consejería de Sanidad de Castilla y León una autorización de instalación de una oficina de farmacia al amparo de lo establecido en el art. 3.1.b) del Decreto 909/1978, de 14 de abril, sobre Establecimiento, Transmisión e Integración de Oficinas de Farmacia, para atender a un núcleo de población de al menos dos mil habitantes en la referida ciudad. En la solicitud establece que la oficina de farmacia que pretende instalar se situará en la Calle de la Jara, sita en la Barriada del mismo nombre, cumpliendo dicha ubicación con los requisitos de distancia mínima respecto de otras oficinas de farmacia ya establecidas y que el núcleo de población supera los dos mil habitantes, aportando certificación acreditativa del padrón municipal sobre este extremo. Dado traslado de su petición a los farmacéuticos con oficinas instaladas más próximas, éstos ponen de manifiesto que en la petición no se señala el local donde se pretende instalar la nueva oficina de farmacia. En base a la consideración anterior, la Consejería de Sanidad concede un plazo de diez días a la peticionaria para que «señale con exactitud el local donde pretende instalar la oficina de farmacia, apercibiéndole que si en dicho plazo no atiende al presente requerimiento, se declarará la caducidad del procedimiento». A dicho requerimiento se contesta mediante escrito en el que se pone de manifiesto que según la norma aplicable y reiterada jurisprudencia, basta con señalar la zona o lugar donde se pretende instalar la nueva oficina de farmacia. Con fecha 12 de julio de 2000 la Consejería de Sanidad de Castilla y León resuelve, de conformidad con el art. 92 LAP, la caducidad del expediente deducido por Doña Consuelo por caducidad de la solicitud al no ser atendido el requerimiento de que fue objeto, por no señalar la ubicación del local para el que pretendía la mencionada autorización.

A la vista de estos antecedentes se formulan las siguientes preguntas:

1. ¿Qué requisitos deben concurrir para entender caducado un procedimiento administrativo por causa imputable al interesado?

2. ¿Cuál es el plazo durante el cual debe estar paralizado el expediente?

3. ¿Tiene alguna relevancia el tipo de trámite que deba ser cumplimentado por el interesado?

4. ¿Puede la Administración continuar un procedimiento incurso en una paralización por causa imputable al interesado durante un plazo suficiente para producir la caducidad?

5. ¿Puede un particular volver a plantear idéntica pretensión ante la Administración que la deducida en un procedimiento caducado?

6. ¿Es ajustada a Derecho la declaración de caducidad a que se refiere el presente supuesto?

7. ¿Es susceptible de recurso la declaración de caducidad del procedimiento?

DOCTRINA

La LAP recoge dos modalidades de caducidad de los procedimientos administrativos («perención» en la terminología de González Navarro, con eco en alguna doctrina jurisprudencial): por causas imputables al interesado o a la Administración.

La regulación de la caducidad figura asistemáticamente tratada en la LAP puesto que la primera causa se recoge en el art. 92, dentro de las formas anormales de terminación del procedimiento, mientras que la segunda, y novedad de la LAP en su redacción de 1992, está regulada ahora en el art. 44 (dedicado a la falta de resolución expresa en los procedimientos iniciados de oficio) como la consecuencia del incumplimiento de la obligación de resolver cuando este incumplimiento se produce en los procedimientos iniciados de oficio no susceptibles de producir actos favorables para los ciudadanos.

La caducidad del procedimiento por causa imputable al interesado tiene lugar cuando se paraliza el procedimiento por la inactividad de aquél y, pese a la advertencia efectuada por la Administración, persiste en su actitud obstaculizadora o de pasividad que impide dictar una resolución sobre el fondo de la pretensión deducida.

Para que opere este tipo de caducidad es necesaria la concurrencia simultánea de varios factores. En primer lugar, debe producirse la paralización del procedimiento por causas imputables al interesado al omitir éste la realización de alguna actividad legalmente indispensable que sea determinante para resolver sobre el fondo de la cuestión planteada. Por tanto, la omisión de trámites por parte del interesado en que no concurran la circunstancias antes aludidas no puede servir de soporte a una declaración de caducidad, sino solamente determinar la pérdida del derecho al trámite de que se trate (art. 92.2 LAP), sin alterar por ello la obligación de resolver que pesa sobre la Administración y su deber de impulsión de oficio de los trámites del procedimiento. Quedarían fuera de este régimen las paralizaciones sufridas en el procedimiento por causas imputables a terceros interesados que hubiesen comparecido en el expediente, así como las imputables a la propia Administración. En segundo lugar, debe mediar inexcusablemente un requerimiento al administrado con advertencia de que transcurrido el plazo de tres meses sin realizar la actividad requerida se producirá la caducidad del procedimiento. En tercer lugar, debe persistir la actitud omisiva del interesado durante el plazo antes señalado. En cuarto y último lugar, para que opere la caducidad debe realizarse formalmente la declaración expresa de tal circunstancia, acto este último que es el que pone fin al procedimiento y que es susceptible de recurso en la vía administrativa o jurisdiccional que proceda. En relación con este último requisito, debe significarse que la caducidad por inactividad del interesado puede no ser declarada en el supuesto de que la cuestión suscitada afecte al interés general o sea conveniente su definición o esclarecimiento.

Por lo que respecta a los efectos de la declaración de caducidad hay que poner de manifiesto que afecta solamente a la extinción del concreto procedimiento en que se produce, sin afectar los derechos del interesado que puede hacerlos valer en un nuevo procedimiento siempre que no se haya producido la prescripción de los mismos. Sin embargo, hay que advertir que los procedimientos caducados no interrumpen el plazo de prescripción de los derechos del particular, comportándose pues como inexistente el procedimiento a los efectos del cómputo de dicho plazo.

LEGISLACIÓN

- LAP: art. 92.
- Ley 16/1997, de 25 de abril, de Regulación de Servicios de las Oficinas de Farmacia.
- Decreto 909/1978, de 14 de abril, sobre Establecimiento, Transmisión e Integración de Oficinas de Farmacia: art. 3.1.b).

– Orden de 21 de noviembre de 1979, de desarrollo del Decreto anterior en lo referente al establecimiento, transmisión e integración de las Oficinas de Farmacia: art. 5.

JURISPRUDENCIA

– STS 16.1.96 (298) y las que en ésta se citan: Requisitos para que pueda operar la caducidad por causa imputable al interesado.
– SSTS 11.11.93 (8785) y 8.2.1993 (1328): No procede declarar la caducidad por no designar en un primer momento el local donde se pretende instalar la oficina de farmacia.
– STS 11.5.93 (3739): Improcedencia de declarar la caducidad del procedimiento por causas imputables al interesado por la no aportación de documentos cuando estos resultan innecesarios.
– STS 25.4.96 (3665): No se produce la caducidad por imposibilidad de aportar una documentación requerida al particular que tiene que ser expedida por otros organismos.
– STS 14.3.97 (1757): No procede declarar la caducidad por extravío del expediente imputable a la Administración.
– STS 4.11.92 (8921): Caducidad del procedimiento de renovación de licencia para Sala de Bingo por incumplimiento de realización unas obras necesarias para la renovación.
– STS 17.3.93 (1770): Se produce la caducidad pese a la sustitución de titular de la actividad cuando el procedimiento se encontraba ya caducado.

BIBLIOGRAFÍA

– FERNÁNDEZ MONTALVO, R.: «De las disposiciones Generales sobre los procedimientos administrativos» en *Comentario Sistemático a la Ley de Régimen Jurídico de las Administraciones Públicas y del Procedimiento Administrativo Común* (SANTAMARÍA PASTOR y otros), Carperi, Madrid, 1993, pág. 309.
– GARCÍA DE ENTERRÍA, E. y FERNÁNDEZ RODRÍGUEZ, T. R.: *Curso de Derecho Administrativo*. II, Civitas, Madrid, 2002.
– GARRIDO FALLA, F. y FERNÁNDEZ PASTRANA, J. Mª.: *Régimen Jurídico y Procedimiento de las Administraciones Públicas*, Civitas, Madrid, 1993.
– GONZÁLEZ NAVARRO, F.: *Derecho Administrativo Español,* t. III, EUNSA, Navarra, 1997, págs. 856 y ss.
– GONZÁLEZ PÉREZ, J.: *Comentarios a la Ley de Procedimiento Administrativo,* 3ª ed., Civitas, Madrid, 1989.
– GONZÁLEZ PÉREZ, J. y GONZÁLEZ NAVARRO, F.: *Régimen Jurídico de las Administraciones Públicas y Procedimiento Administrativo Común,* 2ª ed., Civitas, Madrid, 1997.
– MENÉNDEZ REXACH, A.: «Procedimientos administrativos: finalización y ejecución» en *La nueva Ley de Régimen Jurídico de las Administraciones*

Públicas y del Procedimiento Administrativo Común (Dirs. LEGUINA VILLA y SÁNCHEZ MORÓN), Tecnos, Madrid, 1993, págs 257 y ss.

- PARADA VÁZQUEZ, R.: *Régimen Jurídico de las Administraciones Públicas y Procedimiento Administrativo Común*, Marcial Pons, Madrid, 1993.
- PAREJO ALFONSO, L./ JIMÉNEZ-BLANCO, A. y ORTEGA ÁLVAREZ, L.: *Manual de Derecho Administrativo*, t. I, 5ª ed., Ariel, Barcelona, 1998.
- SÁINZ MORENO, F.: «Obligación de resolver y actos presuntos» en *La nueva Ley de Régimen Jurídico de las Administraciones Públicas y del Procedimiento Administrativo Común* (Dirs. LEGUINA VILLA y SÁNCHEZ MORÓN), Tecnos, Madrid, 1993, págs 149 y ss.
- SANTAMARÍA PASTOR, J. A. y PAREJO ALFONSO, L.: *Derecho Administrativo. La Jurisprudencia del Tribunal Supremo*, CEURA, Madrid, 1989.
- TÁBOAS BENTANACHS, M.: «Finalización del procedimiento y ejecución forzosa de los actos administrativos» en *Administraciones Públicas y Ciudadanos* (Coord. PENDÁS GARCÍA), Praxis, Barcelona, 1993, págs. 593 y ss.
- VILLAR PALASÍ, J. L. y VILLAR EZCURRA, J. L.: *Principios de Derecho Administrativo*, t. I, Servicio de Publicaciones de la Facultad de Derecho de la Universidad Complutense, Madrid, 1993.

Caso nº 5: OTRAS FORMAS DE TERMINACIÓN DEL PROCEDIMIENTO. CADUCIDAD IMPUTABLE A LA ADMINISTRACIÓN EN PROCEDIMIENTOS INICIADOS DE OFICIO

PLANTEAMIENTO

Con fecha de 17 de abril de 2001 se incoa a D. Juan Carlos L.S. expediente sancionador por la presunta comisión de una falta leve del artículo 26 e) de la Ley Orgánica 1/1992, de 21 de febrero, de Seguridad Ciudadana, por permanecer abierto el bar de su titularidad a las 4h. 25 m. horas del día 28 de marzo de 2001, cuando debería de haber cerrado a las 3 h. 30 m. Tramitado el expediente por el procedimiento simplificado a que se refieren los artículos 23 y 24 del Real Decreto 1398/1993, de 4 de agosto, y habiéndose presentado alegaciones en plazo por el expedientado, finaliza mediante Resolución de la Consejería de Desarrollo Autonómico, Administraciones Públicas y Medio Ambiente de la Comunidad Autónoma de la Rioja, de 28 de julio de 2001, imponiéndosele la sanción de ciento cincuenta (150) euros de multa.

A la vista de estos antecedentes se formulan las siguientes preguntas:

1. ¿Qué requisitos deben concurrir para entender caducado un procedimiento administrativo por causa imputable a la Administración?
2. ¿Qué plazo tiene la Administración para resolver procedimientos iniciados de oficio no susceptibles de producir efectos favorables en los ciudadanos?
3. ¿Tiene alguna relevancia el que el procedimiento se hubiese iniciado a consecuencia de denuncia de un particular?
4. ¿Es necesario que el particular expedientado advierta a la Administración de la situación de paralización del procedimiento?
5. ¿Tiene alguna importancia el incumplimiento de algún tipo de trámite que deba ser realizado por el interesado?
6. ¿Puede la Administración continuar un procedimiento incurso en paralización a ella imputable durante un plazo suficiente para producir la caducidad?, ¿podría reiniciar un procedimiento caducado?
7. ¿Se ha producido la caducidad en el presente supuesto?
8. ¿Habría prescrito la infracción en el presente supuesto?

DOCTRINA

Como decíamos en el caso anterior, la LAP regula un nuevo supuesto de caducidad reservado para aquellas paralizaciones sufridas en los procedimientos iniciados de oficio no susceptibles de producir efectos favorables en los administrados (art. 44.2, en su redacción dada por la Ley 4/99, de 13 de enero; antes art. 43.4). Este supuesto es de inspiración doctrinal y configuración normativa, más que jurisprudencial, pues la jurisprudencia había venido considerando sistemáticamente como vicio irrelevante superar aun ampliamente el transcurso de los seis meses que, con carácter general, preveía la LPA de 1958 para la tramitación de cualquier tipo de procedimiento iniciado de oficio susceptible de producir efectos desfavorables para el particular. Solamente eran objeto de atención jurisprudencial los supuestos en que tal dilación conllevase la prescripción interna de la infracción.

Los precedentes de esta nueva figura de caducidad pueden hallarse en algunas normas concretas, a saber: el art. 9.3 LPHE; el art. 3 del Decreto 2530/1976, de 8 de octubre, sobre prescripción de las infracciones y caducidad del procedimiento en materia de disciplina del mercado, y el art. 18 del Real Decreto 1945/1983, de 22 de junio, sobre infracciones y sanciones en materia de defensa del consumidor y de la producción agroalimentaria (donde pueden verse dos supuestos de caducidad: de la acción —art. 18.2— por el transcurso de seis meses sin incoar el expediente sancionador cuando, conocida la infracción, hubiesen finalizado las diligencias para su esclarecimiento, —que más bien sería un supuesto de prescripción de la infracción—; y del procedimiento —art. 18.3— por el transcurso de seis meses desde finalizado un trámite sin impulsión al siguiente o de un año sin dictar resolución después de notificada la propuesta).

La caducidad del procedimiento por causa imputable a la Administración tiene lugar cuando se paraliza el procedimiento por la inactividad administrativa dejando transcurrir el plazo máximo de resolución. Una de las novedades introducidas por la Ley 4/99, de 13 de enero, es que se suprime el plazo de gracia de 30 días que se daba a la Administración vencido el plazo máximo de resolución en el antiguo art. 43.4.

Para que opere este tipo de caducidad es necesaria la concurrencia simultánea de varios factores. En primer lugar, que se trate de procedimientos que hayan sido iniciados de oficio, con independencia de los distintos supuestos que pueden determinar la iniciación de oficio a que se refiere el art. 69 LAP. En segundo lugar, que dichos procedimientos no sean susceptibles de producir efectos favorables en los ciudadanos; (caso de todos los procedimientos de elaboración de actos de gravamen, o, en general, aquellos en los que se ejerciten potestades de intervención). En tercer lugar, requiere el transcurso del plazo que tiene la administración para dictar y notificar la correspondiente resolución según las reglas generales del art. 42. En cuarto y último lugar, que la ausencia de resolución no sea consecuencia de paralizaciones del procedimiento imputables al particular, en cuyo caso se producirá la suspensión del cómputo del plazo para resolver por el concreto tiempo de paralización imputable a éste (pese a que la LAP diga «se interrumpirá», ya que estamos en un supuesto de caducidad).

Por lo que respecta a los efectos de la declaración de caducidad del art. 44.2 LAP, se dice ahora que «la resolución que declare la caducidad ordenará el archivo de las actuaciones, con los efectos previstos en el artículo 92». Ante esta remisión, el único efecto de los previstos en el citado art. 92 sería el del apartado 3, lo que permitiría reiniciar el procedimiento salvo que hubiesen prescrito los derechos o caducado las acciones de la Administración frente al particular. Por tanto los procedimientos caducados no interrumpirían aquí tampoco el plazo de prescripción comportándose pues como inexistente el procedimiento a los efectos del cómputo de dicho plazo de prescripción. En cualquier caso debe cuestionarse si no resultaría más coherente con el principio de seguridad jurídica negar la posibilidad de que la Administración pudiese reabrir un procedimiento caducado —máxime en los procedimientos sancionadores— aunque aún no hubiese transcurrido el plazo de prescripción de la infracción. En este sentido, al hilo de pronunciamientos judiciales de algunas sentencias de Tribunales Superiores de Justicia, debería meditarse la diferencia existente entre los procedimientos en los que la Administración ejercita una potestad -v.gr. los sancionadores- y aquellos en los que ejercita, frente al particular, un derecho subjetivo (v. gr. un derecho de crédito frente al particular en un procedimiento de reintegro de una subvención). De acuerdo con esta distinción sólo podrían reiniciarse los procedimientos en los que la Administración ejercite frente al particular un derecho subjetivo, correlato del deber de éste frente aquélla.

Por último, y pese a la remisión en bloque al art. 92 que hace el art. 44.2, hay que negar rotundamente la posibilidad de que la administración pueda invocar el art. 92.4, a efectos de proseguir un expediente incurso en caducidad, ya que ello vaciaría de contenido el supuesto de caducidad por inactividad de la Administración.

LEGISLACIÓN

- LAP: art. 44.
- Ley Orgánica 1/1992, de 21 de febrero, de Seguridad Ciudadana: art. 26.
- RD 1398/1993, de 4 de agosto, por el que se aprueba el Reglamento del procedimiento para el ejercicio de la potestad sancionadora: arts. 23, 24, y Capítulo IV, especialmente art. 20.6.

JURISPRUDENCIA

- STSJ de la Rioja 17.2.97 (Repertorio de Aranzadi de Tribunales Superiores de Justicia de las Comunidades Autónomas, en adelante RJCA, 432): La caducidad opera en estos supuestos automáticamente. No es necesario una paralización del expediente que revele una voluntad administrativa de abandonar el procedimiento.
- STSJ de Justicia de la Rioja 10.2.97 (348): No es necesario un acto de solicitud o intimación del particular.
- STSJ de Justicia de la Rioja 28.12.96 (2219): Respecto del cómputo de plazo, supuesto en que aún no ha transcurrido el plazo de caducidad.
- STSJ de Justicia de la Rioja 14.10.96 (1441): Respecto de cómputo de plazo aprecia la caducidad por la improcedencia de computar interrupción en el plazo imputable al particular por la necesidad de acudir a la notificación edictal al no haberse intentado la notificación personal de forma correcta.
- STSJ de la Rioja 16.9.96 (1205): Precedente de las anteriores, no estima aplicable la caducidad a los supuestos del procedimiento simplificado en materia sancionadora.
- STSJ de Murcia 2.7.1997 (1425): La caducidad por inactividad administrativa supone un vicio de fondo que impide reiniciar el expediente sancionador aunque no haya transcurrido el plazo de prescripción, por haberse agotado el ejercicio de la potestad sancionadora por la Administración, al producir el acto sancionador el efecto de cosa juzgada administrativa.
- SSTSJ de Murcia 9.11.99 (RJCA, 3862), 14.6.00 (RJCA 1380), 21.6.00(RJCA 1385) y 1.7.00 (RJCA 1789), en todas ellas y con un impecable razonamiento se niega la posibilidad de que la Administración pueda reiniciar un procedimiento caducado pese a no haber transcurrido el plazo de prescripción.
- Como precedentes, y en lo que respecta a la caducidad en los procedimientos de disciplina del mercado, defensa del consumidor y de la producción agroalimentaria, pueden consultarse las siguientes sentencias:SSTS de 26.11.85 (1986/490), 22.12.86 (1987/1557), 3.2.87 (2053), 30.3.87 (4162),

27.10.87 (9189), 28.3.88 (2439), 26.4.88 (3232), 29.4.88 (3286 y 3290), 6.5.88 (4066), 16.5.86 (4166), 1.6.88 (4364), 21.6.88 (4642), 22.11.88 (9150), 23.1.89 (230), 13.3.89 (2523), 19.7.89 (6034), 7.12.89 (8769), 10.7.90 (5846), 12.12.90 (10389), 23.7.92 (6582), 22.10.92 (1993/367), 22.3.93 (1629) y 5.6.96 (5189).

- SSTS 28.2.96 (1764) y 18.12.96 (9309): Aunque no entre en juego el art. 43.4 LAP, merece hacerse mención a la jurisprudencia recaída en materia tributaria respecto a las paralizaciones de la acción inspectora, por un período de seis meses, y su efecto de no producir la interrupción de la prescripción de las deudas e infracciones tributarias.

- STS Sala 2ª, 31.10.97 (7529): Dada la trascendencia que ha tenido la figura de la caducidad por inactividad en el orden penal, merece consultarse esta sentencia que establece la inexistencia del delito contra el deber del cumplimiento de la prestación social sustitutoria, por incumplimiento de los plazos establecidos en el RD 266/1995, de 24 de febrero.

BIBLIOGRAFÍA

- FERNÁNDEZ POLANCO, S.: «Comentario al artículo 44 LAP» en PIÑAR MAÑAS, J.L. (Dir.) y otros: *La reforma del procedimiento administrativo. Comentarios a la Ley 4/1.999, de 13 de enero,* Dykinson, Madrid, 1999, págs. 192 y ss.
- GARCÍA DE ENTERRÍA, E. y FERNÁNDEZ RODRÍGUEZ, T. R.: *Curso de Derecho Administrativo.* II, Civitas, Madrid, 2002.
- GARRIDO FALLA, F. y FERNÁNDEZ PASTRANA, J. Mª.: *Régimen Jurídico y Procedimiento de las Administraciones Públicas,* Civitas, Madrid, 1993.
- GONZÁLEZ NAVARRO, F.: *Derecho Administrativo Español,* t. III, EUNSA, Navarra, 1997, págs. 880 y ss.
- GONZÁLEZ PÉREZ, J.: *Comentarios a la Ley de Procedimiento Administrativo,* 3ª ed., Civitas, Madrid, 1989, pág. 755.
- GONZÁLEZ PÉREZ, J. y GONZÁLEZ NAVARRO, F.: *Régimen Jurídico de las Administraciones Públicas y Procedimiento Administrativo Común,* 2ª ed., Civitas, Madrid, 1997.
- MENÉNDEZ REXACH, A.: «Procedimientos administrativos: finalización y ejecución» en *La nueva Ley de Régimen Jurídico de las Administraciones Públicas y del Procedimiento Administrativo Común* (Dirs. LEGUINA VILLA y SÁNCHEZ MORÓN), Tecnos, Madrid, 1993, págs 257 y ss.
- NIETO GARCÍA, A.: *Derecho Administrativo Sancionador,* 2ª ed., Tecnos, Madrid 1995, págs. 471 y ss.
- PARADA VÁZQUEZ, R.: *Régimen Jurídico de las Administraciones Públicas y Procedimiento Administrativo Común,* Marcial Pons, Madrid, 1993.
- PAREJO ALFONSO, L./ JIMÉNEZ-BLANCO, A. y ORTEGA ÁLVAREZ, L. *Manual de Derecho Administrativo,* t. I, 5ª ed., Ariel, Barcelona, 1998.
- SÁINZ MORENO, F.: «Obligación de resolver y actos presuntos» en *La nueva Ley de Régimen Jurídico de las Administraciones Públicas y del Procedimiento Administrativo Común* (Dirs. LEGUINA VILLA y SÁNCHEZ MORÓN), Tecnos, Madrid, 1993, págs 149 y ss.

- SANTAMARÍA PASTOR, J. A.: «La actividad de la Administración» en *Comentario Sistemático a la Ley de Régimen Jurídico de las Administraciones Públicas y del Procedimiento Administrativo Común* (SANTAMARÍA PASTOR y otros), Carperi, Madrid, 1993, pág. 174.
- TÁBOAS BENTANACHS, M.: «Finalización del procedimiento y ejecución forzosa de los actos administrativos» en *Administraciones Públicas y Ciudadanos* (Coord. PENDÁS GARCÍA), Praxis, Barcelona, 1993, págs. 593 y ss.
- VILLAR PALASÍ, J. L. y VILLAR EZCURRA, J. L.: *Principios de Derecho Administrativo*, t. I, Servicio de Publicaciones de la Facultad de Derecho de la Universidad Complutense, Madrid, 1993.

RECURSOS Y REVISIÓN

Adolfo Llamas Sánchez
Universidad de Las Palmas de Gran Canaria

Caso nº 1: ERRORES MATERIALES O DE HECHO

PLANTEAMIENTO

A D. Manuel Mateo, tras la superación de las oportunas pruebas y pagos de tasas legales, se le ha concedido por la Jefatura provincial de tráfico el correspondiente permiso de conducir que es anulado un mes después de su entrega porque el funcionario de examen aplicó, para la corrección de la prueba teórica una plantilla equivocada por encontrarse ya desfasada; al mismo tiempo se le invita a que compruebe que sus contestaciones al examen no se corresponden con la normativa vigente, lo cual es cierto.

En la fundamentación jurídica se cita el art.105.2 de la LAP que faculta a la Administración para rectificar en cualquier momento los errores materiales, de hecho o aritméticos existentes en sus actos.

Ante tal resolución, se plantean las siguientes cuestiones:

1. ¿Es correcta esta actuación administrativa?
2. ¿Tendría éxito D. Manuel si decidiera entablar los correspondientes recursos impugnando ese acto?
3. Si D. Manuel consigue la anulación de esa resolución ¿podrá la Administración emplear algún otro procedimiento para anular la concesión de ese permiso de conducción? En caso afirmativo, indicar los requisitos que la Administración debería cumplir para anular el permiso de conducción.

DOCTRINA

La LAP establece diversos procedimientos para evitar que los actos administrativos viciados perduren en el tiempo, procedimientos que deberán adoptar mayores o menores formalidades en función del vicio a corregir. Todo ello a los solos efectos de conjuntar adecuadamente los principios de seguridad jurídica y de legalidad.

En el caso que se plantea es importante clarificar si el error cometido por el funcionario actuante puede ser calificado como uno de los previstos en el art.105.2 de la LAP, en cuyo caso la Administración no estaría sujeta a plazo preclusivo alguno ni a observar especiales formalidades de actuación. Y es también importante decidir si, aun fracasando este intento, podría nuevamente intentarlo por otra vía o habría de conformarse con que un acto administrativo aparentemente contrario al ordenamiento jurídico continuase vigente.

LEGISLACIÓN

- CE: arts.9.3 ,24, 103.1 y 106.1.
- LAP: arts. 62, 63, 102, 103, 105 y 106.
- RD 772/97, de 30 de mayo, que aprueba el Reglamento general de conductores (Título II).

JURISPRUDENCIA

- STS 14.10.96 (8092): Hay que diferenciar entre errores materiales o de hecho y errores de derecho y circunstanciales que han de concurrir para aplicar el procedimiento, entre ellas, que no se produzca una alteración fundamental en el sentido del acto, pues no existiría error material si su apreciación valorativo o exige una operación de calificación jurídica.
- STS 17.2.87 (3203): Este presupuesto ha de ser de aplicación restrictiva para evitar que la Administración, amparándose en su potestad rectificadora en claro fraude de ley constitutivo de una desviación de poder.
- STS 20.7.84 (4247): No habrá limitación temporal para rectificar los errores materiales o de hecho en que haya podido incurrir una decisión o resolución administrativa pero tampoco se cierra la posibilidad de revisión de oficio por otras causas.

BIBLIOGRAFÍA

- BOQUERA OLIVER, J.Mª: *Estudio sobre el acto administrativo*, Civitas, Madrid, 1982.
- BOQUERA OLIVER, J.Mª: «Grados de ilegalidad del acto administrativo», RAP enero-diciembre 1983.

– COBO OLVERA, T.: «La revisión de los actos en vía administrativa. La revisión de oficio (Ley 30/92 de 26 de noviembre)», *La Ley,* 1993-3.
– GARCÍA DE ENTERRÍA, E. y FERNÁNDEZ RODRÍGUEZ, T.R.: *Curso de Derecho Administrativo*, t. I, Civitas, Madrid, 2002.
– GONZÁLEZ RIVAS, J.J.: *Estudio jurisprudencial del acto administrativo*, Comares, Granada, 1989.

Caso nº 2: CONVALIDACIÓN

PLANTEAMIENTO

La entidad mercantil denominada MACROSA, ubicada en Valladolid, tras la tramitación del oportuno expediente, fue sancionada por el Delegado del gobierno con una multa de dieciocho mil (18.000) euros por efectuar vertidos sin autorización al río Pisuerga. La infracción fue calificada como menos grave y el recurso contra la misma se presentó fuera de plazo por lo que no fue admitido a trámite y el acto devino firme. Se incoa la correspondiente vía de apremio para el cobro de la misma y la empresa se opone y solicita que se declare nulidad absoluta del acto sancionador, alegando incompetencia manifiesta de este órgano para imponer sanciones, entendiendo que dicha competencia está atribuida a los correspondiente organismos de la confederación hidrográfica del Duero.

Desestimada la declaración de nulidad absoluta, se acude por vía de recurso de alzada al Ministro competente quien confirma la sanción impuesta alegando la convalidación del acto del delegado del gobierno a tenor de cuanto previene el artículo 67.5 LAP.

Ante este supuesto se plantean las siguientes cuestiones:

1. ¿Es competente el Delegado del gobierno, por razón de la materia, para imponer esta sanción?
2. ¿Sería este acto anulable o nulo de pleno derecho por incompetencia manifiesta?
3. ¿Puede la empresa solicitar la declaración de nulidad absoluta de un acto que ya ganó firmeza por el transcurso del tiempo?
4. ¿Puede legalmente el Ministro al resolver este recurso convalidar el acto sancionatorio primero?

DOCTRINA

La competencia asignada por la ley de una Administración pública o a un órgano de la misma, marca el límite preciso de su actuación y vicia el acto administrativo cuando dicho límite no es respetado. De antiguo la jurisprudencia, la doctrina e incluso la propia LAP en la actualidad, han venido diferenciando diversas clases de incompetencia (material, territorial o jerárquica), aplicando sanciones de nulidad radical a las dos primeras y admitiendo la simple anulabilidad para la tercera, incluso, con posibilidad de convalidación o subsanación de ese vicio por parte del verdadero titular de la potestad invadida.

También la convalidación de los actos administrativos es consecuencia del espíritu antiformalista del Derecho procesal administrativo y del principio general que le inspira de conservación de los actos. Cabe, por tanto, la sanción de un acto verdadero aunque el mismo esté enfermo, viciado o adolezca de alguna irregularidad. Pero mal se puede admitir la sanción de algo que no existe, que no ha nacido al Derecho, que es nulo de raíz y que, en definitiva, sería el caso del acto que adolece de nulidad radical.

LEGISLACIÓN

- CE: arts. 9.1, 9.3, 103, 106.
- LA: arts. 108, 109, y 113.
- RD 849/86, de 11 de abril ,por el que se aprueba el Reglamento de dominio público hidráulico: arts.314 y ss.
- LAP: arts. 62, 63, 67, 102, 103 y 106.

JURISPRUDENCIA

- STS 27.1.93 (420): La incompetencia manifiesta como causa de nulidad absoluta no puede ser referida sólo a la materia o al territorio sino también puede ser vicio grave y relevante el supuesto en que se produjera una incompetencia jerárquica; en cualquier caso, el hecho concreto de la incompetencia del órgano, art. 47.1 a) LPA, ha de ser jurídicamente relevante y esencialmente grave en términos tales que no sea necesario ningún esfuerzo de interposición para apreciar el vicio.
- STS 25.3.92, (3391): No hay plazo estipulado para ejecutar la acción de nulidad por parte de los interesados.
- SSTS 2.2.81 (215) y 19.6.93, (4583): No parece posible la convalidación de actos nulos de pleno derecho dictados por órganos manifiestamente incompetentes.

BIBLIOGRAFÍA

- COBO OLVERA, T.: «La revisión de los actos en vía administrativa. La revisión de oficio (Ley 30/92 de 26 de noviembre)», *La Ley,* 1993-3.

- BOQUERA OLIVER, J.Mª: *Estudio sobre el acto administrativo*, Civitas, Madrid, 1982.
- BOQUERA OLIVER, J.M.: «Grados de ilegalidad del acto administrativo», *RAP* enero-diciembre 1983.
- GARCÍA DE ENTERRÍA, E. y FERNÁNDEZ RODRÍGUEZ, T.R.: *Curso de Derecho Administrativo*, t. I, Civitas, Madrid, 2002.
- GONZÁLEZ RIVAS, J.J.: *Estudio jurisprudencial del acto administrativo*, Comares, Granada, 1989.
- MACHADO MARTÍN, F.J.: «Acción de nulidad y límites de la revisión de oficio de los actos nulos», *La Ley,* 1995-3.

Caso nº 3: RECURSO EXTRAORDINARIO DE REVISIÓN

PLANTEAMIENTO

D. Antonio Jiménez, analfabeto y dedicado toda su vida a la mendicidad, solicita una pensión no contributiva cuando cree haber cumplido la edad de 65 años. Para ello entrega la documentación que le demandan, entre la que se encuentran la certificación de nacimiento que, efectivamente, acredita el cumplimiento de esa edad.

En mayo de 1992 recibe la notificación denegatoria de su pretensión donde se alega que le faltan diez años para cumplir la edad reglamentaria. D. Antonio Jiménez decide esperar y continuar mendigando.

En Navidad de 1996 el encargado de un centro de acogida se interesa por el caso, comprueba que ha habido un error de la Administración en el cómputo de la edad y redacta un recurso extraordinario de revisión que, posteriormente, es declarado inadmisible sin entrar a valorar en el fondo del asunto.

Ante tal resolución, se plantean las siguientes cuestiones:

1. ¿Se encuentra este supuesto entre los motivos fundamentadores de la revisión administrativa?
2. ¿Quién debe resolver este recurso?
3. ¿Es correcta la decisión administrativa que decreta la inadmisibilidad a pesar de haber comprobado el error existente?
4. ¿Tendrá D. Antonio Jiménez que conformarse con este acto consentido y esperar diez años a cobrar suspensión o le proporciona el ordenamiento jurídico algún otro instrumento para remediar el error padecido antes de esa fecha?

DOCTRINA

No ha tenido buena prensa ni ha gozado de mucha virtualidad práctica el recurso extraordinario de revisión, al menos, tal como había sido concebido por la antigua Ley de procedimiento administrativo de 1958. Es posible que la nueva redacción aparecida en la LAP le otorgue mayor operatividad.

Teniendo en cuenta que el recurso extraordinario de revisión tiene como finalidad examinar actos administrativos firmes bien porque ya agotaron la vía administrativa o porque no se entabló el correspondiente recurso contra los mismos, dos son los principios constitucionales que pueden entrar en colisión y que merecen ser sopesados para decidir la conveniencia o no de este recurso: el valor superior de la justicia proclamado en el art. 1 de nuestra Constitución y el principio de seguridad jurídica que también defiende el art. 9. Por ello, sólo ante supuestos tan excepcionales y graves como los previstos en el art. 118 LAP, habrá de sacrificarse el principio de seguridad en aras del valor superior de justicia y aceptar este recurso extraordinario.

LEGISLACIÓN

- CE: arts. 1.1, 9.3, 24, 103.1 y 106.1.
- LAP: arts. 105.2, 108, 118 y 119.
- Ley 6/97 de la Administración del Estado.
- Ley 26/90 de 20 de diciembre, por la que se establecen las prestaciones no contributivas.
- RD 357/91 que desarrolla la ley anterior.

JURISPRUDENCIA

- STS 17.6.94 (5042): En el cómputo final de los plazos establecidos por meses concluye, ya dentro del mes correspondiente, el día que se designa con la misma cifra que identifica el día de la notificación o publicación.
- STS 13.4.87 (4435): Los supuestos contemplados en el art. 118 LAP son de carácter tasado y no meramente enunciativos.

BIBLIOGRAFÍA

- GARCÍA DE ENTERRÍA, E. y FERNÁNDEZ RODRÍGUEZ, T. R.: *Curso de Derecho Administrativo*. II, Civitas, Madrid, 2002.
- GONZÁLEZ PÉREZ, J. y GONZÁLEZ NAVARRO, F.: *Régimen Jurídico de las Administraciones Públicas y Procedimiento Administrativo Común*, 2 ª ed., Civitas, Madrid, 1994, pág. 1120.
- LEGUINA VILLA, J. y SÁNCHEZ MORÓN, M.: *La nueva ley de las Administraciones públicas y del Procedimiento administrativo común*, Tecnos, 1993, pág. 348.
- SÁINZ MORENO, F.: «Obligación de resolver y actos presuntos» en *La nueva Ley de Régimen Jurídico de las Administraciones Públicas y del Procedimiento*

Administrativo Común (Dirs. LEGUINA VILLA y SÁNCHEZ MORÓN), Tecnos, Madrid, 1993, págs 149 y ss.
– SÁINZ MORENO, F.: voces «Recurso administrativo», «recurso extraordinario de revisión» en *Enciclopedia Jurídica Básica* t. IV, Civitas, Madrid, 1995, págs. 5533 y ss.
– SARMIENTO ACOSTA, M.J.: *Los Recursos Administrativos en el marco de la Justicia Administrativa*, Civitas, Madrid, 1996, págs. 344 a 362.

Caso n° 4: RECURSO DE ALZADA

PLANTEAMIENTO

A D. Mateo Pérez le notifican el 31 de enero una sanción de tráfico impuesta por el Delegado del gobierno de Canarias consistente en una multa de trescientos (300) euros por exceso de velocidad.

Siendo este año bisiesto, se presenta ante el mismo Delegado del gobierno el 1 de marzo siguiente, el correspondiente recurso ordinario dirigido al Ministerio del Interior. El ministro resuelve el recurso el día 15 de junio confirmando la sanción de trescientos (300) euros de multa e imponiendo, además, la retirada del permiso de conducción por el plazo de tres meses, por venir así establecido en la legislación vigente.

Ante tal resolución, se plantean las siguientes cuestiones:

1. ¿Procede el recurso de alzada ante un acto del Delegado del gobierno, y puede presentarse el mismo ante la autoridad que dictó el acto?
2. ¿Está interpuesto dentro del plazo legal este recurso?
3. ¿Se ha resuelto el recurso dentro del plazo establecido?
   Caso de ser negativa cualquiera de las dos repuestas a las dos cuestiones anteriores ¿podría considerarse nula o anulable esta resolución por emitirse fuera de plazo?
4. ¿Puede el Ministerio del Interior en vía de recurso modificar la resolución administrativa en el sentido en que lo ha hecho?

DOCTRINA

El recurso administrativo de alzada, sometido a perentorios plazos de interposición, es, a la vez que un derecho administrativo para intentar modificar la resolución impugnada en vía administrativa, un requisito ineludible de procedibilidad para acudir a la contenciosa-administrativa.

No siendo su interposición potestativa, la no presentación del mismo en tiempo y forma, ocasionará la firmeza del acto dictado y la imposibilidad de acudir a la vía judicial. Todo ello, por supuesto, sin perjuicio de la posible interposición del recurso extraordinario de revisión, si fuere procedente, o de incoar el procedimiento de revisión de oficio.

El órgano competente resolverá cuantas cuestiones plantee el expediente, hayan sido alegadas o no por los interesados,pero es también necesario tener en cuenta la reiterada doctrina jurisprudencial de la *reformatio in peius*.

LEGISLACIÓN

- CE: arts. 9.3, 24, 103.1 y 106.1.
- LAP: arts. 13, 47, 48, 107, 114, 115, 116 y 117.
- Ley 6/97 de la Administración del Estado (Disp. adicional cuarta).
- RD 320/94, de 25 de febrero, por el que se aprueba el procedimiento sancionador en materia de tráfico,circulación de vehículos a motor y seguridad vial.

JURISPRUDENCIA

- STS 17.6.94 (5042): El cómputo final de los plazos establecidos por meses concluye, ya dentro del mes correspondiente,el día que se designa con la misma cifra que identifica el día de la notificación o publicación.
- STS 8.4.83 (3272): El órgano resolutorio del recurso decidirá sobre todas las cuestiones planteadas en el expediente con el límite de la tesis jurisprudencial sobre la *reformatio in peius* que no deberá ser vulnerada.
- STS 17.10.91 (6930): En la resolución del recurso se aplica el silencio administrativo y nunca el efecto de la nulidad del acto o la caducidad por extemporánea la resolución emitida.

BIBLIOGRAFÍA

- GARCÍA DE ENTERRÍA, E. y FERNÁNDEZ RODRÍGUEZ, T.R.: *Curso de Derecho Administrativo*, II, Civitas, Madrid, 2002.
- GONZÁLEZ PÉREZ, J. y GONZÁLEZ NAVARRO, F.: *Régimen Jurídico de las Administraciones públicas y del Procedimiento administrativo común*, Civitas, Madrid, 1993, pág. 348.
- LEGUINA VILLA, J. y SÁNCHEZ MORÓN, M.: *La nueva ley de las Administraciones públicas y del Procedimiento administrativo común*, Tecnos, 1993, pág. 348.
- SARMIENTO ACOSTA, M.J.: *Los Recursos administrativos en el marco de la Justicia administrativa*, Civitas, Madrid, 1996, págs. 324 a 327.
- SÁINZ MORENO, F.: voces «Recurso administrativo», «Recurso ordinario» en *Enciclopedia Jurídica Básica*, t. IV, Civitas, Madrid, 1995, págs. 5625 y ss.

Caso nº 5: NULIDAD DE PLENO DERECHO

PLANTEAMIENTO

En 1995, el Consejero de la Comunidad Autónoma de Canarias, tras recibir del constructor de la obra, como pago a su favor, la cantidad de treinta mil (30.000) euros, concede la preceptiva autorización previa para la edificación de una vivienda en suelo no urbanizable, edificación que, si bien no es abiertamente contraria a las previsiones del plan general, adolece de ciertos vicios menores fácilmente subsanables.

Tras el correspondiente proceso electoral, el nuevo consejero, al día siguiente de su toma de posesión, presenta denuncia en el juzgado de guardia y dicta una resolución por la que declara nulidad absoluta de la mencionada autorización administrativa, indicando la posibilidad de plantear el correspondiente recurso contencioso administrativo dentro del plazo de dos meses.

Ante este supuesto se plantean las siguientes cuestiones que han de ser sucintamente razonadas:

1. ¿Es motivo suficiente para decretar la nulidad absoluta la existencia de estos vicios menores o estaríamos ante una simple anulabilidad?
2. ¿Existe en verdad algún otro motivo por el que merezca ser sancionado con nulidad absoluta este acto de autorización?
3. ¿Tiene el nuevo Consejero verdadera obligación para proceder a la anulación del acto anterior o puede olvidarse del tema y esperar a que el acto se convalide por el paso del tiempo?
4. ¿Es correcto el procedimiento que ha empleado el Consejero para anular el acto?

DOCTRINA

Son faltas graves los vicios que contempla el art. 62 de la LAP. La sanción que la ley aplica a aquellos actos administrativos así producidos, sin limitación en el tiempo para decidirla, no podría ser otra que la nulidad absoluta. Esta cuestión de orden público implica la posibilidad de que cualquiera pueda interesar su pronunciamiento y que la propia Administración o incluso los tribunales, de oficio, deban inexcusablemente declararla.

Pero también debe tenerse en cuenta, en el caso que nos ocupa, la gravedad de las consecuencias que de tal declaración se derivan y, por ello, la necesidad de atenerse a unos principios generales: a)La necesidad de ajustarse escrupulosamente al procedimiento legalmente establecido; b) el marcado carácter restrictivo de las causas establecidas y c) la exigencia de notoriedad y ostensibilidad de las mismas. Todo ello, sin perjuicio de las cuestiones prejudiciales de orden penal que pudieran aparecer y que han de ser resueltas previamente por los tribunales de ese orden.

LEGISLACIÓN

- CE :arts. 9.1, 9.3, 24.1, 24.2, 25.1, 103 y 106.
- LAP: arts. 62, 63, 102, 103, 105 y 106.
- LS: arts. 9 y 20.
- TRLS 92: art. 242.

JURISPRUDENCIA

- STS 16.6.81 (2774): No debe considerarse discrecional la potestad de la administración para revisar de oficio los actos administrativos viciados de nulidad absoluta.
- STS 10.10.84 (3721): Las cuestiones prejudiciales de carácter penal han de ser resueltas por la jurisdicción competente.
- STS 15.10.81 (3760): Las causas de nulidad absoluta previstas en la LAP han de considerarse de forma restrictiva y de carácter tasado.

BIBLIOGRAFÍA

- BOQUERA OLIVER, J. Mª: *Estudio sobre el acto administrativo*, Civitas, Madrid, 1982.
- BOQUERA OLIVER, J. Mª: «Grados de ilegalidad del acto administrativo», *RAP* Enero-diciembre, 1983.
- COBO OLVERA, T.: «De la revisión de los actos en vía administrativa. La revisión de oficio (Ley 30/92 de 26 de noviembre)», *La Ley,* 1994-1.
- GARCÍA DE ENTERRÍA, E. y FERNÁNDEZ RODRÍGUEZ, T.R.: *Curso de Derecho Administrativo,* II, Civitas, Madrid, 2002.
- GONZÁLEZ RIVAS, J.J.: *Estudio jurisprudencial del acto administrativo,* Comares, Granada, 1989.
- MACHADO MARTÍN, F. J.: «Acción de nulidad y límites de revisión de oficio de los actos nulos», *La Ley,* 1995-3.

CAPÍTULO

VIII

JURISDICCIÓN CONTENCIOSO-ADMINISTRATIVA

Rafael Barranco Vela
Universidad de Granada

ENUNCIADO GENERAL

La Escuela de Práctica Judicial de la Facultad de Derecho plantea a sus alumnos el siguiente supuesto:

El día 1 de febrero de 1999, el Pleno del Ayuntamiento de Daraxa (Granada) adopta por mayoría absoluta el siguiente acuerdo:

«Siguiendo el criterio establecido en el informe de los servicios jurídicos de esta Corporación y conforme lo establecido en la normativa andaluza sobre venta ambulante y la Ordenanza municipal al efecto, se aprueba:

1) Negar la solicitud de licencia presentada por la Sra. Madueño para la venta ambulante de hamburguesas y refrescos, en base a la prohibición de venta de productos alimenticios establecida en el art. 5 de las Ordenanzas municipales reguladoras de la venta ambulante.

2) Se modifica, una vez seguidos los trámites legales al efecto, la citada Ordenanza municipal, añadiéndose el artículo 5°bis, con el siguiente texto: «Queda terminantemente prohibida la venta ambulante dentro del casco histórico de la ciudad al objeto de proteger y salvaguardar dicho entorno, salvo la venta de productos de artesanía propios de la comarca, manteniendo la autorización, bajo licencia, de la actividad de venta ambulante para el resto de los lugares establecidos».

Quince días más tarde se notifica el acuerdo a los posibles interesados y se señala como recurso pertinente el «de reposición previo al contencioso-administrativo».

La Sra. Madueño, que es estudiante y pretendía financiarse sus estudios con la actividad para la que solicita la licencia, considera que el Ayuntamiento no puede negarle ésta al estar en posesión de todos los requisitos exigidos en la ley y ser titular del carnet sanitario al efecto.

Por ello interpone recurso de reposición, que se resuelve negativamente, acudiendo posteriormente a la vía jurisdiccional dentro del plazo señalado.

Por otra parte, el súbdito alemán Sr. Schmidt, vendedor ambulante de artesanía magrebí, interpone directamente el contencioso-administrativo el día 31 de marzo de ese mismo año, presentando el escrito de interposición en el Juzgado de Guardia de la localidad.

El Sindicato de Trabajadores Inmigrantes se opone también al acuerdo adoptado y a través de su Secretario General interpone recurso contencioso-administrativo, por entender que discrimina a gran número de inmigrantes extranjeros que no tienen otro medio de vida para obtener ingresos económicos.

Por su parte, la Asociación de Comerciantes del Centro, estimando que el mantenimiento del acto administrativo impugnado afecta favorablemente a sus intereses, se persona en el recurso contencioso-administrativo.

Por último, dos grupos políticos con representación en el Ayuntamiento (Agrupación de Sarmiento y el Grupo Mixto) deciden acudir a la vía jurisdiccional para revocar el acuerdo municipal.

BIBLIOGRAFÍA GENERAL

- AA.VV.: *Comentarios a la ley de la jurisdicción contencioso-administrativa de 1998*, edición especial del nº 100 de la *REDA*, Civitas, Madrid, 1999.
- AA.VV.: *La ley de la jurisdicción contencioso-administrativa*, número extraordinario de *Justicia Administrativa*, Lex Nova, Valladolid, 1999.
- AA.VV.: *El control jurisdiccional de la Administración pública*, *DA*, nº 220, 1989.
- ÁLVAREZ-CIENFUEGOS, J.M. y GONZÁLEZ RIVAS, J.J.: *Análisis teórico y jurisprudencial de la Ley de la Jurisdicción Contencioso-administrativa*, Aranzadi, Pamplona 1998.
- BARRANCO VELA, R.: «La inminente reforma de la jurisdicción contencioso-administrativa», *Revista de la Facultad de Derecho de la Universidad de Granada*, nº 1 (nueva época), 1998.
- CORDÓN MORENO, F.: *El proceso contencioso-administrativo*, Aranzadi, Pamplona, 2001.
- CRÓNICAS DE JURISPRUDENCIA, en especial la sección XVI: "Contencioso-administrativo y conflictos jurisdiccionales" de la Revista *Justicia Administrativa*.
- FERNÁNDEZ RODRÍGUEZ, T.R.: «Sobre el carácter revisor de la jurisdicción contencioso-administrativa», *REDA*, nº 91, 1996.

- FERNÁNDEZ TORRES, J.R.: *Jurisdicción administrativa revisora y tutela judicial efectiva*, Civitas, 1998.
- GARCÍA DE ENTERRÍA, E.: *Hacia una nueva justicia administrativa*, Civitas, 2ª ed., 1992.
- GARCÍA DE ENTERRÍA, E.: *Democracia, jueces y control de la Administración*, Civitas, 3ª ed., Madrid, 1997.
- GARRIDO FALLA, F.: *Tratado de Derecho administrativo, vol. III: La justicia administrativa*, Tecnos, Madrid, 2001.
- GIMENO SENDRA, V. y otros: *Comentarios a la nueva Ley Reguladora de la Jurisdicción Contencioso-administrativa*, CEURA, Madrid, 2001.
- GONZÁLEZ PÉREZ, J.: *Manual de Derecho Procesal Administrativo*, 3ª ed., Civitas, Madrid, 2001.
- GONZÁLEZ PÉREZ, J.: *Manual de práctica forense administrativa*, Civitas, Madrid, 1993.
- GONZÁLEZ PÉREZ, J.: *Comentarios a la Ley de la jurisdicción contencioso-administrativa*, 3ª ed., Madrid, 1998.
- GONZÁLEZ-VARAS, S.: *Comentarios a la Ley de la Jurisdicción Contencioso-Administrativa: (Ley 29/1998, de 13 de julio) adaptados a la nueva concepción subjetiva*, Tecnos, Madrid, 1999.
- JIMÉNEZ-BLANCO, A. (Dir.): *Estudios sobre la jurisdicción contencioso-administrativa*, CEMCI, Granada, 1999.
- LEGUINA VILLA, J.; SÁNCHEZ MORÓN, M.(Dirs.): *Comentarios a la ley de la jurisdicción contencioso-administrativa*, 2ª ed., Lex Nova, Valladolid, 2001.
- MARTÍN REBOLLO, L.: *Código de la Jurisdicción Contencioso-Administrativa*, Aranzadi, Pamplona, 2001.
- MUÑOZ MACHADO, S.: *La reserva de jurisdicción*, La Ley, Madrid, 1989.
- NIETO GARCÍA, A.: «Los orígenes del contencioso-administrativo en España», *RAP* nº 50, 1966.
- PARADA VÁZQUEZ, R.: *La Administración y los jueces*, Marcial Pons, Madrid, 1988, «La situación actual del proceso contencioso-administrativo, *RAP*, nº 122, 1990.
- PAREJO ALFONSO, L.: «La Constitución en la jurisprudencia contencioso-administrativa», *REDA*, nº 48, 1985.
- PAREJO ALFONSO, L.: *Administrar y juzgar: dos funciones constitucionales distintas y complementarias*, Tecnos, Madrid, 1993.
- PENDAS GARCÍA, B. (Dir.): *Jurisdicción contencioso-administrativa*, CISS-Praxis, Barcelona, 1999.
- PERA VERDAGUER, F.: *Comentarios a la Ley de lo Contencioso-Administrativo*, Bosch, 6ª ed., 1998.
- RODRÍGUEZ-ZAPATA, J./ESCUSOL, E.: *Derecho procesal administrativo*, Tecnos, Madrid, 1995.
- RUIZ RISUEÑO, F.: *El proceso contencioso-administrativo*, Colex, Madrid, 1998.
- SALA SÁNCHEZ, XIOL RIOS, FERNÁNDEZ MONTALVO: *Práctica procesal contencioso-administrativa*, Bosch, Barcelona, 1999.
- SÁNCHEZ MORÓN, M.: *El control de las Administraciones públicas y sus problemas*, IE/Espasa Calpe, Madrid, 1991.
- SANTAMARÍA, J.A.: «Veinticinco años de la aplicación de la ley reguladora de la jurisdicción contencioso-administrativa...», *RAP*, nº 95, 1981.
- SANTAMARÍA, J.A./PAREJO, L. y otros: *Derecho Administrativo. La jurisprudencia del Tribunal Supremo*, CEURA, Madrid, 1989.

– SANZ, I.: *El contencioso interadministrativo*, Marcial Pons, Madrid, 1993.
– TOLIVAR, L.: *Derecho Administrativo y Poder Judicial*, CEURA, Madrid, 1989.
– TORNOS MAS, J.: «La situación actual del proceso contencioso-administrativo», *RAP*, nº 122, 1996.
– VACAS GARCÍA-ALÓS, L.: *El derecho a la tutela judicial efectiva en lo contencioso-administrativo: quince años de jurisprudencia constitucional y contencioso-administrativa*, La Ley Actualidad, Madrid, 1996.

Caso nº 1: OBJETO Y NATURALEZA. INTERPOSICIÓN, ÓRGANO COMPETENTE Y ADMISIBILIDAD DEL RECURSO CONTENCIOSO-ADMINISTRATIVO

PLANTEAMIENTO

Además de los hechos establecidos en el enunciado general se nos facilitan para esta práctica los siguientes datos:

El grupo municipal "Agrupación de Sarmiento" se opone al acuerdo municipal en el apartado que alude a la modificación de las ordenanzas y sólo en el sentido de prohibir la venta ambulante en el casco histórico, entendiendo que ello perjudica a los intereses económicos generales del municipio, y especialmente los de los habitantes del núcleo de Sarmiento, y además porque entienden que la decisión es un caso típico de desviación de poder, pues lo que se pretende con esta medida es acallar las protestas de los comerciantes del centro de Daraxa por las recientes subidas de impuestos, siendo la norma propuesta el resultado de unas negociaciones al efecto. En este sentido se solicita una nueva redacción a ese articulado de la Ordenanza. Todo estos razonamientos se trasladan al escrito de interposición pese a que el Secretario de la Corporación informó en el Pleno que dicha decisión no podía ser objeto de control jurisdiccional.

Se plantea a los alumnos de la Escuela de Práctica Judicial que elaboren un informe sobre el objeto de los diferentes recursos contencioso-administrativos y los requisitos de interposición, pronunciándose necesariamente sobre las siguientes cuestiones:

1. ¿Qué órgano es competente para conocer el recurso contencioso administrativo?, ¿puede considerarse válida la presentación del recurso ante el Juzgado de Guardia?
2. ¿Podría ser objeto de un recurso previo ante la jurisdicción contencioso-administrativa el informe elaborado por los servicios jurídicos del Ayuntamiento?
3. Señale los diferentes objetos de los distintos recursos interpuestos.
4. Pronúnciese sobre la pretensión de anular la modificación normativa de la Ordenanza aprobada. En caso de que el órgano jurisdiccional la declarase ilegal, ¿puede dicho órgano dar una nueva redacción al contenido de la misma?

5. ¿Es viable impugnar el artículo correspondiente de la Ordenanza municipal que prohibe la venta de productos alimenticios, mediante el acto administrativo que da origen al recurso contencioso-administrativo interpuesto?

6. ¿Qué comentario le merece la invocación a la teoría de la desviación de poder que realiza en la interposición del recurso el Grupo político Agrupación de Sarmiento, y el informe expuesto por el Secretario de la Corporación ante el Pleno de la misma?

7. El Ayuntamiento Daraxa multa a la Sra. Madueño con 30.000 euros de multa por vulnerar la reglamentación autonómica en materia de actividades molestas, insalubres, nocivas y peligrosas. La protagonista de nuestra historia, decide recurrir la sanción por presunta nulidad del reglamento autonómico en que se fundamenta el Ayuntamiento para el ejercicio de su potestad sancionadora. ¿Podría el órgano judicial competente para conocer del asunto anular el reglamento autonómico citado?; en caso contrario, ¿qué posibilidades tiene dicho órgano judicial para actuar contra el reglamento?

8. La Sra. Madueño haciendo caso omiso a lo dispuesto por la Ordenanza decide iniciar su actividad de venta ambulante. Ante tal circunstancia, la policía local de Daraxa, sin previo aviso, incauta todos los enseres y materiales utilizados para la venta. ¿Qué podría hacer la Sra. Madueño contra la actuación material de la Administración? En el caso de que el Ayuntamiento no hiciese nada para evitar la continuidad de dicha actividad, ¿podría la Asociación de Comerciantes del Centro recurrir la inactividad de la Administración por entender que el incumplimiento de lo dispuesto en la Ordenanza perjudica sus intereses?

DOCTRINA

Como ha puesto de manifiesto la doctrina el objeto del recurso contencioso-administrativo no es en la LJCA el acto administrativo impugnado, sino precisamente las «pretensiones» que se formulen en relación con las disposiciones y los actos de la Administración (arts. 25, 31 y ss. LJCA). El acto administrativo es sólo un presupuesto de admisibilidad de la acción contencioso-administrativa. Por otra parte, no hay posibilidad de abrir el proceso contencioso-administrativo si no es atacando un acto o disposición previa de la Administración; entendiéndose actualmente que no se puede concebir que toda actuación administrativa suponga un acto administrativo, un reglamento o un contrato. Todo ello sin perjuicio del supuesto de inactividad contemplado en la nueva Ley.

La Administración necesita un amplio margen de maniobra para el cumplimiento de sus fines, sin que ello suponga una minoración del control jurisdiccional de su actividad ni tampoco que el juez ocupe el papel que le corresponde a la propia Administración. En este sentido, en determinados casos, tiene que existir por parte de la Administración pública una libertad de apreciación del interés general para cada caso concreto (bien porque una norma le atribuya tal potestad, bien porque sin que ésta venga determinada le corresponda por su función ejecutiva). De aquí que tenga especial relevancia la motivación del acto. En suma, la discrecionalidad supone la elección más conveniente entre varias soluciones jurídicas existentes. De todas formas habría que preguntarse, como afirmó la Profesora Chinchilla, si la Administración tiene el deber de servir al interés general de cualquier manera o de la mejor manera posible, desde el momento que su actividad debe desarrollarse conforme el art. 103 CE. Con independencia de lo anterior existen una serie de actos que nacen o versan sobre el orden político o de gobierno excluidos del control jurisdiccional. Sobre esta cuestión, y a pesar de la nueva regulación al respecto de la LJCA, existen disparidad de criterios en torno al alcance del control de los actos políticos.

De una interpretación literal de la legislación (art. 37.1 LAP) se deduce la imposibilidad de impugnación de los actos de trámite, sin embargo la jurisprudencia ha ido ampliando este criterio, señalando que bajo supuestos actos de trámite se esconden auténticas resoluciones, que afectan directa o indirectamente al fondo del asunto. Según Alonso Ibáñez, el control jurisdiccional debería ampliarse al ámbito de informes y dictámenes en la medida que tengan carácter vinculante. En un sentido más amplio (siempre que produzcan efectos obligatorios que afecten a situaciones jurídicas subjetivas) se ha pronunciado el Tribunal de Justicia de la Unión Europea en relación a los informes de los Estados miembros que conducen a una decisión comunitaria.

LEGISLACIÓN

- CE: arts. 24.1, 103.1, y 106.1.
- LEC: art. 135.

- LOPJ: arts. 74 (conforme redacción de la LO 6/1998, de 13 de abril), 272, y 283.
- LJCA: arts. 1 a 5, 14 a 17, 25 a 33, 43 a 49, 52 a 62, 123 a 126 y 128.
- Ley 38/1988, de 28 de diciembre (BOE de 30 de diciembre), de Demarcación y Planta Judicial: art. 2 (la Sala de lo Contencioso-administrativo del TSJA de Granada tiene jurisdicción en la provincias de Almería, Granada y Jaén).
- LAP: arts. 63.1, 107 a 110.
- RD 1647/1998, de 24 de julio, por el que se dispone la constitución de Juzgados de lo Contencioso-Administrativo correspondientes a la programación de 1998 (BOE de 25 de julio de 1998).
- Ley Orgánica 6/1981, de 30 de diciembre, de Estatuto de Autonomía de Andalucía: art. 18.1 (señala la competencia exclusiva de dicha Comunidad Autónoma en materia de comercio interior).
- Ley 9/1988 (Andalucía), de 25 de noviembre, reguladora del Comercio Ambulante. Dicha Ley no contiene limitación para la venta ambulante sobre productos alimenticios. Su art. 3º exige para vender productos alimenticios que su titular esté en posesión de los requisitos establecidos en la legislación de los productos objeto de comercio y en particular del carnet sanitario pertinente; y el art. 4º autoriza a los Ayuntamientos para que regulen las zonas, puestos e itinerarios para el comercio ambulante.

JURISPRUDENCIA

- SSTC 62/89 de 3 abril, 105/89 de 8 de junio y 15/90 de 1 febrero: Al examinar el cumplimiento de los requisitos procesales, el órgano judicial está obligado a ponderar la entidad real del vicio advertido, en relación con la sanción de cierre del proceso y del acceso a la justicia que de él puede derivar y, además, permitir en lo posible la subsanación del señalado vicio procesal.
- SSTC 10/90 de 29 enero, y 176/90 de 12 noviembre y SSTS 7.12.89 y 27.6.91: No deben los Tribunales dejar de pronunciarse sobre las pretensiones de las partes por razones puramente formales de tipo procesal impidiendo al ciudadano obtener un pronunciamiento jurisdiccional sobre el derecho o interés legítimo que en el proceso ejercita.
- SSTS 12.5.93 (3744) y 20.10.96 (7350): Las cuestiones formales son una garantía del proceso y no una sanción a la parte que incurre en un defecto procesal. Para que éstos no se subsanen tienen que producir indefensión...
- STS 12.6.91 (5090): El TS aplicando el principio pro actione, entiende que dada la interpretación restrictiva de las causas de indamisibilidad que impone la CE, hay que apreciar que denunciada en la contestación a la demanda la falta de interposición del recurso de reposición, si el Tribunal no requiere a la parte demandante para que lo interponga, ha de entenderse que es porque no lo estima preceptivo (téngase en cuenta que este pronunciamiento se produce incluso con anterioridad a la vigencia de la ley 30/92).

- STS 25.11.92 (9327): El Tribunal Supremo ha entendido como acto de mero trámite el preceptivo informe a determinadas licencias municipales.
- STS 3.5.90 (4535): El órgano jurisdiccional no puede sustituir el papel de la Administración ni solucionar litigios que puedan surgir en el futuro.
- STS 29.9.95 (16816): Tampoco es misión de los órganos judiciales dar nuevas redacciones a los preceptos de disposiciones generales, sino sólo declarar su conformidad con la ley o, en su caso, anularlos.
- STS 7.12.89 (9020): La Jurisprudencia ha declarado con respecto a la desviación de poder que: A) Es necesario un acto aparentemente ajustado a la legalidad, pero que en el fondo persigue un fin distinto al interés público querido por el legislador. B) Se presume que la Administración ejerce sus potestades conforme a derecho. C) No puede exigirse, por razón de su propia naturaleza, una prueba plena sobre su existencia, ni tampoco fundarse en meras presunciones o conjeturas, siendo necesario acreditar la concurrencia de hechos o elementos suficientes para formar en el Tribunal la convicción de que la Administración acomodó su actuación a la legalidad, pero con finalidad distinta de la pretendida por la norma aplicable
- STS 3.7.89 (1047): Se trata de una actividad ajustada a legalidad extrínseca pero con invalidante vicio de nulidad intrínseco por no responder su motivación interna al sentido teleológico de la actividad administrativa, exigiendo la doctrina una clara acreditación. Ha de quedar muy claro que el acto —o la actividad— administrativos se apartan del fin que persigue la normativa que se aplica para alcanzar fines distintos, generalmente bastardos. Por todo ello, queda descartada prácticamente la prueba indiciaria.
- Auto TS 27.2.94 (1291): (sobre admisión de un escrito presentado en el Juzgado de Guardia). Sobre la presentación de escritos en lugares distintos a las secretarías de los órganos judiciales a los que van dirigidos existen diferentes interpretaciones jurisprudenciales, principalmente en función de si los escritos se presentan fuera de las horas de oficina, en el último día de plazo o si existen otros medios para su presentación como un «buzón» al efecto. Todo ello desde la perspectiva de la tutela judicial efectiva.
- STS 30.1.2001 (2409): No resulta válida la presentación de escritos en el Juzgado de Guardia, si no son escritos de término, es decir aquellos cuya presentación debe realizarse el mismo día por ser éste el último de su plazo con efectos perentorios. La regla general es que el escrito de interposición del recurso contencioso-administrativo se presente en la Secretaría del órgano judicial al que va dirigido, pues sólo así puede el Secretario de dicho órgano realizar la diligencia de presentación.

BIBLIOGRAFÍA

- AA.VV.: *La inactividad administrativa*, DA, n° 208, 1986.
- ALONSO IBÁÑEZ, M.R.: *Las causas de inadmisibilidad en el proceso contencioso-administrativo*, Civitas, Madrid, 1996.

– ÁLVAREZ CIENFUEGOS, J.M.(Dir.): *Cuestiones sobre la competencia surgidas con la ley reguladora de la jurisdicción contencioso-administrativa*, Consejo General del Poder Judicial, Madrid, 2000.
– BACIGALUPO, M.: *Discrecionalidad administrativa: Estructura normativa, control judicial y límites constitucionales de su atribución*, Marcial Pons, Madrid, 1997.
– BENSUSAN MARTIN, María del Pilar: «Consideraciones sobre la regulación del procedimiento abreviado en la nueva Ley 29/1998, de 13 de julio, de la Jurisdicción Contencioso-Administrativa», *AA*, 1999-XXV.
– BOQUERA OLIVER, J.M.: «La impugnación e inaplicación contencioso-administrativa de los reglamentos», *RAP*, nº 149, mayo-agosto, 1999.
– CHINCHILLA MARÍN, C.: *La desviación de poder*, Civitas, Madrid, 1989.
– DELGADO BARRIO, J.: «Órganos de la jurisdicción contencioso-administrativa», *RAP*, nº 121, 1990.
– FANLO LORAS, A.: «Impugnación de acuerdos locales por los miembros de la corporación que hubieran votado en contra», *DA*, nº 220, 1989.
– FERNÁNDEZ RODRÍGUEZ, T.R.: «De nuevo sobre el poder discrecional y su ejercicio arbitrario», *REDA*, nº 80, 1993.
– EMBID IRUJO, A.: «La justicialidad de los actos de gobierno», *RAP*, nº 220, 1989.
– GARCÍA DE ENTERRÍA, E.: «Contencioso-administrativo objetivo y contencioso-administrativo subjetivo a finales del siglo XX. Una visión histórica y comparatista", *RAP*, nº 152, mayo-agosto, 2000.
– GARVÍN, J./ OLEA, W./ PUYA, R./ SÁNCHEZ FABA, J.: «Los órganos de la Jurisdicción contencioso-administrativa y su competencia (caso del TSJ Andalucía)» en *Jornadas de Estudio sobre la reforma del proceso contencioso-administrativo*, Consejo General del Poder Judicial, Madrid, 1990.
– GÓMEZ DÍAZ, M.: «Recurso contra vías de hecho, una regulación peligrosa y problemática», *RAP*, nº 151, enero-abril, 2000.
– LÓPEZ PELLICER, J.A.: «Objeto y partes en el proceso contencioso-administrativo», *AA*, nº 46, 1998.
– LOZANO, B.: «El sistema de conflictos jurisdiccionales, las materias clasificadas y el control judicial de la Administración», *REDA*, nº 91, 1996.
– MARTÍN VALDIVIA, S.M.: *Los juzgados de lo contencioso-administrativo y el procedimiento abreviado*, Lex Nova, Madrid, 2000.
– NIETO, A.: «La inactividad de la Administración en la LJCA de 1998», *Justicia Administrativa* (nº Extra.: La *Ley de la Jurisdicción Contencioso-Administrativa*), 1999.
– PEMÁN, J.: «Algunas manifestaciones del principio *pro actione* en la reciente jurisprudencia del Tribunal Supremo», *RAP*, nº 104, 1984.
– REBOLLO, M.: «Recursos contra reglamentos y cuestión de legalidad», *Justicia Administrativa* (nº Extra.: La *Ley de la Jurisdicción Contencioso-Administrativa*), 1999.
– SAIZ ARNAIZ, A.: «Los actos políticos del Gobierno en la jurisprudencia del Tribunal Supremo», *RAP*, nº 134, 1994.
– SÁNCHEZ MORÓN, M.: *Discrecionalidad administrativa y control judicial*, Tecnos, Madrid, 1994.

Caso nº 2: EL PROCESO: ACUMULACIÓN, EMPLAZAMIENTO, EXPEDIENTE ADMINISTRATIVO, SUSPENSIÓN Y RESOLUCIONES JUDICIALES

PLANTEAMIENTO

Además de los hechos establecidos en el enunciado general, se nos facilitan para esta práctica los siguientes datos:

La representación procesal del Corporación municipal solicita la acumulación de los diferentes recursos contenciosos-administrativos presentados. Por otra parte, el Sr. Ramos, que tiene interpuesto un recurso contencioso-administrativo, por denegarle el Ayuntamiento la licencia de apertura de un local de negocio situado junto a la Catedral y dedicado a freiduría, solicita la acumulación de su recurso a los presentados en relación con el acuerdo municipal establecido en el enunciado general.

Diferentes demandantes están interesados en la suspensión del acuerdo municipal, tanto la Asociación de Comerciantes como el propio Ayuntamiento se oponen a ella, por considerar que ello dañaría gravemente los intereses generales. La Sra. Madueño, por su parte, solicita en vía jurisdiccional que se le permita continuar, hasta que se dicte sentencia, con la actividad que venía realizando sin prohibición alguna y con los requisitos legales al efecto, dado que la Administración demandada no ha remitido el expediente administrativo y la aplicación de la normativa autonómica supone una apariencia de mejor derecho a su favor. Lo contrario, señala en su escrito, impediría la continuación de sus estudios por no disponer de otras fuentes de financiación, sin que ello suponga perjuicio para el Ayuntamiento en el que ha ingresado el importe correspondiente a la licencia que se le ha denegado y con el compromiso y limitación de no realizar la venta ambulante dentro del casco histórico.

Tras varios meses de requerimientos por parte del órgano judicial la Administración envía el expediente administrativo. A consecuencia de ello y mediante la oportuna resolución, se da traslado a las partes del expediente administrativo, señalando el plazo de veinte días para deducir demanda. Junto a la providencia se acompaña como expediente administrativo la copia autenticada del expediente de petición de licencia de la sra. Madueño.

Se pide a los alumnos de la Escuela de Práctica Judicial que elaboren un informe sobre las posibles soluciones a los problemas planteados en el siguiente cuestionario:

1. ¿Bastará con la reclamación del expediente administrativo efectuada por el Tribunal para que tenga lugar el emplazamiento del Ayuntamiento? ¿A quién corresponde efectuar el resto de los emplazamientos necesarios? Aunque no estén personados y se desconozcan sus datos personales, es de sobra conocida la existencia de otros vendedores ambulantes en el casco histórico de la ciudad, ¿habrá que emplazarlos personalmente?, ¿y en el caso de que los datos de algunos de ellos constaran en el expediente administrativo?

2. Realizar un informe sobre las acumulaciones solicitadas y la procedencia o improcedencia de las mismas.

3. ¿Se puede solicitar la suspensión del acuerdo en vía administrativa y/o en vía jurisdiccional? Dentro del proceso jurisdiccional, ¿en qué momento se podrá pedir la suspensión del acuerdo municipal? Fundamentar los motivos por los que procediera o se denegara las suspensiones solicitadas y realizar los pertinentes escritos. ¿Cabría la solicitud de otro tipo de medidas cautelares?; y el juez ¿podría adoptar medidas cautelares de oficio?

4. ¿Qué efectos conlleva el incumplimiento de los plazos por parte del Ayuntamiento para la remisión del expediente administrativo?, ¿qué acciones se pueden llevar a cabo para que se complete el expediente administrativo, entendiendo que en los antecedentes remitidos no constan los informes elaborados por los servicios jurídicos del Ayuntamiento, ni el procedimiento para la aprobación de la reforma de las Ordenanzas sobre Venta ambulante? ¿Qué ocurriría si la Administración demandada no remitiera el expediente administrativo?

5. ¿Qué cauce procesal se debe seguir para resolver las suspensiones solicitadas? ¿Cabe oponerse a la resolución judicial al efecto? ¿Qué tipo de resolución es la adecuada para pronunciarse sobre las acumulaciones solicitadas y el traslado del expediente?

DOCTRINA

El proceso contencioso-administrativo es un proceso contradictorio. El convocar a todas la partes legitimadas es lo que se verifica mediante el emplazamiento. El emplazamiento no será necesario cuando no sea posible hacerlo a los supuestos interesados (bastará con el anuncio en los Diarios Oficiales) o cuando éstos no puedan ser identificados, tal como ocurre en el caso del recurso directo contra una disposición general.

La unidad del objeto es uno de los principios que informan la ordenación del proceso. En cada proceso debe examinarse una pretensión, y sólo una, no pudiendo ser deducida una misma pretensión en varios procesos distintos. Sin embargo, en ocasiones no se da la ecuación entre pretensión y proceso. Se permite que varias pretensiones sean examinadas en un mismo proceso. Este proceso se denomina proceso acumulativo (González Pérez). La doctrina procesal suele señalar como fundamento de la acumulación el principio de economía procesal. La acumulación puede producirse a instancia de las partes o de oficio.

La regulación de las medidas cautelares en el proceso contencioso-administrativo ha sido una de las cuestiones más polémicas y discutidas por la doctrina desde la publicación de la vieja Ley de la Jurisdicción de 1956. La nueva LJCA incorpora en gran medida las demandas que en este ámbito venía reclamando la doctrina más autorizada (García de Enterría y Chinchilla Marín, entre otros). Se puede afirmar que en la actualidad, por fin, contamos con un auténtico y autónomo sistema procesal de justicia cautelar, que tiene su fundamento último en servir de instrumento y garantía de la tutela judicial efectiva, cuyo respeto como derecho fundamental también vincula a todos los poderes públicos, incluida la Administración.

El *periculum in mora* y la ponderación de los intereses en conflicto, han sido los criterios acogidos en la nueva Ley, mientras el *fumus boni iuris* parece haber sido desplazado.

LEGISLACIÓN

Con independencia de la legislación ya citada en anteriores supuestos, consúltese:
− LOPJ: arts. 245.1.
− LJCA: arts. 34 a 39, 48 a 52, 79 y 80, 129 a 138.
− LAP: arts. 56 y 57, 94 a 96, y 111.
− LEC: arts. 154 y 159 (será incompatible el ejercicio simultáneo de dos o más acciones en un mismo juicio, y no podrán, por tanto, acumularse: 1.° Cuando se excluyan mutuamente o sean contrarias entre sí. 2.° Cuando el Juez que deba conocer de la acción principal sea incompetente para

conocer de la acumulada. 3.º Cuando con arreglo a la Ley, deban ventilarse y decidirse las acciones en juicios de diferente naturaleza).

JURISPRUDENCIA

- SSTS 10.6.91 (5112) y 26.10.93 (7898): El hecho de que el emplazamiento haya incurrido en algún defecto esencial sólo determina la nulidad de actuaciones si se hubiera producido una indefensión efectiva.
- STS 1.10.94 (8306): Se ha admitido el emplazamiento en la Segunda instancia sin necesidad de retrotraer la actuaciones.
- STS 16.5.90 (4165): Las pretensiones que no sean compatibles no podrán ser acumuladas.
- STS 26.9.88 (7255): La no remisión del expediente administrativo por la Administración demandada supone la nulidad de las actuaciones a partir del momento en que debió de remitirse el mismo. El hecho de que en la segunda instancia se haya remitido no puede considerarse como suficiente, puesto que ello implicaría una sustitución de la primera instancia por la segunda.
- STS 10.7.87 (6112): El envío del expediente administrativo al Tribunal de lo Contencioso no impide que la Administración continúe las correspondientes actuaciones salvo que sobre las mismas haya recaído acuerdo de suspensión administrativa o judicial.
- STS 1.3.90 (1951): Dada la íntima conexión entre la medida cautelar que supone la suspensión de la ejecución de una actuación administrativa con el derecho a la tutela judicial efectiva establecido en el art. 24 CE, habrá que entender que la tardanza en el envío del expediente administrativo por parte de la Administración demandada constituye un dato más tendente a justificar la suspensión.
- SSTC 14/1992, 10 de febrero; 238/1992, 17 de diciembre y 148/1993, 29 de abril: La tutela judicial efectiva supone la posibilidad de adoptar medidas para asegurar la eficacia real del pronunciamiento futuro y evitar daños irreparables, de tal manera que la fiscalización de la actividad administrativa conlleva que el control judicial alcance al carácter inmediatamente ejecutivo de sus actos. Es más, de impedirse la suspensión del acto se llegaría en determinados casos a que la Administración se convirtiera en juez, pues la ejecución podría vaciar de contenido la resolución judicial posterior, por ello las normas que impiden radicalmente la ejecutividad de las decisiones administrativas hay que declararlas inconstitucionales.
- Autos TS 20.12.90 (10142), 23.4.91 (3423), 16.7.91 (6170), 19.12.91 (9803), 12.2.92 (2818), y 11.3.92 (3266) y SSTS 27.2.90 (1523) y 20.3.90 (2243): El TS ha ido admitiendo la teoría del *fumus boni iuris;* «la necesidad del proceso no debe convertirse en daño para el que tiene la razón».
- Auto TS 26.7.94 (6598): (Caso de objeción de conciencia). A los argumentos tradicionales se han ido sumando razonamientos a favor de la suspensión como el de la larga duración del proceso o la pasividad de la Administración pública

a la hora de resolver los recursos administrativos, o en contra como la existencia de precedentes jurisprudenciales que desestiman las razones de fondo

- SSTC 72/1999, 26 de abril, y 126/1999, 28 de junio: La citación por edictos tiene un carácter supletorio y excepcional, sólo cabe acudir a ella cuando se agoten el resto de modalidades que aseguran más eficazmente el emplazamiento directo y personal.
- STS 25.11.2000 (962): La nueva LJCA mantiene la regla por la que el emplazamiento de la Administración tiene lugar por la mera reclamación del expediente administrativo, si bien esta regla se extiende a todas las Administraciones Públicas y no sólo a la del Estado.

BIBLIOGRAFÍA

- BACIGALUPO, M.: *La nueva tutela cautelar en el contencioso-administrativo*, Marcial Pons, Madrid, 1999.
- BACIGALUPO, M. y FUENTETAJA, J. A.: «*Fumus boni iuris, periculum in mora y equilibrio de intereses como presupuestos de la tutela cautelar (A propósito del Auto del TJCE de 12 de julio de 1996 y del Auto del Presidente del TPI de 13 de julio de 1996 recaídos en sede cautelar en el asunto de la enfermedad de las vacas locas*», *REDA*, nº 94, 1997.
- CAMPOS SÁNCHEZ BORDONA, M. (Dir.): *Medidas cautelares en la jurisdicción contencioso-administrativa*, Consejo General del Poder Judicial, Madrid, 2000.
- CANO MATA, A.: «Emplazamiento a codemandados y coadyuvantes en los procesos regulados por la ley contenciosa de 27 de diciembre de 1956», *RAP*, nº 100-102, 1983.
- CHINCHILLA, C.: *La tutela cautelar en la nueva justicia administrativa*, Civitas, Madrid, 1991.
- CHINCHILLA, C.: «La regulación de las medidas cautelares», *Justicia Administrativa* (nº Extra.: La *Ley de la Jurisdicción Contencioso-Administrativa*), 1999.
- NIETO, A.: «La inactividad de la Administración en la LJCA de 1998», *Justicia Administrativa* (nº Extra.: La *Ley de la Jurisdicción Contencioso-Administrativa*), 1999.
- GARCÍA DE ENTERRÍA, E.: «La nueva doctrina del Tribunal Supremo sobre medidas cautelares: la recepción del principio *fumus boni iuris*», *REDA*, nº 69, 1991.
- GARCÍA DE ENTERRÍA, E.: «Constitucionalización definitiva de las medidas cautelares contencioso-administrativas y ampliación de su campo de aplicación (medidas positivas), y *Jurisdicción plenaria* de los Tribunales contencioso-administrativos, no limitada al efecto revisor de actos previos. Dos sentencias constitucionales», *REDA*, nº 79, 1993.
- GARCÍA DE ENTERRÍA, E.: *La batalla por las medidas cautelares. Derecho comunitario europeo y proceso contencioso administrativo español*, 2ª ed., Madrid, 1995.
- GARCÍA DE ENTERRÍA, E.: «Observaciones sobre la tutela cautelar en la nueva Ley de la Jurisdicción Contencioso-Administrativa», RAP, nº 151, enero-abril, 2000.

- GONZÁLEZ-VARAS, S.: «Un procedimiento general con especialidades en función del tipo de pretensión procesal. Estudio general sobre el procedimiento ordinario en la nueva Ley reguladora de la Jurisdicción Contencioso-Administrativa», *AA,* 1999.
- MUÑOZ MACHADO, S.: «Del emplazamiento de demandados y coadyuvantes en el contencioso-administrativo (STC 20/10/1982)», *REDA*, n° 35, 1982.
- MOROTE, J.V.: «La suspensión de la ejecutividad de los actos administrativos tras la sentencia del Tribunal Constitucional 78/1996, de 20 de mayo», *REDA*, n° 94, 1997.
- OSORIO ACOSTA, E.: *La suspensión jurisdiccional del acto administrativo,* Marcial Pons, Madrid, 1995.
- PAREJO ALFONSO, L.: «La tutela judicial cautelar en el orden contencioso-administrativo», *REDA*, n° 49, 1986.
- RIVERO ORTEGA, R.: «Medidas cautelares innominadas en lo contencioso-administrativo», *REDA*, n° 98, 1998.
- RODRÍGUEZ-ARANA, J.: «La suspensión judicial del acto administrativo en el proyecto de Ley de la Jurisdicción contencioso-administrativa», *La Ley*, n° 4369, 1997.
- SUAY RINCON, J.: «Una resolución novedosa en materia de medidas cautelares: el auto del Tribunal Supremo de 12 de marzo de 1984», *REDA*, n° 50, 1986.
- TORNOS MAS, J.: «Suspensión cautelar en el proceso contencioso-administrativo», *REDA*, n° 61, 1989.

Caso nº 3: LAS PARTES Y SU INTERVENCIÓN EN EL PROCESO. LA DEMANDA

PLANTEAMIENTO

Además de los hechos establecidos en el enunciado general, se nos facilitan para esta práctica los siguientes datos:

Como se recordará, dos grupos políticos municipales Agrupación de Sarmiento y Grupo Mixto, impugnaron en vía jurisdiccional el acuerdo municipal. En el primero de ellos todos los concejales votaron contra el acuerdo, mientras que en el segundo, un concejal se abstuvo y otro votó a favor.

Por el abogado del Sindicato se presenta un escrito en el que se argumenta que la Asociación de Comerciantes del Centro no ha acreditado qué órgano es competente para ejercer la acción entablada y por tanto no procede admitirla como parte en el recurso contencioso-administrativo.

Nos encontramos con dos nuevos interesados en el recurso. De una parte, la Asociación de Juristas que en su día, como demuestra, interpuso recurso contencioso-administrativo, aunque dicho escrito se había extraviado en la Secretaría del órgano judicial. Dicha Asociación manifiesta su interés en recurrir en aras del mantenimiento de la legalidad y para evitar los perjuicios a terceros que ocasionaría el acuerdo municipal. De otra parte, la Asociación de Consumidores se persona mediante un escrito en el que manifiesta que no ha sido emplazada, y si bien no figura en el expediente administrativo, ello no debería de haber sido así, ya que el motivo de su impugnación es que el Ayuntamiento no le dió audiencia en el procedimiento de elaboración de la ordenanza aprobada.

Entre los diferentes escritos presentados con posterioridad a la entrega del expediente administrativo, encontramos algunas llamativas cuestiones: el Sr. Schmidt no presenta la demanda dentro del plazo establecido, aunque sí lo hace el mismo día que la Sala le comunica la caducidad. La Sra. Madueño, presenta un escrito firmado sólo por letrado. La Asociación de Comerciantes no presenta escrito alguno para el trámite correspondiente; y, por su parte, la Administración demandada, en el escrito de contestación a la demanda, manifiesta sólo que «en aras a la brevedad y el principio de economía procesal, se remite a los hechos contenidos en el expediente administrativo y a los fundamentos de derecho que ya expuso en vía administrativa y en los escritos anteriores en esta vía jurisdiccional».

Se plantea a los alumnos de la Escuela de Práctica Judicial que elaboren un informe sobre las partes, su legitimación, representación y posición procesal, pronunciándose necesariamente sobre las siguientes cuestiones:

1. Califique la posición que ocupan en el proceso cada una de las partes intervinientes.
2. Pronúnciese sobre la legitimación de las diferentes partes en el proceso. ¿Qué opinión le merece el motivo de inadmisión planteado por el letrado del Sindicato en relación a la Asociación de Comerciantes y cuándo debería pronunciarse el Tribunal sobre el mismo? ¿Los grupos políticos señalados pueden impugnar el acuerdo municipal?
3. ¿Son admisibles los fundamentos alegados por las Asociaciones de Consumidores y de Juristas?
4. Elabore un informe sobre la adecuación, admisibilidad y efectos de los escritos presentados por las partes en el trámite de demanda y contestación a la demanda.
5. ¿El Ayuntamiento puede solicitar la defensa en el proceso a los Servicios jurídicos del Estado o de la Comunidad Autónoma, o utilizar los propios, o contratar a un abogado? El Ayuntamiento y la Asociación de Comerciantes, ¿tendrán que litigar con el mismo letrado?

DOCTRINA

Existe una inevitable conexión entre la legitimación y el fondo del asunto en la medida en que negar la misma al comienzo del proceso produciría una falta de pronunciamiento sobre aspectos objetivos en la Sentencia. Ello se conecta con la tutela judicial efectiva en el sentido de que los aspectos procedimentales deben interpretrarse de forma favorable al derecho fundamental de la tutela judicial efectiva.

Para ser parte en un proceso contencioso administrativo no sólo se necesita capacidad procesal, sino que desde el punto de vista de la legitimación activa es necesario que exista una relación con el acto de la

Administración que se impugna. La legitimación es diferente en función de que se pretenda la anulación de un acto de la Administración o, además de ello, el reconocimiento de un derecho. Por lo que se refiere a legitimación desde el punto de vista del simple interés, hay que decir que este «interés» que otorga legitimación para recurrir se concibe cada vez de forma más amplia, de tal forma que se considera que está legitimado para recurrir aquél que de prosperar el recurso produciría algún beneficio o evitaría un perjuicio de cualquier tipo al accionante. Y no sólo sería admisible un interés directo, sino como ha puesto de manifiesto la doctrina y el TC (STC 17 octubre de 1983), también los intereses indirectos, de tal modo que todo interés individual o social tutelado por el Derecho indirectamente con motivo de la protección del interés general puede calificarse como interés legítimo.

La no aportación de los documentos establecidos en el apartado segundo del art. 45 LJCA supone una carga para el actor que puede provocar el archivo de las actuaciones, sin perjuicio de la subsanación legalmente establecida.

LEGISLACIÓN

Con independencia de la legislación ya citada en anteriores supuestos, consúltese:
- LOPJ: arts. 185, 245.1, 436 y ss. y 447.2.
- LJCA: arts. 19 a 24, 50 a 53, 128, 137 y 138.
- Ley 50/1997, de 27 de noviembre, de organización, competencia y funcionamiento del Gobierno: art. 24.
- Ley 52/1997, de 27 de noviembre, de asistencia jurídica al Estado e Instituciones públicas: art. 1.
- LBRL: arts. 49 y 63.1.b).
- LAP: art. 86.4.
- Ley 26/1984, General para la Defensa de los Consumidores y Usuarios (BOE nº 176, de 24 de julio): art. 22.

JURISPRUDENCIA

- SSTC 60/1982, de 11 de octubre, 62/1983, de 11 de julio, y 160/1985, de 28 de noviembre: Sobre legitimación la jurisprudencia del TC ha entendido ésta como un concepto más amplio que el de interés personal y directo al que se refería el artículo 28.1.a) LJCA.
- SSTS 2.7.94 (6673) y 25.11.95 (6833): Reconocida la legitimación en vía administrativa no cabe negarla en vía jurisdiccional.

– STS 16.5.94 (3515): Sobre la naturaleza de la legitimación se establece que se trata de un presupuesto procesal íntimamente unido a la cuestión de fondo, de tal manera que su ausencia no puede ser subsanable, no obstante el principio *pro actione*, determina que debe concederse la facultad de subsanación en aquellas situaciones que puedan conducir a una declaración de inadmisibilidad.

– STS 17.3.94 (1133): Tienen interés directo y están legitimadas activamente las entidades que ostentan la representación de intereses generales o corporativos. La STS 8.6.1999 (5851) ha señalado que a efectos de legitimación las entidades que representan intereses generales o corporativos de las personas físicas que las integran precisan, además del acuerdo corporativo, que los actos o disposiciones impugnadas afecten de manera sustancial y directa a estas últimas en sus derechos e intereses legítimos, dándose una relación directa entre aquéllos y los actos o disposiciones impugnados.

– SSTS 19.1.91 (552) y 16.3.92 (4337): No es obligada «la necesidad de oír a cuantas Asociaciones puedan existir, y resulten afectadas por una Disposición de carácter general, y no habiéndose alegado otros motivos de nulidad sino éste de falta de audiencia y el antes rechazado de infracción del principio de jerarquía normativa, el Real Decreto impugnado debe de ser declarado conforme con el Ordenamiento Jurídico y en consecuencia desestimado el recurso contencioso-administrativo interpuesto contra él». La jurisprudencia resolviendo anteriores posturas vacilantes ha terminado por afirmar que *solamente ha de exigirse esta audiencia cuando se trate de Asociaciones o Colegios Profesionales que no sean de carácter voluntario y representen intereses de carácter general o corporativo.*

– SSTS 24.9.92 (6856) y 7.10.92 (8023): No cabe confundir el interés directo con un mero interés en la pura defensa de la legalidad.

– SSTS 9.5.94 (5050) y 28.6.94 (5304): No cabe confundir el interés directo con los agravios potenciales o futuros.

– SSTC 1 de marzo y 13 diciembre de 1990: Ni siquiera en la doctrina constitucional se encuentra un reconocimiento de la legitimación de los Grupos Parlamentarios análogos en esto a los Grupos Municipales, para recurrir en cualquier tipo de proceso sino estrictamente en el campo de los actos que afectan al ámbito interno de su actuación parlamentaria.

– SSTS 16.5.94 (3515) y 3.1.96 (22): Reconociendo a los Grupos Municipales interés para impugnar los actos que les afecten como tal grupo, la amplitud de su legitimación ha de derivar de la de su actuación en el ámbito interno de la Corporación. No es, pues, en el concepto de interés directo que emplea el artículo 28.1.a) LJCA donde se puede encontrar el punto de conexión entre la cuestión de fondo planteada en un proceso y quien interviene en él como recurrente y que le atribuye la cualidad de parte legítima, sino en la específica previsión del artículo 63.1.b) LRBRL que independientemente de quién la posea para impugnar los acuerdos de las Corporaciones locales, por tener interés directo en ello, se la concede individualmente a unas personas, los miembros de las corporaciones que hubieren votado en contra, que en otro caso no la tendrían.

– SSTS 14.2.90 (7405), 5.12.91 (9257) y 19.10.92 (8482): El TS declaró inadmisible el recurso presentado por el Colegio Nacional de Secretarios Judiciales contra un Reglamento por no haberse acreditado el órgano estutariamente competente, puesto que una vez que se le dió trámite a esta parte ni incorporó documento alguno ni fundamentó la oposición a dicha alegación. De contrario, entender que se debe procurar la tutela efectiva no supone admitir un recurso sin conocer si la persona jurídica interesada ha solicitado dicha tutela. En términos parecidos se expresan otras sentencias en relación a actuaciones de determinados Sindicatos.

– STS 10.2.95 (1560): Se admite la legitimación de la parte actora, aunque no presentó los documentos acreditativos de su legitimación, puesto que no se le ofreció por el Tribunal el plazo de 10 días para subsanar tal defecto.

– SSTS 15.1.93 (391), 4.2.93 (782) y 16.6.93 (4456): La jurisprudencia no admite cualquier irregularidad en la formulación de la demanda hasta el punto que pueda constituirse en defecto legal en el modo de proponer la demanda. Así, el hecho de incluir la fundamentación jurídica dentro de la relación de hechos de la demanda, o interponer la demanda antes de tiempo, o no separar los hechos de los fundamentos de derecho, no pueden llevar a inadmitir el recurso. La STS 20.4.2001 (3763) nos ha recordado que si bien los requisitos de la demanda deben interpretarse con un espíritu antiformalista ello no conlleva a que se pueda admitir una mínima delimitación de la pretensión y de los fundamentos de hecho y de derecho.

– SSTS 4.10.93 (8620) y 26.3.91 (2415): De todas formas, aunque alguna de estas circunstancias no llevara a un rechazo del recurso, hay que declarar que la separación de hechos y fundamentos de derecho no se satisface con la remisión genérica al contenido de los escritos presentados en vía administrativa, ni que es procedente la remisión en cuanto a los hechos que resulten del expediente administrativo.

– La jurisprudencia ha ido pronunciándose de forma contradictoria sobre la aplicación del art. 121.1 de la antigua LJCA en relación al art. 67.2 del mismo texto legal, a los efectos del plazo para la presentación del escrito de demanda con anterioridad a la aprobación de la nueva LJCA. Sin embargo, en los últimos años parece que se consolidó mayoritariamente el criterio de resolver la contradicción aparente entre los dos artículos citados a favor del segundo; de modo que la interposición extemporánea de la demanda determinaba la caducidad del recurso, sin que sea aplicable el mecanismo rehabilitador que establecía el art. 121 LJCA (Autos TS 14.10.94 y 16.11.1994; SSTS 24.4.84 —2575— y 22.6.87 —4215—). En cambio existía jurisprudencia a favor de la admisión, declarada la caducidad (SSTS 5.2.86 —2149— y 7.5.87 —5238—) o de considerar pasado el plazo de presentación, pero sin que se llegue a la declaración de caducidad (SSTS 7.7.88 —5539— y 2.10.89 —7020—).

– STS 16.5.95 (6556): No se admite la caducidad por la presentación del escrito de contestación de la demanda en el mismo día en que se declara ésta.

– SSTS 13 y 23.10.2000 (8630 y 9565): La nueva LJCA (1998) modifica la legitimación pasiva en el proceso, al considerar parte demandada no sólo a los titulares de los derechos sino también a los portadores de intereses legítimos que pudieran verse afectados por las pretensiones del demandante, suprimiéndose por tanto, la figura del coadyuvante. El Auto TS 22.1.2001 (1396) no admite la figura del coadyuvante del demandante porque la misma ha desaparecido de la nueva Ley. Por tanto, no se admite personarse como tercero interesado en apoyo del demandante y contra el acto de la Administración. El que se persone en el recurso como titular de un derecho subjetivo o interés legítimo para sostener la legalidad del acto, conducta o disposición administrativa, actuará como codemandado.

BIBLIOGRAFÍA

− COLOM, B.: «Legitimación corporativa y recurso directo contra reglamentos», REDA n° 32, 1982.
− CORDÓN MORENO, F.: *La legitimación en el proceso contencioso- administrativo*, EUNSA, Pamplona, 1979.
− LÓPEZ PELLICER, J. A.: «Objeto y partes en el proceso contencioso-administrativo», *AA*, 1998-LVIII.
− MUÑOZ MACHADO, S.: «Variaciones sobre la figura del coadyuvante», REDA n° 35, 1982.
− MARTÍN-RETORTILLO, S.: *La defensa en Derecho del Estado*, Civitas, Madrid, 1985.
− ORTEGA ÁLVAREZ, L.: «La inmediatividad del interés directo en la legitimación contencioso-administrativa», RAP n° 82, 1977.
− SÁNCHEZ MORÓN, M.: «Las partes. Capacidad, legitimación, representación y defensa» en *Estudios sobre la jurisdicción contencioso-administrativa*, CEMCI, Granada, 1999.
− SANZ RUBIALES, I.: «La legitimación de las asociaciones ecologistas en el proceso judicial (Comentario a la STC 34/1994, de 31 de enero)», RAP n° 141, 1996
− TARDÍO PATO, J.A.: «Legitimación procesal e intereses legítimos», REDA n° 93, 1997.

Caso nº 4: LA TERMINACIÓN DEL PROCESO. LA SENTENCIA: CONTENIDO, EJECUCION Y RECURSOS

PLANTEAMIENTO

Además de los hechos establecidos en el enunciado general, se nos facilitan para esta práctica los siguientes datos:

Ninguna de las partes solicitó la apertura de período probatorio ni prueba alguna (salvo el Grupo Agrupación de Sarmiento que pidió la testifical de los empleados de un restaurante donde se había mantenido una supuesta reunión del Alcalde con la Asociación de Comerciantes, prueba que fue denegada). Tampoco hubo solicitud alguna de vista oral, por lo que una vez realizados los diferentes escritos de conclusiones, quedó el recurso pendiente de que se dictara sentencia. No obstante, hay que reseñar que en el escrito de conclusiones de Pro-Daraxa se aporta una nueva documentación sobre los intereses comerciales concurrentes de una empresa de comidas y las presiones que ha efectuado para conseguir este ventajoso acuerdo, así como los fundamentos jurídicos de aplicación a esta cuestión.

Aunque se admite la personación de la Asociación de Consumidores, ésta decide desistir del recurso, para evitar gastos al coincidir en sus planteamientos con otro demandante. Por su parte, el Sr. Schmidt queda fuera del proceso mediante un auto por el que el Tribunal declara la caducidad del recurso por extemporaneidad en la presentación de la demanda.

La sentencia del Tribunal contiene los siguientes pronunciamientos:

a) Que la fundamentada decisión de prohibir la venta ambulante dentro del casco histórico no puede ser objeto de revisión jurisdiccional, pues dados los requisitos legales en su adopción y la aprobación por la mayoría del Pleno entre otras alternativas políticas presentadas, corresponde al ámbito de discrecionalidad propio del Ayuntamiento establecido por la normativa autonómica. Tampoco es apreciable en este apartado del acuerdo, desviación de poder probada alguna. En suma, la reforma de la ordenanza, para prohibir cualquier tipo de venta ambulante sólo en el casco histórico, es conforme a derecho.

b) Que procede la nulidad del acto que deniega la licencia a la Sra. Madueño, estimando que corresponde otorgársela y condenando al Ayuntamiento a que indemnice a dicha señora por el tiempo que no ha podido llevar a cabo su actividad. Todo ello por considerar que el Ayuntamiento carecía de competencias para prohibir dicha actividad, dado que no existe tal limitación en la normativa autonómica. En este sentido, el Tribunal cita propias sentencias dictadas con anterioridad con idéntica pretendida prohibición y de aplicación a la misma normativa autonómica. Sentencias conocidas, además, por la parte demandada, tal como consta en los informes jurídicos previos a la aprobación de la Ordenanza a los que hizo caso omiso.

c) La sentencia aunque afirma que el Ayuntamiento carece de competencia para prohibir la venta ambulante de productos alimenticios, no declara expresamente la nulidad del articulado correspondiente de la ordenanza municipal vigente que prohibe la venta ambulante de productos alimenticios.

d) En el fallo de la sentencia se afirma que «no concurren circunstancias de mala fe o temeridad que determinen la imposición de costas a ninguna de las partes, conforme establece el art. 131 de la LJCA».

Se plantea a los alumnos de la Escuela de Práctica Judicial que elaboren un informe sobre la fase de terminación del proceso contencioso-administrativo, y en especial sobre las características de la sentencia y las consecuencias que dimanan para las partes, pronunciándose necesariamente sobre las siguientes cuestiones:

1. El hecho de que las partes no soliciten la apertura de un período probatorio, ¿quiere decir que no existen elementos de prueba en los que pueda basarse la resolución judicial? ¿Qué opinión le merece el escrito de conclusiones presentado por el Grupo municipal Agrupación de Sarmiento?

2. ¿Qué supone el desestimiento realizado por una de las partes?, ¿podrá la Asociación de Consumidores recurrir la sentencia? Una vez declarada la caducidad por el Tribunal, ¿qué posibilidades de recurso le quedan al Sr. Schmidt? Si se produjera la satisfacción extraprocesal de alguna de las partes demandantes, ¿qué consecuencias tendría en el proceso y en la parte satisfecha?, ¿se podría imponer las costas al demandante o al Ayuntamiento?

3. ¿Qué opinión le merece el contenido de la sentencia? Analizar el orden de los pronunciamientos, la motivación y congruencia. Tanto la parte demandada como algún demandante entienden que

el fallo no deja nítidamente claras algunas de las cuestiones planteadas. Con independencia de los posibles recursos, ¿podrían solicitar una aclaración sobre dichos extremos?, ¿qué alcance tendría esta aclaración? ¿Le parece correcto el pronunciamiento que en materia de costas realiza el Tribunal? Con los datos existentes ¿podría considerarse temeraria la actitud de la Administración?, ¿qué opinión tiene sobre el criterio legal de imputación de las costas?

4. A pesar de los recursos interpuestos ¿podría solicitar la Sra. Madueño la ejecución de la Sentencia?, ¿qué fundamentos a favor y en contra se podrían esgrimir ante una supuesta ejecución provisional? Como se puede observar el fallo no contiene cuantía alguna que determine la indemnización que le corresponde a dicha señora, ¿cuándo y cómo quedará determinada ésta?

5. Atendiendo a los fundamentos esgrimidos, ¿qué tipo de recursos podrían interponer las diferentes partes en el proceso que no ven satisfechas total o parcialmente sus pretensiones?, ¿puede el Ayuntamiento interponer un recurso de casación en interés de ley? Realizar los escritos de preparación de los diferentes recursos interpuestos.

DOCTRINA

Con independencia de la caducidad o de la propia sentencia, existen otros formas de terminación del proceso contencioso administrativo. El desistimiento es la renuncia a la acción procesal que se tiene interpuesta y ello no supone renunciar a la pretensión material, que obviamente se puede ejercitar en otro proceso; el allanamiento supone la renuncia tanto al proceso como a la propia pretensión material. Un supuesto análogo es el reconocimiento extrajudicial de la pretensión que ocurre cuando la Administración reconoce fuera del proceso las pretensiones del recurrente. Evidentemente esto lleva consigo el archivo de las actuaciones, pero no impide, si la Administración dictara un nuevo acto, que la anterior parte demandante vuelva a interponer un nuevo recurso contencioso administrativo.

En la sentencia se reflejan todas las virtualidades y todas las insuficiencias de un sistema jurisdiccional específicamente construido para controlar los actos del Poder público y para asegurar y hacer efectivo el principio de legalidad que constituye la clave del arco del Estado de Derecho (García de Enterría). Según el art. 67 LJCA, la sentencia debe resolver todas las cuestiones controvertidas en el proceso. Sin embargo se ha criticado el formalista binomio «admisibilidad-fondo» y el rígido orden de los pronunciamientos, ya que en determinadas ocasiones —y como ha puesto de manifiesto el citado autor— teniendo poderes el juez para, de oficio, declarar la nulidad, no puede ésta quedar sin pronunciamiento por la carencia de un requisito formal en el recurrente.

La resolución final del proceso no puede suponer que el juez sustituya a la Administración en la toma de decisión pero sí reconocer los derechos del recurrente, aunque habrá ocasiones, y en virtud del principio de efectividad de la tutela judicial, en que puedan los Tribunales sustituir a la Administración en sus pronunciamientos cuando del propio proceso se deriven fundamentos suficientes para ello.

En nuestro sistema la ejecución de las sentencias de la jurisdicción contencioso administrativa queda encomendada a la propia Administración, sin embargo y a la luz de la Constitución ésta cuestión debe ser reinterpretada de tal forma que se entienda la ejecución como una competencia exclusiva de los Tribunales. Sobre esta cuestión la nueva LJCA de 1998 ha introducido importantes novedades. Entre otras, se limita el tiempo que tiene la Administración para ejecutar las sentencias; se establece la nulidad de los actos y disposiciones contrarios a los pronunciamientos de las sentencias, dictados para eludir su cumplimiento y la posibilidad de declarar dicha nulidad en ejecución de sentencias como una cuestión incidental; se concretan y determinan las causas de utilidad pública o interés social para expropiar derechos o intereses reconocidos en una sentencia; se admite la compensación de deudas por créditos como forma de ejecutar la sentencia y, la que es muy importante en materia tributaria y de personal, posibilidad de extender los efectos de una sentencia firme que haya reconocido una situación jurídica individualizada en favor de una persona a quienes, no habiendo sido parte en el proceso, estén en las circunstancias que enumera el art. 110.1.

En los arts. 79 y ss. de la nueva LJCA se regulan los recursos contra las sentencias. En el recurso de casación se introducen medidas para reducir las competencias del TS. Se prevé también el recurso de apelación contra sentencias de los Juzgados y recursos de unificación de doctrina y en interés de la Ley para la interpretación unificada del Derecho autonómico.

El criterio legal de impugnación de las costas en el proceso contencioso administrativo se basa en atribuir a cada una de las partes las costas causadas a su instancia, salvo que alguna de ellas interpusiera o sostuviera la acción con temeridad o mala fé. Se ha criticado la escasez de pronunciamientos condenatorios de la Administración e incluso la presunta resistencia de los Tribunales a realizarla en aquellos casos que pudieran ser de aplicación. En este sentido, la jurisprudencia ha venido aplicando un criterio restrictivo y subjetivista a la hora de aplicar el art. 139 LJCA a la Administración, aunque existen, cada vez más, pronunciamientos que se apartan de esta tendencia (por ejemplo STS 5.3.90 — 1785—).

LEGISLACIÓN

- CE: arts. 24, 117.3, y 118.
- LOPJ: arts. 245.1 y 267.
- LJCA: arts. 34 a 39, 48 a 50, 79 y 128 a 138.
- LEC: el art. 385 posibilita la ejecución provisional de las sentencias y el art. 670, en referencia al escrito de conclusiones sustitutivo a la vista, señala que éste se limitará a expresar con claridad y concisión un resumen de los hechos y de las pruebas que los justifiquen o contradigan, así como de la prueba de la parte contraria. Se consignará después si se mantienen o no los fundamentos de derecho alegados en la demanda o contestación, pudiendo, no obstante, citarse, sin mayores comentarios, otras leyes o doctrina legal en que pueda fundarse la resolución.

JURISPRUDENCIA

- SSTS 11.4.95 (2856) y 22.11.95 (9738). El TS ha declarado la improcedencia de plantear en el escrito de conclusiones cuestiones no suscitadas o expuestas explícitamente en los escritos de demanda y contestación, y la omisión de pronunciamiento sobre cuestiones introducidas en las conclusiones y no planteadas con anterioridad.
- STC 6 de junio de 1994, que sigue doctrina, entre otras SSTC 14/1984, 142/1987 y 88/1992: El principio de congruencia no se vulnera por el hecho de que los Tribunales basen sus fallos en fundamentos jurídicos distintos de los aducidos por las partes, ya que lo importante es que la parte dispositiva de la resolución no contenga más elementos que las pretensiones de las partes.
- STS 28.5.90 (4617): El derecho a la tutela judicial obliga a los órganos judiciales a resolver las pretensiones de las partes de manera congruente con los términos en que vengan planteadas y el incumplimiento de dicha obligación supone una lesión de aquel derecho fundamental.

- STS 11.6.91 (4874): La actuación de una potestad discrecional no deriva sin más de su naturaleza discrecional sino de la racionalidad de su contenido en relación con la base de hecho que integra la causa del acto administrativo. El TS en este supuesto de adjudicación de contratos, entiende que la racionalidad de una buena administración imponía la adjudicación del contrato a la parte apelante, en virtud del principio de tutela judicial efectiva, modificando el criterio de la Administración y sustituyendo a ésta en su decisión, al existir base para ello en los propios autos.
- Auto TS 20.12.90 (10142): El art. 122 LJCA exige que la ejecución de un acto administrativo o la suspensión de los aspectos que se soliciten, puedan producir daños o perjuicios de reparación imposible o difícil.
- STC 1 de julio de 1997: El sistema de recursos se incorpora a la tutela judicial en la configuración que le dé cada una de las Leyes de enjuiciamiento reguladoras de los diferentes órdenes jurisdiccionales, sin que ni siquiera exista un derecho constitucional a disponer de tales medios de impugnación, siendo imaginable, posible y real la eventualidad de que no existan, salvo en lo penal. En el proceso contencioso administrativo se utilizan diferentes modalidades de recursos, cuya perspectiva constitucional no puede ser la misma. De una parte están los recursos ordinarios que implican, con el llamado efecto devolutivo, la asunción del juez *ad quem* la plena jurisdicción del caso, en idéntica situación a la del juez *a quo*. Por otra parte, los llamados recursos de casación, tienen la función de preservar la pureza de la ley para conseguir la igualdad y la seguridad jurídica en su aplicación, donde tiene su origen la doctrina legal con valor complementario del ordenamiento jurídico.
- STS 30.4.94 (2928): El recurso en interés de ley se orienta a preservar el interés general encarnado en las normas y esta tutela no se encomienda a las organizaciones o sindicatos de funcionarios ni de las asociaciones empresariales, por más que cumplan importantes funciones de representación de intereses profesionales y aunque no sean puras asociaciones de las permitidas por el artículo 22 CE.
- Auto TS 19.2.2001 (2480): La nueva Ley ha introducido un importante cambio en el régimen jurídico de acceso al recurso de casación (antiguo art. 93 y actual 86) de las impugnaciones indirectas de disposiciones generales. La apertura del recurso de casación en los casos de impugnación indirecta de normas reglamentarias está sujeta al régimen general establecido en los apartados 1 y 2 del art. 86 LJCA y no al especial del apartado 3, salvo que concurra en el órgano jurisdiccional –Audiencia Nacional o Tribunal Superior de Justicia- la doble competencia para conocer del recurso indirecto y del recurso directo contra la disposición general cuestionada.

BIBLIOGRAFÍA

- BLANQUER, D.: «El recurso de casación en interés del respeto del principio de legalidad en el ejercicio de las potestades administrativas», *RAP*, nº 137, 1995.

– CANO MATA, A.: «Ejecución judicial de sentencias contencioso-administrativas...», *RAP*, n° 103, 1984.
– COLOM, B.: «Una interpretación progresista de los poderes del juez administrativo en materia de ejecución...», *REDA*, n° 43, 1984.
– DELGADO BARRIO, J.: «Principio constitucional de predominio de la oralidad y jurisdicción contencioso-administrativa», *REDA*, n° 38, 1983.
– DELGADO PIQUERAS, F.: «Motivación irrazonable de las sentencias, suspensión cautelar e indemnización de los perjuicios causados por la ejecución del acto administrativo», *RAP*, n° 152, mayo-agosto, 2000.
– FERNÁNDEZ RODRÍGUEZ, T.R.: «De nuevo sobre la ejecución de sentencias contencioso-administrativas», *RAP*, n° 84, 1977.
– FONT I LLOVET, T.: *La ejecución de las sentencias contencioso-administrativas. Aspectos constitucionales*, Civitas, Madrid, 1985.
– FUERTES, M.: «El escrito de preparación al recurso de casación», *PJ*, 1994.
– GONZÁLEZ PÉREZ, J.: «La suspensión de ejecución del acto objeto de recurso contencioso-administrativo», *REDA*, n° 5, 1975.
– GONZÁLEZ RIVAS, J.J.: *El recurso de casación en la jurisdicción contencioso-administrativa*, Aranzadi, Pamplona, 1996.
– JIMÉNEZ-BLANCO, A.: «La sentencia contencioso-administrativa: el orden de los pronunciamientos», *PJ*, n° 9, 1988.
– MARTIN CONTRERAS, L.: «La ejecución y las costas en la Ley de la Jurisdicción Contencioso-Administrativa», *AA*, 2000.
– MARTÍ DEL MORAL, A.: *El recurso de casación contencioso-administrativo*, Mc Graw Hill, Madrid, 1997.
– MORILLO-VELARDE, J.I.: «Es procedente el embargo de los bienes de la Administración en ejecución forzosa de sentencia...?», *REDA*, n° 43, 1984.
– ORTEGA, L.: «La ejecución de sentencias», *Justicia Administrativa* (n° Extra.: La Ley de la Jurisdicción Contencioso-Administrativa), 1999.
– SAINZ ROBLES, F.C.: «El recurso de casación contencioso-administrativo», *Colex*, n° 3, Madrid.
– SÁNCHEZ BLANCO, A.: «Unidad de doctrina en la jurisprudencia contencioso-administrativa», *RAP*, n°s 100-102, 1983.
– SÁNCHEZ BLANCO, A.: «La sentencia» en *Estudios sobre la jurisdicción contencioso-administrativa*, CEMCI, Granada, 1999.
– SORIANO, J.E.: «¿Alguna esperanza de flexibilización en la casación?», *REDA*, n° 113, 2002.

Caso nº 5: PROCESOS ESPECIALES: LA PROTECCIÓN JURISDICCIONAL DE LOS DERECHOS FUNDAMENTALES

PLANTEAMIENTO

Además de los hechos establecidos en el enunciado general, se nos facilitan para esta práctica los siguientes datos:

Previo al acuerdo tomado por el Ayuntamiento de Daraxa (V. Supuesto General), el Sr. Schmidt había solicitado la renovación de la licencia para la venta ambulante de artesanía magrebí. El Ayuntamiento le deniega la licencia porque existen demasiados vendedores ambulantes de ese tipo de producto. El Sr. Schmidt plantea a los cinco días de recibir la notificación un recurso por la vía de protección jurisdiccional de los derechos fundamentales, entendiendo que se le discrimina por su condición de extranjero, que el Ayuntamiento lo que verdaderamente pretende es defender a los vendedores de artesanía de la comarca y que existen reiterados precedentes de renovación de licencia para la venta de artesanía y en idénticas condiciones a las solicitadas por él mismo. Por otra parte, en el escrito de interposición solicita a la Sala no sólo que se suspenda el acto administrativo sino también que se suspenda el plazo para la interposición de recurso contencioso administrativo ordinario porque, de no hacerlo así, le supondría un doble procedimiento y gasto que no puede soportar, y ello cuando el motivo principal de impugnación afecta principalmente a la vulneración de derechos fundamentales y no sólo a la legalidad ordinaria.

Existe otro recurso planteado a través del procedimiento establecido en la LJCA. Se trata de una Asociación de Vendedores Ambulantes Africanos. El objeto del recurso es la negativa del Ayuntamiento a que se integren en el Consejo Municipal de Turismo y Artesanía, ya que la Corporación estima que los derechos de participación en los asuntos públicos (art. 23 CE) no se extienden a los extranjeros y por tanto, ni se reconoce dicha Asociación ni se integra en ese Consejo de carácter asesor y consultivo.

Se pide a los alumnos de la Escuela de Práctica Judicial que elaboren un informe sobre la naturaleza y ámbito de aplicación del procedimiento especial establecido en la LJCA para la protección de los derechos fundamentales y las diferencias con el procedimiento ordinario establecido en la misma Ley, pronunciándose sobre las siguientes cuestiones:

1. ¿Qué opinión le merece los motivos alegados por los recurrentes? ¿Cabría interponer un recurso por el procedimiento especial de los arts. 114 y ss. LJCA contra la Ordenanza municipal sobre la venta ambulante?, ¿la mera alusión a la discriminación sería fundamento suficiente para interponer el recurso por parte de la Asociación citada?, ¿está legitimada dicha persona jurídica para interponer el recurso en base a la vulneración de derechos fundamentales?

2. Las alegaciones basadas en el precedente administrativo o la desviación de poder, ¿se incluirían dentro del ámbito de protección del procedimiento especial antes aludido?

3. ¿Es posible la petición de uso alternativo del procedimiento ordinario solicitado por el sr. Schmidt? ¿Sería posible la acumulación de los recursos planteados con los posteriores contenciosos administrativos que han sido objeto de las prácticas precedentes?

4. Analizar la procedencia de la suspensión de los diferentes actos de la Administración que provocan la interposición de los recursos señalados.

5. En caso de sentencias favorables o contrarias al amparo solicitado por los recurrentes, ¿qué criterio imperaría en la imposición de costas?

6. ¿Qué efectos provocaría una sentencia favorable al amparo solicitado por el Sr. Schmidt en el acuerdo municipal en el que hemos basado las prácticas precedentes y en los recursos contenciosos administrativos planteados?

DOCTRINA

El art. 53.2 CE establece que cualquier ciudadano podrá recabar la tutela de las libertades y derechos reconocidos en el art. 14 y la Sección Primera CE ante los Tribunales ordinarios por un procedimiento basado en los principios de preferencia y sumariedad.

Frente a un acto de la Administración que lesione los derechos fundamentales se puede iniciar el proceso contencioso-administrativo, por el procedimiento ordinario o mediante el procedimiento especial (protección de los derechos fundamentales) o incluso —en la medida que nada lo impide en la LJCA— los dos a la vez. En el procedimiento especial no se podrá discutir los motivos de nulidad que se fundamenten en la legalidad ordinaria, pero en el ordinario cabrá la alegación de ambas nulidades, las basadas en la legalidad ordinaria y las basadas estrictamente en la vulneración de los derechos fundamentales; no obstante, la nueva regulación (art. 114 LJCA) establece que «podrán hacerse valer en este proceso las pretensiones a que se refieren los arts. 31 y 32, siempre que tengan por finalidad la de restablecer o preservar los derechos o libertades por razón de los cuales el recurso hubiere sido formulado». En suma, debemos concluir que existe una ampliación del objeto del recurso de amparo jurisdiccional establecido anteriormente en la Ley 62/1978. La propia Exposición de Motivos señala que «la Ley pretende superar, por tanto, la rígida distinción entre legalidad ordinaria y derechos fundamentales, por entender que la protección del derecho fundamental o la libertad pública no será factible, en muchos casos, si no se tiene en cuenta el desarrollo legal de los mismos».

Pese a no existir una referencia expresa en cuanto a la obligatoriedad de agotar la vía administrativa, y a pesar de la remisión a las normas generales del art. 114.1 LJCA, debemos de entender, por la propia naturaleza del recurso previsto a través de este procedimiento especial de protección de los derechos fundamentales, que no es necesario agotar la vía administrativa para acceder al mismo. En cuanto a los actos de trámite, aunque en base a la anterior regulación (Ley 62/78), existía jurisprudencia contradictoria, la tesis defendida mayoritariamente postulaba la posibilidad de impugnación de aquéllos, siempre que afectaran a los derechos fundamentales objeto de amparo; tesis que con mayor razón habría que mantener una vez vigente la actual LJCA.

Tras la aprobación de la nueva LJCA, las diferencias básicas entre el procedimiento especial de protección de derechos fundamentales con el ordinario se reducen a la sumariedad y reducción de los plazos del primero.

La reforma ha supuesto que otros importantes aspectos como la suspensión o el criterio de imposición de costas, queden hoy integrados dentro de la formulación general del proceso contencioso-administrativo.

LEGISLACIÓN

– TUE (firmado en Maastricht el 7 de febrero de 1992): art. 6 de la versión consolidada (antiguo art. F); y *TCE*, Tratado Constitutivo de la Comunidad Europea, versión consolidada (firmado en Roma el 25 de marzo de 1957): arts. 17-20 (antiguo art. 8).

- CE: arts. 13, 14, 15 a 29, 30.2, 53.2 y 162.1 b).
- LOPJ: arts. 183 a 185.
- LJCA: arts. 46 y 128; 114 a 122.
- LAP: arts. 47 a 50.

JURISPRUDENCIA

- SSTC 23/1984, de 20 de febrero, 84/1987, de 29 de mayo: El ámbito de este proceso se limita a la comprobación de si la actuación administrativa afecta o no a los derechos fundamentales, quedando al margen las cuestiones de legalidad ordinaria.
- SSTC 31/1984, de 7 de marzo y 25/1989 de 3 de febrero: Este recurso cabe también ante disposiciones de carácter general de rango reglamentario siempre que dichas normas supongan la violación de derechos fundamentales.
- STC 40/82, de 17 de noviembre: La legitimación activa en el proceso especial de la ley 62/78 no vendrá determinada por el art. 28.1 a) de la LJCA, sino por el art. 162.1 b) CE.
- STS 1.2.91 (1094): Se admite la posibilidad de entablar este proceso por las personas jurídicas, siempre que no haya una manifestación en contra de sus órganos colegiados.
- STS 11.11.92 (9114): El TS afirmó que no se extiende el examen de los derechos fundamentales a los extranjeros contenidos en el art. 13 CE.
- STC 84/1987 de 29 de mayo: Los interesados deben optar entre acogerse a las ventajas de preferencia y celeridad propias del poceso sumario de la Ley 62/78, renunciando a pretender la nulidad del acto por vicios de legalidad, o bien instar en tiempo y forma dos acciones paralelas con el mismo objeto y por motivos distintos. Lo que el ordenamiento procesal no contempla ni puede afirmarse que imponga el art. 24.1 CE es la facultad de utilizar sucesivamente una y otra en vía de recurso, de manera que puede formularse el ordinario una vez desestimado el especial, con independencia de los plazos legales de caducidad de la acción
- Autos TS 16.6.92 (4941), 24.3.93 (2126) y 19.11.93 (8353): Es necesario que en el escrito inicial del recurso se definan con precisión los elementos que constituyen la *causa petendi* y se constate que la pretensión se argumenta en base a la infracción del derecho fundamental que se trate, sin que sea suficiente la mera invocación.
- Auto TS 15.6.93 (4596): No obstante, basta un planteamiento razonable de que la pretensión ejercitada versa sobre un derecho fundamental y que no es una mera invocación para dar curso al proceso solicitado, con independencia de que posteriormente se llegue a un fallo desfavorable al reconocimiento de la infracción del derecho fundamental invocado.
- Autos TS 12.6.92 (4789) y 27.6.92 (4801): La suspensión se niega cuando se trata de actos negativos (supuestos de denegación de licencias, autorizaciones, etc.) que no imponen al administrado obligación, carga o limitación cuyo

cumplimiento pueda ser objeto de suspensión, ya que la posibilidad de obtener la suspensión provisional del cumplimiento de un acto o disposición general no puede convertirse en medio para obtener de los Tribunales la concesión anticipada y provisional de lo denegado por la Administración.

– Auto TS 3.7.90 (5957): Relativo a licencia de un pintor para venta ambulante. El TS entendió que la suspensión de la denegación de la licencia debía ser desestimada. Por una parte, porque dicha medida cautelar implica el mantenimiento de la situación jurídica preexistente al acto impugnado, de modo que si prosperara el recurso y se anulara el acto fuera difícil o imposible volver a esa anterior situación. Y esa finalidad no podría cumplirse porque en el momento de la solicitud de suspensión había concluido el plazo de las licencias otorgadas a otros pintores, motivo de desigualdad que se invoca. Por otra parte, también procedería la denegación, pues de otorgarse se vería dificultada la realización de unas obras municipales de mejora urbanística, con el consiguiente perjuicio del público interés.

– Auto TS 8.2.90 (1007): Tampoco el alegato de que la violación de los derechos fundamentales aducidos por los actores se lleva a cabo mediante una clara desviación de poder hace apelable el auto impugnado, pues sin entrar a considerar si la vulneración de un derecho fundamental puede o no entrañar legalidad del acto recurrido, y esta naturaleza tiene la desviación de poder, no pueden ser examinados en este proceso sumario.

– STC 175/1987, de 4 noviembre y STS 31.3.95 (2619): Es doctrina consolidada que el precedente administrativo no sancionado por resolución judicial no puede prevalecer frente al que ha obtenido la fuerza que genera la sanción judicial, y el cambio de criterio administrativo en la interpretación de un precepto legal sobre cuyo alcance además existía duda razonable, carece de relevancia constitucional cuando éste es confirmado por resoluciones de los Tribunales, que son los competentes para realizar la interpretación y aplicación de la legalidad ordinaria.

– STS 24.6.1998 (5911): Este procedimiento especial es también aplicable contra los actos de trámite, pues estos pueden vulnerar derechos fundamentales.

– STS 3.6.1998 (4380): Admite la coexistencia del procedimiento contencioso-administrativo ordinario con el especial configurado en la Ley 62/1978.

– STS 29.4.1998 (4573): Se considerará adecuado este proceso cuando se alegue con un planteamiento razonable y no meramente retórico, la vulneración de un derecho fundamental. Autos TS 16.6.92 (4941), 24.3.93 (2126) y 19.11.93 (8353): Es necesario que en el escrito inicial del recurso se definan con precisión los elementos que constituyen la «causa pretendi» y se constate que la pretensión se argumenta en base a la infracción del derecho fundamental que se trate, sin que sea suficiente la mera invocación.

BIBLIOGRAFÍA

- CANO MATA, A.: *Comentarios a la Ley 62/1978, de 26 de diciembre, sobre protección jurisdiccional de los derechos fundamentales de la persona*, EDERSA, Madrid, 1992.
- CARRILLO LÓPEZ, M.: «La protección jurisdiccional de los derechos fundamentales; la nueva regulación en la Ley de la Jurisdicción Contencioso-Administrativa», *Cuadernos de Derecho Público*, n° 4, 1998.
- CORDÓN MORENO, F.(Dir.): *La sentencia estimatoria del recurso de amparo*, Aranzadi, Pamplona, 1998.
- FERNÁNDEZ FARRERES, G.: «El procedimiento especial para la protección jurisdiccional de los derechos fundamentales de la persona en la nueva regulación en la Ley Reguladora de la Jurisdicción Contencioso-Administrativa», *Cuadernos de Derecho Público*, n° 4, 1998.
- GARCÍA MORILLO, J.: *El amparo judicial de los Derechos fundamentales*, Ministerio de Justicia, Madrid, 1985.
- GONZÁLEZ SALINAS, E.: *Proceso administrativo para la protección de los derechos fundamentales*, Civitas, 2ª edic., Madrid, 1994.
- MAGIDE HERRERO, M.: «De nuevo sobre la distinción entre cuestión de fondo y presupuestos procesales en los procesos tramitados por la vía del amparo judicial de la ley 62/1978», *REDA*, n° 91, 1996.
- MARTÍNEZ LÓPEZ-MUÑIZ, J.L.: «Cuestión de fondo y presupuesto procesales en el recurso especial de amparo (*afectación* y *lesión* a derechos fundamentales y libertades públicas), *REDA*, n° 36, 1983.
- MONTORO PUERTO, M.: *Jurisdicción constitucional y procesos constitucionales. Tomo II: Procesos de protección de los Derechos fundamentales*, Colex, Madrid, 1991.
- RAZQUIN, J.A.: «Agotamiento de la vía judicial previa y coexistencia del proceso especial de la ley 62/1978 y el contencioso-administrativo», *REDA*, n° 67, 1990.
- RODRÍGUEZ ARANA, J. y SARMIENTO ACOSTA, M.: «El contencioso-administrativo como elemento garantizador de los derechos fundamentales (II)», *AA*, n° 44, 1993.
- RODRÍGUEZ GARCÍA, A.: «El procedimiento especial de protección de los derechos fundamentales» en *Jornadas de Estudio sobre la reforma del proceso contencioso-administrativo*, Consejo General del Poder Judicial, Madrid, 1990.
- SUAY RINCON, J.: «Principio de igualdad en la jurisprudencia del Tribunal Constitucional», en *Estudios sobre la Constitución Española. Homenaje al Profesor García de Enterría*, Civitas, Madrid, 1991.
- TOLEDANO, R.: «Recurso especial de Derechos fundamentales» en *Estudios sobre la jurisdicción contencioso-administrativa*, CEMCI, Granada, 1999.
- TORNOS, J.: «Comentarios a la Ley de Protección jurisdiccional de los Derechos Fundamentales de la persona», *RAP*, n° 93, 1980.

CAPÍTULO
IX

CONTRATACIÓN ADMINISTRATIVA

Álvaro Canales Gil
Universidad Complutense de Madrid

Caso nº 1: NATURALEZA JURÍDICA DE LOS CONTRATOS DE LAS ADMINISTRACIONES PÚBLICAS

PLANTEAMIENTO

La Concejalía de Cultura del Ayuntamiento de Valladares (Soria) planifica las fiestas patronales de la localidad. Entre las iniciativas propuestas por los vecinos se encuentra la contratación de un conocido grupo musical, y el montaje teatral de una obra comprensiva de la vida de Don Rodrigo Díaz de Vivar, con motivo del XI Centenario de su fallecimiento. De acuerdo con dicho planteamiento, la titular de la citada Concejalía solicita informe al Servicio Jurídico sobre la naturaleza jurídica de los contratos a realizar

DOCTRINA

La relación jurídica concreta ofrece la naturaleza jurídica administrativa cuando se plasma en la prestación de un servicio público, entendido como tal de una forma amplia, aquél que consiste en la realización de cualquier actividad de la Administración necesaria para satisfacer el interés general.

Nuestro ordenamiento jurídico utiliza como criterio definidor de los contratos administrativos el teleológico. El contrato que tuviera como fin la realización de obras y servicios públicos de toda especie, entendiendo el concepto en la acepción más amplia para abarcar cualquier actividad que a través de la relación contractual sirve para gestionar un servicio público o está directamente vinculada al desarrollo de un servicio de tal naturaleza.

A pesar de ese concepto tan amplio las prestaciones objeto de la consulta no son homogéneas. Por un lado la contratación de los grupos, musicales y teatrales, suponen la realización de sendos contratos artísticos o creativos. Sin embargo, por otro lado, la construcción de una escenografía, incluso la confección de parte del vestuario, no conlleva la realización de un contrato artístico, sino de un típico contrato administrativo, que se ejecutará por el adjudicatario, a tenor de las instrucciones que le dé la Administración de acuerdo con un proyecto elaborado por un escenógrafo.

Los contratos, según su objeto, no son contratos administrativos típicos pues a los artistas, compañías y grupos no se les encomienda la ejecución de una obra pública, ni la gestión de servicio público alguno, ni la entrega de bienes o servicios, ni las prestaciones son propias de contratos de consultoría y asistencia, y de servicios. Tampoco concurren las características de los contratos administrativos especiales, porque las actuaciones no tienen nada que ver con el giro o tráfico específico de la Administración contratante, si satisface de modo alguno una finalidad pública de su específica competencia. Se trata por tanto de contratos privados que se rigen, en cuanto a la preparación y adjudicación, por el Texto Refundido de la Ley de Contratos de las Administraciones Públicas (aprobado por el Real Decreto Legislativo 2/2000, de 16 de junio, en adelante TRLCAP) y en cuanto a sus efectos y extinción por el Derecho Privado. Respecto a la adjudicación, por aplicación analógica de los arts. 141.b), 159.2,a), 182.c) y 210.b) de la misma Ley, que aluden a razones artísticas en particular, o, en general, a supuestos en que no resulte posible promover la concurrencia, se habría de utilizar el procedimiento negociado sin publicidad.

Por el contrario, el contrato para la construcción de la escenografía, y en su caso, de parte del vestuario, es un contrato de suministro, lo que conlleva la aplicación del TRLCAP para su preparación, adjudicación, efectos y extinción. No obstante, en el supuesto de que el proyecto realizado por un escenógrafo o figurinista conllevase la cesión de derechos de propiedad intelectual, debería celebrarse un contrato más, en tal caso, sujeto a la legislación patrimonial de las correspondientes Administraciones Públicas

LEGISLACIÓN

- TRLCAP: arts. 5.2,b); 5.3; 141.b); 159.2,a); 177 y ss.; 182,c) y 210,b).
- RD Legislativo 1/1996, de 12 de abril, por el que se aprueba el Texto Refundido de la Ley de Propiedad Intelectual.
- RGLCAP: art. 3,2.

JURISPRUDENCIA

- STS 11.5.82 (2566): Señala que la competencia de la Jurisdicción Contencioso-Administrativa respecto a la contratación administrativa deviene de su patente vinculación directa al desenvolvimiento regular de un servicio público.
- SSTS 5.10.83 (5228), 30.10.83 (5846), 16.11.83 (6117), 30.4.85 (2008), 14.3.86 (1251), 30.4.86 (2044), 16.10.86 (5794), 9.10.87 (6931) y 16.12.92 (10499): Para distinguir entre los contratos privados y los administrativos, prescindiendo del tradicional criterio de las cláusulas exorbitantes o derogatorias del Derecho común, hay que atender básicamente al objeto o visión finalista del negocio, de suerte que una relación jurídica concreta ofrecerá naturaleza administrativa cuando ha sido determinada para la prestación de un servicio público.
- STS 11.6.93 (4827): La compra por un ayuntamiento de unos terrenos a un particular con objeto de facilitar el acceso a las fincas que han quedado sin él por la ampliación de la zona de seguridad del aeropuerto, no supone en modo alguno la prestación de un servicio público ni colabora a servicio público alguno.
- STS 9.3.95 (1844): Respecto a un contrato de préstamo con garantía personal, perfectamente incardinable en los arts. 1753 y ss del Código Civil, sin que pueda deducirse, ni siquiera remotamente, que está vinculado directamente al desenvolvimiento regular de un servicio público, o que se haga precisa una especial tutela para el desarrollo de su contenido.
- Informe de la JCCA nº 41/96, de 22 de julio (Fascículo 1996-3, ap. 8, ep. 8.13): En los contratos realizados por organismos públicos encargados de las funciones relativas a artes escénicas se entrecruzan contratos artísticos, no artísticos y otros que suponen la adquisición de algunos derechos de propiedad intelectual. Su régimen jurídico es diferente: los primeros son contratos privados, que se deberán adjudicar por su objeto a través del procedimiento negociado sin publicidad; los segundos son contratos administrativos típicos; y los terceros se regirán por la legislación patrimonial, sin perjuicio de la aplicación de las normas de propiedad intelectual.
- Informe de la JCCA nº 35/96, de 30 de mayo (Fascículo 1996-2, ap. 8, ep. 8.17): Los contratos que se celebren con artistas, compañías y grupos para actuaciones musicales y teatrales son contratos privados de la Administración, cuyo régimen jurídico viene establecido en el art. 9 de la LCAP, sin que exista

ninguna característica que permita, de conformidad con la misma, calificarlos como contratos administrativos típicos ni especiales.

- Informe de la JCCA n° 31/96, de 30 de mayo (Fascículo 1996-2, ap. 5, ep. 5.1): La contratación de festejos taurinos, orquestas musicales y artistas tiene que ser calificada de privada por no reunir los requisitos de los contratos administrativos típicos o especiales del art. 5,2 a) y b) de la LCAP.
- Informe de la JCCA n° 14/91, de 10 de julio (Memoria de la JCCA año 1991, apartado 1,3 «Doctrina», ap. 5, ep. 5.1 y 5.20): Los contratos que celebra la Administración para la prestación de los servicios de cafetería y comedor en los que no se abona el precio no es un contrato de consultoría y asistencia, aunque por analogía le sería aplicable el régimen administrativo de la contratación pública.
- Informe de la JCCA n° 10/85, de 28 de febrero (Memoria de la JCCA año 1985, apartado 4, «Doctrina», ap. 5, Ep. 5.7.1): El proyecto de contrato de cesión y gestión del servicio de cafetería-comedor se ajusta en cuanto a su preparación y a su adjudicación a los contratos de consultoría y asistencia.

BIBLIOGRAFÍA

- CANALES GIL, A.: *El control de la eficiencia sobre el precio en la contratación pública: el incidente de diálogo competitivo*, Madrid, 2000.
- CASTILLO BLANCO, F.A. (dir.) y otros: *Estudios sobre la contratación en las Administraciones Públicas*, Granada, 1996.
- CAYUELA SEBASTIÁN, L.: *Los contratos de las Administraciones Públicas: Comentarios a la Ley 13/95, de 18 de mayo, de Contratos de las Administraciones Públicas y normas de desarrollo*, Madrid, 1996.
- COLMENAR LUIS, J. y COLMENAR SOTO, P.: *Contratos de las Administraciones Públicas: Ley 13/95, de 18 de mayo*, Madrid, 1995.
- FERNÁNDEZ ASTUDILLO, J.M.: *Contratación Administrativa: Comentarios al Texto Refundido de la Ley de Contratos de las Administraciones Públicas, aprobado por Real Decreto Legislativo 2/2000, de 16 de junio, y su Reglamento, aprobado por Real Decreto 1098/2001, de 12 de octubre*, Barcelona, 2002.
- GIL IBÁÑEZ, J.L.: *Ley de Contratos de las Administraciones Públicas*, Madrid, 1998.
- GÓMEZ FERRER-MORANT, R.: *Comentario a la Ley de Contratos de las Administraciones Públicas*, Madrid, 1996.
- INTERVENCIÓN GENERAL DE LA DEFENSA, *Manual de Contratación Administrativa para Interventores Militares*, Madrid, 2001.
- LUCAS RUIZ, E.: *Los contratos de las Administraciones Públicas*, Barcelona, 1995.
- MIRANDA GONZÁLEZ, J.: *La contratación de las Administraciones Públicas*, Madrid, 1995.
- MORENO GIL, O.: *Contratos Administrativos. Legislación y jurisprudencia*, 3ª edición, Madrid, 2002.
- MORENO MOLINA, J.A.: *Contratos Públicos: Derecho Comunitario y Derecho Español*, Madrid, 1996.

- *Nuevo Régimen de Contratación Administrativa, Comentarios a la Ley de Contratos de las Administraciones Pública tras la Ley 53/1999*, Madrid, 2000.
- *Nuevo Régimen de Contratación Administrativa, Comentarios al Texto Refundido de la Ley de Contratos de las Administraciones Públicas tras el RD Leg. 2/2000, de 16 de junio*, segunda edición, Madrid, 2001.
- *El nuevo Reglamento de Contratación de las Administraciones Públicas: Repercusión práctica, novedades, concordancias y formularios adaptados*, Madrid, 2002.
- MOROTE SARRIÓN, J.V. ITUREN i OLIVER, A. y BELANDO GARÍN, B.: *Ley de Contratos de las Administraciones Pública, Ley 13/1995 modificada por Ley 53/1999*, Valencia, 2000.
- NUÑEZ MUNAIZ, R.: *Comentarios a la Ley de Contratos de las Administraciones Públicas*, Madrid, 1996.
- *Ley de Contratos de las Administraciones Públicas. Análisis práctico del Texto Refundido,* Madrid, 2000.
- OLIVERA MASSO, P.: *El régimen jurídico de las certificaciones de obra tras la Ley de Contratos de las Administraciones Públicas*, Madrid, 1995.
- PADROS I CASTILLÓN, X., y FORTUNY, J.M.: *Legislació básica sobre contractes: La Lley de Contractes de les Administracions Publiques*, Barcelona, 1995.
- PÉREZ DE LEÓN PONCE, B., y PÉREZ BERENJENA, J.: *La contratación de las Administraciones Públicas: Estudio comparativo y sistemático de la normativa antigua y la vigente*, Madrid, 1995.
- RAZQUIN LIZARRAGA, M.M.: *Contratos Públicos y Derecho Comunitario*, Pamplona, 1996.
- ROCA ROCA, E., (dir) y otros: *Ley de Contratos de las Administraciones Públicas*, Granada, 1995.
- RUBIO GONZÁLEZ, A.: *Manual de gestión de las obras de Contratación Pública*, Madrid, 2002.
- RUIZ OJEDA, A, y GARCÍA BERNALDO DE QUIRÓS, J.: *Comentarios a la Ley de Contratos de las Administraciones Públicas y a su Reglamento de desarrollo parcial (doctrina, jurisprudencia y concordancias)*, Madrid, 1996.
- SANCHEZ ISAC, J.: *La contratación en las Corporaciones Locales*, Barcelona, 1996.
- SOSA WAGNER, F.: *El contrato público de suministro*, Madrid, 1996.
- SOSA WAGNER, F.: *Comentario a la Ley de Contratos de las Administraciones Públicas*, Barcelona, 1996.
- VELÁZQUEZ CURBELO, F.: *Manual Práctico de Contratación Administrativa*, Madrid, 1997.
- VICENTE LÓPEZ, C.: *La contratación administrativa: Condiciones generales y eficacia*, Granada, 1996.
- VINYOLES I CASTELLS, M.: *La adjudicación de los contratos públicos: La nueva Ley de Contratos de las Administraciones Públicas y Normativa Comunitaria*, Madrid, 1995.

Caso nº 2: REQUISITOS DE SOLVENCIA TÉCNICA

PLANTEAMIENTO

El Ayuntamiento de Nules (Castellón) publica el anuncio de licitación para la adquisición de diverso material de equipo y vestuario para sus empleados. En los pliegos se recoge que el adjudicatario deberá cumplir una determinada norma de calidad (ISO o equivalente), así como que, en cuanto a la solvencia técnica, se deberán probar todos los requisitos recogidos en el art. 18 del TRLCAP.

En el momento del análisis de las documentaciones recibidas en tiempo y forma, con objeto de proceder a señalar los licitadores que cumplen los requisitos de capacidad para contratar, la Mesa de Contratación encuentra dos licitadores respecto de los cuales tiene dudas en cuanto a la actuación a adoptar:

1. Al proceso concurre una Unión Temporal de Empresarios: ¿la norma de calidad han de cumplirla todos sus integrantes o solamente alguno de ellos?
2. También se presenta una Sociedad Anónima que aporta como requisitos de solvencia técnica las referencias de buena ejecución con otras empresas que se han fusionado y escindido para dar lugar a la nueva Sociedad: ¿es posible?

DOCTRINA

El tratamiento que se ha de dar a la exigencia de una norma de calidad en los «pliegos» varía en función de que esta expresión se refiera a los pliegos de cláusulas administrativas particulares, o que lo haga a los pliegos de prescripciones técnicas. En el primer caso, el requisito será de solvencia técnica en cuya virtud por la vía del art. 18,e) del TRLCAP, ha de cumplirse por todos los componentes de la Unión Temporal de Empresarios en base a los siguientes razonamientos:.

a) Porque la legislación de contratos no recoge ningún caso de exención de los requisitos de personalidad, capacidad de obrar, y de solvencia a favor de las citadas uniones.

b) Porque cuando la LCAP recoge en el art. 31 las condiciones para que una Unión Temporal de Empresarios pueda ser clasificada, establece que deberán cumplir los requisitos todas las empresas que concurran en la misma.

Por el contrario, si la norma de calidad se recoge en los pliegos de prescripciones técnicas, la exigencia se predica de los productos y no de los licitadores, motivo por el cual será uno de los extremos a vigilar por el órgano de contratación en la fase de ejecución del contrato, que nace, en términos generales, con la adjudicación y formalización, y finaliza con la liquidación del contrato.

Desde el punto de vista del Derecho Comunitario de la Contratación Pública la Directiva 93/37/CEE (arts. 24-29) establece bajo el título de «Criterios de selección cualitativa» (Cap.2, Título IV) las condiciones a las empresas para concurrir a las licitaciones, unas de carácter positivo (inscripción en determinados registros, capacidad financiera, económica y técnica, y posibilidad de clasificación), y otras de carácter negativo, (prohibiciones que permiten excluir a las empresas de licitación). Ambas tienen que ser taxativas porque, además, el art. 18 (al igual que los arts. 17 y 19) tiene el carácter de legislación básica.

Respecto a si en supuestos de fusión, escisión o aportación de una rama de actividad, las referencias de buena ejecución de contratos anteriores que figuren expedidas a nombre de las sociedades que se fusionan, escinden o aportan pueden ser entendidas como propias de las entidades resultantes y, en su consecuencia, pueden o no ser presentadas en la licitación como propias aunque figuren a nombre de la entidad de donde derivan, hay que señalar que, a tenor de los arts. 233.1 y 254 del Texto Refundido de la Ley de Sociedades Anónimas, se transmiten a la nueva sociedad todos los patrimonios sociales de las sociedades escindidas o fusionadas.

En su virtud, y de la misma forma, debe ser reconocida como propia la experiencia resultante de la ejecución de actividades relacionadas con los contratos de los que se exige la misma a la nueva sociedad.

Del mismo modo, igual solución cabe aplicar en caso de aportación, a tenor del art. 39 del Texto Refundido de la Ley de Sociedades Anónimas y del artículo 133.1 del Reglamento del Registro Mercantil.

LEGISLACIÓN

– TRLCAP: arts. 17; 18; 19; 31,2; 48; 49; 50; 51; 52 y 79,4.
– RD Legislativo 1564/89, de 22 de diciembre, por el que se aprueba el Texto Refundido de la Ley de Sociedades Anónimas: arts. 233,1; 254 y 39.

- RD 1784/96, de 19 de julio, por el que se aprueba el Reglamento de Registro Mercantil: art. 133,1.
- Directiva 92/50/CEE, de 18 de junio, sobre coordinación de los procedimientos de adjudicación de los contratos públicos de servicios, (D.O. n° L 209, de 24 de julio de 1992): Título IV, Capítulo 2 «Criterios de Selección Cualitativa», arts. 29-35.
- Directiva 93/36/CEE, de 14 de junio, sobre coordinación de los procedimientos de adjudicación de contratos públicos de suministros, (D.O. n° L 199, de 9 de agosto de 1993): Título IV, Capítulo 2 «Criterios de Selección Cualitativa», arts. 20-25.
- Directiva 93/37/CEE, de 14 de junio, sobre coordinación de los procedimientos de adjudicación de los contratos públicos de obras (D.O. n° L 199, de 9 de agosto de 1993): Título IV «Reglas Comunes de Participación», Capítulo 2 «Criterios de Selección cualitativa», arts. 24-29.
- RGLCAP: art. 24,1.

JURISPRUDENCIA

- STS 26.4.01 (3426): Analiza que las Uniones Temporales de Empresarios no llegan, en ningún momento, a tener personalidad jurídica propia. Lo que se produce en materia de contratación, es que la Unión reúne a un grupo de empresarios que asumen solidariamente la ejecución del contrato.
- Informe JCCA n° 22/96, de 5 de junio (Fascículo 1996-2, ap. 1, ep. 1.20), sobre acumulación de características a la hora de clasificación de las Uniones Temporales de Empresarios, lo que conlleva que no todas las empresas han de tener la clasificación en los grupos y subgrupos exigidos en los pliegos.
- Informe JCCA n° 11/99, de 30 de junio (Fascículo 1999-2, ap. 1, ep. 1.3). La intención de incluir en los requisitos necesarios para la celebración de los contratos, o como criterios de adjudicación por concurso, las llamadas «cláusulas sociales» (como la siniestralidad laboral) no tiene encaje en el derecho comunitario de la contratación pública ni en la LCAP: Deberían de dar lugar a otro tipo de iniciativas de tipo legislativo o reglamentario.
- Informe JCCA n° 46/99, de 21 de diciembre (Fascículo 1999-4, ap. 3, ep. 3.1). La introducción de una exigencia de capacidad o solvencia en los pliegos de cláusulas administrativas vincula a los licitadores que se personen en el procedimiento, de tal modo que, de lo contrario, quedarán excluidos del mismo. Esta consideración es igualmente aplicable a las Uniones Temporales de Empresarios.
- Informe JCCA n° 48/99, de 21 de diciembre (Fascículo 1999-4, ap. 8, ep. 8.1). En casos de fusión, escisión o aportación de rama de actividad, las referencias sobre la buena ejecución de contratos administrativos, adjudicados con anterioridad a la constitución de la nueva sociedad, que se hayan incluido en los pliegos de cláusulas administrativas particulares como requisito se solvencia técnica, benefician a ésta.

BIBLIOGRAFÍA

Véase la recogida en el caso nº 1.

Caso n° 3: JUNTAS DE CONTRATACIÓN

PLANTEAMIENTO

En el Ministerio de Hacienda se creó la Junta de Contratación con objeto de agilizar los contratos de obras, consistentes en reparaciones simples y de conservación y mantenimiento, y los contratos de suministros de bienes consumibles o de fácil deterioro. No obstante, se le encomienda la adquisición y el arrendamiento de equipos y sistemas para el tratamiento de la información por afectar a más de un órgano de contratación. Se plantean dudas sobre si esta atribución de competencia es correcta, y también se formulan en el seno de la Junta discrepancias sobre los siguientes asuntos:

1. ¿Resulta necesaria la constitución de la Mesa de Contratación?
2. ¿Podría encargarse de la tramitación del expediente el órgano administrativo que venía ocupándose hasta entonces de dichas adquisiciones?
3. De no ser así, al no haber propuesta de adjudicación, ¿cómo debe ejercerse la fiscalización previa del compromiso de gasto?

A la vista de las dudas señaladas, el Presidente de la Junta de Contratación decide solicitar informe al Servicio Jurídico del Departamento.

DOCTRINA

La Junta de Contratación es un órgano de contratación que no precisa estar asistido de una Mesa para adjudicar un contrato. Aparte de este supuesto, los órganos de contratación podrán potestativamente prescindir de la constitución de la Mesa de Contratación cuando utilicen para la adjudicación del contrato el procedimiento negociado. Esto significa que las funciones que la legislación de contratos encomienda a la Mesa se realizan por la Junta directamente, con lo cual no existe propuesta de adjudicación previa de un órgano diferente al de contratación.

Por lo tanto, a las Juntas de Contratación, como verdaderos órganos de contratación, les corresponden todas las facultades recogidas en el TRLCAP, entre otras, aprobar el expediente de contratación que podrá comprender la del gasto, así como la aprobación de los pliegos, la adjudicación y la formalización del contrato. La matización efectuada, sobre la posible diferenciación entre la facultad de aprobación del expediente y la de aprobación del gasto, viene motivada sencillamente porque las normas presupuestarias pueden disponer otro reparto de competencias para aprobar el gasto, que no coincida con las de aprobación del expediente de contratación. Así ocurre, por ejemplo, con la Orden de 30 de mayo de 1997, por la que se crean la Junta de Contratación y la Mesa Única de Contratación de los Servicios Centrales del Ministerio de Economía y Hacienda.

En cuanto a la cuestión planteada, que afecta a la manera de cumplimentar la fiscalización previa del compromiso del gasto, en un caso como el presente en el que no existe Mesa de Contratación, hay que señalar que la misma se efectúa sobre el expediente original completo, una vez reunidos todos los justificantes y emitidos los informes, cuando esté en disposición de que se dicte el acuerdo por quien corresponda, por tanto, no se realiza sobre la propuesta de adjudicación. Así pues, al efectuarse sobre el documento que contiene la voluntad administrativa de resolver un proceso de contratación pública a través de la adjudicación a un licitador, no resulta diferente según que exista o no participación de la Mesa de Contratación.

Para finalizar, desde el punto de vista del procedimiento administrativo, la aplicabilidad de la LAP, para el caso de instrucción del expediente de contratación por otro órgano administrativo, resulta plenamente posible en virtud del cumplimiento de los requisitos previstos, en este caso, para el supuesto de encomienda de gestión.

LEGISLACIÓN

- TRLCAP: arts. 11,2,h); 12,4; 49,1; 51,1;53; 54; 67;69 y 81,1.
- LPA: art. 15.
- Orden de 30-05-1997 por la que se crean la Junta de Contratación y la Mesa Única de Contratación de los Servicios Centrales del Ministerio de Economía y Hacienda (BOE nº 140).
- RD 2188/95, de 28 de diciembre, que regula el ejercicio del control interno ejercido por la Intervención General de la Administración del Estado: art. 13.,1.
- RGLCAP: arts. 5, 6 y 7

JURISPRUDENCIA

- Informe JCCA n° 22/97, de 14 de julio (Fascículo 1997-3, ap. 8, ep. 8.19): Las Juntas de Contratación son verdaderos órganos de contratación, correspondiéndoles, por tanto, todas las facultades y funciones que la legislación de Contratos atribuye a tales órganos. Ahora bien, como sucede en los órganos de contratación, la facultad de aprobación del gasto no coincide, a veces, con la de aprobación del expediente de contratación, porque las normas presupuestarias pueden disponer otro reparto de competencias.
- Informe de la Intervención General de la Administración del Estado (en lo sucesivo IGAE) de 9 de octubre de 1997 (Boletín Informativo n° 35, V «Control», ep. V.1.1./B165). La fiscalización previa a la adjudicación, que en el proceso del gasto da lugar al documento «D», y supone el compromiso de gasto, no se realiza sobre la propuesta del acuerdo de adjudicación, sino sobre toda la documentación que sirve de base para que el órgano de contratación dicte el correspondiente acuerdo.

BIBLIOGRAFÍA

Véase la recogida en el caso n° 1.

Caso nº 4: CONTRATOS MENORES

PLANTEAMIENTO

El Área de Contratación y Adquisiciones del Ayuntamiento de Sagides (Soria) pone en conocimiento del Alcalde la divergencia de pareceres, existente entre varios servicios del citado Ayuntamiento, en relación al concepto de «contrato menor» recogido en el TRLCAP. La Unidad de Programación Económica opina que para los contratos menores solamente habrán de requerirse los extremos recogidos en el art. 56, mientras que la Secretaría General entiende que habrá que circunscribirlo, obligatoriamente, al art. 67 en relación con el art. 92, por tratarse de una manifestación del procedimiento de adjudicación negociado.

A la vista de esa disparidad de criterios, el Alcalde solicita un dictamen sobre el particular al Asesor Jurídico sobre las siguientes cuestiones:

1. ¿Pueden las entidades locales crear sus propias Juntas Consultivas en materia de contratación administrativa?
2. ¿Qué sentido ha de darse a las expresiones «expediente de contratación» y «factura correspondiente» recogidas en el art. 56 de la TRLCAP?
3. ¿En la tramitación de los expedientes de contratos menores debe de incorporarse la acreditación por parte del contratista de hallarse al corriente en el cumplimiento de las obligaciones tributarias o de Seguridad Social?
4. ¿Existen diferencias entre el concepto de contrato menor y procedimiento negociado por razón de la cuantía?

DOCTRINA

La figura de la Junta Consultiva de Contratación Administrativa (en adelante «JCCA») se caracteriza en el TRLCAP por ser un órgano consultivo específico de la Administración General del Estado, de sus organismos autónomos y demás entidades públicas estatales en materia de contratación administrativa, sin ligar su función a las Comunidades Autónomas a las que, por el contrario, se les reconoce la posibilidad de crear sus propias Juntas Consultivas en sus respectivos ámbitos territoriales. Respecto a las Entidades Locales en virtud del principio constitucional de autoorganización, recogido en el art. 140 CE, habrá que reconocer la misma posibilidad, sin necesidad de declaración expresa en el art. 10 del TRLCAP, que, a tenor de la Disposición Final Primera, no tiene el carácter de legislación básica. Dicha potestad les permitirá crear los órganos que consideren adecuados para el mejor funcionamiento de los servicios y cumplimiento de sus fines propios, respetando siempre la composición y existencia de aquellos órganos determinados legalmente. Asimismo encuentra cobertura en el art. 149,1,18ª de la Constitución que, aunque reserva al Estado la competencia básica en determinadas materias —entre ellas la contratación administrativa—, salvo en referencia al procedimiento administrativo la potestad de autoorganización de las Comunidades Autónomas, referencia que hay que hacer extensiva a las Corporaciones Locales.

En el TRLCAP no existe un sólo concepto de la expresión «expediente de contratación». En el art. 67 se entiende por tal el conjunto de actividades preparatorias de un contrato que preceden a su adjudicación. En el art. 69, ap. 1 parece optar por un concepto más limitado referido sólo al conjunto de actuaciones internas del órgano de contratación sin relación con terceros. Por último el mismo art. 69, pero en esta ocasión en su ap. 3, apunta el concepto más amplio de expediente de contratación que pudiera llegar incluso a la adjudicación del contrato y a su formalización. De estos tres conceptos el art. 56 del TRLCAP da pie a sostener que el concepto de expediente de contratación al que se refiere es el amplio del art. 69, ap. 3 por estas razones:

– Porque exige que en el contrato menor el expediente contenga la aprobación del gasto. Si el art. 56 se refiriera al concepto de expediente de contratación del art. 67 no exigiría la aprobación del gasto como un trámite que no es el último del propio expediente, sino que dicho trámite se produciría necesariamente al aprobarse el propio expediente y, por consiguiente, al final de la tramitación. Si exige la aprobación del gasto es porque se está refiriendo al concepto amplio en el que la misma sí es un trámite previo a la fase de adjudicación.

– Porque obliga a que en el expediente conste la factura correspondiente, y ésta sólo puede ser expedida por el contratista cuando la Administración le acepta su propuesta a través de la adjudicación.

– Porque la práctica obliga a admitir un concepto amplio del expediente de contratación, porque no tendría sentido que cada vez que la Administración deseare realizar un contrato menor tuviera que constituir la mesa de contratación, solicitar tres ofertas, justificar la imposibilidad de afrontar otra actuación ... etc.

Por tanto, a diferencia del expediente de contratación normal, en el contrato menor éste se reduce a la aprobación del gasto, sin que sean necesarios más requisitos que la propuesta de gasto dirigida al órgano de contratación competente para aprobarla, la expedición del documento contable acreditativo de la existencia de créditos de naturaleza adecuada y cuantía suficiente, y la fiscalización del gasto por el interventor correspondiente. Además, el documento contractual se sustituye por una factura que a su vez suplanta a la justificación documental de la conformidad con la prestación realizada por el contratista. Sin embargo dichas excepciones al procedimiento general no pueden considerarse como una forma especial de tramitación en sentido estricto, sino como un procedimiento excepcional de contratación que afecta a todas las fases del mismo, y no sólo a la instrucción y aprobación del expediente.

En relación con la posibilidad de que en los contratos menores se puedan admitir diversas facturas, lo primero que hay que dilucidar es si en este tipo de contratos es posible la realización de pagos o abonos a cuenta. A este respecto, la primera observación a realizar es que el régimen de pagos en los contratos menores no ha merecido ninguna norma específica en el TRLCAP, existiendo por el contrario, como aplicable a todos los contratos, el precepto del art. 14,3, expresivo de que la financiación de los contratos por la Administración se ajustará al ritmo requerido en la ejecución de la prestación. Por ello puede concluirse que, al amparo de la libertad de pactos, consagrada en el art. 4 del propio TRLCAP, es perfectamente ajustado a la normativa vigente pactar abonos a cuenta del precio, en particular, cuando lo exija el ritmo requerido en la ejecución del contrato menor, al igual que sucede en el resto de los contratos regulados en el TRLCAP que no tienen la consideración de menores, dado que el régimen jurídico de éstos últimos está limitado, según expresa el art. 56, a la definición exclusiva por razón de su cuantía, a la necesidad de aprobar el gasto y a la de incorporar al expediente la factura correspondiente.

La expresión «factura correspondiente» recogida en el art. 56 del TRLCAP debe tener, acudiendo a los criterios de interpretación del art. 3.1 del Código Civil, un alcance no sólo literal sino sistemático y, sobre todo, o fundamentalmente finalista o teleológico, habiendo quedado suficientemente razonado que, pese a la dicción literal del singular utilizado, deben prevalecer los argumentos que no excluyen la posibilidad de sustituir «factura» por el plural «facturas». Por lo demás no es extraño a la técnica normativa la utilización de expresiones en singular que, sin embargo, hacen referencia a una pluralidad de supuestos, como sucede, sin salir del campo del TRLCAP, por ejemplo con las expresiones «empresa» (art. 16,1,c; 17,a), «empresario» (arts. 16,1, 17.c)...) y «adjudicatario» (arts. 11,2.b; 36, 1 y 2 ...) que evidentemente hacen referencia, a efectos de su aplicación, a «empresas», «empresarios» y «adjudicatarios».

El TRLCAP en sus artículos 15 a 20 desarrolla los requisitos de capacidad no como trámites procedimentales, sino como condiciones necesarias para la validez de los contratos que deberán concurrir en todo empresario que contrate con la Administración, so pena de nulidad a tenor del art. 62. Excepcionalmente para los contratos menores el art. 56 exime al contratista de acreditar su capacidad para contratar a través de la incorporación de los documentos justificativos al expediente. Por tanto la necesidad de acreditar el hallarse al corriente de las obligaciones tributarias y con la Seguridad Social del art. 20, f) no debe acreditarse en los contratos menores.

Por último, los motivos de confusión entre el contrato menor y procedimiento negociado de adjudicación por razón de la cuantía, han surgido como consecuencia de que la primitiva redacción de la LCAP redujo las cifras que en la legislación anterior se preveían para acudir a la contratación directa acercándolas a las cuantías que prevé para la celebración de contratos menores. El fin de dicha medida fue el haber querido dejar en manos del órgano de contratación la decisión de que, en contratos inferiores a una determinada cuantía, pueda aplicar el régimen simplificado del contrato menor o alternativamente la tramitación completa del expediente, con constitución de la correspondiente mesa de contratación, y adjudicación mediante el procedimiento negociado sin publicidad. Con la reforma operada en el TRLCAP, ya no existe coincidencia de cuantías entre el contrato menor y el procedimiento negociado sin publicidad. No obstante, el planteamiento continúa invariable: el contrato menor es una categoría o figura contractual, mientras que el procedimiento negociado es un procedimiento de adjudicación de un contrato sujeto a las reglas generales de tramitación previstas en el TRLCAP.

LEGISLACIÓN

– CE: arts. 140 y 149,1,18ª.

- TRLCAP: arts. 10, 11, 15-20, 56, 62, 69, 121, 141 g), 176, 182 i), 201, y 210 h).
- RGLCAP: arts. 13 – 16.
- LCE: arts. 37,3; 86; 87,3;89 (derogados).
- RGCE: art. 70 (derogado).
- Decreto 1005/74, de 4-04 (B.O.E. n° 97), por el que se regulan los contratos de asistencia que celebren la Administración del Estado y sus Organismos Autónomos con empresas consultoras o de servicios: arts. 9 a) y 13 (derogados).

JURISPRUDENCIA

- Informe de la JCCA n° 51/85, de 19 de diciembre (Memoria de la JCCA año 1985, ap. 3, ep. 3.1.5.): Las causas de incapacidad para contratar resultan de difícil aplicación a los suministros menores.
- STS 8.4.87 (4251): Dentro de las potestades de las Corporaciones Locales se encuentra la de autoorganización, que tiene su cobertura en el art. 149,1,18° de la Constitución Española, donde, a pesar de que se reserva al Estado la competencia en determinadas materias, se salva en referencia al procedimiento administrativo la potestad de autoorganización de las Comunidades Autónomas, referencia que hay que entender cubre también a las Corporaciones Locales, dado que el citado número 18 contempla a todas las Administraciones Públicas.
- Informe de la Dirección General del Servicio Jurídico del Estado (en adelante «SJE») de 19 de julio de 1995 (Boletín Informativo de la IGAE n° 24, noviembre-diciembre, 1995, epígrafe II.2.4, págs. B. 119-129): El art. 57 de la LCAP (art. 56 del TRLCAP) se está refiriendo al concepto de expediente de contratación en sentido amplio, de acuerdo con lo prevenido en el art. 70, ap. 3 de la misma Ley (art. 69 ap. 3 del TRLCAP).
- Informe de la IGAE, de 22 de septiembre de 1995, (Boletín Informativo n° 23, septiembre-octubre, 1995, ep. II.2.4, págs. B.107-112): En los contratos menores se exime al contratista de acreditar su capacidad para contratar, y aunque se utiliza como procedimiento de adjudicación el negociado no será necesario cumplimentar los trámites generales del artículo 93 de la LCAP (art. 92 del TRLCAP).
- Informes de la JCCA n° 40/95, de 7 de marzo de 1996 y 13/96, de 7 de marzo (Fascículo 1996/2 suplemento al Boletín Oficial del Ministerio de Economía y Hacienda n° 14, de 4 de abril 1996, ap. 8, ep. 8.1.): Los requisitos del art. 57 de la LCAP (art. 56 del TRLCAP) son los únicos exigibles para la celebración de un contrato menor. La posible coincidencia de cuantías con el procedimiento negociado sin publicidad faculta al órgano de contratación para decidir cuál será la tramitación del expediente.
- Informe de la JCCA n° 50/97, de 2 de marzo de 1998 (Fascículo 1998/1, ap. 8, ep. 8.1): La expresión «factura correspondiente» recogida en el art. 57 de

la LCAP (art. 56 del TRLCAP) no excluye la posibilidad de que existan diversas facturas en los contratos menores cuando expresamente se hayan pactado abonos o pagos a cuenta, atendiendo fundamentalmente al ritmo requerido en la ejecución de la prestación.

– Informe de la JCCA nº 10/98, de 11 de junio (Fascículo 1998/2, ap. 8, ep. 8.1): En los contratos menores, definidos exclusivamente por la cuantía que se fija en los arts. 121, 177 y 202 (arts. 176 y 201 respectivamente del TRLCAP), sólo se exige el cumplimiento de los requisitos del art. 57 de la LCAP (art. 56 del TRLCAP), sin perjuicio de la exigencia de algún otro de los enumerados en el art. 11, que no sean incompatibles con la especial naturaleza de estos contratos, sino que, por el contrario, sean indispensables para su caracterización.

BIBLIOGRAFÍA

Véase la recogida en el caso nº 1.

Caso n° 5: PRESENTACIÓN DE PROPOSICIONES

PLANTEAMIENTO

El Servicio de Cría Caballar y Remonta, organismo autónomo dependiente del Ministerio de Defensa, después de aprobar el expediente de contratación decide abrir el procedimiento de adjudicación a través de la publicación del anuncio de licitación. El objeto del contrato es la construcción de veinticinco nuevos establos, siendo su presupuesto de setecientos cincuenta mil (750.000) euros.

En los pliegos de cláusulas administrativas particulares se señala que en el procedimiento restringido los licitadores presentarán sus solicitudes de participación en la Secretaría General en horario de 9 a 14 horas de lunes a viernes, o también por correo, en cuyo caso el interesado deberá acreditar con el resguardo correspondiente la fecha de la imposición del envío y anunciar el mismo día por fax o telegrama a la Secretaría General la remisión de la solicitud por correo.

El último día, viernes, comparece un licitador en las oficinas de la Secretaría General a las 14,45 horas, informándosele de que se admitiría su solicitud pero que, por haber sido presentada fuera de plazo, se rechazaría en su momento a través de certificación que expediría la Mesa de Contratación. Ante tal perspectiva renuncia a registrar su solicitud.

Sin embargo, al lunes siguiente, aparece en la Secretaría General un fax remitido por el mismo interesado a las 16,30 horas del viernes cuyo texto dice: «La documentación referente al procedimiento restringido ha sido presentada conforme al art. 38 de la LPA».

Llegado el momento del examen de los criterios recogidos en los pliegos para proceder a enviar las invitaciones de participación a los licitadores, la Mesa duda si puede inadmitir la solicitud referida por extemporánea, o, además también porque no se remitió por fax acreditación del resguardo de envío por correo.

Ante el supuesto de hecho descrito, desde el punto de vista del licitador también pueden plantearse estas cuestiones:

1 ¿Puede el órgano de contratación limitar en los pliegos la presentación de las solicitudes de participación a un horario y lugar

concreto, en este caso ante la Secretaría General y solamente de 9 a 14 horas?

2   En relación con la cuestión anterior, ¿existen modelos normalizados de anuncios de licitación que sean aplicables a la Contratación Pública?

3. El licitador, aparte de haberlo remitido por correo, ¿podría haberlo presentado ante otro registro público? ¿Ante cuáles y en qué horario? ¿Podría haberlo presentado ante un juzgado de guardia?

DOCTRINA

La cuestión fundamental radica en dictaminar sobre si en el cómputo de plazos por días éstos han de considerarse de veinticuatro horas pues, en caso contrario, se reduciría injustificadamente la duración de los mismos. No existe norma jurídica que aclare expresamente dicho extremo. Sin embargo es conveniente examinar estos preceptos:.

La LPA establece que en las solicitudes de iniciación, comunicaciones y escritos que presenten los interesados en las oficinas de la Administración, podrán éstos exigir el correspondiente recibo que acredite la fecha de presentación, no la hora.

El RGCE establece que cuando las proposiciones u ofertas se presenten en las oficinas o dependencias expresadas en el anuncio, las oficinas receptoras darán recibo en el que conste el nombre del licitador, la denominación del objeto de la licitación y el día y la hora de la presentación. Pero, como se ha señalado, este apartado no se refiere a la remisión de las ofertas o proposiciones por correo.

Del juego de ambos preceptos se observa que la referencia a la hora del día en que se presenta una proposición, solicitud u oferta atañe exclusivamente al caso en el que se efectúe en las propias oficinas recogidas en los pliegos.

En el envío por correo de las proposiciones, ofertas y solicitudes de participación el empresario deberá justificar la fecha de la imposición del envío en la oficina de correos y anunciar en el mismo día al órgano de contratación la remisión de la oferta mediante telex o telegrama. La documentación ha de ser recibida en los siguientes diez días a la fecha de la imposición. Si no se cumplimentan los dos requisitos de acreditación del envío, o no se recibe en plazo la documentación, el órgano de contratación no admitirá las proposiciones, ofertas o solicitudes recibidas con posterioridad.

No obstante, como los hechos relatados señalan que el interesado se presentó en las oficinas de la Secretaría General el último día del plazo, antes del cierre de atención al público, pero después del horario del registro, pudieran suscitarse dudas sobre el cumplimiento de las obligaciones del licitador respecto a la presentación de la solicitud, quizás pudiera aplicarse el criterio antiformalista elaborado por la jurisprudencia que resulta favorable a la mayor posibilidad del ejercicio de los derechos de los particulares.

En general, el cómputo de los plazos fijados en días se realizará en días hábiles, salvo que una ley dispusiera lo contrario. En este sentido, el TRLCAP establece, expresamente, que el citado cómputo se hará en días naturales, salvo que en el mismo se estableciera otra cosa. La presentación de solicitudes de participación por los licitadores se producirá ante la entidad adjudicadora señalada en el anuncio, ante cualquier oficina de registro de la Administración General del Estado o concertada con la misma, o ante cualquier oficina de correos. De acuerdo con el criterio del Consejo General del Poder Judicial, no es función propia de los juzgados de guardia la recepción de escritos administrativos cuya presentación estuviera sujeta a un plazo perentorio.

LEGISLACIÓN

- TRLCAP: arts. 73.3, 76, 79, 82, 88, 91.1c.
- LPA: art. 70,3.
- Reglamento del Consejo Europeo 1182/71, de 3 de junio, sobre regulación de las normas aplicables a plazos, fechas y vencimientos: art. 3,2,b).
- RGLCAP: art. 80 y Anexo VII, B.
- RD 772/1999, de 7 de mayo, por el que se regula la presentación de solicitudes, escritos y comunicaciones ante la Administración General del Estado, la expedición de copias de documentos y devolución de originales y el régimen de las oficinas de registro.
- Resolución de la Secretaría de Estado para la Administración Pública, de 1 de diciembre de 1998, por la que se actualiza la Resolución de 1 de septiembre de 1997, que hace pública la relación de las oficinas de registro o concertadas con la Administración General del Estado y sus organismos públicos, y establece los días y horarios de apertura.
- Acuerdo del Consejo General del Poder Judicial, de 7 de junio de 1995, por el que se ordena la publicación de los Reglamentos de la Carrera Judicial,

de la Escuela Judicial de los Jueces de Paz, de los órganos de gobierno de los tribunales y de los aspectos accesorios de las actuaciones judiciales, así como de la relación de ficheros de carácter personal existentes en el Consejo General del Poder Judicial: Título III, arts. 37-59.

JURISPRUDENCIA

- SSTS 26.5.65 (2922), 16.3.81 (Ar. 1276), 21.5.83 (3388), 10.3.87 (1918) y 30.4.87 (2680): Para estas sentencias la presentación de proposiciones en condiciones especiales no lesiona ningún derecho de la Administración y hace viable el principio de tutela efectiva de los derechos e intereses de los administrados. En concreto la última de ellas está basada en el principio *pro actione*, el art. 24 CE y en la interpretación que el Tribunal Constitucional ha realizado de dicho precepto.
- Informe de la JCCA 44/00, de 30 de octubre (Fascículo 2000/3, ep. 12.1 y 16.3): establece que la declaración de tramitación de urgencia del expediente de contratación, no producirá reducción en el plazo para recibir la documentación remitida por correo.
- Informe de la JCCA 38/99, de 12 de noviembre (Fascículo 1999-3, ap. 5, ep. 5.2): Los plazos para promover el principio de concurrencia en los procedimientos de contratación, que se fijen en días, no pueden ser injustificadamente reducidos en los pliegos de cláusulas administrativas particulares al establecer un horario de registro en el órgano de contratación. El cómputo ha de efectuarse sobre la consideración de las 24 horas que tienen. Analiza, asimismo, los requisitos para que la remisión de una proposición, oferta o solicitud por correo sea válida.
- Informe de la JCCA 39/98, de 16 de diciembre (Fascículo 1998-4, ap. 8, ep. 8.1): Se ocupa del supuesto de presentación de proposiciones por correo en un caso en el que se envían dos justificantes de correos, pero finalmente sólo se recibe una proposición económica. Ante este caso, acuña el principio de que lo fundamental es que se reciba en el órgano de contratación la propuesta, y que el resto de requisitos formales son accidentales y responden a la falta de inmediatividad en la remisión de las proposiciones por correo.

BIBLIOGRAFÍA

Véase la recogida en el caso nº 1.

Caso n° 6: REVISIÓN DE PRECIOS

PLANTEAMIENTO

El 16 de mayo de 2000 el Ministerio de Fomento adjudicó a la Empresa AST S.A. el contrato para la construcción del nuevo centro de control de comunicaciones por un importe total de setecientos noventa y tres mil (793.000) euros. El 2 de diciembre de 2000 la adjudicataria, como consecuencia del aumento producido en el precio de uno de los materiales recogidos en los pliegos de prescripciones técnicas, insta la revisión de precios del contrato. A tal fecha se habían ejecutado obras por importe de doscientos dieciseis mil (216.000) euros.

A la vista de la citada revisión de precios, la Secretaría General de Comunicaciones solicita informe al Servicio Jurídico del Estado adscrito al Ministerio citado sobre las siguientes cuestiones:

1. ¿Puede el contratista instar la revisión del precio del contrato en dichas circunstancias?
2. ¿Cómo operan en este caso los principios de precio cierto y de ejecución del contrato a riesgo y ventura del contratista de los arts. 14 y 98 del TRLCAP?
3. ¿Qué ha de entenderse por índices o fórmulas de carácter oficial para la revisión de precios?
4. ¿El veinte por ciento de la obra ejecutada ha de referirse al importe líquido del contrato o al importe de los bienes realmente entregados y recepcionados?
5. ¿La revisión de precios se aplica al total adjudicado o se excluye el veinte por ciento que señala el art. 103.1 TRLCAP?

DOCTRINA

La posibilidad de aplicar algunas excepciones al principio del precio cierto que ha de existir en toda contratación de obras, se articula a través de dos mecanismos, la revisión de precios y la imprevisión razonable del cambio de las circunstancias que movieron a las partes a contratar, lo que se denomina «doctrina del riesgo razonablemente imprevisible». La revisión de precios se aplicará en los casos previstos en la Ley, mientras que ésta se utilizará en el resto de los casos en los que se produzca un desequilibrio económico de tal entidad que el cumplimiento por el contratista de sus obligaciones devengue muy oneroso.

El art. 25.2 del RD 390/96, de 1 de marzo, establece que en los contratos que no sean de obra o de suministro-fabricación, cuando sea procedente la revisión de precios, se llevará a efecto mediante la aplicación de los índices o fórmulas de carácter oficial que determine el órgano de contratación en los pliegos de cláusulas administrativas particulares. Respecto a la aprobación, alcance y significado de la expresión «fórmulas de carácter oficial», sabido es que la legislación anterior sobre contratos limitaba la revisión de precios a los contratos de obras, y por aplicación del art. 84 de la LCE. se podía también establecer en los pliegos de bases de los contratos de suministro-fabricación. El TRLCAP no ha variado el esquema previsto en la legislación anterior, como claramente queda expresado en su art. 104, ap. 1 en relación con la disposición transitoria segunda del mismo.

Una de las innovaciones más significativas del TRLCAP ha sido la extensión de la revisión de precios, a través del art. 103, a los contratos de suministro, de consultoría y asistencia, y de servicios, salvo que el pago se concierte mediante el sistema de arrendamiento financiero o de arrendamiento con opción de compra, o que se trate de contratos menores. Para aquéllos el art. 104, ap. 1 incorpora la norma de que la revisión se llevará a cabo mediante índices o fórmulas de carácter oficial que determine el órgano de contratación, confirmando la prescripción del art. 103,3 cuando señala que en los pliegos deberá detallarse la fórmula o sistema de revisión aplicable.

Para aclarar las dudas que el art. 104, ap. 2 y 3 y el art. 105 podían plantear al referir las fórmulas e índices de revisión sin ligarlos con carácter exclusivo a los contratos de obras y de suministro-fabricación, el art. 25 del RD 390/96, clasifica por un lado el régimen de revisión para estos contratos, precisando que se llevará a cabo aplicando a las fórmulas tipo aprobadas por el Consejo de Ministros los índices mensuales de precios aprobados por la Comisión Delegada para Asuntos Económicos, y, por otro lado, para los otros contratos (suministro, consultoría y asistencia, y servicios) estableciendo que la revisión se llevará a cabo mediante aplicación de los índices o fórmulas de carácter oficial que determine el órgano de contratación en los pliegos de cláusulas administrativas particulares en el que, además, se consignará el método o sistema para la aplicación concreta de los referidos índices o fórmulas de carácter oficial, entre ellos y como más significativo el del índice de precios al consumo.

Por tanto el sistema de revisión es más flexible que el establecido en la anterior legislación de contratos, pues deja al órgano de contratación libertad para determinar el índice o fórmula de carácter oficial aplicable en cada contrato, sin que se exija la aprobación de ningún otro órgano.

En cuanto al requisito de la ejecución de al menos el veinte por ciento de su importe, la referencia debe hacerse al de adjudicación y no al de las prestaciones o bienes entregados porque de lo contrario carecería de sentido la exigencia de dicho requisito. El contratista debe de valorar, en el momento de formular su propuesta económica, que la cláusula de revisión pueda no aplicarse por no alcanzarse el veinte por ciento del importe de la adjudicación del contrato.

En cuanto a la última cuestión planteada sobre la interpretación del art. 103.1 del TRLCAP, los términos en que aparece redactado, estableciendo que la revisión de precios tendrá lugar cuando el contrato se hubiese ejecutado en el 20 por 100 de su importe y haya transcurrido un año desde su adjudicación, no admiten otra interpretación que la literal de que ambos requisitos figuran como acumulativos y no como alternativos, de tal modo que tanto el 20 por 100 del importe, como el año desde la adjudicación se consideran por el TRLCAP exentos de revisión.

LEGISLACIÓN

- TRLCAP: arts. 14, 94, 98, 103-108, 121, 143, 176, 185, 201 y disposición transitoria segunda.
- RGLCAP: arts. 104 - 106
- LCE: art 84 (derogado).

JURISPRUDENCIA

- STS 12.12.79 (4346): Admite la cláusula *rebus sic stantibus* para aquellos casos en que unas alteraciones económicas extraordinarias afecten gravemente a la economía del contratista, como técnica para salvaguardar los principios de justicia y buena fe.
- STS 16.9.88 (7046): Legitima la revisión de precios no prevista en el contrato porque, de lo contrario, llevaría a la imposibilidad del cumplimiento de las

obligaciones del contratista por circunstancias sobrevenidas que escapan a la capacidad de previsión de éste.

– STS 26.12.90 (9646): Para que sea aplicable la «doctrina del riesgo razonablemente imprevisible» es menester que las circunstancias concurrentes desencadenantes del desequilibrio contractual, además de ser imprevisibles, sean producidas sin culpa de los contratantes.

– Informe de la JCCA n° 45/96, de 22 de julio (Fascículo 1996/3, ap. 3, ep. 3.4.). La expresión «índices o fórmulas de carácter oficial» no puede identificarse con las aplicables a la revisión de precios en el contrato de obras y de suministro-fabricación.

– Informe de la JCCA n° 17/97, de 14 de julio (Fascículo 1997/3 ap. 1, ep. 1.4). Establece que la exención del 20 por 100 del importe al objeto de fijar la revisión de precios es un requisito acumulativo al del período de tiempo al que se refiere el art. 104,1 de la LCAP (art. 103.1 del TRLCAP).

– Informe de la JCCA n°10/99, de 30 de junio (Fascículo 1999/2, ap. 1, ep. 1.4). No se computarán en el porcentaje de obra ejecutada los abonos a cuenta para maquinaria y equipos, porque la LCAP se refiere a obra ejecutada, y porque se trata de elementos auxiliares que no se incorporan a la obra, pero cuyo valor se recupera por el contratista a través de su repercusión en el precio de la misma.

– Informe de la JCCA n° 65/99, de 21 de diciembre (Fascículo 1999/4, ap. 1, ep. 1.4). Si se producen abonos a cuenta, que se irán absorbiendo por deducciones en el importe de las certificaciones de obra, para dirimir si se ha ejecutado al menos el 20 por 100 del importe del contrato, ha de valorarse la obra ejecutada y restarle el valor de los abonos por acopio de materiales.

BIBLIOGRAFÍA

Véase la recogida en el caso n° 1.

RESPONSABILIDAD

José Luis Piñar Mañas
Universidad San Pablo-CEU. Madrid

Caso nº 1: CUESTIONES GENERALES

PLANTEAMIENTO

El conductor de una empresa de mensajería D. J. Pérez, cuando circulaba a 129 km/h por la Autopista A-534 (que gestiona directamente la Administración), sufre un accidente al derrapar en una mancha de aceite que había dejado un camión tres horas antes. Como consecuencia de ello sufre ligeras lesiones de las que tarda en curar 28 días. Sin embargo, un año y tres meses después del accidente nota que comienza a padecer ciertos mareos que no sabe a qué achacar. Tras consultar con un médico se le dice que tales mareos son producto de una lesión cervical que sufrió en el accidente. Ante la reiteración de los mareos, se ve obligado a dejar su trabajo habitual. Dada la situación, y aconsejado por un abogado, decide pedir indemnización a la Administración por los daños causados, para lo que interpone la correspondiente acción de responsabilidad.

Las cuestiones que se plantean son las siguientes:

1. ¿Es posible afirmar que estamos ante un caso de responsabilidad de la Administración o por el contrario ante un supuesto de negligencia por parte del conductor, que circula a velocidad excesiva?
2. En cualquier caso, ¿respondería la Administración por los perjuicios que pudiera ocasionar la mancha de aceite dejada por el camión o debería responder el conductor o propietario de éste?
3. ¿En relación con qué daños podría pedir responsabilidad don J. Pérez?
4. ¿Está en plazo D. J. Pérez para ejercitar la acción de responsabilidad? ¿Ante quién, en su caso, debe ejercitarla?
5. ¿Qué vía debería utilizar en caso de que la autopista fuese gestionada por una empresa concesionaria?

DOCTRINA

El instituto de la responsabilidad patrimonial de las administraciones públicas es capital en nuestro Derecho Administrativo. Con él se pretende garantizar que las lesiones sufridas por los ciudadanos en sus derechos e intereses como consecuencia del funcionamiento de la Administración no queden impunes. Junto con la expropiación, constituye el sistema de garantía del patrimonio de los ciudadanos (entendido en sentido amplio) frente a la Administración.

Su origen más reciente se remonta, como es de sobra sabido, a la vieja Ley de Expropiación Forzosa de 1954 y a la Ley de Régimen Jurídico de la Administración del Estado de 1957. Es, pues, otra de las grandes construcciones legales de los años cincuenta. Más tarde, pasa directamente a la Constitución, cuyo art. 106.2 dispone que «los particulares, en los términos establecidos por la Ley, tendrán derecho a ser indemnizados por toda lesión que sufran en cualquiera de sus bienes y derechos, salvo en los casos de fuerza mayor, siempre que la lesión sea consecuencia del funcionamiento de los servicios públicos». Hoy, se regula en la LAP (arts. 139 y ss., con importantes modificaciones introducidas por la Ley 4/1999) y en el RD 429/1993, de 26 de marzo. Hay que decir que la regulación legal es aplicable a todas las Administraciones Públicas por ser de competencia estatal la regulación del régimen de la responsabilidad patrimonial de la Administración (art. 149.1.18 CE).

Los requisitos para que exista responsabilidad patrimonial de la Administración son: que se haya producido un daño efectivo en los bienes o derechos de los ciudadanos; que el daño sea evaluable económicamente; que el daño sea individualizado con relación a una persona o grupo de personas (art. 139.2 LAP); que el mismo se haya producido como consecuencia del funcionamiento normal o anormal de los servicios públicos (de modo que debe existir una relación de causalidad entre dicho funcionamiento y el daño) y que no haya concurrido fuerza mayor (art. 139.1 LAP).

La característica quizá más importante de la responsabilidad, que la diferencia del régimen general de la responsabilidad civil, es que se trata de una responsabilidad objetiva. No es necesario, pues, una voluntad subjetiva de lesionar; ni siquiera es imprescindible que participe un sujeto en la producción del daño. Producido éste y derivado que sea del funcionamiento de los servicios públicos, se pone en marcha la figura de la responsabilidad patrimonial de la Administración.

La responsabilidad se imputa a la Administración en cuanto persona jurídica, sin perjuicio de que ésta pueda en su caso repetir contra quien, integrado en la estructura administrativa, haya sido el productor directo o indirecto del daño (en caso de que las autoridades y demás personal al servicio de la Administración hubieren incurrido en dolo, culpa o negligencia graves, la Administración deberá exigirles de oficio la responsabilidad: art. 145.2 LAP, tal como ha sido modificada por la Ley 4/1999). Producido el daño, y reconocida judicialmente la responsabilidad de la Administración, ésta debe pagar el interés legal de las cantidades exigibles, desde que éstas reclaman hasta que se produce el pago.

El procedimiento (general o abreviado) y plazo para exigir la responsabilidad se regula en la LAP y en el antes citado RD 429/1993.

Debe tenerse en cuenta que la LJCA de 1998 ha implantado, parece que definitivamente, la unidad de jurisdicción en favor de la contencioso-administrativa. Así lo dispone el art. 2.e) de la citada Ley, según el cual corresponde a dicho orden jurisdiccional el conocimiento de las cuestiones que se susciten con «la responsabilidad patrimonial de las Administraciones públicas, cualquiera que sea la naturaleza de la actividad o el tipo de relación de que derive, no pudiendo ser demandadas aquéllas por este motivo ante los órdenes jurisdiccionales civil o social». Lo mismo establece el art. 9.4 de la LOPJ, tal como ha sido modificado por la LO 6/1998, de 13 de julio.

LEGISLACIÓN

- CE: arts. 106 y 149.1.18 *in fine*.
- LAP: arts. 139 a 146.
- LJCA: arts. 2.e); 31.2; 65.3 y 71.1.d).
- LOPJ: art. 9.4, párrafo segundo.
- RD 429/1993, de 26 de marzo (corrección de errores en BOE de 8 de junio de 1993) por el que se aprueba el Reglamento de los procedimientos de las Administraciones Públicas en materia de responsabilidad patrimonial.
- LEF: arts. 120 a 123.

JURISPRUDENCIA

La jurisprudencia sobre responsabilidad de la Administración es muy abundante. Es imprescindible citar la vieja y ya clásica sentencia de 12.3.1975 (conocida como asunto de «Los novios de Granada»).

- SSTS 7.4.89 (2915), 27.12.89 (9229), 19.1.90 (145), 14.12.90 (9972), 8.2.91 (1214), 20.4.91 (3073), 10.5.93 (6375), 18.10.93 (7499), 27.11.93 (8261), 4.12.93 (10051), 14.5.94 (4190), 4.6.94 (4783) y especialmente 2.7.94 (6673)
- SSTS 14.10.69 (4415), 28.1.72 (351) y 15.2.94 (890): sobre la necesidad de que la Administración pruebe la existencia de fuerza mayor cuando se alegue como causa de exoneración.
- SSTS 9.3.92 (2138), 14.5.93 (3748), 22.5.93 (3788), 22.1.94 (58), 29.1.94 (260) y 2.7.94 (6673): sobre la indemnizabilidad del lucro cesante.
- SSTS 11.11.85 (5547) y 2.7.94 (6673): sobre el abono de intereses de las cantidades debidas por la Administración en concepto de indemnización.
- SSTS 18.12.82 (8028), 11.1.86 (8051), 7.11.87 (8778), 9.5.89 (4487), 29.9.89 (6683), 27.9.91 (8038) y 25.1.92 (1343): sobre responsabilidad de los concesionarios.
- STS (Sala 1ª) 6.6.97: contiene planteamientos generales de interés.

BIBLIOGRAFÍA

- BELADÍEZ ROJO, M.: *Responsabilidad e imputación de daños por el funcionamiento de los servicios públicos*, Tecnos, Madrid, 1997.
- BERMEJO VERA (Dir.): *La responsabilidad patrimonial de las Administraciones Públicas*, Universidad de Zaragoza, 1983.
- BLANQUER CRIADO, D.: *La responsabilidad patrimonial de las Administraciones Públicas*, INAP, Madrid, 1997.
- BLASCO ESTEVE, A.: *La responsabilidad de la Administración por actos administrativos*, 2ª ed., Civitas, Madrid, 1985.
- BRAVO FERNÁNDEZ DE ARAOZ: «La responsabilidad patrimonial de la Administración», en *Derecho Administrativo. La jurisprudencia del Tribunal Supremo* (Dirs. SANTAMARÍA PASTOR y PAREJO ALFONSO), CEURA, Madrid, 1989, págs. 675 y ss.
- *Documentación Administrativa* n° 237-238, sobre Responsabilidad de la Administración.
- FRÍAS PONCE: «El sistema de responsabilidad de las Administraciones Públicas y de sus autoridades y demás personal a su servicio», *Revista Jurídica de Castilla-La Mancha* n° 18, págs. 377 y ss.
- FUERTES SUÁREZ, J. L.: «Responsabilidad de las Administraciones Públicas», en *Administraciones Públicas y ciudadanos* (Dir. PENDAS GARCÍA), Praxis, Barcelona, 1993, págs. 795 y ss.
- GAMERO CASADO, E.: *Responsabilidad administrativa: conflictos de jurisdicción*, Aranzadi, Pamplona, 1997.
- GARCÍA DE ENTERRIA, E.: *Los principios de la nueva Ley de Expropiación Forzosa*, IEP, Madrid, 1956.
- GARCÍA DE ENTERRÍA, E. y FERNÁNDEZ RODRÍGUEZ, T.R.: *Curso de Derecho Administrativo*, II, Civitas, Madrid, 2002.
- GARRIDO FALLA, F. y FERNÁNDEZ PASTRANA, J.M.: *Régimen jurídico y procedimiento de las Administraciones Públicas (un estudio de la Ley 30/1992)*, 2ª ed., Civitas, Madrid, 1995, págs. 339 y ss.

- LEGUINA VILLA, J.: *La responsabilidad civil de la Administración Pública*, 2ª ed., Tecnos, Madrid, 1983.
- LEGUINA VILLA, J.: «La responsabilidad patrimonial de la Administración, de sus autoridades y del personal a su servicio», en *La nueva Ley de Régimen Jurídico de las Administraciones Públicas y del Procedimiento Administrativo Común* (Dirs. LEGUINA VILLA y SÁNCHEZ MORÓN), Tecnos, Madrid, 1993, págs. 394 y ss.
- MARTÍN REBOLLO, L.: *La responsabilidad patrimonial de la Administración en la Jurisprudencia*, Civitas, Madrid, 1977.
- MARTÍN REBOLLO, L.: *Jueces y responsabilidad del Estado*, Madrid, 1983.
- MARTÍN REBOLLO, L.: «Bibliografía sobre responsabilidad patrimonial de la Administración», *RAP* nº 91.
- MARTÍN REBOLLO, L.: «Ayer y hoy de la responsabilidad patrimonial de la Administración: un balance y tres reflexiones», *RAP*, nº 150, 1999, págs. 317 a 371.
- NIETO GARCÍA, A.: «La relación de causalidad en la responsabilidad administrativa: doctrina jurisprudencial» *REDA* nº 51, págs. 427 y ss.
- PANTALEÓN PRIETO, F.: *Responsabilidad civil: conflictos de jurisdicción*, Tecnos, Madrid, 1985.
- PANTALEÓN PRIETO, F.: *Responsabilidad médica y responsabilidad de la Administración (Hacia una revisión del sistema de responsabilidad patrimonial de las Administraciones Públicas*, Civitas, Madrid, 1995.
- PIÑAR MAÑAS, J. L. (Director): *La reforma del Procedimiento Administrativo. Comentarios a la Ley 4/1999, de 13 de enero*, Dykinson, Madrid, 1999. Ver en especial los comentarios de HERNÁNDEZ CORCHETE, J. A., págs. 333 y ss.
- REBOLLO PUIG, M.: «Vía administrativa y jurisdicción competente para declarar la responsabilidad patrimonial de las Administraciones Públicas», *Revista Jurídica de Andalucía,* nº 26, págs. 1065 y ss.
- SORO MATEO, B.: *La responsabilidad patrimonial de las Administraciones Públicas*, Tecnos, Madrid, 2001.

Caso n° 2: RESPONSABILIDAD CONCURRENTE

PLANTEAMIENTO

La empresa EDSA ha solicitado y obtenido del Ayuntamiento una licencia para operar en la fabricación de materiales para la construcción, de acuerdo a las previsiones del Plan de Urbanismo. La empresa ha instalado unos filtros en sus chimeneas que han sido homologados por la Consejería de Industria. Sin embargo, el filtro no es suficiente para garantizar la falta de contaminación y se producen unas emanaciones que afectan a diversas personas. Entre ellas a un niño que sufre diversos desmayos y es trasladado a un hospital, donde es atendido y reanimado, de forma que en última instancia se consigue salvarle la vida. En cualquier caso ha pasado varias horas en coma y necesita algunos días para su total recuperación.

Los padres, muy afectados, deciden iniciar acciones contra la fábrica y la empresa fabricante del filtro. Sin embargo, al intentar argumentar su denuncia, descubren que no existe normativa alguna por la que se regulen las medidas de seguridad que han de reunir tales filtros.

Pese a no existir esa normativa, que en virtud de sus competencias debería haber aprobado el Estado, el Ayuntamiento había concedido la correspondiente licencia y, como antes se dijo, el filtro había sido homologado previamente por la Consejería de Industria de la Comunidad Autónoma.

Ante tal situación, los afectados deciden demandar a la empresa EDSA y a la Administración, por considerar que tanto una como otra han actuado negligentemente.

Las cuestiones que se plantean son las siguientes:

1. ¿Quién estaría legitimado para ejercer la acción de responsabilidad?
2. ¿Respecto de qué daños cabría solicitar la indemnización?
3. ¿Contra quién debería o podría interponerse la acción de responsabilidad?
4. En cualquier caso, ¿cuál sería la jurisdicción competente?
5. ¿Cuál es el plazo para interponer la acción de responsabilidad?
6. ¿Qué carácter —mancomunada o solidaria— tiene la responsabilidad de las Administraciones Públicas en este caso?

DOCTRINA

En un Estado descentralizado los supuestos de concurrencia de responsabilidad entre varias Administraciones Públicas están a la orden del día. Cada vez son más los supuestos en que concurren la actividad de las Administraciones del Estado, autonómica y local en el mismo asunto. El art. 140 de la LAP, tal como ha sido modificado por la Ley 4/1999, ha dado un paso más en la resolución de las cuestiones que tal concurrencia plantea. Antes, como ahora, se decía que «cuando de la gestión dimanante de fórmulas colegiadas de actuación entre varias Administraciones Públicas se derive responsabilidad..., las Administraciones intervinientes responderán de forma solidaria». Nada decía la Ley acerca de lo que acontecía cuando no apareciesen tales fórmulas colegiadas, es decir cuando se produjese, sin más, concurrencia de responsabilidades. El nuevo texto del artículo 140 LAP añade en relación con el anterior: por un lado, que «el instrumento regulador de la actuación conjunta podrá determinar la distribución de responsabilidad entre las diferentes Administraciones públicas»; por otro —he aquí una importante novedad— que «en otros supuestos de concurrencia de varias Administraciones en la producción del daño, la responsabilidad se fijará para cada Administración atendiendo a los criterios de competencia, interés público tutelado e intensidad de la intervención. La responsabilidad será solidaria cuando no sea posible dicha determinación». El art. 18 del RD 429/1993, que lógicamente deberá ser modificado tras la reforma de la LAP, se refiere también a la concurrencia de responsabilidad, insistiendo en el carácter solidario de la misma.

Por otra parte, se plantea en el caso un supuesto de concurrencia de responsabilidad entre particulares y Administraciones. La LAP no da respuesta satisfactoria a los problemas que plantea el tema (art. 144). Pero en la reciente reforma de la LJCA y de la LOPJ se ha querido zanjar la cuestión: se atribuye definitivamente al orden jurisdiccional contencioso administrativo la competencia en materia de responsabilidad de la Administración, en todos los casos (responsabilidad de derecho administrativo o de derecho privado) y también, incluso, cuando hay concurrencia con particulares. Así lo disponen el art. 2.*e)* de la nueva LJCA y el art. 9.4 de la LOPJ, tal como ha sido modificado por la LO 6/1998, de 13 de julio. Según éste, «si a la producción del daño hubieran concurrido sujetos privados, el demandante deducirá también frente a ellos su pretensión ante este orden jurisdiccional».

En cuanto a la indemnizabilidad de los daños morales (que en este caso pueden haberse producido, por ejemplo, a los padres del niño) la jurisprudencia es ya muy clara en favor de admitirlos, siguiendo lo que es ya una doctrina consolidada en el ámbito civil.

En fin, se plantea el tema del día a partir del cual comienza a contarse el plazo para exigir la responsabilidad, tema que se regula en el art. 142.5 de la LAP.

LEGISLACIÓN

- CE: arts. 106 y 149.1.18 *in fine.*
- LAP: arts. 139 a 146, especialmente art. 140.
- LOPJ: art. 9.4, párrafo segundo.
- RD 429/1993, de 26 de marzo (corrección de errores en BOE de 8 de junio de 1993) por el que se aprueba el Reglamento de los procedimientos de las Administraciones Públicas en materia de responsabilidad patrimonial: en especial, art. 18.
- LEF: arts. 120 a 123.
- CC: arts. 1.137, 1902.
- LJCA: arts. 2.e); 31.2; 65.3 y 71.1.d).
- RSCL: art. 12.2.

JURISPRUDENCIA

Uno de los problemas que se plantean con mayor frecuencia es el de la dualidad de jurisdicciones cuando se demanda a la Administración y a los particulares. Sobre ello, la Sala 1ª del TS mantiene con reiteración que en tales casos se impone la jurisdicción civil. En este sentido SSTS 2.2.87 (673), 10.11.90 (8538), 17.7.92 (6433), 28.4.1992 y 2.6.93 (4380)
Tras la Ley 30/1992, la STS 6.6.97, también de la Sala 1ª, ha reiterado la competencia de la jurisdicción civil.

BIBLIOGRAFÍA

- GAMERO CASADO, E.: *Responsabilidad administrativa: conflictos de jurisdicción*, Aranzadi, 1997.
- GAMERO CASADO, E.: «Incompetencia de la jurisdicción civil en materia de responsabilidad de las Administración: inoperancia de la equidad», *Actualidad Jurídica Aranzadi* nº 311, 2 de octubre de 1997.
- HERNÁNDEZ CORCHETE, J. A.: «La responsabilidad concurrente de las Administraciones Públicas», en *Libro Homenaje al Prof. Ramón Martín Mateo,* Tirant lo Blanch, Valencia, 2000.

- MUÑOZ MACHADO, S: *La responsabilidad civil concurrente de las Administraciones Públicas*, Civitas, Madrid, 1992.
- PANTALEÓN PRIETO, F.: *Responsabilidad civil: conflictos de jurisdicción*, Tecnos, Madrid, 1985.
- PANTALEÓN PRIETO, F.: «Responsabilidad de las Administraciones Públicas: sobre la jurisdicción competente», *REDA* n° 91.
- PIÑAR MAÑAS, J. L. (Director): *La reforma del Procedimiento Administrativo. Comentarios a la Ley 4/1999, de 13 de enero,* Dykinson, Madrid, 1999.
- REAL PÉREZ: «Comentario a la Sentencia de 28 de abril de 1992», *CCJC* n° 29, págs. 769 y ss.
- TORRES FERNÁNDEZ: «La responsabilidad del Estado por daños morales», *Hacienda Pública Española* n° 101.

Caso nº 3: RESPONSABILIDAD POR ACTOS LEGISLATIVOS

PLANTEAMIENTO

Debido a las dificultades de la flota pesquera española para encontrar caladeros y a la necesidad de abastecer el mercado interior, conservar los empleos de pescadores y en definitiva al objeto de fomentar nuestra industria pesquera, el Gobierno aprueba el RD 2517/1976, de 8 de octubre, que luego es sustituido por el RD 830/1985, de 30 de abril, en virtud de los cuales se reconocen importantes beneficios a los armadores nacionales que participen en empresas pesqueras conjuntas constituidas con socios extranjeros y entre ellos la exención de derechos arancelarios.

Ante tales medidas, la empresa «Armadores Reunidos» participa en una empresa extranjera y realiza importantes inversiones, previendo importantes ganancias futuras.

Sin embargo, como consecuencia del ingreso de España en la Comunidad Europea, en el Acta de Adhesión se establece la eliminación gradual de tales beneficios. Esta medida provoca importantes perjuicios en la citada empresa, que decide exigir indemnización por ello a la Administración del Estado.

Ante tal situación se plantean las siguientes cuestiones:

1. ¿Estamos ante un supuesto de responsabilidad patrimonial de la Administración?
2. ¿Cabe en este caso responsabilidad del Estado legislador?
3. ¿Cuál es el procedimiento para pedir responsabilidad al Estado por actos legislativos?

DOCTRINA

La aprobación de una ley puede traer, por supuesto, consecuencias gravosas para los particulares. En ciertas ocasiones esas consecuencias derivan del carácter expropiatorio de la propia Ley, en cuyo caso procede hacer efectivo el correspondiente justiprecio en compensación al perjuicio sufrido. La conocida expropiación de las empresas del grupo RUMASA es un claro ejemplo de lo que acabamos de exponer, sin perjuicio de que al valorar los bienes y derechos expropiados se considerase que el justiprecio debía ser cero.

En otros casos, las leyes no tienen contenido expropiatorio, no obstante lo cual producen, asimismo, un perjuicio a sus destinatarios. La cuestión que entonces se plantea es la siguiente: ¿hasta qué punto deben ser compensados los perjuicios derivados de la aprobación de una Ley? Uno de los casos más claros es el de la anticipación de la edad de jubilación de los funcionarios. Con tal medida se produce, sin duda, un perjuicio económico (y por qué no decirlo, también moral) a quienes preveían jubilarse a una determinada edad y sin embargo, por mor de una ley, ven alteradas sus expectativas.

La LAP ha querido enfrentarse, aparentemente, al tema, pero no aporta soluciones. El artículo 139.3 dispone que «las Administraciones Públicas indemnizarán a los particulares por la aplicación de actos legislativos de naturaleza no expropiatoria de derechos y que éstos no tengan el deber jurídico de soportar». Redacción impecable que habría supuesto una novedad incuestionable si no fuese por el último inciso de dicho apartado: tal indemnización procederá «cuando así se establezca en los propios actos legislativos y en los términos que especifiquen dichos actos». De manera que todo se traslada a lo que establezca el acto legislativo en cuestión. En principio, de él y sólo de él depende que se establezca o no una indemnización. De modo que, incluso, podría decirse que con la Ley 30/1992 la situación se ha hecho más restrictiva que antes. Pues si antes era posible analizar caso a caso si se producía o no una lesión no expropiatoria a los particulares como consecuencia de la aprobación de una ley, lesión ésta indemnizable, ahora tal planteamiento de carácter general y de principios no cabe, pues habrá que estar sin más a lo que la propia ley diga (sin perjuicio del posible juicio de constitucionalidad de la ley).

En definitiva, pues, es posible concluir que pese a la apariencia innovadora del artículo 139.3 antes citado, lo cierto es que no existe un nuestro ordenamiento infraconstitucional ningún principio que permita establecer una doctrina general acerca de la indemnizabilidad o no de los perjuicios ocasionados por actos legislativos.

En cualquier caso sí es necesario apuntar que la Ley 30/92 atribuye a las Administraciones Públicas, y no al legislador (estatal o autonómico), la carga de la indemnización, y que a la hora de enjuiciar si tal indemnización debería se tomada en consideración o no, es imprescindible determinar si el acto legislativo afecta a verdaderos derechos o tan sólo a meras expectativas no indemnizables.

LEGISLACIÓN

- CE: arts. 33.3, 106.2 y 149.1.18 *in fine*.
- LAP: arts. 139 a 146, en especial, art. 139.3.
- RD 429/1993, de 26 de marzo (corrección de errores en BOE de 8 de junio de 1993) por el que se aprueba el Reglamento de los procedimientos de las Administraciones Públicas en materia de responsabilidad patrimonial.
- LEF: arts. 120 a 123.
- LJCA: arts. 2.e); 31.2; 65.3 y 71.1.d).
- LOPJ: art. 9.4, párrafo segundo.

JURISPRUDENCIA

Tanto el Tribunal Constitucional como el Tribunal Supremo han tenido ocasión de pronunciarse acerca de casos relacionados con la posible responsabilidad del Estado legislador.

- STC 99/1987, de 11 de junio: parece abrir una puerta a la responsabilidad del Estado por actos legislativos de contenido no expropiatorio al apuntar que los perjuicios que pudiesen generar ciertas leyes (se refería a la anticipación en la edad de jubilación) podrían dar lugar a «algún género de compensación». Esta expresión provocó que en algún caso se admitiese la responsabilidad del Estado legislador por algún Tribunal Superior de Justicia (por ejemplo el de Valencia). Sin embargo, la doctrina del propio Tribunal Constitucional y del Supremo se muestra muy reacia a admitir como principio general constitucional dicha responsabilidad.
- STS 6.2.95 (2108): rechaza la responsabilidad en el supuesto de restricción el régimen de incompatibilidades de los funcionarios, por considerar que el derecho de permanencia en los puestos públicos es un derecho «de configuración legal», por lo que las garantías que pudiesen existir «lo serán de acuerdo con lo establecido en la Ley».
- SSTS 30.11.92 (8769), 2.12.92 (10284), 15.1.93 (81), 22.1.93 (82), 29.1.93 (329), 11.2.93 (411), 18.1.94 (48), 1.3.94 (1658), 12.1.95 (40) y 25.3.95 (3224): denegación de indemnización con ocasión del anticipo en la edad de jubilación
- SSTS 5.3.93 (1623) y 27.6.94 (4981): recogen supuestos en los que el TS no ha dudado en reconocer el derecho a la indemnización por los daños y perjuicios ocasionados como consecuencia de la aprobación de un acto emanado del poder legislativo. Si bien en este caso el Tribunal ha señalado que los actos productores del perjuicio tenían contenido expropiatorio.

BIBLIOGRAFÍA

- GARRIDO FALLA, F.: «Sobre la responsabilidad del Estado legislador», RAP nº 118, págs. 35 y ss.
- LEGUINA VILLA, J.: «La responsabilidad patrimonial de la Administración, de sus autoridades y del personal a su servicio», en *La nueva Ley de Régimen Jurídico de las Administraciones Públicas y del Procedimiento Administrativo Común* (Dirs. LEGUINA VILLA y SÁNCHEZ MORÓN), Tecnos, Madrid, 1993, págs. 408 y ss.
- SANTAMARÍA PASTOR, J.A.: «La teoría de la responsabilidad del Estado legislador», RAP nº 68, págs. 57 y ss.
- SORIANO GARCÍA, J.E.: «Responsabilidad del Estado legislador y proceso descolonizador», *REDA* nº 39, págs. 582 y ss.

Caso nº 4: FUNCIONAMIENTO NORMAL O ANORMAL DE LOS SERVICIOS PÚBLICOS. RELACIÓN DE CAUSALIDAD

PLANTEAMIENTO

En la Academia General Básica de Suboficiales se produjo durante la noche un altercado entre dos soldados. Uno de ellos molestó al otro y comenzaron a discutir. Después de un momento de tranquilidad, volvió a reanudarse la discusión que desembocó en una reyerta con intercambio de golpes y puñetazos que terminó cuando uno de ellos quedó semiinconsciente en el suelo. A resulta de ello este último perdió gran parte de la visión en un ojo.

Las cuestiones que se plantean son las siguientes:

1. ¿Es posible afirmar que estemos ante un supuesto de responsabilidad de la Administración por funcionamiento de los servicios públicos?
2. ¿Es un supuesto de mal funcionamiento de los servicios públicos? ¿Sería un supuesto de culpa de la víctima por participar en una reyerta?
3. ¿Existe relación de causalidad entre el daño causado y el funcionamiento del servicio?

DOCTRINA

La responsabilidad de la Administración procede cuando se produce una lesión en los particulares como consecuencia del funcionamiento normal o anormal de los servicios públicos. Definir qué se entiende por funcionamiento normal o anormal y qué se entiende por servicios públicos a efectos de responsabilidad no siempre es fácil.

El Tribunal Supremo considera como servicio público, a estos efectos, «toda actuación, gestión o actividad propias de la función administrativa, ejercida, incluso con la pasividad u omisión de la Administración cuando tiene el deber concreto de obrar o comportarse de modo determinado» (STS 15.2.1994).

La responsabilidad de la Administración se produce no sólo por funcionamiento de los servicios sino por falta de actividad o por inactividad.

Por otra parte es imprescindible que exista un nexo de causalidad entre el funcionamiento de los servicios públicos y el daño producido. En palabras del Tribunal Supremo, es necesaria «la existencia (activa o pasiva) de una actuación administrativa, con resultado dañoso y relación de causa a efecto entre aquélla y éste, incumbiendo su prueba a quien reclama», y sin intervención extraña que pudiera influir en el nexo causal. No obstante, como es lógico, se admite la responsabilidad de la Administración cuando en la producción del daño concurre la intervención de la víctima o de un tercero, en cuyo caso se ha de apreciar la concurrencia de culpas para mitigar el quantum indemnizatorio (STS 15.2.1994 —1991—).

LEGISLACIÓN

- CE: arts. 106 y 149.1.18 *in fine*.
- LAP: arts. 139 a 146.
- RD 429/1993, de 26 de marzo (corrección de errores en BOE de 8 de junio de 1993) por el que se aprueba el Reglamento de los procedimientos de las Administraciones Públicas en materia de responsabilidad patrimonial.
- LEF: arts. 120 a 123.
- LJCA: arts. 2.e); 31.2; 65.3 y 71.1.d).
- LOPJ: art. 9.4, párrafo segundo.

JURISPRUDENCIA

- STS 15.2.94 (890): especial relación con el tema.
- SSTS 5.6.89 (4338) y 15.6.92 (4642): sobre el concepto de servicio público a efectos de responsabilidad.
- SSTS 2.2.80 (743), 25.6.82 (4852), 16.9.83 (4498), 14.12.83 (6341), 25.9.84 (4685), 2.4.85 (2855), 19.1.87 (426) y 25.5.87 (7133): sobre la relación de causalidad o «relación directa, inmediata y exclusiva de causa a efecto entre el acto de la Administración y el daño que éste ha producido».
- SSTS 13.3.89 (1986), 15.7.91 (6167) y 4.6.92 (4928): sobre la garantía de la integridad física de quien se encuentra en un establecimiento público y la concurrencia de *culpa in vigilando*.
- Sobre responsabilidad en la asistencia sanitaria véase la abundante jurisprudencia recogida por CUETO PÉREZ en la obra cit. *infra*. Asimismo sobre

responsabilidad por defectuoso estado de mantenimiento del servicio de agua o de las vías públicas puede consultarse una amplia relación de SSTS y Dictámenes del Consejo de Estado en GÓMEZ PUENTE, op. cit. *infra.*, págs. 820 y ss.

BIBLIOGRAFÍA

Además de la bibliografía apuntada en el Caso 1º de responsabilidad, véase la siguiente:
— CUETO PÉREZ: *Responsabilidad de la Administración en la asistencia sanitaria*, Tirant Lo Blanch, Valencia, 1997.
— FERNÁNDEZ RODRÍGUEZ, T.R.: «Responsabilidad patrimonial de la Diputación por accidente causado por el mal estado de una carretera provincial», *REDA* nº 1, págs. 124 y ss.
— FERNÁNDEZ RODRÍGUEZ, T.R.:»Responsabilidad municipal por daños causados por los servicios públicos», *REDA* nº 5, págs. 237 y ss.
— GÓMEZ PUENTE: *La inactividad de la Administración,* Aranzadi, Pamplona, 1997, págs. 767 y ss.
— JIMÉNEZ-BLANCO, A.: «Responsabilidad administrativa por culpa *in vigilando o in omittendo*», *Poder Judicial* nº 16, 1986.
— MUGA MUÑOZ: «La responsabilidad patrimonial de las Administraciones Públicas por el contagio de SIDA», *RAP* nº 136.
— NIETO GARCÍA, A.: «La relación de causalidad en la responsabilidad administrativa: doctrina jurisprudencial», *REDA* nº 51, págs. 427 y ss.
— ORTOLA NAVARRO, S.: «Responsabilidad de la Administración por funcionamiento anormal del servicio público consistente en la negligencia en el cumplimiento de los deberes de policía, inspección y ejecución en materia de navegación aérea», *REDA* nº 2.
— REYES MONTERREAL: «La responsabilidad de la Administración por el «no funcionamiento» de los servicios públicos», *Actualidad Administrativa* nº 38, págs. 2177 y ss.
— REBOLLO PUIG, M.: «Servicios públicos concedidos y responsabilidad de la Administración: imputación o responsabilidad por hecho de otro (Comentario a la STS de 9 de mayo de 1989)», *Poder Judicial* nº 20, págs. 23 y ss.

CAPÍTULO

XI | EXPROPIACIÓN

Antonio Jiménez-Blanco Carrillo de Albornoz
Universidad de Jaén

Caso nº 1: EXPROPIADO EN CASO DE PROPIEDAD LITIGIOSA

PLANTEAMIENTO

El Ministerio de Fomento, con el fin de construir una autovía destinada a integrarse en la Red de Interés General del Estado, se encuentra con una propiedad inmobiliaria que tanto el Registro de la Propiedad como el Catastro atribuyen a D. Luis V., a quien se cursa la primera notificación. En respuesta, se reciben escritos de dos de los tres hijos —según dicen— de D. Luis V., fallecido sin embargo pocas semanas antes. En uno de los escritos se pide por quien lo suscribe que se entiendan con él, como representante de la herencia yacente, las sucesivas actuaciones. El otro hijo, por su parte, informa a la Administración de que ha interpuesto acción civil solicitando la nulidad del último testamento del fallecido, que, a su juicio, perjudicaba sus derechos hereditarios, así en general como concretamente en relación con esa finca, y que además ha solicitado del Juzgado mandamiento para anotar preventivamente la demanda en lo concerniente a dicha finca, estando a la espera de que se provea acerca de dicha petición.

A la vista de esos antecedentes debe hacerse un informe jurídico acerca de la noción de expropiado, debiendo incluirse las siguientes cuestiones:

1. ¿Qué lugar es el más fiable a la hora de determinar la titularidad de los bienes inmuebles?, ¿cómo se resuelven, en especial, las eventuales discordancias entre el Registro de la Propiedad y el Catastro?
2. ¿Qué efecto producen las anotaciones preventivas existentes en el Registro de la Propiedad?

3. ¿Cuándo se entiende que una propiedad es «litigiosa» y qué consecuencias se desprenden de ahí?

DOCTRINA

La LEF, en el art. 3, apartado 1, indica que «las actuaciones del expediente expropiatorio se entenderán, en primer lugar, con el propietario de la cosa o titular del derecho objeto de expropiación». En el apartado 2 se puntualiza que «salvo prueba en contrario, la Administración expropiante considerará propietario o titular a quien con este carácter conste en registros públicos que produzcan presunción de titularidad, que sólo puede ser destruída judicialmente, o, en su defecto, a quien aparezca con tal carácter en los registros fiscales, o, finalmente, al que lo sea pública y notoriamente».

La críptica mención a los «registros públicos que *produzcan* (sic) presunción de titularidad» significa tanto como Registro de la Propiedad (para bienes inmuebles). En efecto, el art. 1 LH se refiere al objeto del Registro de la Propiedad por referencia a «la inscripción o anotación de los actos y contratos relativos al dominio y demás derechos reales sobre bienes inmuebles», puntualizando que sus asientos «en cuanto se refieran a los derechos inscribibles, están bajo la salvaguarda de los Tribunales».

El *registro fiscal* por excelencia es, también por lo que concierne a inmuebles, el Catastro.

Por supuesto que los titulares de la propiedad plena (típicamente, los arrendatarios) tienen asimismo derecho a que se les trate como interesados. Así lo recuerda la propia LEF en el art. 4.

En fin, es de destacar el art. 5, en el cual subyace la idea de que la Administración no es quien para terciar en disputas entre particulares. El papel arbitral de la Administración —presente otras veces— no ha llegado aún a plasmarse en este concreto sector del ordenamiento. El art. 5 otorga al Ministerio Fiscal el papel de representante de los litigantes cuando «fuere la propiedad litigiosa».

El concepto de «derecho litigioso» está poco perfilado en nuestro ordenamiento, aunque hay referencias parciales: CC, arts. 1535 y 1536, en punto a ventas de «créditos litigiosos»; art. 103.4 del RGU, acerca de litigiosidad de derechos afectados por una reparcelación urbanística.

LEGISLACIÓN

- LEF: arts. 3 y 5.1.
- REF: art. 51.1.b).
- LHL: art. 77, sobre titularidades según el Catastro.
- Ley 30/1996, de 30 de diciembre, de medidas fiscales, administrativas y de orden social: arts. 49 a 57.

JURISPRUDENCIA

- STS 26.6.92 (4721): necesidad de acreditación por el titular registral de que su finca se incluye entre las expropiadas.
- STS 17.5.93 (3753): legitimación del sobrino del antiguo titular, que acredita indiiciariamente su condición de heredero, para pedir a la Administración que inicie el expediente de justiprecio correspondiente a una finca previamente expropiada por el procedimiento de urgencia y ocupada.
- STS 5.7.94 (5584): consignación del justiprecio mediante dos depósitos distintos al existir reclamación pendiente sobre la titularidad de parte de la finca expropiada.
- STS 25.11.96 (8073): para que se entienda que estamos ante una propiedad litigiosa no es necesario que exista ya un proceso iniciado; basta que aparezcan pretensiones diversas de titularidad.

BIBLIOGRAFÍA

- CUESTA REVILLA, J. («Sujetos de la expropiación Forzosa») y ARNÁIZ EGUREN, R. («La expropiación forzosa y el Registro de la Propiedad»), en JIMÉNEZ-BLANCO y otros, *Expropiación Forzosa,* 2ª ed., Francis Lefebvre, Madrid, 2000, págs. 45 y ss. y 163 y ss. respectivamente.
- GARCÍA DE ENTERRÍA, E. y FERNÁNDEZ, T.R.: *Curso de Derecho Administrativo,* II, Civitas, Madrid, 2002.
- PARADA, R.: *Derecho Administrativo,* I, Marcial Pons, Madrid, 2000.
- PAREJO ALFONSO, L., JIMÉNEZ-BLANCO, A. y ORTEGA ALVAREZ, L.: *Manual de Derecho Administrativo,* I, 5ª ed., Ariel, Barcelona, 1998.
- NAVARRO PÉREZ, J.L.: *Expropiación forzosa,* Comares, Granada, 1991, pág. 24 y ss.
- SOSA WAGNER, F (Dir.), *Expropiación forzosa y expropiaciones urbanísticas,* Aranzadi, Pamplona, 1998, pág. 41 y ss.
- SOSA WAGNER, F. / FUERTES LÓPEZ, M. / QUINTANA LÓPEZ, T. / TOLIVAR ALAS, L.: *Comentarios a la Ley de Expropiación Forzosa,* Aranzadi, Pamplona, 1999.

Caso nº 2: CARACTERES FORMALES DE LOS ACTOS DE DECLARACIÓN DE UTILIDAD PÚBLICA Y DE NECESIDAD DE OCUPACIÓN DE UN BIEN

PLANTEAMIENTO

La Confederación Hidrográdica del Ebro publica un anuncio relativo al llamado Plan de construcción de una obra de encauzamiento, en el interior de la provincia de Tarragona, con referencia a una serie de terrenos que van a tener que ser expropiados.

Uno de los propietarios comparece en el trámite de información pública abierto tras dicho anuncio y hace ver su oposición frontal a dicha expropiación. Invoca en favor de su argumentación el incumplimiento de determinados preceptos de la Ley de Aguas de 2001, que, según su criterio, exigirían para el acto expropiatorio que la declaración de utilidad pública se incluyese en el Plan Hidrológico Nacional por tratarse de una obra de interés general (art. 44) o al menos en el Plan Hidrológico de la cuenca del Ebro (art. 40, que en su apartado j menciona entre sus contenidos necesarios «las infraestructuras básicas requeridas por el mismo»).

Se solicita por el Presidente de la Confederación una opinión en Derecho sobre la siguiente cuestión:

¿Qué requisitos formales especiales han de cumplir los actos de declaración de utilidad pública y también los relativos a la necesidad de ocupación de los bienes a expropiar?

DOCTRINA

La LEF, en el art. 9, exige, para que se pueda proceder a la expropiación forzosa, «la previa declaración de utilidad pública o interés social del fin a que haya de afectarse el objeto expropiado». El art. 10 piensa en que esa declaración se haga, genéricamente, por Ley, aunque «la utilidad pública se entiende implícita, en relación con la expropiación de inmuebles, en todos los Planes de obras y servicios del Estado, Provincia y Municipio».

El concepto de «Plan» no existe formalmente en nuestro Derecho Administrativo general, que aún hoy sigue basado en sustancia en la dualidad norma-acto.

Las normas sectoriales (sobre todo, las reguladoras del dominio público estatal) sí que emplean esa noción de manera más o menos precisa, aunque la experiencia demuestra que la elaboración del Plan se torna muy laboriosa y lenta, de modo que muchas actuaciones se realizan anticipadamente y al margen de él. En otras ocasiones, por esa misma razón, aquellos efectos —la unidad pública— se anudan a cualquier proyecto de obra.

LEGISLACIÓN

- TRLS 92: art. 132, sobre declaración de utilidad pública en los Planes de ordenación urbana.
- TRLS 98: art. 33, ídem.
- LA: art. 42.2, para declaración de utilidad pública de las obras previstas en los Planes Hidrológicos de cuenca.
- LC: art. 45.2, en punto a inclusión implícita de la necesidad de ocupación de los bienes y derechos a expropiar en los proyectos de obras de la Administración del Estado en el dominio público marítimo-terrestre.
- Ley de Puertos del Estado y de la Marina Mercante: art. 22, según el cual la aprobación de los proyectos de ampliación o modificación de puertos «llevará implícita la declaración de utilidad pública y la necesidad de ocupación de los bienes y adquisición de derechos, a los fines de expropiación forzosa y ocupación temporal».
- LCa: art. 8, en términos parecidos para «la aprobación de los proyectos de carreteras estatales».
- LOTT: art. 153.1, acerca del proyecto de establecimiento de nuevas líneas de ferrocarriles.
- Ley 54/1997, de 27 de noviembre, del Sector Eléctrico: art. 52, de declaración de utilidad pública de las instalaciones eléctricas de generación, transporte y distribución de energía eléctrica.
- Ley 22/1997, de 8 de julio, por la que se aprueban y declaran de interés general determinadas obras hidráulicas.

JURISPRUDENCIA

- STC 37/1987, de 26 de marzo (F.J. 6).
- STS 5.2.92 (803): declaración de utilidad pública de obras de abastecimiento de aguas a una población por incluirse en el Plan provincial de obras y servicios

de una Diputación elaborado según la legislación de régimen local existente a la sazón.

- STS 16.11.93 (8218): insuficiencia de un acuerdo del Consejo de Gobierno de una Comunidad Autónoma sobre declaración de urgente ocupación de bienes y derechos afectados por un proyecto de expropiación, por no caber su consideración como un Plan de los previstos en el art. 9 de la LEF.
- STS 22.3.94 (3297): requisitos, a efectos expropiatorios, de los proyectos de obras para ampliación de carreteras estatales.
- STS 19.9.94 (6744): caracteres que ha de tener un proyecto de obras en una playa para justificar una expropiación urgente.
- STS 3.10.95 (7130): expropiaciones en el sector de la electricidad.
- STS 23.10.95 (7151): legitimidad de un acuerdo municipal de aprobación de la relación de bienes afectados por la expropiación forzosa para la ejecución del proyecto de construcción de un puente.
- STS 30.1.97 (313): suficiencia a estos efectos de un proyecto municipal de obras para la remodelación de un parque. «En proporción a la importancia relativa de la obra proyectada, contiene los elementos esenciales para permitir su desarrollo y ejecución, tanto en el terreno económico y jurídico como en el de la realización material».

BIBLIOGRAFÍA

- CUESTA REVILLA, J.: «Procedimiento ordinario», en JIMÉNEZ-BLANCO y otros, *Expropiación Forzosa,* 2ª ed., Francis Lefebvre, Madrid, 2000, págs. 60 y ss.
- GARCÍA DE ENTERRÍA, E. y FERNÁNDEZ, T.R.: *Curso de Derecho Administrativo,* II, Civitas, Madrid, 2002.
- PARADA, R., *Derecho Administrativo,* I, Marcial Pons, Madrid, 2000.
- PAREJO ALFONSO, L. / JIMÉNEZ-BLANCO, A. / ORTEGA ALVAREZ. L.: *Manual de Derecho Administrativo,* I, 5ª ed., Ariel, Barcelona, 1998.
- NAVARRO PÉREZ, J.L.: *Expropiación forzosa,* Comares, Granada, 1991, pág. 34 y ss.
- SOSA WAGNER, F. (Dir.), *Expropiación forzosa y expropiaciones urbanísticas,* Aranzadi, Pamplona, 1998, pág. 52 y ss.
- SOSA WAGNER, F. / FUERTES LÓPEZ, M. / QUINTANA LÓPEZ, T. / TOLIVAR ALAS, L.: *Comentarios a la Ley de Expropiación Forzosa,* Aranzadi, Pamplona, 1999.

Caso n° 3: JUSTIPRECIO EN SUPUESTOS DE CESE O TRASLADO FORZOSO DE INDUSTRIAS

PLANTEAMIENTO

En un expediente de expropiación forzosa urgente para la ejecución de una carretera y un paseo marítimo junto al mar cantábrico, con inmediata ocupación de los bienes, comparece, en el trámite relativo a las hojas de aprecio (art. 29 LEF), la entidad mercantil «Naval Euskadi, S.A.», dedicada a la industria de construcción y reparación de buques de altísima tecnología. La empresa ya había comparecido en las fases anteriores del procedimiento, mostrando su oposición al proyecto por razones de principio.

La expropiación sólo afecta a 20.000 de los 100.000 metros cuadrados de los que, en propiedad o en concesión, ocupa la industria, pero la ubicación estratégica de aquellos impide continuar la actividad productiva en sus instalaciones restantes. Un traslado no sería, en abstracto, imposible, pero requeriría varios años. Resulta aplicable, a juicio de la empresa, lo dispuesto en los arts. 23 y 24 LEF. La expropiación ha de ser total.

Como elementos a computar, el astillero alega el lucro cesante derivado de no poderse ejecutar los pedidos en firme que diversos clientes ya le han cursado, e incluso el daño emergente a causa de las indemnizaciones que deberá satisfacer al no poder cumplir con sus compromisos contractuales. Todo ello, sin contar con las repercusiones de orden laboral, que en el caso sin embargo no afectarían de manera directa a muchas personas a causa de la elevada automatización del proceso productivo.

El Jurado Provincial de Expropiación formula consulta sobre los siguientes extremos:

1. ¿Hasta dónde ha de llegar la prueba sobre la inviabilidad de la continuidad de una industria en su instalación actual?
2. ¿Son incluibles en el justiprecio los lucros cesantes y los daños emergentes causados por la imposibilidad de cumplir los contratos ya suscritos? ¿Y si se tratase sólo de meras expectativas, aunque fundadas?

3. ¿Qué otros conceptos han de computarse? ¿Es relevante el valor de las instalaciones que obre en los libros de comercio? ¿Juegan algún papel los datos derivados de la coyuntura económica, buena o mala, pasada o prevista?

4. ¿Ha lugar a tomar en consideración los costes de la nueva instalación en el supuesto probable de que en ella las circunstancias de todo orden, construcciones, etc..., sean distintas?

DOCTRINA

La LEF dedica normas especiales a la valoración de «las obligaciones, acciones, cuotas y demás modalidades de participación en el capital o en los beneficios de Empresas mercantiles» (art. 40) o de «la determinación del justo precio de las concesiones administrativas» (art. 41), pero no dice nada singular cuando la privación tiene por objeto procesos productivos en marcha, con sus beneficios en gestación y sus expectativas más o menos fundadas. Hay, sí, una mención tangencial en el art. 44 a los arrendamientos y en el art. 45 a las labores agrícolas en curso.

En concreto, el art. 44 dispone que «en los casos de expropiación de fincas arrendadas, la Administración o entidad expropiante hará efectiva al arrendatario, previa fijación por el Jurado de Expropiación, la indemnización que corresponda, aplicándose las normas de la legislación de arrendamientos». Esta legislación es, para lo urbano, la Ley 29/1994, de 24 de noviembre; y para lo rústico, la Ley 83/1980, de 31 de diciembre.

El art. 45, por su lado, constituye un buen reflejo de la sociedad española de la época de la LEF: una sociedad agrícola y además, para el mundo rural, sin las rentas subsidiadas propias de hoy. «Cuando en el momento de la ocupación existan cosechas pendientes o se hubieran efectuado labores de barbechera, se indemnizará de las mismas a quien corresponda». Para las situaciones en curso dentro de procesos industriales o de servicios no existe en la LEF un precepto parecido.

LEGISLACIÓN

- LEF: art. 43, sobre libertad de criterios de valoración.
- RGU: art. 167.1.c), con remisión a las Bases de Actuación de la compensación para los «criterios de valoración de edificaciones, obras, plantaciones e instalaciones que deberán derruirse o demolerse».

- TRLS 98: arts. 31 y 32.

JURISPRUDENCIA

- STS 9.3.91 (1807): valoración, entre otros conceptos, de la diferencia de renta arrendaticia a satisfacer en la antigua ubicación del almacén y en la nueva.
- STS 14.3.91 (1816): necesidad de que el expropiado demuestre el carácter forzoso del traslado.
- STS 11.5.1991 (3831): la indemnización por la mudanza forzosa de un vivero, sobre terreno arrendado, a otro lugar, comprende diversas partidas, a saber: A) Edificaciones e instalaciones; B) Traslado de plantas, para cuya valoración no es irrelevante la estación del año en la que se esté; y C) Gastos derivados del traslado propiamente dicho, donde a su vez hay que incluir: a) Indemnización por diferencia de renta, al ser naturalmente más caro el nuevo alquiler; b) Gastos de reinstalación y acondicionamiento; c) Pérdida de clientela y por ende de beneficios; y d) Indemnización por salarios durante el período de inactividad.
- STS 26.10.91 (8813): en la valoración de un terreno situado junto a un aeropuerto y en el que había instalado un negocio que daba servicio a las compañías aéreas no ha lugar a computar el interés comercial.
- STS 31.3.92 (2005): criterios de indemnización cuando se trata de una expropiación urbanística.
- STS 29.6.92 (4728): valoración de la pérdida de clientela a causa de traslado forzoso por expropiación de un terreno donde había un taller dedicado a reparaciones mecánicas de electricidad, pintura de automóviles y planchistería.
- STS 2.2.93 (1330): cálculo de indemnización por traslado forzoso de una gasolinera, cuando lo cierto es que la nueva, de 1.900 metros cuadrados, es mucho más amplia que la antigua, y el justiprecio debe siempre medirse por el valor de sustitución del bien, sin incluir una prima de mejora.
- STS 24.2.93 (848): valoración a causa del traslado de industria de fabricación de ladrillos.
- STS 18.5.93 (3781): factores a computar en la valoración a efectos de expropiación por traslado forzoso de un negocio de compraventa de chatarrería.
- STS 30.11.93 (8262): lo mismo, en relación con industria de carpintería-ebanistería instalada en un local alquilado.
- STS 3.5.94 (4104): es necesario acreditar en tales casos la condición formal de arrendatario.
- STS 18.5.95 (4018): con ocasión del traslado de la industria de recuperación de chatarra, instalada en un local arrendado, se han de analizar uno por uno los siguientes conceptos: gastos de apertura, nuevo emplazamiento, traslado, reinstalación, indemnización del personal, compensación por pérdida de beneficios y mayor renta o traspaso.
- STS 7.11.95 (8132): ha de acreditarse que se trata de una explotación efectiva y autorizada legalmente.

- STS 27.1.96 (986): indemnización al titular del derecho arrendaticio de local de negocio de elementos de industria construídos con autorización del propietario.
- STS 22.4.96 (3342): «el establecimiento industrial, en cuanto conjunto de bienes materiales —instalaciones y equipos— dispuestos por el empresario para el ejercicio de su actividad económica» resulta ser «por sí sólo objeto de posible transmisión» y ello es muy relevante a efecto de valoración del justiprecio expropiatorio de forma separada a lo que corresponde al inmueble.
- STS 26.4.96 (3639): sobre partidas a incluir en el justiprecio expropiatorio por traslado de industria bodeguera.

BIBLIOGRAFÍA

- CUESTA REVILLA, J.: «Procedimiento ordinario», en JIMÉNEZ-BLANCO y otros, *Expropiación Forzosa,* 2ª ed., Francis Lefebvre, Madrid, 2000, págs. 60 y ss.
- GARCÍA DE ENTERRÍA, E. y FERNÁNDEZ, T.R.: *Curso de Derecho Administrativo,* II, Civitas, Madrid, 2002.
- PARADA, R., *Derecho Administrativo,* I, Marcial Pons, Madrid, 2000.
- PAREJO ALFONSO, L. / JIMÉNEZ-BLANCO, A. / ORTEGA ALVAREZ, L.: *Manual de Derecho Administrativo,* I, 5ª ed., Ariel, Barcelona, 1998.
- NAVARRO PÉREZ, J.L.:*Expropiación forzosa,* Comares, Granada, 1991, pág. 115 y ss.
- SOSA WAGNER, F (Dir.), *Expropiación forzosa y expropiaciones urbanísticas,* Arandadi, Pamplona, 1998, pág. 435 y ss.
- SOSA WAGNER, F. / FUERTES LÓPEZ, M. / QUINTANA LÓPEZ, T. / TOLIVAR ALAS, L.: *Comentarios a la Ley de Expropiación Forzosa,* Aranzadi, Pamplona, 1999.

Caso nº 4: EFECTOS JURÍDICOS DEL COBRO DEL JUSTIPRECIO OFRECIDO POR LA ADMINISTRACIÓN CUANDO EL EXPROPIADO PIDE UNA CANTIDAD MAYOR

PLANTEAMIENTO

Don José G.C. era titular de una finca urbana que le fue expropiada por el procedimiento de urgencia. La Administración procedió a ocupar el bien mientras seguía pendiente la determinación del justiprecio. Por fin, el Jurado Provincial de Expropiación lo fijó en sesenta mil (60.000) euros, lo que estaba muy por debajo de la pretensión formulada por Don José en la hoja de aprecio ciento cincuenta mil (150.000) euros. Interpuesto recurso ante el Tribunal Superior de Justicia, se dictó Sentencia parcialmente estimatoria, elevando dicha cantidad hasta ochenta y cuatro mil (84.000) euros. Ninguna de las partes se aquietó a ello, de manera que todas anunciaron que interpondrían recurso de casación.

Así las cosas, nuestro cliente, pocos días después de conocer esa Sentencia, recibe la notificación de la Administración —aunque el acto estaba fechado con anterioridad a la Sentencia— de que los sesenta mil (60.000) euros están a su disposición y que puede proceder al cobro si firma un documento de renuncia a cualquier acción o reclamación.

Don José visita a su Abogado y le recaba opinión sobre cómo actuar. En concreto, quiere saber lo siguiente:

1. ¿Existe el derecho de cobrar la cantidad correspondiente hasta donde haya acuerdo entre las partes? ¿Desde cuándo nace ese derecho? ¿Cuál es el momento inicial para el devengo de intereses en el supuesto de impago?
2. ¿Es ese derecho —caso de existir— renunciable o, al poder estar en juego el derecho fundamental al acceso a la tutela judicial, resulta indisponible?
3. ¿Es susceptible de transmisión a terceros el derecho de cobro?
4. ¿Cómo se puede exigir, si es que hay tal posibilidad, entre tanto se sustancia la casación, el derecho a cobrar los veinticuatro mil (24.000) euros adicionales?

DOCTRINA

La expropiación forzosa es, como su nombre permite desprender, un negocio jurídico formalmente unilateral, así en lo que concierne a la transmisión del bien como, aunque en menor medida, también en lo relativo a la determinación del justiprecio.

Ello no obstante, existe la figura que se conoce, con alguna impropiedad expresiva, como «adhesión a la expropiación», y que más bien quiere decir conformidad en la cuantía indemnizatoria (art. 24). La capacidad de negociar —y de renunciar— del expropiado en esta materia será tanto más reducida cuanto menos se vean las cosas desde el punto de vista de la bilateralidad del negocio.

La LEF, en el art. 50.2, se plantea el problema de qué hacer cuando exista litigio o recurso pendiente acerca de la cuantía del justiprecio. La respuesta está en el derecho a que se le entregue «la indemnización hasta el límite en que exista conformidad entre aquél y la Administración, quedando en todo cso subordinada dicha entrega provisional al resultado del litigio». Esa mal llamada «indemnización» es una parte del justiprecio, del cual debe constituir el límite mínimo.

A esa figura del «pago parcial» se refiere también el REF en el art. 51.4.

LEGISLACIÓN

- LEF: art. 50.2 y arts. 56 a 58 (intereses moratorios).
- REF: Art. 51.4.

JURISPRUDENCIA

- STS 22.1.91 (1496): sobre concepto de morosidad de la Administración y determinación del momento inicial para los intereses.
- STS 22.6.91 (4909): en orden la imposibilidad legal de que una solicitud de retasación suponga privación del derecho a cobrar hasta donde hay acuerdo.
- STS 20.10.93 (7501): acerca de la naturaleza de la «indemnización» de la que habla el art. 50.2 LEF.
- STS 31.1.94 (267): sobre el alcance de las obligaciones de la Administración, incluyendo también los intereses, mientras se sustancia el recurso contencioso-administrativo sobre la valoración.

– ATS 14.7.95 (6272): en punto a ejecución provisional de sentencia de instancia que declara una cuantía mayor para el justiprecio.

– ATS 7.6.96 (4744): acerca de los efectos para el devengo de intereses del hecho de haber rehusado el pago.

BIBLIOGRAFÍA

– CUESTA REVILLA, J.: «Procedimiento ordinario», en JIMÉNEZ-BLANCO y otros, *Expropiación Forzosa,* 2ª ed., Francis Lefebvre, Madrid, 2000, págs. 60 y ss.

– GARCÍA DE ENTERRÍA, E. y FERNÁNDEZ, T.R.: *Curso de Derecho Administrativo*, II, Civitas, Madrid, 2002.

– PARADA, R.: *Derecho Administrativo*, I, Marcial Pons, Madrid, 2000.

– PAREJO ALFONSO, L. / JIMÉNEZ-BLANCO, A. / ORTEGA ALVAREZ, L.: *Manual de Derecho Administrativo*, I, 5ª ed., Ariel, Barcelona, 1998.

– NAVARRO PÉREZ, J.L., *Expropiación forzosa*, Comares, Granada, 1991, pág. 133 y ss.

– GARCÍA GÓMEZ DE MARCADO, F.: *El justiprecio de la expropiación forzosa*, Comares, Granada, 1997, pág. 226 y ss.

– SOSA WAGNER, F. (Dir.), *Expropiación Forzosa y Expropiaciones Urbanísticas*, Aranzadi, Pamplona, 1998, pág. 492 y ss.

– SOSA WAGNER, F. / FUERTES LÓPEZ, M. / QUINTANA LÓPEZ, T. / TOLIVAR ALAS, L.: *Comentarios a la Ley de Expropiación Forzosa*, Aranzadi, Pamplona, 1999.

Caso nº 5: REVERSIÓN

PLANTEAMIENTO

En el marco de los Planes de Desarrollo, la empresa «Galletas A.» adquirió en 1965 unos terrenos para instalarse. El título fue el de expropiación forzosa por razones de interés social, con beneficiario privado —la misma empresa—.

En 1997 el Ayuntamiento y la Comunidad Autónoma, que quieren erradicar las industrias de la ciudad, cambian la ordenación urbanística del terreno, que, siempre manteniéndose como urbano, pasa a tener un uso característico residencial, aunque con importantes previsiones de zonas verdes y espacios libres de titularidad municipal. El sistema de actuación previsto en el Plan es el de expropiación.

En la ejecución del Plan, se tiene por expropiado sólo a quien hasta entonces —y desde 1965— era el dueño de los terrenos, la empresa «Galletas A.».

Pero los herederos de anteriores titulares, la familia Fernández, presentan un recurso contencioso contra el Plan de 1997 y contra los actos de ejecución por entender que todo ello está viciado de ilegalidad al no haberse tenido en cuenta que, como consecuencia de que la primera expropiación se hizo para la instalación de una industria, ellos son ahora titulares de un derecho de reversión que no se ha respetado.

«Galletas A.» pregunta a su asesor jurídico:

1. ¿Se dan los requisitos materiales y cronológicos para el derecho de reversión en tales casos?
2. ¿Quién puede declarar o reconocer ese derecho a los herederos de los expropiados en 1965?
3. En la actuación de 1997, ¿ha de tenerse en cuenta el derecho de reversión? ¿Puede resultar el mismo, a su vez, objeto de expropiación? ¿Cómo se valora?

DOCTRINA

La expropiación forzosa es el negocio jurídico causal por excelencia, hasta el punto de ser el único que tiene su causa expresamente proclamada como tal por la Constitución (art. 33: utilidad pública e interés social). Es natural por eso que si desaparece la causa deje de existir también la razón por la que el primitivo propietario fue despojado de su bien.

El TC ha recordado que no existe una exigencia absoluta de regulación idéntica del derecho de reversión, y ello como consecuencia de «la diversidad, constitucionalmente legítima, de causas de expropiación y de objetos a expropiar». No sólo eso: es que sucede que el derecho de reversión no es inherente a la expropiación forzosa. El legislador puede modularlo o incluso eliminarlo.

Por tanto, no todas las modalidades expropiatorias son, a estos efectos, iguales. Aquí aparecen dos muy singulares: la hecha «por interés social» —la de 1965— y la «urbanística» —la de 1997— que pueden tener y tienen normas propias.

LEGISLACIÓN

- LEF: art. 54 y 55 con carácter general y art. 74 sobre las consecuencias del incumplimiento por el beneficiario de la función que justificó la expropiación.
- REF: arts. 63 a 70.
- TRLS 92: art. 225 y 226.
- TRLS 98: art. 40.
- RGU: arts. 119 y 202, sobre régimen de los titulares de otros derechos reales en caso de expropiaciones urbanísticas.

JURISPRUDENCIA

- STC 67/1988, de 19 de abril.
- SSTS en relación con la expropiación y posterior venta de Sociedades del Grupo RUMASA: entre otras, 30.9.91 (6096), 14.7.92 (5841), 22.10.92 (7977), 15.3.93 (1684), 31.5.94 (3876), 5.6.93 (4872), 5.7.93 (5461), 1.3.94 (1660), 27.5.94 (4324), 22.11.94 (8929), 20.12.94 (10558), 7.3.95 (1932), 30.9.95 (6489), 16.10.95 (7841), 10.2.96 (2249) y 9.4.96 (3049).

BIBLIOGRAFÍA

- GARCÍA DE ENTERRÍA, E. y FERNÁNDEZ, T.R., *Curso de Derecho Administrativo*, II, Civitas, Madrid, 2002.

- OLMEDO GAYA, A.: «la reversión expropiatoria», en JIMÉNEZ-BLANCO y otros, *Expropiación Forzosa,* 2ª ed., Francis Lefebvre, Madrid, 2000, págs. 119 y ss.
- PARADA. R., *Derecho Administrativo,* I, Marcial Pons, Madrid, 2000.
- PAREJO ALFONSO, L. / JIMÉNEZ-BLANCO, A. / ORTEGA ALVAREZ, L.: *Manual de Derecho Administrativo,* I, 5ª ed., Ariel, Barcelona, 1998.
- NAVARRO PÉREZ, J.L., *Expropiación forzosa,* Comares, Granada, 1991, pág. 144 y ss. y 267 y ss.
- GIMENO FELIÚ, J.M., *El derecho de reversión en la Ley de Expropiación Forzosa,* Civitas, Madrid, 1996.
- SOSA WAGNER, F. (Dir.), *Expropiación forzosa y expropiaciones urbanísticas,* Aranzadi, Pamplona, 1998, pág. 511 y ss.
- SOSA WAGNER, F. / FUERTES LÓPEZ, M. / QUINTANA LÓPEZ, T. / TOLIVAR ALAS, L.: *Comentarios a la Ley de Expropiación Forzosa,* Aranzadi, Pamplona, 1999.

CAPÍTULO

XII | **FUNCIONARIOS PÚBLICOS**

Federico A. Castillo Blanco
Universidad de Granada

Caso nº 1: RÉGIMEN COMPETENCIAL Y CLASES DE PERSONAL AL SERVICIO DE LAS ADMINISTRACIONES PÚBLICAS

PLANTEAMIENTO

A D. Julián López, Arquitecto técnico, se le formula contrato laboral de interinidad en una plaza vacante perteneciente a la plantilla laboral del Ayuntamiento donde presta sus servicios en enero de 1993. Dicha plaza, sin embargo, no se incluye en la Oferta de Empleo Público del siguiente año ni es objeto de proceso selectivo alguno.

La negociación colectiva realizada en 1996 incluye una cláusula en el Convenio en la que se dispone que el personal laboral ingresado antes de 1995 y que haya cumplido más de tres años de trabajo, sin interrupción alguna, adquirirá la condición de fijo, creándose, a estos efectos, la categoría laboral correspondiente de forma paralela a las existentes en el régimen funcionarial.

Así, y en cumplimiento de lo previsto en dicha negociación, una Resolución de la Alcaldía de 14 de febrero de 1996, sin necesidad de superar pruebas selectivas, hace fijo de plantilla a D. Julián López al superar más de tres años la contratación laboral de carácter temporal que hasta ese momento había ostentado.

En base a dicho antecedente se solicita al Secretario Informe en Derecho sobre dicha Resolución del Alcalde por la que, en cumplimiento de lo dispuesto en el Convenio Colectivo, se hace fijo de plantilla al citado trabajador y, en el caso de que fuese ilegal, ya sea por motivos de fondo o competenciales, qué vías podrían utilizarse para anular dicho contrato de trabajo.

DOCTRINA

La función pública recibe tratamiento constitucional en los arts. 23 y 103 CE que establecen dos parámetros esenciales en la regulación de la misma: en primer término, la necesidad de que la función pública se dote de un estatuto profesionalizado que garantice la imparcialidad en el ejercicio de sus funciones; y, en segundo lugar, el establecimiento de los principios de mérito y capacidad como claves del acceso al empleo público.

En materia competencial, el art. 149.1.18 CE reconoce al Estado la competencia exclusiva para dictar las bases del régimen jurídico de la Administraciones Públicas, en la que ha de incluirse lo relativo al régimen básico de los funcionarios de las Administraciones Locales.

En este sentido, la Ley 30/1984, de 2 de agosto, de Reforma de la Función pública (en adelante LMRFP) declara como básicos (art. 1.3) una serie de artículos que afectan, amén de algunos aspectos organizativos, al régimen de selección de personal (artículos 17, 18, 19 y 22), situaciones administrativas y jubilación (artículos 12, 29 y 33), información y estructuración del personal (artículos 13, 16, 25 y 26), carrera administrativa (artículo 20 y 21 régimen disciplinario (artículo 31); normas que habrán de ser completadas y desarrolladas por la legislación de las Comunidades Autónomas.

Junto a ello, la Ley 7/1985, de 2 de abril, Reguladora de las Bases de Régimen Local (en adelante LRBRL), también establece unos preceptos de carácter básico (arts. 89 a 104 cuya relación con los preceptos básicos lo son de Derecho especial a general).

Esta normativa heterónoma (constituida por las normas básicas, autonómicas en su caso y legislación no básica estatal), habrá de completarse con la normativa propia emanada de las propias entidades locales, amparada, de un lado, por la potestad reglamentaria de las entidades locales —art. 4.1a) LRBRL.— y, de otro, por las ampliadas posibilidades de negociación colectiva abiertas por la Ley 9/1987, de 12 de junio, de órganos de representación, determinación de las condiciones de trabajo y participación del personal al servicio de las Administraciones públicas (en adelante LORCTP) y la Ley 7/1990, de 19 de julio, sobre negociación colectiva y participación en la determinación de las condiciones de trabajo de los empleados públicos (en adelante LNCCT).

En relación al de personal laboral, el régimen jurídico de su status —derechos, deberes, extinción del contrato, etc...— se rige por el Derecho laboral, si bien es cierto que también encuentran límites en aspectos tales como los incrementos retributivos pactados en la negociación colectiva o respecto de los principios que rigen el acceso a las funciones públicas ya sea en forma temporal o permanente (arts. 19 LMRFP y 103 LRBRL).

En cuanto a las clases de personal al servicio de las Administraciones públicas podemos distinguir las siguientes:

a) Funcionarios de Carrera, son aquellos funcionarios que, en virtud de nombramiento legal, desempeñan servicios de carácter permanente, figuran en las plantillas de los correspondientes Cuerpos y Escalas y perciben sueldos y asignaciones fijas con cargo a las consignaciones de personal.

b) Funcionarios de Empleo, entre los que se distinguen a su vez las siguientes clases:

– Funcionario Eventual, son funcionarios eventuales aquellas personas que, mediante designación de autoridad competente, desempeñan cargos de confianza o asesoramiento especial.

– Funcionario Interino, son aquellos que, por razones de necesidad o de urgencia, ocupan plazas de plantilla, en tanto en cuanto éstas no se provean por funcionarios de carrera.

c) Personal Laboral, que se sujetan, en cuanto a los efectos y extinción de su contrato de trabajo, al Derecho Laboral. Pueden tener carácter permanente o temporal.

Existe una reserva de puestos de trabajo con carácter general a funcionarios que, en el ámbito específico local, se completa con lo establecido en los artículos 90 y ss de la LRBRL y 169 y ss del TRRL. De esta forma, no cabe en puestos funcionariales acudir a la contratación laboral.

LEGISLACIÓN

- CE: arts. 23, 37 y 103.
- LRBRL: art. 21, 22 y 103.

- LMRFP: art. 15.
- Ley 31/90, de 27 de diciembre: art. 37.
- Orden de 27 de marzo de 1991.
- RD 364/95, de 10 de marzo: art. 28.
- Ley 9/87 de 12 de junio: arts. 32, 34 y 35.
- Ley 42/94, de 30 de diciembre: Disp. transitoria novena.
- Ley 22/93, de 29 de diciembre: Disp. adicional séptima.

JURISPRUDENCIA

- STC de 5 de agosto de 1983: La competencia del Estado contenida en el artículo 149.1.18 CE no alcanza tan sólo al procedimiento y régimen de recursos, sino que ha de entenderse incluida también en ella la regulación básica de la organización de todas las Administraciones Públicas. Incluyendo, dentro de ésta, la competencia para regular los aspectos básicos de la situación personal de los funcionarios públicos; es decir, de la denominada relación de servicio, contenido indiscutible del régimen estatutario, y la competencia para regular los aspectos esenciales de la organización de la burocracia de las Administraciones Públicas.
- STC 99/1987, de 11 de junio: En cuanto al contenido del Estatuto funcionarial, la jurisprudencia constitucional ha establecido una reserva de ley, sin perjuicio de que las disposiciones del Gobierno puedan particularizar, en aspectos instrumentales y con la debida sujeción, la ordenación legal de la materia reservada. En cualquier caso, dicha reserva de ley afecta a los siguientes extremos: selección, derechos y deberes de los funcionarios públicos, situaciones administrativas, carrera administrativa, régimen disciplinario y participación sindical.
- SSTS 14.7.94 (6017), 30.6.95 (1210) y 16.11.95 (8791): Asimismo, junto a la normativa heterónoma, cabe a tenor de las disposiciones que regulan la negociación colectiva de los funcionarios públicos, la emanación de normas surgidas de los procesos colectivos de negociación. Ahora bien, ni dicha negociación puede asimilarse a la que se establece en el ámbito laboral ni las normas legales son una plataforma de mínimos, aunque si la materia está sujeta a los respectivos ámbitos de negociación colectiva, un Reglamento posterior que desconozca dichos Acuerdos incurriría en nulidad.
- SSTS 8.10.87 (6975) y 2.3.87: En relación al personal laboral, con carácter general y sin perjuicio de algunas sentencias contradictorias, la jurisprudencia ha negado la posibilidad de conversión de los contratos temporales en indefinidos al constituir un fraude de ley a los mecanismos provisorios , sin que su carácter laboral lo excluya de un procedimiento selectivo en que rijan los principios de publicidad, mérito, capacidad e igualdad.

BIBLIOGRAFÍA

- BLANCO ESTEVE, A.: «La negociación colectiva de los funcionarios públicos», *REDA* n° 52, 1986.
- CASTILLO BLANCO, F.A.: «Las problemáticas fronteras entre el Derecho laboral y el Derecho administrativo: a propósito de los contratos temporales en el sector público», *REDA* n° 86, 1995.
- DEL REY GUANTER, S.: *Comentarios a la ley de Órganos de representación, determinación de las condiciones de trabajo y participación del personal al servicio de las Administraciones públicas*, Madrid, 1988.
- ENTRENA CUESTA, R.: «El régimen estatutario de los funcionarios públicos como postulado constitucional» en *Estudios sobre la Constitución Española. Libro Homenaje al Profesor E. García de Enterría*, t.III, Civitas, Madrid, 1991.
- FOLGUERA CRESPÓN, J.: «Contratación temporal de las Administraciones Públicas. Diversidad de criterios jurisprudenciales», *Actualidad Laboral* n° 18, 1992.
- GONZÁLEZ SALINAS, P.: «La negociación colectiva en la función pública: el carácter reglamentario de los acuerdos entre la Administración y los Sindicatos (STS 10 de marzo de 1993)», *REDA* n° 80, 1993.
- MAESTRO BUELGA, G.: «El ámbito material de la negociación colectiva de los funcionarios públicos», *RVAP* n° 41, 1995.
- MORELL OCAÑA, L.: «Las fuentes del Derecho Local. Problemas generales. Competencias del Estado y de las CC.AA.», *REALA* n° 235-236, 1987.
- OJEDA AVILÉS, A.: «Los derechos de representación y negociación colectiva de los funcionarios públicos, según la Ley 9/1987, de 12 de mayo», *Revista de Relaciones Laborales*, 1988.
- ORTEGA, L.: *Los derechos sindicales de los funcionarios públicos*, Madrid, 1983
- PIÑAR MAÑAS, J.L.: «Las estructuras de participación y representación del personal al servicio de las Administraciones públicas», *REDA*, n° 65, 1990.
- RIVERO YSERN, E.: «¿Actos separables en los contratos de los entes públicos sometidos al Derecho privado?», en *Administración Instrumental. Libro Homenaje al Profesor Manuel Clavero Arévalo*, Madrid, 1994.
- SAINZ MORENO, F.: «El Estatuto de la función pública después de la Sentencia del Tribunal Constitucional 99/1987 y de la Ley 23/1988», *RAP* n° 117, 1988.
- SALA FRANCO, T. y ROQUETA BUJ, R.: *Los derechos sindicales de los funcionarios públicos*, Valencia, 1995.
- SÁNCHEZ MORÓN, M.: *Derecho de la Función Pública*, Madrid, 1996.
- DEL SAZ, S.: *Contrato Laboral y Función Pública*, Madrid, 1995.

Caso nº 2: ACCESO AL EMPLEO PÚBLICO I: PRINCIPIOS

PLANTEAMIENTO

Una entidad local precisa cubrir de forma interina la plaza de auxiliar administrativo de explotaciones agrarias en una Granja explotada por la misma que ha quedado vacante como consecuencia de jubilación. Dicha provisión se efectúa mediante anuncios en el Tablón de Edictos de dicha unidad administrativa y con una valoración de méritos que tiene en cuenta los siguientes extremos: en primer lugar, haber prestado servicios en esa entidad local en puestos similares; en segundo término, la realización de una entrevista personal al candidato.

Dicha plaza es obtenida por D. Juan Pérez que toma posesión como funcionario interino. Transcurridos seis meses se procede a la convocatoria mediante concurso-oposición de dicha plaza, en la que se exige el título de Graduado Escolar, quedando desierta la misma y sin que se plantee recurso alguno.

El tercer ejercicio, que era de carácter práctico y en relación a las funciones propias de las plazas convocadas, ha incluido un supuesto en que se incluyen exigencias de conocimientos sobre Biología animal. Al interino nombrado se le califica en dicho ejercicio práctico con cero puntos, reuniendo con la puntuación obtenida en el concurso 6'75 puntos. A estos efectos, la Base 7ª de la convocatoria establecía que los puntos obtenidos en concurso se adicionarán a los obtenidos en la oposición hasta obtener el mínimo de 5. Sin embargo, el tribunal interpreta que la puntuación del concurso sólo puede adicionarse en caso de que se supere la puntuación mínima de conformidad con lo dispuesto por la doctrina del Tribunal Constitucional en dicha materia, por lo que considera no apto a dicho aspirante.

Hay, sin embargo, dos personas que han superado dos de los tres ejercicios de ésta con los que se forma una bolsa de Trabajo, según acuerdo expreso adoptado por el Pleno de la Corporación.

Tras dicho procedimiento se notifica el cese a D. Juan Pérez por el Delegado de Recursos Humanos motivado el mismo en que «celebradas las pruebas selectivas, y no habiendo quedado cubierta dicha plaza, procede que la misma se cubra, a través de los mecanismos legalmente previstos en la legislación y la bolsa de trabajo constituida al efecto».

Se solicita respecto del presente caso un Informe en Derecho que especifique:

1. Si la provisión de la plaza interina se ajustó a los mecanismos legalmente previstos.
2. ¿Es posible la creación de esa plaza en las escalas funcionariales locales? En caso de respuesta afirmativa ¿en qué escala y subescala?
3. ¿El ejercicio práctico es procedente en relación a las funciones que ha de desarrollar? ¿Forma parte de la discrecionalidad técnica del tribunal al interpretar las Bases?
4. ¿Podría interponerse recurso frente a la propuesta de no provisión del Tribunal tanto por el contenido del ejercicio práctico, como por no haber tenido en cuenta lo previsto en la Base séptima?
5. ¿Es procedente el cese al no haberse cubierto la plaza en propiedad?
6. ¿Qué recurso procede frente al mismo?

DOCTRINA

La regulación referida al acceso al empleo público viene básicamente establecida, amén de los principios constitucionales, en la LMRFP (art. 19) y RD 364/1995, de 10 de marzo, por el que se aprueba el Reglamento General de Ingreso del Personal al servicio de la Administración del Estado (en adelante RGIPAE). Sin perjuicio de la legislación autonómica, en el caso de las entidades locales hay que citar, asimismo, junto a la legislación básica contenida en la LRBRL y el TRRL, el RD 896/1991, de 7 de junio, por el que se establecen las reglas básicas y los programas mínimos a que debe ajustarse el procedimiento de selección de los funcionarios de Administración Local.

Del contenido de dicha regulación pueden extraerse unos puntos básicos:

— La selección del personal al servicio de las entidades públicas requiere una previa oferta de empleo público en que se anuncien las plazas que serán objeto de convocatoria en el período anual correspondiente a la oferta y que constituyen las necesidades de recursos humanos para ese período (art. 7 RD 364/1995).

— Necesariamente los sistemas selectivos a utilizar serán el concurso, la oposición y el concurso-oposición (art. 4 RD 364/1995). El sistema ordinario de ingreso es la oposición. No cabe otro sistema alternativo ni cabe la usucapión en el caso del personal laboral para obtener un empleo público.

– En todo caso, los procedimientos selectivos han de cuidar los principios de igualdad, publicidad, mérito y capacidad así como garantizar una necesaria conexión entre los puestos de trabajo que se vayan a desempeñar y el tipo de pruebas a superar que habrán de incluir necesariamente pruebas de tipo práctico (art. 5.2 RD 364/1995).

La interinidad puede ser definida como un sistema de provisión de puestos de trabajo que se lleva a cabo de forma no permanente y en atención a razones de urgencia. De otra parte, la legislación prima, para el nombramiento de personal interino, a aquéllos que hubiesen superado algún ejercicio en los procesos selectivos convocados para cubrir plazas similares, pero su selección viene presidida en la legislación vigente por una cierta libertad para configurar el procedimiento siempre que se respeten los principios de publicidad, mérito y capacidad.

En cuanto a la extinción de los nombramientos, de acuerdo con la disposición adicional primera del RD 896/1.991, el personal interino cesará:

– Cuando la plaza se cubra por personal de carrera.

– Cuando discrecionalmente por parte de la Corporación cesen los motivos de urgencia que aconsejaron su nombramiento.

LEGISLACIÓN

- CE: art. 23 y 103.
- LMRFP: art. 19.
- TRRL: arts. 169 y ss.
- RD 364/1995, de 10 de marzo, por el que se aprueba el Reglamento General de Ingreso del Personal al servicio de la Administración General del Estado y de Provisión de Puestos de Trabajo y Promoción Profesional de los Funcionarios Civiles de la Administración del Estado: art. 27.
- RD 896/1991, de 7 de junio, por la que se establecen las reglas básicas y los programas mínimos a los que debe ajustarse el procedimiento de selección de los funcionarios de Administración Local: Disp. adicional primera.

JURISPRUDENCIA

- STC 67/1989 (Fundamento jurídico 2°): En relación al conjunto de principios que disciplinan el acceso al empleo público, aun cuando éste lo sea para cubrir necesidades temporales, lo que prohíbe la Constitución en el artículo 23.2 es cualquier reserva, explícita o encubierta, de funciones públicas *ad personam* o la adscripción personal a personas individualmente seleccionadas, pero no la identificación de modo abstracto y en virtud del hecho objetivo de hallarse ocupando determinadas plazas.
- SSTC 50/1986, de 23 de abril y 27/1991
- STS 24.5.89 (3907): la selección de todo el personal, sea funcionario o laboral, debe realizarse de acuerdo con la oferta de empleo público, mediante convocatoria pública y a través del sistema de concurso, oposición o concurso-oposición libre en la que se garanticen en todo caso los principios constitucionales de igualdad, mérito y capacidad, así como el de publicidad.
- STC 67/1989, de 18 de abril: En relación a los sistemas de bolsas de puntos para la superación de ejercicios ha puesto de relieve la inconstitucionalidad de una valoración excesiva de los servicios prestados como contratado o como interino que determine, a efectos prácticos, una imposibilidad material de acceder a las funciones y cargos públicos. Ver también STS 4.10.89 (6841) referida a las entidades locales.
- Es contrario a la Constitución, de otro lado, una simple integración (STC 388/1993), o las exclusiones basadas en la prestación de servicios previos que sí han aconsejado su anulación en algún caso (STC 60/1994). Y, junto a ello, la necesidad de que no se sobrevaloren los servicios prestados en la propia unidad administrativa que convoca dicha plaza (STS 27.90 —2514—).

Junto a los principios enumerados en los art. 23 y 103 CE, la legislación ordinaria (art. 19 Ley 30/84) ha añadido dos principios más a respetar en el ámbito selectivo: la publicidad y la conexión entre tipo de pruebas y plaza a desempeñar. Respecto a la adecuación entre pruebas y puestos de trabajo y la posibilidad de entrevistas como medio de selección de los candidatos, es interesante subrayar la STS 5.10.93 (7219) que señala la necesidad de que ésta se contemple en las Bases de la Convocatoria.

En cuanto a la actuación de los tribunales, la jurisprudencia tiene una doctrina consolidada que se refleja en la STC 353/1993, de 22 de noviembre (Fundamento 3°) que recuerda que no es misión de los tribunales ser fiscalizadores de los tribunales de oposiciones y concursos que son los órganos técnicos encargados de velar por el cumplimiento de los citados principios y que, por tanto, gozan de discrecionalidad técnica en el juicio evaluatorio. No obstante, dicha discrecionalidad no alcanza, en base a la facultad de interpretación que tienen los tribunales, a variar el contenido expreso de una Base de la Convocatoria como aclara la STS 18.7.94 (6103). Dicha discrecionalidad técnica, además, no excluye el control a través de los principios generales del Derecho (STS 18.5.92) o de los hechos determinantes (STS 11.7.87); control que ha sido corroborado por el propio Tribunal Constitucional (SSTC 353/1993, de 29 de noviembre y 35/1995, de 6 de febrero).

Por último, es de resaltar la vinculación que las Bases de la Convocatoria producen a todos los sujetos que participan en el procedimiento selectivo: Administración, tribunales y aspirantes (SSTS 18.4.88 —3353— y 19.5.89 —3796—). De dicho paradigma se ha extraído, también, la imposibilidad de recurso frente a las mismas cuando se participa en el Concurso u oposición convocado por aplicación precisamente de la doctrina de los actos propios (STS 10.2.87).

BIBLIOGRAFÍA

- ALEGRE ÁVILA, J.M.: «La función pública y los interinos y contratados (La sentencia del Tribunal Constitucional 67/1.989, de 18 de abril. Una reflexión sobre los principios constitucionales de igualdad, mérito y capacidad)», *REALA* nº 243, 1989, págs. 663 y ss.
- CASTELAO RODRÍGUEZ, J. y D'ANJOU GONZÁLEZ, J.: *Manual de personal al servicio de las Entidades Locales*, Barcelona, 1993.
- FERNÁNDEZ PASTRANA, J.M.: «Sobre la libre remoción de los funcionarios interinos», *Actualidad Administrativa* nº 12, 1994.
- GIMENO FELIÚ, J.M.: «La necesidad de la particularización en la valoración de los méritos en aplicación del baremo», *REDA* nº 63, 1989.
- GARCÍA-TREVIJANO GARNICA, E.: «Consideraciones en torno al derecho de igualdad en el acceso a la función pública» *RAP* nº 121, 1990, págs. 247 y ss.
- MANZANA LAGUARDA, R.: «Indemnización del personal interino por cese en el desempeño de su puesto», *RGD* nº 573, 1992.
- NOGUEIRA LÓPEZ, A.: «El acceso a la función pública autonómica del personal interino y contratado administrativo: la ausencia de pruebas específicas (Comentario a la STC 302/1993, de 21 de octubre), *Autonómicas* nº 18, 1994.
- PALOMAR OLMEDA, A.: *Derecho de la Función Pública. Régimen jurídico de los funcionarios públicos*, Madrid, 1996.
- PÉREZ LUQUE, A.: *Personal temporal de las Corporaciones Locales*, Madrid, 1989.
- SÁNCHEZ BLANCO, A.: «El control de la discrecionalidad técnica de los jurados y tribunales», *REDA* nº 30, 1981.
- SÁNCHEZ MORÓN, M.: *Derecho de la Función Pública*, Madrid, 1986.
- TARDÍO PATO, J.A.: *Control jurisdiccional de los concursos de méritos, oposiciones y exámenes académicos*, Madrid, 1986.

Caso nº 3: ACCESO AL EMPLEO PÚBLICO II: PROCEDIMIENTO SELECTIVO

PLANTEAMIENTO

Una Diputación Provincial convoca, mediante concurso-oposición, trece plazas de auxiliar de archivo para el archivo provincial para las que se exige la titulación de Graduado Escolar. Las listas de admitidos y excluidos no procedieron a publicarse, aunque finalmente todos los admitidos concurren a las pruebas selectivas.

Durante la celebración de una prueba la hija de un aspirante presenta un certificado médico donde se hace constar que el mismo se encuentra hospitalizado por lo que no podrá asistir a la misma. En relación con ello, el tribunal acuerda posponer la realización de la prueba para éste hasta el día siguiente en que será dado de alta, comunicándosele en ese momento dicha decisión a la hija sin trámite más alguno.

Asimismo, la lista de aprobados publicada en el tablón de anuncios con la suma de las puntuaciones es modificada dos días después en base, según la Administración, a un error aritmético padecido que altera la puntuación del segundo ejercicio de un aspirante subiéndola en dos puntos con lo cual éste último pasa a integrar la lista de aprobados en sustitución del último de la citada lista.

Celebradas las pruebas selectivas, en el último ejercicio se consideran como aptos a 21 aspirantes y, tras adicionarse los puntos del concurso, se incluyen en la relación de aprobados a los trece con mayor puntuación.

Elevada la propuesta del Tribunal, y en el plazo para la presentación de los documentos exigidos para participar en dicho proceso selectivo, uno de los propuestos no reúne la titulación de Graduado Escolar y otro la presenta aunque obtenida no en el momento de finalizar el plazo de presentación de instancias, sino cuarenta y cinco días después.

Se solicita informe sobre los siguientes extremos:

1. ¿La falta de publicidad de las listas de admitidos y excluidos provoca la nulidad de lo actuado?

2. ¿Podría haberse cometido alguna irregularidad en el proceder del tribunal al comunicar, sin trámite más alguno, a la hija del aspirante posponer la celebración de la prueba el día siguiente?
3. La actuación del tribunal, al modificar la lista de aprobados, ¿puede considerarse un error aritmético?
4. ¿Se debería nombrar, en sustitución del aspirante que no reúne la titulación exigida, a otro de los que superaron todos los ejercicios?
5. ¿Es admisible la titulación de Graduado Escolar presentada con fecha de obtención posterior a la finalización del plazo para la presentación de instancias?

DOCTRINA

A juicio de Palomar Olmeda dos objeciones pueden realizarse con carácter general a la regulación del proceso selectivo: la primera, relativa a la falta de conexión entre la selección que se realiza para una categoría concreta y los puestos de trabajo a desempeñar que, en principio, son indistintos; en segundo lugar, el amplio margen de discrecionalidad que existe en la elección del sistema selectivo a utilizar para la cobertura de las distintas plazas.

Dicho procedimiento se puede esquematizar en los siguientes pasos básicos:

1. *Actuaciones Previas*:

a) Plantillas y Relaciones de Puestos de Trabajo:

Las plantillas y puestos de trabajo de todo el personal de la Administración Pública se fijarán anualmente a través del Presupuesto. Comprenderá todos los puestos de trabajo debidamente clasificados reservados a funcionarios, personal laboral y eventual (arts. 14.5 LMRFP, 90.1 LRBRL y 126 TRRL).

b) Oferta de Empleo:

Las plazas dotadas que no puedan ser cubiertas con los efectivos de personal existentes constituyen la oferta de empleo (art. 18.4 LMRFP) que deberá contener necesariamente todas las plazas dotadas presupuestariamente y que se hallen vacantes cuando se considere conveniente su cobertura en el ejercicio (art. 7 RD 364/1995).

2. *Contenido de la Convocatoria*: arts. 16 RD 364/1995 y 4 RD 896/91

Las convocatorias deberán publicarse en el Boletín correspondiente, de acuerdo con la oferta de empleo público. En cualquier caso, el anuncio de las convocatorias se publicará en el Boletín Oficial del Estado y deberá contener: Denominación de la Escala, Subescala y Clase para cuyo ingreso se convocan las pruebas selectivas, Corporación que las convoca, clase y número de plazas, con indicación de las que se reservan, en su caso a promoción interna, así como las que se reserven para personas con minusvalías, fecha y número del Boletín o diarios oficiales en que se han publicado las bases y la convocatoria.

3. *Instancias*: art. 18 RD 364/1995

La solicitud para participar en los procedimientos de ingreso, ajustada en su caso a los modelos oficiales aprobados, deberá presentarse en el plazo de 20 días naturales a partir del siguiente al de la publicación de la convocatoria respectiva en el Boletín Oficial del Estado. Para ser admitido y, en su caso, tomar parte en la práctica de las pruebas selectivas correspondientes bastará con que los aspirantes manifiesten en sus instancias que reúnen todas y cada una de las condiciones exigidas, referidas siempre a la fecha de expiración del plazo señalado para la presentación de instancias.

4. *Lista de Admitidos y Excluidos*: arts. 20 RD 364/1995

Expirado el plazo de presentación de instancias, la autoridad convocante dictará Resolución, en el plazo máximo de un mes, declarando aprobada la lista de admitidos y excluidos. En dicha resolución, que deberá publicarse en el Boletín Oficial del Estado, se indicará el lugar donde se encuentran expuestas al público las listas certificadas completas, señalándose un plazo de diez días hábiles para subsanación a los aspirantes excluidos y se determinará el lugar y fecha de comienzo de los ejercicios y, en su caso, el orden de actuación. (Puede prescindirse del trámite de exposición al público en cuanto el procedimiento lo permita si así lo ha previsto la convocatoria).

5. *Comienzo de los Ejercicios*: art. 21 RD 364/1995

Una vez comenzadas las pruebas selectivas no será obligatoria la publicación de los sucesivos anuncios de la celebración de las respectivas pruebas en el Boletín Oficial correspondiente. Estos anuncios deberán hacerse públicos por el órgano de selección en los locales donde se hayan celebrado las pruebas anteriores, con doce horas al menos de antelación del comienzo de las mismas, si se trata del mismo ejercicio, o de veinticuatro horas, si se trata de un nuevo ejercicio.

6. *Relación de Aprobados y Propuesta de los Tribunales*: arts. 22 y 25 RD 364/1995 y 102.2 LRBRL

Una vez terminada la calificación de los aspirantes, los órganos de selección harán públicas, en el lugar o lugares de celebración del último ejercicio, la relación de aprobados, por orden de puntuación, no pudiendo rebasar éstos el número de plazas convocadas, y elevarán dicha relación a la autoridad competente. Cualquier propuesta de aprobados que contravengan lo anteriormente establecido será nula de pleno derecho.

7. *Aportación de Documentos y Nombramientos*: art. 23, 24 y 25 RD 364/1995

Los aspirantes propuestos aportarán ante la Administración, dentro del plazo de 20 días naturales desde que se hagan públicas las relaciones de aprobados, los documentos acreditativos de las condiciones de capacidad y requisitos exigidos en la Convocatoria. Superado, en su caso, el período de prácticas o Curso selectivos, serán nombrados funcionarios de carrera.

LEGISLACIÓN

- RD 364/1995, de 10 de marzo, por el que se aprueba el Reglamento General de Ingreso del Personal al servicio de la Administración General del Estado y de Provisión de Puestos de Trabajo y Promoción Profesional de los Funcionarios Civiles de la Administración del Estado.
- RD 896/1991, de 7 de junio, por la que se establecen las reglas básicas y los programas mínimos a los que debe ajustarse el procedimiento de selección de los funcionarios de Administración Local.

JURISPRUDENCIA

En principio, la jurisprudencia ha resaltado el importante papel que la publicidad juega en los procesos selectivos. En este sentido, la STC de 25 de octubre de 1983, señala que dicho requisito es algo esencial a la convocatoria, pues, con ello, se satisface el interés público. De esta forma, no solo se requiere que exista publicidad suficiente sino que, además, ésta sea eficaz no bastando en consecuencia la publicación en un Tablón de Edictos (STS 26.9.84 —5984—) o que publicadas las Bases en el cuerpo del boletín correspondiente, las mismas no aparezcan, sin embargo, en el Sumario (STS 16.5.91 —4107—).

De otro lado, la publicidad, en algunos extremos del expediente, también resulta relevante. Así, por ejemplo, lo estima la Sentencia de 16 de octubre de 1986, de la Sala de La Coruña, respecto del lugar y fecha de celebración de los ejercicios (objeto de apelación que aborda la STS 22.11.88 —9147— la cual, sin embargo, no analiza tal extremo al no aceptar la apelación). Publicidad, por otra parte, que no alcanza a cualquier extremo del expediente, aunque sí deba presidir el procedimiento como, por ejemplo, la lectura pública de ejercicios (STS de 21.2.91 —3177—).

- STS 28.5.89 (3915): Es necesario que conste la publicidad de las causas de exclusión de los solicitantes a participar en el proceso selectivo pues, en caso contrario, queda abierto el plazo de impugnación.

- STS 7.12.87 (9457) y STC 148/1989, de 21 de septiembre: Con carácter general, no se exige la acreditación de los requisitos de participación hasta un momento posterior a la celebración del proceso selectivo y, únicamente, caso de ser seleccionado. La razón básica se encuentra en el interés en facilitar la economía procedimental y la mayor flexibilidad a la hora de confeccionar impresos de solicitud y cumplimentarlos en todos sus extremos.

- STS 7.2.91 (1246): En cuanto al momento, al que ha de referirse acreditada la posesión de los requisitos exigidos en la convocatoria, es el término del plazo de presentación de instancias.

- STS 31.1.90 (3362): La reglamentación vigente, por otra parte, establece que, terminada la calificación de los aspirantes, los Tribunales o Comisiones Permanentes de Selección harán públicas, en el lugar o lugares de celebración del último ejercicio, la relación de aprobados por orden de puntuación, no pudiendo rebasar estos el número de plazas convocadas y elevarán dicha relación a la autoridad competente. Cualquier propuesta de aprobados que contravenga lo anteriormente establecido será nula de pleno derecho.

BIBLIOGRAFÍA

- PULIDO QUECEDO, M.: *El acceso a los cargos y funciones públicas. Un estudio del artículo 23.2 de la constitución*, Madrid, 1992.
- BALLARÍN IRIBARREN, J.: «El derecho de acceso a los cargos y funciones públicas», *Poder Judicial* nº 5.
- CASTILLO BLANCO, F.A.: *Acceso a la función pública local: políticas selectivas y control jurisdiccional*, Granada, 1.993 .
- COBREROS MENDAZONA, E.: «La jurisprudencia del Tribunal Supremo relativa al conocimiento del Euskera en el acceso a la función pública», *RVAP* nº 22, 1988.
- JIMÉNEZ ASENSIO, R.: *Políticas de selección en la función pública española*, Madrid, 1989.

– PALOMAR OLMEDA, A.: *Derecho de la Función Pública. Régimen jurídico de los funcionarios públicos*, Madrid, 1996.
– PIÑAR MAÑAS, J.L.: «El pleno control jurisdiccional de los concursos y oposiciones públicas», *Documentación Administrativa* n° 220, 1989.

Caso nº 4: CARRERA ADMINISTRATIVA: PROVISIÓN DE PUESTOS DE TRABAJO

PLANTEAMIENTO

D. Fermín Martínez, funcionario de una Comunidad Autónoma, participa en una convocatoria para proveer, con carácter provisional y hasta su oportuna convocatoria mediante los procedimientos legalmente establecidos, de un puesto de trabajo de coordinación vacante en esos momentos que pertenece a la misma unidad orgánica y centro de trabajo en el que dicho funcionario presta sus servicios. La convocatoria citada no es recurrida en tiempo y forma.

La convocatoria susodicha permite que se presenten, de forma indistinta, personal laboral o funcionario que preste sus servicios en dicha Comunidad Autónoma. La relación de puestos de trabajo establece, sin embargo, que la cobertura definitiva de dicho puesto de trabajo ha de realizarse por funcionarios de carrera pertenecientes a otras Administraciones públicas.

A la citada convocatoria concurren, además del citado funcionario, D. Carlos Pérez, funcionario de una Corporación Local, que es excluido por no reunir los requisitos establecidos en la convocatoria y D. Ignacio Castillo perteneciente a la plantilla laboral de dicha Comunidad Autónoma.

Obtenido el citado puesto de trabajo por D. Fermín Martínez, éste solicita tres días de plazo para la toma de posesión, solicitud que es denegada según se dispone en el acto administrativo que resuelve la misma dado que el nuevo puesto de trabajo se encuentra en el mismo centro de trabajo.

Transcurridos dos años dicho funcionario solicita la consolidación de grado personal correspondiente a dicho puesto de trabajo.

Se solicita la contestación a las siguientes cuestiones:

1. ¿Cabe seguir el procedimiento expuesto para la provisión del citado puesto de trabajo?
2. ¿La convocatoria debería haber excluido al personal laboral?
3. ¿Puede presentarse a dicha convocatoria un funcionario perteneciente a otra Administración pública distinta a la Comunidad Autónoma? ¿Podría recurrir su exclusión D. Carlos Pérez?

4. ¿Tiene derecho al plazo posesorio D. Fermín Martínez?

5. ¿Consolidaría grado personal D. Fermín Martínez por el desempeño de dicho puesto de trabajo?

DOCTRINA

La carrera administrativa en el actual modelo viene articulada a través de tres manifestaciones, amén de la promoción interna, que se recogen en sus supuestos básicos en la LMRFP y el RD 364/1995, de 10 de marzo ya aludido anteriormente. Son las siguientes:

1. *Derecho a la promoción profesional*:

A estos efectos los puestos de trabajo se clasifican en 30 niveles y, en conexión con ello, se articula un grado personal que tendrá derecho a adquirir todo funcionario. Se adquiere el mismo, con carácter general, por el desempeño de uno o más puestos del nivel correspondiente durante dos años continuados o tres con interrupción (art. 70 y ss. RD 364/1995).

2. *Garantía del puesto de trabajo*: arts. 50, 58, 63 y 72 RD 364/1995

En virtud de la cual no se pueden desempeñar puestos de trabajo no incluidos al menos en el intervalo de niveles correspondientes al grupo y se establecen determinados garantías para los funcionarios cesados en los distintos puestos de trabajo.

3. *Provisión de puestos de trabajo*:

Se puede realizar con arreglo a distintos procedimientos:

a) Procedimientos ordinarios de provisión de puestos de trabajo:

– Sistema de Concurso, han de valorarse los méritos adecuados a las características de cada puesto de trabajo, la posesión de un determinado grado personal, el trabajo desarrollado, Cursos de Formación y Perfeccionamiento superados incluidos en las convocatorias en materias relacionadas con el puesto de trabajo y la antigüedad (por años de servicios y computándose los reconocidos con anterioridad a la obtención de la condición de funcionario de carrera).

Se prevé, además, la posibilidad de convocatoria de concursos específicos que constan de dos fases: una primera en la que se procederá a valorar el grado personal consolidado, la antigüedad, Cursos de Formación y Perfeccionamiento realizados, y trabajo desarrollado exclusivamente; y una segunda, consistente en la comprobación y valoración de los méritos específicos adecuados a las características de los puestos de trabajo (valoración de memorias, celebración de entrevistas, etc...)

– Sistema de Libre Designación, caracterizado por tener carácter excepcional y exigir convocatoria pública que deberá, además, describir el puesto y los requisitos para su desempeño, así como las especificaciones derivadas de la naturaleza de las funciones encomendadas al mismo.

b) Otros procedimientos de provisión de puestos de trabajo.

– Redistribución de efectivos, en puestos no singularizados (es decir, no individualizados en las relaciones de puestos de trabajo), los funcionarios que los ocupen podrán ser adscritos por necesidades del servicio a otros de la misma naturaleza, nivel de complemento de destino y específico, siempre que la provisión de éstos tenga el mismo procedimiento y no suponga cambio de municipio (art. 59 RD 364/1995).

– Reasignación de efectivos, como consecuencia de la aprobación de un Plan de Empleo y la consiguiente supresión del puesto de trabajo que ocupen los funcionarios afectados. Ha de realizarse con criterios objetivos relacionados con las aptitudes, formación, experiencia y antigüedad y, como en el caso anterior, tendrá la consideración de definitivo (art. 60 RD 364 /1995).

– Movilidad por cambio de adscripción de puestos de trabajo a otras unidades, para puestos no singularizados y con la conformidad del titular del puesto en el caso de que se cambie de municipio (art. 61 RD 364/1995).

– Adscripción provisional, en los casos de ceses en puestos de trabajo obtenidos por concurso o libre designación, supresión del puesto de trabajo o reingreso al servicio activo de funcionarios sin derecho a reserva de puesto de trabajo (art. 63 RD 364/1995).

– Comisiones de Servicio, en caso de urgente e inaplazable necesidad, con carácter voluntario por un funcionario que reúna los requisitos establecidos en las relaciones de puestos de trabajo. También puede tener carácter forzoso por el funcionario que preste servicios en el municipio más próximo o con mejores facilidades de desplazamiento y que tenga menores cargas familiares y, en igualdad de condiciones, al de menor antigüedad (art. 64 RD 364/1995).

– Atribución temporal de funciones, en comisión de servicios, de tareas que no estén asignadas específicamente a los puestos de trabajo incluidos en las relaciones de puestos de trabajo, o para la realización de tareas que, por causa de su mayor volumen temporal u otras razones coyunturales, no puedan ser atendidas con suficiencia por los funcionarios que desempeñen con carácter permanente dichos puestos de trabajo. Los funcionarios afectados por dicha atribución temporal de funciones continuarán percibiendo las retribuciones de su puesto de trabajo, sin perjuicio de las indemnizaciones por razón del servicio a que tengan derecho, en su caso (art. 66 RD 364/1995).

LEGISLACIÓN

- LMRFP: arts. 15, 17, 20 y 21.
- RD 364/1995, de 10 de marzo, por el que se aprueba el Reglamento General de Ingreso del Personal al servicio de la Administración General del Estado y de Provisión de Puestos de Trabajo y Promoción Profesional de los Funcionarios Civiles de la Administración del Estado: arts. 36, 48, 63, 64 y 70.

JURISPRUDENCIA

Es preciso, en primer término, señalar que el acceso a los puestos de trabajo — elemento integrante de la carrera administrativa— es un supuesto distinto y posterior al acceso al empleo público y por ello no rigen los mismos sistemas y procedimientos (STSJ de Baleares de 12 de abril de 1994). En este último sentido, la STC 192/1991 (F.J. 1) razonaba que en la provisión de puestos de trabajo los parámetros de asignación no eran exactamente iguales que en el acceso a la función pública.

- STC 293/1993, de 18 octubre: Para la provisión de puestos de trabajo las Administraciones disponen por ello de un cierto margen de actuación, aunque no es de carácter absoluto y no puede convertirse en arbitrariedad, pues los límites jurídicos generales y los concretos que en cada supuesto se establezcan encuadran la acción administrativa.
- STS 7.5.93 (3580): En cuanto al sistema de libre designación (que con el concurso de méritos son los sistemas normalmente utilizados para la provisión de los puestos de trabajo) no es un sistema de libre arbitrio, ya que su perfil viene delimitado por los siguientes elementos: a) tiene carácter excepcional, en la medida que completa el método normal de provisión que es el concurso; b) se aplica a puestos determinados en atención a la naturaleza de sus funciones; c) sólo entran en tal grupo los puestos directivos y de confianza que la Ley relaciona (Secretarías de altos cargos y los de especial responsabilidad; d) la

objetivación de los puestos de esta última clase («especial responsabilidad») está incorporada a las relaciones de puestos de trabajo, que deberán incluir, «en todo caso, la denominación y características esenciales de los puestos...», y serán públicas, con la consecuente facilitación del control .

Como cuestión añadida a la anteriormente expuesta, es de señalar que la jurisprudencia también ha resaltado que el acceso a puestos de jefatura, con carácter general, deberá reservarse a funcionarios de carrera (STS 16.6.87) y que éstos tienen preferencia sobre los interinos (SAN 31.10.86) y 30.6.88 (5186).

– STS 2.3.95 (2289): La ocupación de puestos de trabajo con carácter provisional no genera el derecho a la consolidación de grado (En la actualidad esta cuestión es discutible en la actualidad tras la entrada en vigor del RD 364/1995).

– STS 30.11.95 (9961): En relación a los participantes en dicho proceso de provisión el Tribunal anuló una convocatoria de provisión de puestos de trabajo por limitar la entidad local la participación a los funcionarios de la propia Corporación.

BIBLIOGRAFÍA

– ALEGRE ÁVILA, J.M.: «La promoción interna de los funcionarios públicos», *RAP* nº 113, 1987.
– ARROYO YANES, L.M.: *La carrera administrativa de los funcionarios públicos*, Valencia, 1994.
– BEATO ESPEJO, M.: «La libre designación a la luz de la doctrina jurisprudencial: garantías jurídicas», *REDA* nº 56, 1987.
– CÁDIZ DELEITO, J.L.: «Notas sobre la carrera profesional de los funcionarios públicos», *Documentación Administrativa* nº 210-211, 1987.
– CÁDIZ DELEITO, J.L.: «Criterios del Ministerio para las Administraciones Públicas sobre reconocimiento y acreditación del grado personal», *El Consultor de los Ayuntamientos y los Juzgados* nº 9, 1994.
– ESTÉVEZ GOYTRE, R.: «Consideraciones en torno al grado personal», *El Consultor de los Ayuntamientos y los Juzgados* nº 5, 1991.
– GONZÁLEZ-HABA GUISADO, V.: «La carrera administrativa», *DA* nº 164, 1975.
– GUTIÉRREZ REÑÓN, A.: «La carrera administrativa: evolución histórica y perspectivas», *Documentación Administrativa* nº 210-211, 1987.
– LLISET BORRELL, F.: «El grado personal suprafuncionarial», *El funcionario municipal* nº 367, 1991.
– NIETO GARCÍA, A.: «La carrera administrativa» en *Función Pública*, Consejo General del Poder Judicial, Madrid, 1993.
– SARMIENTO LARRAURI, J.I.: «Los niveles y la carrera administrativa», *RVAP* nº 19, 1987.
– SERRANO DE TRIANA: «Carrera administrativa y función pública autonómica», *Documentación Administrativa* nº 210-211, 1987.

Caso nº 5: SITUACIONES ADMINISTRATIVAS

PLANTEAMIENTO

D. Ricardo del Mármol, funcionario de carrera auxiliar administrativo de la Administración del Estado, obtiene un contrato de trabajo en una empresa del sector público en la cual dicha Administración ostenta el 70% de las acciones de la misma.

Transcurrido un año el Estado realiza una Oferta Pública de Venta de Acciones de dicha compañía por una cuantía del 25%.

Dos años más tarde, el citado trabajador es objeto de despido disciplinario en dicha Compañía y recurrido dicho despido en la jurisdicción social éste es confirmado tres meses más tarde, por lo que dicho trabajador, dentro del mes siguiente a dicha sentencia, solicita su reingreso en la Administración del Estado que le es denegado.

Se solicita la contestación a las siguientes cuestiones:

1. ¿Qué situación administrativa procede declarar en el momento en que dicho trabajador obtiene el puesto de trabajo en la empresa del sector público?
2. ¿Se mantendría dicha situación tras la venta del 25% de las acciones? En caso negativo ¿cuál es la situación administrativa en que quedaría dicho trabajador, qué efectos tendría y con qué plazo?
3. ¿La denegación de reincorporación es ajustada a Derecho?

DOCTRINA

El régimen de situaciones administrativas viene a atender las distintas vicisitudes que la relación de servicio del funcionario con la Administración pública puede experimentar mientras ésta se mantenga, quedando la relación orgánica que une al funcionario con la Administración en una situación de suspensión o extinción (Morillo, Vallina, García-Trevijano...).

Su marco normativo resulta establecido, amén de la LMRFP, con las sucesivas modificaciones adoptadas por la Ley 22/1993 y la Ley 4/1995, y la Ley de Funcionarios Civiles del Estado de 7 de febrero de 1964, por el RD 365/1995 de 10 de marzo que ha venido a derogar al RD 730/86 de

11 de abril por el que se aprueba el Reglamento de Situaciones Administrativas.

Se contemplan las siguientes:

1. *Servicio activo*, es la situación normal en que se encuentra un funcionario público (Se regula en la LFCE, en sus arts. 40 y 41 y en el art. 3 del RD 365/95).

2. *Servicios especiales* (se regula en la LMRFP en la redacción dada por la Ley 22/93, arts. 29,1 y 2, y arts. 4 a 9 del RD 365/95), situación que acoge diversos supuestos de prestación de servicios en organizaciones internacionales, acceso a la condición de Diputado, Senador, cargos electos en CC.LL., prestación del servicio militar, adscripciones al Defensor del Pueblo, Tribunal de Cuentas o Tribunal Constitucional, etc...

3. *Servicio en Comunidades Autónomas* (artículos 10 y 11 del RD 365/ 95 12 y arts. 24 a 29 de la Ley 12/1983 del Proceso Autonómico) prevista para cuando el funcionario pasa a ocupar un puesto de trabajo en la Administración autonómica.

4. *Situación administrativa de expectativa de destino* (regulada en el art. 29.1 y 5 de la LMRFP en la redacción dada a éstos por la Ley 22/93 y art. 12 del RD 365/95). Es la situación en la que se encuentran los funcionarios afectados por un proceso de reasignación de efectivos en su tercera fase, esto es, una vez transcurridos nueve meses sin que se hayan adscrito a otro puesto de su Ministerio o de un Ministerio distinto por el Ministerio de Administraciones Públicas u órgano competente autonómico o local.

5. *Excedencias*: Aparecen reguladas, con carácter general, en los arts. 40,42 y 44 LFCE, 29, apartados 1,3,4,5,6 y 7 de la LMRFP y arts. 13 a 19 del RD 365/95. Tienen diversas modalidades:

a) Excedencia forzosa, prevista para los siguientes supuestos:

– Para los funcionarios en situación de expectativa de destino, por el transcurso del período máximo establecido para la misma, o por incumplimiento de las obligaciones del funcionario en expectativa de destino.

– Cuando el funcionario declarado en la situación de suspensión firme, que no tenga reservado puesto de trabajo, solicite el reingreso y no se le conceda en el plazo de seis meses contados a partir de la extinción de la responsabilidad penal o disciplinaria.

b) Excedencia para el cuidado de hijos:

Tiene una duración máxima de tres años desde la fecha del nacimiento del hijo y tiene por objeto dedicarse al cuidado de cada hijo tanto cuando lo sea por naturaleza como por adopción. Cada nuevo hijo genera un nuevo período de tiempo, poniendo fin al período que, en su caso, se viniera disfrutando.

En el supuesto de que ambos cónyuges sean funcionarios, sólo uno de los dos puede ejercitar este derecho.

c) Excedencia voluntaria por prestación de servicios en el sector público:

Los funcionarios podrán permanecer en esta situación en tanto se mantenga la relación de servicios que dio origen a la misma. Una vez producido el cese en ella deberán solicitar el reingreso al servicio activo en el plazo máximo de un mes, declarándoseles, de no hacerlo, en la situación de excedencia voluntaria por interés particular.

d) Excedencia voluntaria por interés particular:

Es necesario para que se declare en esta situación que el funcionario haya prestado servicios efectivos durante cinco años inmediatamente anteriores a la solicitud.

Cada período de excedencia tendrá una duración no inferior a dos años continuados ni superior a un número de años equivalente a los que el funcionario acredite haber prestado en cualquiera de las Administraciones Públicas, con un máximo de quince.

e) Excedencia voluntaria por agrupación familiar:

Para aquellos funcionarios cuyo cónyuge resida en otro municipio por haber obtenido y estar desempeñando puesto de trabajo como funcionario o laboral, en cualquier Administración Pública, Organismo Autónomo o Entidad Gestora de la Seguridad Social, así como en los Órganos Constitucionales o del Poder Judicial.

f) Excedencia voluntaria incentivada:

Se aplica a funcionarios que se encuentran en alguna de las dos primeras fases de un proceso de reasignación de efectivos como consecuencia de un Plan de Empleo. Asimismo, también es aplicable a quienes se encuentran en expectativa de destino o situación de excedencia forzosa por expectativa de destino como consecuencia de la aplicación de un Plan de Empleo.

Con carácter general, en las distintas modalidades de excedencia voluntaria que hemos visto no se produce, en ningún caso, reserva de puesto de trabajo y los funcionarios que se encuentren en las mismas no devengarán retribución alguna salvo en la situación de excedencia voluntaria incentivada. No será computable el tiempo permanecido en esta situación a efectos de promoción, trienios y derechos pasivos.

6. *Suspensión de funciones*:

Que puede ser firme o provisional según proceda de sentencia firme o sanción o se trate de una medida cautelar (se regula en los arts. 47 a 50 de la LFCE, 20,21 y 22 del RD 365/95). Asimismo, en el caso de que durante la tramitación de un procedimiento judicial se decrete la prisión provisional de un funcionario u otras medidas que determinen la imposibilidad de desempeñar su puesto de trabajo, se le declarará en situación de suspensión provisional por el tiempo a que se extiendan dichas medidas.

7. *Reingresos al servicio activo*:

Vienen regulados en los artículos 29 bis de LMRFP, 41,14 g) y 61,12 g) del ROF y 62 del RD 364/95, así como, en la Resolución de 15 de febrero de 1996, de la Secretaría de Estado para la Administración Pública y de la Secretaría de Estado de Hacienda.

Se aplica a los funcionarios que no tengan reserva de puesto de trabajo. Con carácter general se efectuará mediante su participación en las convocatorias de concurso o de libre designación para la provisión de puestos de trabajo, o en su caso, por reasignación de efectivos para los funcionarios en situación de expectativa de destino o en excedencia forzosa por expectativa de destino.

LEGISLACIÓN

- LMRFP: art. 29, apartado 3, letra a).
- Ley 53/1984, de 26 de diciembre, de Incompatibilidades del Personal al servicio de las Administraciones Públicas: art. 2.
- LGP: art. 6, apartado 1, letra a).
- RD Legislativo 1/1995, de 24 de marzo, por el que se aprueba el Texto Refundido de la Ley del Estatuto de los Trabajadores: arts. 48 y 54.

- RD Legislativo 2/1995, de 7 de abril, por el que se aprueba el Texto Refundido de la Ley de Procedimiento Laboral: art. 110.1.
- RD 365/1995, de 10 de marzo, por el que se aprueba el Reglamento de Situaciones Administrativas de los Funcionarios Civiles de la Administración del Estado: art. 15 y 16.

JURISPRUDENCIA

- STSJ de Cataluña de 14.7.95: En relación al reingreso y los supuestos en que procede. El reingreso, en cuanto funcionario procedente de la situación de excedencia voluntaria, al servicio activo se produce «con ocasión de vacante»... pero esta «ocasión de vacante» no se identifica con cualquier caso de «no ocupación» de una plaza: concretamente, los supuestos de no ocupación con reserva de la plaza a su titular, están regulados en el art. 6.1 de la misma Ley en el sentido de prever que serán cubiertos por personal interino.
- STS 31.7.96 (1972): No puede pretenderse el reingreso desde la situación de excedencia, en el supuesto de que no exista derecho de reserva de plaza, cuando vacantes determinados puestos el solicitante no podía ejercitar válidamente su derecho, por no cumplir el período mínimo de tiempo de permanencia en dicha situación.
- STS 22.1.96 (122): No basta, a los efectos de que existe plaza vacante para la reincorporación, esgrimir la contratación laboral temporal que viene realizando la entidad pública respectiva.
- STS 30.5.92 (3944): Para la reincorporación es preciso que exista plaza, no pudiendo la entidad administrativa correspondiente ordenar la toma de posesión, y en caso de la no realización de ésta, proceder a la declaración de excedencia voluntaria.
- STS 28.10.96 (2003): Es preciso el previo cese en el segundo puesto de trabajo en el sector público para proceder a la reincorporación en el puesto de trabajo en que se hallaba excedente.

BIBLIOGRAFÍA

- CALZADA GIL, E., «La situación administrativa de servicios en las Comunidades Autónomas de los funcionarios públicos de carrera», *Documentación Administrativa* nº 203, 1985.
- D'ANJOU GONZÁLEZ, J.: «Situaciones administrativas de los funcionarios de Administración Local», *Cunal, Revista de Estudios Locales* nº 1, 1995.
- MARTÍNEZ DE PISÓN APARICIO, I.: «La comisión de servicios y la expectativa de destino», *RAP* nº 125, 1991.
- MORILLO VELARDE, J.I.: «Las situaciones administrativas de los funcionarios en la Ley de Medidas para la Reforma de la Función Pública», *REDA* nº 48, 1985.
- PEDRAJAS MORENO, A.: *La excedencia laboral y funcionarial,* Madrid, 1983.

– SARMIENTO LARRAURI, J.I. y MARTÍNEZ FERNÁNDEZ, J.M., «La situaciones administrativas de los funcionarios», *RVAP* nº 19, 1988.
– VALLINA VELARDE, J.: «Las situaciones administrativas de los funcionarios públicos», *RAP* nº 39, 1962.

Caso nº 6: DERECHOS Y DEBERES DE LOS FUNCIONARIOS PÚBLICOS

PLANTEAMIENTO

D. Luis López, funcionario público auxiliar administrativo, casado con Dª Teresa Rodríguez que posee una tienda de comestibles y está dada de alta en Seguridad Social en régimen de autónomo, solicita que habiendo quedado embarazada su mujer y próximo a iniciar el período de permiso por maternidad, se le conceda el derecho a disfrutar las cuatro últimas semanas de dicho permiso (acompaña escrito de la esposa en el que renuncia a éstas y cede el citado período al padre).

En el mismo año el citado funcionario ya disfrutó de una licencia por asuntos propios.

Asimismo, solicita el mes de vacaciones anuales retribuidas tras el disfrute de las citadas cuatro semanas.

Junto a ello solicita que, finalizado el citado período, y a contar desde dicho momento, se le conceda excedencia voluntaria por cuidado de un hijo, durante cinco años —toda vez, alega, que lleva 7 años de servicios ininterrumpidos—, que durante el primero de ellos se le reserve el puesto de trabajo, y se le considere el mismo a efectos de trienios, consolidación del grado personal y derechos pasivos.

De otro lado, y al haber estado desempeñando de hecho la función de administrativo en los últimos seis años, solicita se le abonen las diferencias de complemento de destino y específico que existen entre la plaza que ostenta y la que de hecho ha venido desempeñando.

Se solicita informe sobre las siguientes cuestiones:

1. ¿Tiene derecho D. Luis López a las cuatro últimas semanas del permiso por maternidad?
2. ¿Pueden acumularse los períodos vacacionales al disfrute de licencias o permisos con carácter general? En caso afirmativo ¿qué requisitos serían exigibles?
3. ¿Tiene derecho al período vacacional completo?
4. ¿Es susceptible de concederse, en las condiciones y requisitos relatados, la excedencia solicitada?

5. ¿Procede el abono de las diferencias retributivas? En caso afirmativo ¿en qué condiciones y con qué límites?

DOCTRINA

A diferencia de la relación contractual donde los derechos y deberes son negociados y fijados por las partes, en la relación de servicio que une al funcionario con la Administración los derechos y deberes tienen su origen en un acto condición, nombramiento del funcionario público, que coloca a su destinatario en una situación legal y reglamentaria: el estatuto funcionarial. Como indica Sánchez Morón de lo expuesto se deriva que el régimen de los derechos funcionariales no será algo estático, sino variable por esencia.

Si repasamos brevemente el catálogo establecido en la legislación funcionarial, excesivamente disperso y en algunos casos obsoleto (Manzana Laguarda), podemos distinguir los siguientes derechos:

1. *Derechos de contenido no exclusiva ni predominantemente económico* (art. 30 LMRFP, Ley 3/1989, de 3 de marzo de modificación de la anterior y arts. 63 a 81 del Decreto 315/1964, de 7 de febrero, por el que se aprueba el Texto Articulado de la Ley de Funcionarios Civiles del Estado).

a) Derecho al cargo, que constituye una garantía al desempeño de funciones públicas. No implica el derecho al puesto de trabajo, aunque si éste es obtenido por Concurso sólo en las circunstancias expresamente previstas puede dejar de ejercerlo.

b) Derechos honoríficos, que pueden ser honoríficos o premios en metálico.

c) Derecho a la carrera administrativa.

d) Derecho a vacaciones, que es de un mes aunque dicho período se reduce proporcionalmente en caso de que el tiempo trabajado sea menor. De forma preferente ha de disfrutarse de junio a septiembre de cada año.

e) Derecho a Permisos: por el nacimiento de un hijo y la muerte o enfermedad grave de un familiar, por traslado de domicilio sin cambio de residencia, para realizar funciones sindicales, de formación sindical o de representación del personal, para concurrir a exámenes finales y demás pruebas definitivas de aptitud y evaluación... Asimismo, de conformidad con lo dispuesto en la Instrucción de 27 de abril de 1995, los empleados públicos tienen derecho a disfrutar de seis días por asuntos propios, no acumulables a las vacaciones anuales y a distribuir a su conveniencia respetando las necesidades del servicio.

f) Licencias: Por enfermedad, por razón de matrimonio, por asuntos propios, por estudios relacionados con la función pública y por embarazo.

g) Derecho a la Seguridad Social que comprende la asistencia médico-farmacéutica, que incluirá la quirúrgica y la de especialidades.

h) Libertades públicas, entre las que podemos comprender varias manifestaciones: Derecho de voto y permiso para su ejercicio en comicios electorales, Derecho de huelga y derecho de sindicación y participación.

2. *Derechos de contenido económico.* Vienen constituidos por diversos aspectos que pasamos a analizar.

a) Retribuciones: El sistema retributivo responde a los siguientes conceptos:

– Retribuciones Básicas: Sueldo, Trienios y Pagas Extraordinarias.

– Retribuciones Complementarias: Complemento de Destino, Complemento Específico y Complemento de Productividad y Gratificaciones por servicios extraordinarios.

– Indemnizaciones por razón del servicio (RD 236/88, de 4 de marzo) que retribuyen Comisiones de Servicio, desplazamientos, traslados de Residencia, asistencia a Consejos, participación en Tribunales, etc...

b) Derechos de contenido económico ulteriores o complementarios a la relación de servicios

El régimen de derechos pasivos de los funcionarios públicos estatales y autonómicos viene constituyendo una especialidad respecto de los trabajadores del mundo laboral y cuyo régimen jurídico básico viene establecido por el RD Legislativo 679/1987, de 30 de junio, por el que se aprobó el Texto Refundido de Clases Pasivas del Estado.

En el caso de los funcionarios locales, hasta hace poco inmersos en el marco jurídico de la Mutualidad Nacional de Previsión de Administración Local, el RD 480/1993, de 2 de abril, procede a la integración de dichos funcionarios en el Régimen General de la Seguridad Social.

En cuanto a los deberes pueden ser de varios tipos:

1. *Lugar*: Tienen el deber de residencia en el término municipal donde presten servicios, salvo autorización.

2. *Tiempo*: Salvo los casos de situaciones distintas a la de servicio activo, los funcionarios no podrán anticipar o prolongar el comienzo o cese de sus funciones, ni abandonar el desempeño de las mismas, a menos de incurrir en las penas previstas en el Código Penal, y en las sanciones disciplinarias correspondientes. Dichas funciones habrán de desempeñarse, precisamente, durante la jornada de trabajo que reglamentariamente se determine (actualmente 37 horas y 30 minutos semanales en régimen de dedicación ordinaria).

3. *Forma*: Fidelidad a la Constitución, neutralidad e independencia política, deber de abstenerse de toda actuación que suponga una discriminación por razón de raza, sexo, religión, lengua..., deber de secreto profesional, que los obliga a guardar sigilo riguroso de los asuntos que conozcan por razón de su cargo, deber de respetar la normativa sobre incompatibilidades...

LEGISLACIÓN

- LMRFP: art. 30.3.
- Decreto 316/1964, de 7 de febrero, por el que se aprueba la Ley articulada de Funcionarios Civiles del Estado: arts. 68 y 73.
- Resolución de la Secretaría de Estado para la Administración Pública, de 27 de abril de 1995, por la que se dictan Instrucciones sobre Jornadas y Horarios de trabajo del personal civil al servicio de la Administración General del Estado: apartado décimo.

JURISPRUDENCIA

- STS 28.9.94 (7281): Con carácter general, los derechos de los funcionarios son susceptibles de modificación.
- SSTS 13.4.88 (3388) y 17.5.93 (4879): No cabe esgrimirlos, salvo los que haya consolidado, frente al poder organizatorio de la Administración.
- STS 7.12.94 (691): Aclara, en cuanto al régimen normativo del disfrute de derechos por parte de los funcionarios, la posición que la legislación autonómica ocupa respecto de la legislación estatal en el caso de los funcionarios al servicio de las entidades locales, señalando la preeminencia de la primera.

- STSJ de Cataluña de 30.10.95 y STS 16.11.94: En cuanto a la autonomía de su definición por parte de las entidades públicas establecen que no rige en esta materia la teoría laboral de la norma más favorable, dado el carácter legal y estatutario de la relación de servicio y el principio de irrenunciabilidad de la competencia y las potestades públicas.
- STSJ de Navarra de 21.11.95 (1040): En cuanto a la interpretación del concepto de vacaciones y la incidencia en el mismo de la licencia por parto establece lo siguiente: 1) El embarazo y parto no pueden asimilarse en caso alguno a un supuesto de enfermedad o accidente, ya que constituye un estado natural propio de la mujer por preñado de la misma que comienza por la fecundación del óvulo y termina con el trabajo del parto por el cual nuevo ser, llegado ya a su desarrollo pleno, es separado del cuerpo de su madre e inicia su vida independiente, lo cual no puede equipararse ni por asomo a enfermedad ni a accidente traumático, por muy accidental que hubiera sido la concepción o la forma de acaecer la misma. 2) El precepto en cuestión hace referencia, en todo caso, a que el funcionario caiga enfermo mientras esté disfrutando de sus vacaciones y cuando el suceso se produjo no durante el disfrute de vacaciones sino con anterioridad, y respetada la licencia por maternidad —que para eso está y no puede equiparse bajo ningún concepto a vacaciones—, obvio resulta que se soliciten dichas vacaciones en período distinto al inicialmente previsto.
- STSJ de Cataluña de 7.11.95 (812): En cuanto al eventual cobro de una retribución por no disfrutar del derecho de vacaciones ha venido a establecer que el hecho de que un funcionario tenga derecho a continuar percibiendo sus emolumentos durante las vacaciones anuales no comporta el abono de una liquidación extraordinaria por este concepto en el momento del cese en la prestación de servicios. Aunque si el no disfrute de las mismas se produce porque el funcionario pasa a prestar sus servicios en otra Administración pública no tiene por qué ver defraudado su derecho a disfrutar de las vacaciones en virtud del principio de coordinación que debe presidir las relaciones entre las distintas Administraciones Públicas.
- STSJ de Cataluña de 15.3.94: Admite, a pesar de la confusión existente en la jurisprudencia sobre si se generan o no derechos retributivos por la realización de funciones correspondientes a otros puestos de trabajo (SSTSJ de Cataluña de 6.3.91, 27.4.94, de Asturias de 28.1.92, o de Andalucía de 4.5.92), que el desempeño de funciones asignadas a un puesto de trabajo, aun cuando formalmente no haya sido asignado, conlleva la percepción de las retribuciones complementarias.

No obstante, la mayoría de la jurisprudencia ha negado la posibilidad de efectos en la carrera administrativa tales como consolidación de grado o ser tenida en cuenta a través de los mecanismos de provisión de puestos de trabajo (SSTSJ de Andalucía de 25.2.93 y 24.5.93) o que sea creado el puesto en el correspondiente catálogo o modificado su nivel de complemento de destino (STSJ de Valencia de 11.12.91).

– STS 12.3.92 (1579): Fiel al criterio formal, afirma el derecho a la percepción de las retribuciones complementarias que correspondan por el desempeño efectivo de un puesto de trabajo de hecho, con carácter accidental, con conocimiento de la Administración.

BIBLIOGRAFÍA

– ARROYO YANES, L.M. «El desempeño de funciones y cometidos de hecho por parte de los funcionarios públicos y su problemática jurídica», *Revista Andaluza de Administración Pública* nº 45, 1995.

– BARRACHINA JUAN, E.: *La Función pública: su ordenamiento jurídico*, Barcelona, 1991.

– GONZÁLEZ-HABA GUISADO, V.: «El cómputo del tiempo en la situación de excedencia por el cuidado de hijos», *El Consultor de los Ayuntamientos y los Juzgados* nº 18, 1990.

– MANZANA LAGUARDA, R.: *Derechos y deberes de los funcionarios públicos*, Valencia, 1996.

– MARTÍNEZ DE PISÓN APARICIO, I.: *Régimen jurídico de la función pública y derecho al cargo*, Madrid, 1995.

– NIETO GARCÍA, A.: «Los derechos adquiridos de los funcionarios», *RAP* nº 39, 1962.

– PALOMAR OLMEDA, A.: *Derecho de la función pública. Régimen jurídico de los funcionarios públicos*, Madrid, 1996.

– PARADA VÁZQUEZ, R.: *Derecho administrativo*, T.II, Madrid, 1999.

– PÉREZ ALONSO, Mª A.: «La nueva excedencia por cuidado de hijos en el ámbito laboral (Ley 4/1995, de 23 de marzo, de Regulación del permiso parental y por maternidad)», *Poder Judicial* nº 30, 1995.

– SÁNCHEZ MORÓN, M.: *Derecho de la Función Pública*, Madrid, 1996.

Caso nº 7: RÉGIMEN DISCIPLINARIO

PLANTEAMIENTO

El funcionario D. Higinio Gutiérrez, perteneciente a la Subescala Subalterna de Administración General de un Ayuntamiento, falta a su trabajo, injustificadamente, el día 23 de marzo de 1990. Transcurridos dos meses es notificado de que dispone de un plazo de 10 días para alegar sobre la presunta falta cometida, aunque la Resolución tiene fecha de salida del Registro General el día 22 de abril de 1990.

Asimismo, se le ordena que proceda a cumplimentar formularios de nóminas y de seguridad social de las peonadas que mensualmente han de prestar los trabajadores acogidos al Plan de Empleo Rural, negándose dicho funcionario por estimar que pueda estar cometiéndose alguna irregularidad y no poseer los suficientes conocimientos en relación a dichas materias, a pesar de haberle sido ordenado por el Alcalde de forma escrita.

Incoado expediente disciplinario se le suspende preventivamente de empleo y sueldo, basándose para ello, según consta en la Resolución que así lo ordena, en «la gravedad de la falta y la necesidad de que su presencia no cause interferencias en el trabajo del resto de los funcionarios».

Para la tramitación de dicho expediente, se nombra Instructor a un Concejal y Secretario a un Técnico de Administración General. Durante la tramitación, éste se paraliza durante más de seis meses, durando un total de año y medio.

En la práctica de la prueba no se le permite la asistencia de abogado.

Finalizado el expediente, en la propuesta de Resolución, se califica dicha actuación como falta muy grave «de notoria falta de rendimiento que comporta inhibición en las tareas encomendadas» y además una falta grave de «obediencia debida a superiores y autoridades», ampliando así los hechos imputados en el Pliego de Cargos que originariamente sólo recogía la segunda de las infracciones. Se le sanciona con suspensión de empleo y sueldo por tres años en el primer caso y con seis meses por la segunda infracción.

Se solicita informe que responda a las siguientes cuestiones:

1. ¿Ha prescrito la falta de asistencia cometida por el funcionario?
2. ¿Es correcta la tipificación realizada en el supuesto posterior descrito?, ¿cabe que dicha acción constituya, a su vez, dos infracciones?, ¿cabe variar los hechos imputados en el pliego de cargos y en la propuesta de resolución?
3. ¿Se ha procedido conforme a Derecho en la imposición de las medidas cautelares?, ¿es suficiente la motivación realizada? ¿qué acciones judiciales o administrativas podría haber emprendido dicho funcionario?
4. ¿Cabe la designación de una autoridad como instructor del expediente?
5. ¿Se ha producido la caducidad en el mismo?
6. ¿Tiene derecho a la asistencia de abogado durante la instrucción del procedimiento?
7. ¿La fijación de las sanciones correspondientes se ha realizado correctamente?

DOCTRINA

El incumplimiento por parte de los funcionarios de sus deberes y la realización de determinadas acciones puede generar en los mismos una responsabilidad que puede ser de tres tipos: civil, penal y administrativa. Sin perjuicio de ello, los particulares podrán exigir directamente a la Administración Pública que proceda a resarcir el daño causado por las autoridades y personal a su servicio y ésta, a su vez, podrá mediante una acción de regreso, exigírsela a su personal cuando hubieran incurrido en dolo, culpa o negligencia grave (art. 145 LAP).

En principio, puede decirse que, en este campo, rigen los mismos principios por los que se conduce en general todo el poder punitivo del Estado y que han sido elaborados en el marco del Derecho Penal. Ahora bien, frente a esta línea inequívoca de acercamiento entre el Derecho disciplinario y el penal, nuestro Tribunal Constitucional ha puntualizado la aplicación de los principios de éste al ámbito disciplinario argumentando que, si bien le son de aplicación, es con determinados matices al operar dentro del Derecho disciplinario un fundamento distinto: la relación de sujeción especial a la que está «sometido» un funcionario público; institución, esta última, que provoca una cierta relajación de los principios imperantes en el Derecho Penal y que vienen reconocidos constitucionalmente en los arts. 24 y 25 CE. No obstante, dicha posición, excesivamente extrema en un principio, ha venido a ser matizada desde la sentencia de este tribunal de 29 de marzo de 1990.

La jurisprudencia del Tribunal Supremo ha matizado también que los principios de la tipicidad de la infracción y de la legalidad de la pena, básicos presupuestos para el ejercicio de la potestad sancionadora por la Administración, requieren, no ya sólo que el acto u omisión castigados se hallen claramente definidos como infracción en el ordenamiento jurídico, sino también la perfecta adecuación de las circunstancias objetivas y personales determinantes de la ilicitud y de la imputabilidad, con añadidura, lógica consecuencia de lo anterior, de que, en esta materia, ha de rechazarse cualquier tipo de interpretación extensiva, analógica o inductiva, e igualmente la posibilidad de sancionar un supuesto diferente del que la norma contempla o la imposición de correcciones sin la cumplida prueba de los hechos probados (STS 13.5.86 —4582— y 22.12.86 —1560—).

El sistema de relación entre las infracciones y sanciones disciplinarias se basa en el de tipificar las infracciones, encuadrándolas en muy graves, graves y leves. Paralelamente a ello, se va a establecer un sistema de sanciones de mayor a menor gravedad, que se van a hacer coincidir con cada grupo genérico de sanciones. De esta forma, a un mismo tipo de infracción pueden imponerse distintas sanciones y es en este momento donde juega la potestad de la Administración para la elección de la sanción y el *quantum*, en su caso, de ésta. En este sentido, viene siendo aceptada jurisprudencialmente la existencia de una potestad discrecional o, más bien, de un margen de apreciación por parte de la Administración Pública para el discernimiento sobre la gravedad o levedad de las sanciones y en relación con ello la graduación de las respectivas sanciones. No obstante, esta potestad, en un principio casi ilimitada, ha sido sometida progresivamente a un proceso de legalización, exigiendo nuestros tribunales dos requisitos fundamentales para su ejercicio:

– Que los hechos imputados se encuentren previamente calificados como faltas en la normativa aplicable estableciéndose, en orden a la interpretación del precepto sancionador, un criterio de carácter restrictivo.

– Que el hecho en virtud del cual se imponga la sanción esté plenamente probado (STS 5.11.74), pues rige plenamente la presunción de inocencia.

La LFCE va a aportar, junto a los ya expuestos y los generalmente aceptados por la doctrina jurídico-administrativa y la jurisprudencia contencioso-administrativa, otros elementos de control de la discrecionalidad. En este sentido, su art. 89 establece que la gravedad o levedad de las faltas se establecerá en función de la valoración que se realice de los siguientes elementos: Intencionalidad, perturbación del servicio, atentado a la dignidad del funcionario o de la Administración, falta de consideración con los administrados y la reiteración o la reincidencia.

En relación a las medidas cautelares, el Tribunal Constitucional ha estimado, con carácter general, que éstas no son incompatibles con la presunción de inocencia. Ahora bien, las mismas, como expresa la STC 108/1984, de 26 de noviembre, han de ser adoptadas con ciertos requisitos que, de no concurrir en la Resolución que la acuerde, determinarían la transgresión del derecho fundamental consagrado en el art. 24.2 CE. Dichos requisitos pueden concretarse en los siguientes: carácter excepcional de la medida, exigencia explícita de motivación en la Resolución que la acuerde y temporalmente ha de ser limitada.

En cuanto a las normas procedimentales de aplicación, la Ley 22/1993, de 29 de diciembre, en su disposición adicional tercera, declara aplicables a dicho procedimiento los títulos preliminar, I, II, III, IV, V, VI, VIII y X de la LAP y aclara que las referencias realizadas a la LPA deberán entenderse realizadas a la LAP.

LEGISLACIÓN

- CE: arts. 24 y 25.
- LMRFP: art. 31.
- TRRL: arts. 146 y ss.
- RD 33/1986, de 10 de enero, por el que se aprueba el Reglamento de Régimen Disciplinario de los Funcionarios de la Administración del Estado.

JURISPRUDENCIA

En principio la jurisprudencia, tanto la constitucional como la de los tribunales ordinarios, ha sido unánime en proclamar la aplicabilidad de los principios que rigen y disciplinan la actividad sancionatoria de la Administración al régimen disciplinario de los funcionarios públicos si bien con determinados matices (STC de 8 de junio de 1981).

Todo ello implica la observancia estricta de determinadas garantías y requisitos que no desaparecen por la relación de sujeción especial a la que está sometido el funcionario respecto de la Administración pública (STS 20.1.87 —20—).Garantías que se trasladan a los plazos exigiéndose la tramitación de dichos expedientes en los plazos máximos establecidos (STS 26.7.88 —6048—)

Por su parte, la STS 13.5.88 (3745) recordaba que la aplicación de los principios inspiradores del orden penal operaban en materia sancionadora tanto en un sentido material como procedimental.

Rige, por tanto, la presunción de inocencia. De la jurisprudencia, tanto constitucional como del Tribunal Supremo (STC 66/1984, de 8 de junio y STS 28.9.84) se puede extraer la conclusión de que la carga de la prueba corresponde a quien mantiene la acusación aunque tal garantía constitucional no conlleva sin embargo el derecho a que se practiquen todas las pruebas que se soliciten (STS 28.10.89 —7058—).

Más concretamente, en relación a las medidas cautelares a adoptar en el procedimiento disciplinario, la STS 26.6.84 declara que, precisamente por su gravedad, debe de reservarse para los casos en los que efectivamente proceda (lo que deberá razonarse mediante resoluciones motivadas), sin convertirla en norma general de todos los expedientes disciplinarios, señalándose, igualmente, que la adopción de la misma no vulnera por sí misma la presunción de inocencia. Ver también STS 3.12.86.

BIBLIOGRAFÍA

- CASTILLO BLANCO, F.A.: *Función pública y poder disciplinario del Estado*, Madrid, 1992.
- CASTILLO BLANCO, F.A.: *Principio de proporcionalidad e infracciones disciplinarias*, Madrid, 1995.
- GARCÍA DE ENTERRIA, E.: «La incidencia de la Constitución sobre la potestad sancionadora de la Administración: dos importantes sentencias del Tribunal Constitucional», *REDA* n° 29, 1981.
- LAFUENTES BENACHES, M.: *El régimen disciplinario de los funcionarios públicos de la Administración del Estado*, Valencia, 1996.
- MÍGUEZ BEN, E.: «Suspensión provisional *versus* presunción de inocencia», *RAP* n° 108, 1985.
- NIETO, A.: «Problemas capitales de Derecho Disciplinario», *RAP* n° 63, 1970.
- PÉREZ BARRIO, A.: «La nueva configuración de la potestad disciplinaria de la Administración: sus límites», *RVAP* n° 13, 1985.
- QUINTANA LÓPEZ, T.: «El principio *non bis in idem* y la responsabilidad administrativa de los funcionarios públicos», *REDA* n° 52, 1986.
- SUAY RINCÓN, J.: «Potestad disciplinaria», en *Libro Homenaje a Villar Palasí*, Madrid, 1989.
- TRAYTER JIMÉNEZ, J.M.: *Manual de Derecho disciplinario de los Funcionarios Públicos*, Barcelona, 1992.

BIENES PÚBLICOS

José Cuesta Revilla
Universidad de Jaén

Caso nº 1: SUBSUELO DE BIEN DEMANIAL: NATURALEZA JURÍDICA.IMPRESCRIPTIBILIDAD

PLANTEAMIENTO

El Ayuntamiento de Almería llevó a cabo en 1970 la expropiación de unos terrenos, situados en el centro de la ciudad, con el fin de remodelar una antigua plaza y proceder a su ampliación. En enero de 1997, ante la congestión ocasionada diariamente en la zona por el incremento del tráfico rodado, decidió la construcción de un aparcamiento subterráneo bajo dicha plaza.

Dada la insuficiencia presupuestaria del Ayuntamiento para hacer frente a tal actuación optó por desafectar del dominio público la porción concreta del subsuelo que habría de ocupar el aparcamiento. El Ayuntamiento cedió, a título de permuta, el pleno dominio del subsuelo desafectado a una Sociedad privada municipal con la finalidad de que construyera dicho aparcamiento subterráneo, pudiendo vender a terceros, en pleno dominio, las plazas de aparcamiento que resultasen de tal actuación. La contraprestación de la Sociedad consistía en ejecutar las obras en las condiciones y plazos previstos debiendo entregar la Plaza al Ayuntamiento totalmente urbanizada.

Una vez iniciadas las obras tuvieron lugar dos incidentes:

Por un lado fue descubierto en el subsuelo, objeto de las obras señaladas, un sótano perteneciente a uno de los inmuebles colindantes con la plaza. Requeridos los particulares, supuestos propietarios de dicho habitáculo, para dejar libre el mismo, se opusieron esgrimiendo la antigüedad de su ocupación que se remontaba a 1936. El Ayuntamiento rechazó tal alegación basándose en la imprescriptibilidad de los bienes de Dominio Público y, en consecuencia, en la imposibilidad de legalizar dicha actuación.

Casi simultáneamente los propietarios de las fincas expropiadas en 1970 se dirigieron al Ayuntamiento con la pretensión de solicitar la reversión de dicho subsuelo al estimar absolutamente improcedente la desafectación del mismo pues con ella se generaba un enriquecimiento, una utilización lucrativa de carácter privado, que sólo a ellos correspondería. El Ayuntamiento se opuso a tal pretensión alegando, entre otras razones, que no obstante haberse operado conforme a la legalidad, si el criterio de la afectación es el que delimita el subsuelo público, más allá de ese límite el subsuelo tendría la consideración de bien patrimonial con lo cual sería susceptible de apropiación privada.

1. ¿Es necesario proceder a la desafectación del subsuelo para llevar a cabo la actuación prevista?, ¿cabría otra alternativa? ¿Estaríamos en la misma situación jurídica si el Ayuntamiento hubiera efectuado, a través de una empresa determinada, las obras de construcción del aparcamiento?, ¿qué consecuencias se derivarían?
   En este último supuesto, una vez finalizadas las obras, ¿estaría el Ayuntamiento obligado a explotar directamente el aparcamiento?
2. ¿Qué criterios han de ser tenidos en cuenta para acordar la desafectación de un bien demanial?, ¿cabe la libre disposición de dicho bien desafectado por la Administración titular del mismo?, ¿qué procedimiento habría de seguirse?
3. Respecto del sótano descubierto en el subsuelo de la plaza ¿es acertada la argumentación esgrimida por el Ayuntamiento?
4. Exponga su opinión acerca de que el criterio de la afectación sea el que determine la extensión del subsuelo público.
5. ¿Qué posibilidades de prosperar tienen las pretensiones de los antiguos propietarios expropiados?

DOCTRINA

Desde la óptica civilista se ha discutido tradicionalmente sobre el alcance del derecho de propiedad regulado en el art. 350 CC. En la actualidad puede destacarse la unanimidad doctrinal en cuanto considerar limitada la extensión vertical del dominio.

Tratándose de bienes inmuebles públicos es necesario precisar las reglas determinantes de la extensión del dominio público sobre el subsuelo. Como acertadamente ha puesto de relieve Sáinz Moreno no es suficiente la aplicación de la regla del artículo 350 del Código Civil porque tal regla determina la extensión de la «propiedad pública» pero no la del «dominio público» cuyo volumen está determinado por la afectación.

En cuanto a la prescriptibilidad hemos de afirmar su clara función de nota protectora de los bienes de Dominio Público derivada, precisamente, de la utilidad pública de éstos y que junto a la inalienabilidad y la inembargabilidad recibieron su plena consagración en el art. 132.2 CE.

No obstante lo anterior sabemos que los bienes demaniales pueden ser objeto de desafectación habiéndose procedido en muchas ocasiones a ésta respecto del subsuelo de viales y espacios públicos. Por ello algún autor ha puesto de manifiesto cómo en estos casos no es suficiente con probar la legalidad y oportunidad de la desafectación-venta, sino que habría que justificar que la finalidad que se pretende con la enajenación no se puede conseguir manteniendo el ente local el dominio o condominio del subsuelo, ni constituyendo sobre éste ningún derecho real, como sería la concesión administrativa o el derecho de superficie según estemos ante un subsuelo de naturaleza demanial o patrimonial (Chacón Ortega).

LEGISLACIÓN

- CE: art.132
- CC: art. 350
- LRBRL: arts. 79-81
- TRRL: arts. 74, 76, 79, 80
- RBEL: arts. 3.1, 74-91 y 109-118

JURISPRUDENCIA

- STS 20.12.86 (1173/1987): El concepto de propiedad del art. 348 del Código Civil comprende el subsuelo más inmediato y su ocupación permanente por parte de un particular cuando el dominio es público es posible bajo ciertas condiciones
- SSTS 1.12.87 (9268) y 13.12.88 (9560): Subsuelo de una plaza. Naturaleza jurídica.

- STS 24.7.90 (6673): El subsuelo de una vía pública municipal, goza de la misma naturaleza que éste, es decir, la de un bien de dominio público del Municipio, y por lo tanto, imprescriptible
- STS 23.12.91 (9223): Las crecientes necesidades sociales que llevan aparejada la instalación de servicios públicos en beneficio de los vecinos, desde la perspectiva municipal, justifica que la Corporación Municipal procediese (...) a la utilización del subsuelo de la plaza y sus aledaños, y que dicho bien demanial, pues que también lo es el subsuelo de un terreno de dominio público local, fuese objeto de un uso privativo y, por ende, atribuido a particulares en virtud de concesión administrativa
- STS 5.4.94 (2763): Expropiación forzosa, causa de reversión, pérdida de afectación.
- STSJ de Valencia de 29.1.93 (Revista General de Derecho n° 582, marzo, 1993, pp. 2256-2257): El aprovechamiento del subsuelo de la vía pública por parte de la Corporación municipal es una facultad que asiste a ésta en aplicación *mutatis mutandi* del artículo 350 del Código Civil.
- STS 5.4.94 (2763): Sobre las posibilidades de aprovechamiento del subsuelo de una plaza pública por parte del Ayuntamiento «como titular del Dominio público sobre la misma». Aplicación del art. 350 CC.
- STS 27.2.97 (1365): Consecuencias de la no previsión en los Planes urbanísticos de la construcción de aparcamientos subterráneos.
- STS 6.4.98 (2784): Compatibilidad del uso público de los terrenos en superficie con el aprovechamiento privativo del subsuelo de éstos.
- STS 18.11.98 (9958): Rechazo del derecho de reversión fundado en el supuesto cambio de destino de los terrenos expropiados por la construcción en su subsuelo de un aparcamiento. Enfoque urbanístico de esta problemática.
- RDGRN 5.4.02 (BOE n° 129, de 30 de mayo): Consagra, prácticamente como doctrina general, la regularización registral de cuantas actuaciones edificatorias se lleven a cabo en el subsuelo, con independencia de lo existente en el suelo que sobre él se encuentra.

BIBLIOGRAFÍA

- ARNÁIZ EGUREN, R.: *Los aparcamientos subterráneos. Notas sobre su organización jurídica y acceso al Registro de la propiedad,* Civitas, Madrid, 1993.
- CHACÓN ORTEGA, L.: «Utilización del subsuelo de los entes locales para dotaciones públicas o privadas de aparcamientos. Posibilidad de su desafectación», *La Administración Pública* n° 4 (abril), Hnos. Bayer S.A., Barcelona, 1994.
- CUESTA REVILLA, J.: *El subsuelo urbano: una aproximación a su naturaleza jurídica y a su régimen urbanístico,* Colección Temas de Administración Local, n° 70, CEMCI, Granada, 2000.
- FERNÁNDEZ RODRÍGUEZ, T.R.: «La propiedad del suelo, el vuelo y el subsuelo», *RVAP* n° 41, 1995.

– GARCÍA-BRAGADO ACÍN, R.: «Cuestiones jurídicas relevantes en relación con el subsuelo urbano» en *Municipios y Redes de servicios públicos*, Pont de Pedra, Girona, 1990, págs. 159-188.

– GONZÁLEZ GARCÍA, J.: *La titularidad de los bienes de Dominio Público*, Marcial Pons, Madrid, 1998.

– GONZÁLEZ RÍOS, I.: *El subsuelo, el vuelo y los espacios libres y zonas verdes*, Comares, Granada, 2002; págs. 5-65.

– LÓPEZ FERNÁNDEZ, L.M.: «El subsuelo urbano en relación co el planeamiento urbanístico y con los artículos 348 y 350 del Código Civil», *Anuario de Derecho Civil* (octubre-diciembre) 1991, págs. 1633 a 1659.

– LÓPEZ PULIDO, J. P.: «La ordenación del subsuelo urbano», *REALA*, n° 278, págs. 59 a 99.

– MORA BONGERA, F.: «La enajenación del subsuelo de terrenos demaniales: estacionamientos subterráneos», *El Consultor de los Ayuntamientos*, n° 21, 1998, págs. 3065 a 3079.

– NIETO GARCÍA, A.: «El subsuelo urbanístico», *REDA* n° 66, 1990.

– SAINZ MORENO, F. : «El subsuelo urbano», *RAP* n° 122, 1990.

– SALA ARQUER, J.M.: *La desafectación de los bienes de dominio público*», *INAP*, Madrid, 1979.

– SÁNCHEZ ISAC, J.: *Teoría y práctica de las concesiones de Dominio Público Local*, Hnos. Bayer S.A., Barcelona, 1994.

– TOLIVAR ALAS, L.: en *Comentarios a la Ley de Expropiación Forzosa* (Dirigidos y coordinados por SOSA WAGNER), Aranzadi, Pamplona, 1999, págs. 348 a 354.

Caso nº 2: BIENES PATRIMONIALES. FINES

PLANTEAMIENTO

La reestructuración del ejército en España se vió acompañada de la aparición de un Organismo Autónomo de carácter administrativo, la Gerencia de Infraestructura de la Defensa, creado por la Ley 21/84, de 31 de julio.

Dicha Gerencia tenía como principal cometido la enajenación de las instalaciones militares que, por la reforma citada, se fueran abandonando. Así en el art. 2, 4ª de su ley de creación proclamaba «el fin de obtener recursos para las instalaciones militares», exigiéndose además que las enajenaciones fuesen siempre a título oneroso «sin que en ningún caso puedan cederse los bienes gratuitamente a ninguna persona física, jurídica, pública o privada».

Tal práctica ha recibido una fuerte contestación en medios jurídicos por entender que se está produciendo un mal uso del instituto de la desafectación así como una errónea concepción de la función de los bienes patrimoniales.

Ante dicha opinión el Ministerio de Defensa se ha pronunciado afirmando:

a) Que la desafectación ha de llevarse a cabo necesariamente dado que tales inmuebles dejan de servir al fin que tenían asignado.

b) Que en definitiva la desafectación no es más que un acto formal que provoca la conversión de los bienes demaniales en patrimoniales.

c) Que los bienes patrimoniales han tenido desde siempre una clara finalidad financiera siendo perfectamente lícita su enajenación para la obtención de ingresos.

Elabore un Informe en el que analice sendas posiciones; para ello pueden serle de utilidad los siguientes interrogantes:

1. ¿Es correcta la interpretación que se hace de la función de los bienes patrimoniales?, ¿no sirven éstos a fines de interés público de las más variada índole?
2. ¿Qué interpretación puede darse a la reserva de ley contemplada en el art. 132 CE respecto de los bienes patrimoniales?

3. ¿Dónde aparece más acentuada la función financiera de los bienes patrimoniales, en la legislación estatal o en la local?, ¿quiere ello decir que las Administraciones Locales han de buscar la máxima rentabilidad económica de tales bienes?
4. Señale esquemáticamente las notas características de los bienes demaniales y de los patrimoniales ¿existen algunas comunes?

DOCTRINA

Parada califica como error la habitual presentación del estudio de los bienes de la Administración sobre la distinción entre bienes de derecho privado y bienes de dominio público por entender que enmascara la realidad de que en el Derecho español todos los bienes de la Administración están sujetos a un régimen jurídico básico pleno de exorbitancias y privilegios.

Habría, no obstante, que poner de relieve el importante cambio que en relación con la finalidad de los bienes públicos se ha ido operando en nuestro sistema jurídico. Así para un autor del s. XIX tan relevante como Santamaría de Paredes «el Estado no puede ser propietario más que de aquellos bienes que necesite para la satisfacción de sus necesidades y, si por circunstancias históricas, es dueño de bienes que no necesita para atender directamente a los servicios que ha de realizar, no debe conservarlos como origen de renta sino procurar su enajenación para invertir su producto en la desamortización de la deuda o en obras de utilidad general».

Y García de Enterría afirma: «La evolución general de los bienes patrimoniales debida a las ideas en boga a lo largo del siglo XIX conducía ni más ni menos que a la eliminación del patrimonio privado de la Administración. La última etapa de esta evolución que hoy estamos viviendo (...) supone un potenciamiento muy significativo de los bienes patrimoniales(...). Los principios del Código Civil responden al sentido fiscal de los bienes patrimoniales y la atribución de los bienes al Estado sólo tenía un sentido temporal: su destino era precisamente realizarlos para atender a las necesidades que se indicaban. Tras la Ley de Patrimonio el Estado ya no tiene formalmente que enajenar».

Es muy acertado el análisis del Profesor García de Enterría si bien hoy ese sentido fiscal del que hablaba ha desembocado, demasiado frecuentemente en la enajenación de dichos bienes. La primera fase de ese procedimiento tiene lugar con la desafectación de los bienes integrantes del demanio artificial. La frecuencia con la que se recurre a este método hace que las diferencias (bienes demaniales-bienes patrimoniales) sean mucho más relativas y más imperceptible la línea divisoria que técnicamente separa ambos tipos de bienes. De ahí que algunos autores hayan calificado como incoherencia que la ley diferencie las categorías de demanio y patrimonio para asimilar luego su régimen de protección y Defensa (Gallardo Castillo).

Pese a todo lo afirmado podemos calificar como bienes patrimoniales, además de los que producen un rendimiento, económico los que las entidades administrativas poseen como instrumentos para el desarrollo de actividades que, no obstante su utilidad pública, están sometidas en bloque a las formas de Derecho privado así como los bienes que, a pesar de estar afectos a un servicio público, se regulan por un régimen positivo esencialmente análogo al de la propiedad civil (Garrido Falla).

En principio no hay ningún obstáculo para admitir la noción de afectación para los bienes patrimoniales. En un sentido amplio también puede hablarse de afectación de los bienes patrimoniales a fines públicos (Sala Arquer).

Sirva como conclusión la, a nuestro juicio, acertada propuesta de Menéndez Rexach: «La comunicabilidad entre los patrimonios de las diferentes Entidades públicas, porque un inmueble que ha devenido inservible para su titular puede ser necesario para los fines de otra, frente a la tentación de la primera de enajenarlo al mejor postor o la pretensión de la segunda de vincularlo a sus fines(...) se impone la concertación para definir objetivos comunes e instrumentar los medios correspondientes. (...) Aunque los bienes públicos pueden ser fuente de renta para la entidad titular de los mismos, no es ésta su finalidad primordial, por tanto, no deben considerarse como un patrimonio destinado a ser enajenado al mejor postor sino que debe ponderarse la opción más adecuada en cada caso, dando preferencia a la adscripción a otras finalidades de la misma Entidad o su cesión gratuita a otras entidades para el cumplimiento de sus fines. Los patrimonios públicos son un activo cuya función no es la realización en términos de máxima rentabilidad económica sino social».

LEGISLACIÓN

- CE: art. 132.
- LPE: art.31.
- LRBRL: art. 5.
- RBEL: art. 6.1.
- Reglamento del Patrimonio de los Entes locales de Cataluña, Decreto catalán 336/88, de 17 de octubre: art. 72.
  «1. Los bienes patrimoniales han de ser administrados de acuerdo con los criterios de máxima rentabilidad (...).
  3. No obstante lo anterior los entes locales pueden valorar motivaciones de prestación de servicios sociales, promoción y reinserción social, actividades culturales y deportivas, promoción urbanística, fomento del turismo, ocupación de tiempo libre u otras análogas, que hagan prevalecer una rentabilidad social frente a la rentabilidad económica».

JURISPRUDENCIA

- STC 4/81, de 2 de febrero (FJ 15.A).
- STC 52/94, de 24 de febrero (FJ 5).
- STC 166/98, de 15 de julio: Sobre el alcance de la inembargabilidad en los bienes patrimoniales de determinados bienes de las entidades locales.
- STS 29.9.92 (6988): Cesión gratuita de inmuebles patrimoniales.
- STS 24.1.97 (265): Cesión de bien patrimonial entre Administraciones.

BIBLIOGRAFÍA

- GONZÁLEZ SALINAS, J.: voz «Bien patrimonial» en *Enciclopedia Jurídica Básica*, Civitas, Madrid, 1994, pág. 802.
- MENÉNDEZ REXACH, A.: «Reflexiones sobre el significado actual de los patrimonios públicos», *Ciudad y territorio* nº 95-96, 1993.
- PAREJO ALFONSO, L./JIMÉNEZ-BLANCO, Aº./ ORTEGA ÁLVAREZ, L.: *Manual de Derecho Administrativo*,Vol. 2 (Parte especial), 5ª ed., Ariel, Barcelona, 1998, págs. 42 a 50.
- SÁNCHEZ MORÓN,M./BARRANCO VELA,R./CASTILLO BLANCO, F.A./DELGADO PIQUERAS, F.: *Los Bienes Públicos (Régimen jurídico)*, Tecnos, Madrid, 1997, págs. 45-48 y 314-324.

Caso n° 3: DESLINDE Y RECUPERACIÓN DE OFICIO

PLANTEAMIENTO

El Ayuntamiento de Motril (Granada) es titular de una finca rústica situada dentro de su término municipal. La misma tiene salida al mar por su parte sur donde se encuentra la playa de «Las Gaviotas». Además el citado inmueble resulta colindante con otro cuyo propietario es D. Francisco Jiménez Balda. Con fecha 4 de febrero de 1996 el Alcalde entró en contacto con el Sr. Jiménez a fin de proceder al deslinde de sus respectivas fincas por entender que se estaban produciendo actos usurpatorios con respecto al inmueble del Ayuntamiento. Ante la insistente negativa de D. Francisco el Alcalde lo sometió a la consideración del Pleno el cual, en sesión celebrada con fecha 15 de junio de 1996, acordó la práctica del deslinde imperativamente. No obstante, el acuerdo resultó impugnado por un Concejal que había votado en contra en el entendimiento de que la usurpación estaba ya consumada y que, por tanto, procedía ejercitar la potestad de recuperación de oficio.

1. Señale en qué supuestos procede el deslinde administrativo.
2. ¿Puede procederse al deslinde sin la conformidad del colindante?
3. ¿Podría practicarse un deslinde civil?
4. ¿Procedería la recuperación de oficio si la usurpación está consumada?
5. ¿Se requiere prueba plena sobre los indicios de usurpación?, ¿además de los indicios de usurpación se requiere imprecisión en los límites para proceder al deslinde?
6. ¿El deslinde que se practique ha de respetar las situaciones posesorias declaradas en el Registro de la Propiedad? Razone la respuesta.
7. ¿Qué actuaciones han de preceder al acuerdo de deslinde?, ¿sería válido el acuerdo sin ellas?
8. Señale el procedimiento que la Corporación ha de seguir para practicar el deslinde.
9. ¿Podría terminar el procedimiento de deslinde mediante desestimiento de la Administración? ¿y mediante renuncia?
10. ¿Procedería que D. Francisco Jiménez intentara interponer algún interdicto contra la citada actuación de la Corporación?
11. ¿Se procedería del mismo modo si la finca estuviera enclavada en otro término municipal?

12. Exponga las cuestiones cruciales que se plantearían si se procede a deslindar la finca del Ayuntamiento y la playa: Sujetos implicados, procedimiento a seguir, alcance del deslinde...

DOCTRINA

Entre los privilegios de la Administración pueden incluirse las potestades de deslinde y de recuperación de oficio que no son sino una manifestación más de la autotutela.

Así la Administración puede proceder al deslinde unilateral de sus bienes sin necesidad de acudir al juez en caso de conflicto con un propietario colindante sino que puede proceder de oficio tanto con relación a los bienes patrimoniales como con los demaniales. Como límite a tal potestad se ha subrayado que la Administración debe limitarse a declarar la posesión sin poder pronunciarse sobre la propiedad, cuestión que habrá de ser resuelta por los tribunales.

Es importante asimismo tener en cuenta que frente a las garantías registrales, el deslinde no tiene eficacia excepto en el caso del deslinde del demanio marítimo-territorial (Ortega Álvarez). La jurisprudencia ha venido otorgando primacía a lo que proclama el Registro de la Propiedad, lo que permite al particular inscrito una defensa de su situación frente a la actuación administrativa. Sin embargo, como subraya Mendoza Oliván, «con relación a los bienes del demanio natural la acción de deslinde supone una declaración de propiedad».

Desde siempre la jurisprudencia ha rechazado la utilización de dicha potestad como acción reivindicatoria encubierta, subrayando que su propósito es sólo la fijación de situaciones posesorias. En este punto es necesario poner de manifiesto la inflexión que ha sido introducida por el art. 13 de la Ley de Costas, seguido luego por la Ley de Vías Pecuarias de 1995.

Ahora bien el deslinde administrativo no presenta una fisonomía jurídica uniforme por cuanto no existe una normativa general para todos y cada uno de los bienes. «La legislación local ha originado cierta confusión en el entendimiento del deslinde como potestad unilateral de la Administración; así al lado de la regla prohibitiva de interdictos mientras el deslinde no se apruebe encontramos el art. 66 del Reglamento de Bienes, se trasplanta pues al ámbito local la cuestión de si el deslinde es una potestad unilateral, con lo que ello implica de indisponibilidad tanto para la Administración como para los particulares, o si, por el contrario es una potestad condicionada a que un particular no hubiese pretendido ante los tribunales el deslinde de una finca confinante a otra de titularidad de la Administración» (Horgué Baena).

En los casos de colindancia de bienes de titularidad de distintas Administraciones: habrá que acudir al deslinde civil ante los tribunales (Sainz Moreno); correspondería realizar el deslinde a la Administración titular de un bien demanial y en el caso de que los bienes fueran de la misma naturaleza deberá instruirse un único expediente por la Administración del Estado (Mendoza Oliván).

LEGISLACIÓN

- LRBRL: arts. 22.1.j. y 47.
- ROF: art. 50.
- RBEL: arts. 56 a 68, y 70.
- Ley 22/88 de 28 de julio, de Costas: arts. 11 a 16.
- Reglamento Gral. para el desarrollo y ejecución de la Ley de Costas, RD 1471/89, de 1 de diciembre: arts. 18 a 35.
- Ley/1995, de 23 de marzo, de vías pecuarias: art. 8.3.
  «El deslinde aprobado declara la posesión y titularidad demanial a favor de la Comunidad Autónoma, dando lugar al amojonamiento y sin que las inscripciones del Registro de la Propiedad puedan prevalecer frente a la naturaleza demanial de los bienes deslindados».
- LPE: art. 14.
- Ley de Montes de 8 de junio de 1957: 15.1.

JURISPRUDENCIA

- STC 149/1991, de 4 de julio: «(no) rinde cuenta exacta del contenido real del precepto que ahora estudiamos la caracterización del acto aprobatorio del deslinde como un acto dotado de la firmeza propia de las sentencias judiciales e invulnerable al control jurisdiccional. Que esto no es así lo evidencia el inciso final del apartado 2º del artículo, en donde se reconoce, de modo quizá innecesario, el derecho de los afectados por el deslinde a ejercer las acciones que estimen pertinentes en defensa de sus derechos, acciones que podrán ser objeto de anotación preventiva en el Registro de la propiedad y que, sin duda, podrán seguirse tanto en la vía contencioso-administrativa como en la civil, aunque sólo a éstas últimas se refiere el 14 de la misma Ley».

- STS 2.10.81 (3963): deslinde como acto material, presunciones posesorias.
- STS 27.4.83 (6042: alcance del acto de deslinde.
- STS 20.2.85 (2644): prueba de la usurpación.
- STS 11.7.90 (6032): posibilidad de que la Administración desista de un procedimiento iniciado de oficio por ella.
- STS 5.10.90, Sala de lo Civil (7872): acción de deslinde.
- STS 16.10.90, Sala 1ª (8739): cuándo procede el ejercicio de la potestad de deslinde;propietarios afectados por el deslinde.
- STS 5.11.90 (8739): carácter del acto de deslinde.
- STS 25.1.96 (565): recuperación de la posesión; distinción de procedimiento de recuperación bienes demaniales-bienes patrimoniales.
- STS 5.3.96 (2556): modificación de situaciones registrales contradictorias con el deslinde.
- STS 19.9.96 (6971): conocimiento por los afectados; práctica de actuaciones en orden a poner en conocimiento de todos los posibles afectados el deslinde.
- STS 12.12.96 (9213): potestad de recuperación de oficio; naturaleza y efectos; requisitos.

BIBLIOGRAFÍA

- GALLARDO CASTILLO, Mª J.: *El dominio público y privado de las entidades locales: el derecho de propiedad y la utilización de potestades administrativas.* Col. Temas de Administración Local, nº 57, Granada, 1994.
- GONZÁLEZ-VARAS IBÁÑEZ, S.: *El deslinde de las costas*, Marcial Pons, Madrid, 1995 .
- HORGUÉ BAENA, C.: *El deslinde de costas*, Tecnos, Madrid, 1995; págs. 101 y ss.
- JIMÉNEZ-BLANCO, Aº y otros: *Comentario a la Constitución. La Jurisprudencia del Tribunal Constitucional*, CEURA, Madrid, 1993; págs. 733-737.
- MENDOZA OLIVÁN, V.: *El deslinde de los bienes de la Administración*, Madrid, 1968.
- PAREJO ALFONSO, L./JIMÉNEZ-BLANCO, A./ORTEGA ÁLVAREZ, L.: *Manual de Derecho Administrativo*, Vol. 2 (Parte especial), 5ª ed., Ariel, Barcelona, 1998, págs. 35 a 94.
- SÁINZ MORENO, F.: «Bienes de las Entidades Locales» en *Tratado de Derecho Municipal*, t.II, Civitas, Madrid, 1988.
- SOSA WAGNER, F.: *Manual de Derecho Local,* Aranzadi, Pamplona, 1999.

Caso nº 4: CAMBIO DE USO. ENAJENACIÓN. DESAFECTACIÓN. MUTACIÓN

PLANTEAMIENTO

El Ayuntamiento de Villanueva de la Sierra, en la provincia de Cáceres, tras la revisión de su PGOU, aprobada el catorce de julio de 1.997, lleva a cabo una serie de actuaciones que afectan a distintos inmuebles de su término municipal. En primer lugar, en el edificio conocido como «El Hotelito» que recibiera en herencia de D. José Morales en 1.967 para ser destinado a biblioteca, es instalado un Centro de Atención a la Mujer dada su ubicación junto a los servicios sociales municipales.

A su vez decide enajenar las viviendas existentes en otro inmueble de su propiedad cuyo suelo recibiera por donación en los años cincuenta. Tales viviendas, construidas en 1.990, fueron ofrecidas en arrendamiento encontrándose en esta situación en la actualidad.

Por último una superficie, también de su titularidad, de unos 10.000 m^2, que linda con las dependencias municipales y que desde tiempo inmemorial viene siendo lugar de esparcimiento de la población, dada su nueva calificación por el Plan para la construcción de viviendas, es puesta a la venta. Un tercio de dicha superficie resulta afectada por la construcción de una nueva carretera a Hervás, cuya ejecución está prevista en el Plan de Carreteras de la Junta de Extremadura.

Ante tales iniciativas el Ayuntamiento recibe una avalancha de peticiones y opiniones de muy distinto signo. En relación al «Hotelito» los herederos del Sr. Morales reclaman la devolución del mismo por entender que se ha vulnerado la voluntad del testador al cambiar el destino originario del bien.

Por otro lado los inquilinos de las viviendas arrendadas entienden que han de ser ellos los que, en virtud de la correspondiente compraventa, se conviertan en propietarios de las mismas.

Finalmente también recibe una importante contestación la decisión de enajenar la finca antes citada por entender que se trata de un bien demanial, tal y como consta en el Inventario Municipal, destinado a un claro uso común general.

1. ¿Es posible dar un nuevo destino al Hotelito pese a la condición fijada por el testador de ser destinado a Biblioteca?, ¿puede prosperar la reclamación de los herederos?, ¿sería posible su enajenación? ¿tiene libertad el Ayuntamiento para fijar un nuevo destino?

2. ¿Las viviendas podrán ser enajenadas directamente a los vecinos? De no ser así ¿qué procedimiento habrá de seguirse?, ¿tendrán aquellos algún tipo de preferencia?

3. En cuanto a los terrenos mencionados ¿es posible su venta?, ¿ha tenido lugar una mutación demanial, una desafectación...?, ¿en virtud de qué título?, ¿qué calificación jurídica tendrá la superficie que quede incluida en el nuevo trazado de la carretera?, ¿se da algún tipo de concurrencia de competencias entre Administraciones?

DOCTRINA

El uso general supone una apertura del goce de los bienes a la colectividad de manera que el bien ha de ser objeto efectivo de un disfrute por parte de la colectividad en su conjunto.

En cuanto a la afectación diremos que es el criterio definitivo del demanio. Ésta puede ser expresa, implícita o presunta. La implícita se deriva de actos que conllevan un procedimiento igual o más complejo que el de la afectación como es el caso de la derivada de la aprobación de un Plan General de Ordenación Urbana. En este caso la calificación jurídica como bienes de Dominio Público se produce, respecto de determinados bienes, automáticamente desde la aprobación definitiva de aquél. Sobre este punto Sánchez Blanco ha advertido de una situación que se da con bastante frecuencia: «(...) la remisión a planes y proyectos aún avalada por todas las preceptivas aprobaciones no permiten ignorar que su ejecución pueda no ser llevada a cabo o que las previsiones puedan ser modificadas y, en ambos supuestos, las iniciales previsiones de planes y proyectos quedan desvirtuados».

Por lo que se refiere a las mutaciones demaniales suponen un cambio en algunos de los elementos de la demanialidad pero sin que ésta desaparezca. Así pueden existir cambios de sujeto, de afectación o la imposición de afectaciones secundarias. En los cambios de afectación se conserva la titularidad pero el bien pasa a ser destinado a otro uso o servicio público. La mutación, en definitiva, implica el cambio en el destino de un bien sin alteración de su calificación jurídica. Estas mutaciones, en la medida en que se produzcan en el ámbito competencial de un mismo ente administrativo plantean escasos problemas. Sí aparecen éstos en el supuesto de que un bien pase a cumplir una finalidad distinta de la que inicialmente prestaba, siendo ese nuevo destino asimismo objeto de la competencia de otra Administración.

No olvidemos por último que la desafectación o cese de la demanialidad en el caso del demanio artificial requiere un acto contrario al de la afectación pero de forma expresa.

LEGISLACIÓN

- CC: art. 344.
- LPE: art. 95.
- Ley 25/88, de 29 de julio, de Carreteras: arts. 20-28.
- TRRL: arts. 74 y 79.
- LRBRL: art. 81.
- RBEL: arts. 4, 13, 74 y 109.

JURISPRUDENCIA

- STC 58/82, de 27 de julio: Mutación de destino de los bienes transferidos por el Estado a las Comunidades Autónomas.
- STC 77/84, de 3 de julio.
- STC 227/1988, de 29 de noviembre.
- STC 17/90, de 7 de febrero.
- STC de 15 de julio de 1998 sobre la posible embargabilidad de determinados bienes de las entidades locales
- STS 21.1.86 (1571): Afectación por el Plan.
- STS 17.2.86 (1593): Viales de cesión obligatoria. Dominio Público.
- STS 21.2.82 (478): Enajenación de bienes patrimoniales.
- STS 21.4.92 (3928): Alteración de calificación jurídica, competencias del Pleno y Comunidad Autónoma.
- STS 14.12.94 (9510): Cambio de uso de bien patrimonial adquirido por donación modal.
- STS 8.5.96 (4031): Desafectación vía Plan, desafectación improcedente.
- STS 31.1.97 (103): Obras en carretera regional, competencias autonómica y municipal.
- STS 6.2.97 (965): Incumplimiento de requisitos para la desafectación.
- STS 5.3.97 (1631): Enajenación de bienes patrimoniales.

BIBLIOGRAFÍA

- BERMEJO VERA, J.: *Derecho Administrativo. Parte Especial*, Civitas, Madrid, 1993.
- PAREJO ALFONSO, L./JIMÉNEZ-BLANCO, Aº./ORTEGA ÁLVAREZ, L:: *Manual de Derecho Administrativo*,Vol. 2 (Parte especial), 5ª ed., Ariel, Barcelona, 1998, págs. 35 a 94.
- SALA ARQUER, J.M.: *La desafectación de los bienes de Dominio Público*, INAP, 1980.
- SÁNCHEZ BLANCO, A.: *La afectación de bienes al Dominio Público*, Instituto García Oviedo/Universidad de Sevilla, Sevilla, 1979.
- SÁNCHEZ MORÓN,M./BARRANCO VELA,R./CASTILLO BLANCO, F.A./DELGADO PIQUERAS, F.: *Los Bienes Públicos (Régimen jurídico)*, Tecnos, Madrid, 1997, págs. 45-48; 207 y ss.
- SOSA WAGNER, F.: *Manual de Derecho Local,* Aranzadi, Pamplona, 2002.

Caso nº 5: UTILIZACIÓN DE LOS BIENES DEMANIALES

PLANTEAMIENTO

En Osuna (Sevilla), D. Luis Segarra pretende la instalación de un quiosco de prensa en una de las principales calles de la localidad.

Tras la presentación de un escrito en tal sentido en el Ayuntamiento recibe por parte de la Secretaría General una comunicación en la que se le insta a solicitar la correspondiente licencia. En dicha solicitud, formalizada el 2 de enero de 1977, el Sr. Segarra señala como plazo de duración de la actividad el de quince años.

Conocida extraoficialmente tal situación por otro vecino de la localidad, se persona en el Ayuntamiento advirtiendo de su oposición al otorgamiento de dicha licencia, por entender que se trata de un uso privativo de un bien de dominio público y que, en consecuencia, deberá procederse al mismo sólo por concesión y previa licitación pública.

El Sr. Secretario pese a no compartir esta opinión reconduce el procedimiento y, ajustándose a los trámites correspondientes al otorgamiento de una concesión, resultó concesionario el Sr. Segarra, si bien se fijó como plazo de duración de la misma el de diez años.

Estando próximo el fin de dicho plazo, el Ayuntamiento informa a D. Luis acerca de su intención de no prorrogar la concesión puesto que, tras una serie de operaciones de reforma interior en la ciudad, la zona va a ser convertida en parque municipal.

El Sr. Segarra expone su contrariedad ante tal requerimiento. Manifiesta su voluntad de obtener la prórroga por un nuevo plazo de diez años dada la fuerte inversión que, en su día, llevó a cabo en el quiosco, así como las continuas reformas que ha venido practicando en estos años. Asimismo, de no ser respetado su deseo, expone su intención de reclamar no sólo el abono de una indemnización sino también el importe de las obras efectuadas para la construcción, conservación y mejora del establecimiento.

1. ¿La ocupación de la calle para la instalación del quiosco podrá hacerse mediante licencia o es necesario el otorgamiento de concesión?
2. ¿Qué tramitación ha de seguirse para el otorgamiento de la referida concesión?

3. ¿Puede el Ayuntamiento otorgar el uso por un plazo distinto al solicitado por el Sr. Segarra?, ¿llevaría esto implícito un derecho de prórroga en favor de dicho señor?

4. ¿De no prorrogarse por el Ayuntamiento la concesión debe abonarse algún tipo de indemnización al concesionario?, ¿a quién corresponde la propiedad de lo construido?, ¿debe pagar su importe el Ayuntamiento?

5. ¿Podría el Ayuntamiento exigir la devolución de los terrenos ocupados en su estado originario corriendo la demolición de lo construido a cargo del concesionario?

DOCTRINA

El derecho al uso privativo de un bien demanial sólo puede nacer de un acto expreso de la Administración, acto por el que ésta valore la oportunidad y conveniencia de su otorgamiento.Las utilizaciones privativas son diversas según que necesiten o no la realización de una obra que suponga una transformación física de la dependencia demanial, así la doctrina francesa distingue entre estacionamientos y ocupaciones.

En opinión de Parada el Derecho español, si nos atenemos a la regulación local, ofrece base suficiente para calificar la concesión demanial como un contrato administrativo. Para este autor la situación del concesionario es la propia de los titulares de un derecho real y, en consecuencia, puede defender su derecho frente a terceros por los modos y acciones propias del Derecho Civil si bien los conflictos entre la Administración y el concesionario tendrán, por el contrario, carácter Administrativo.

Lo cierto es que las concesiones demaniales propiamente dichas son las que otorgan la utilización privativa del dominio público caracterizándose además por su amplio margen de discrecionalidad. Ahora bien ello no supone, como ha puesto de relieve Fernández Espinar, que el concesionario al término de la concesión pueda, alegando derecho de propiedad, negar la devolución de lo que recibió porque con la caducidad de la concesión no se produce una reivindicación de bienes sino una simple recuperación de la posesión inmediata por parte de la Administración pública del bien demanial.

LEGISLACIÓN

- RBEL: arts. 74, 75, 78, 79, 83, 87, 89, y 90.
- ROF: art. 50.15.
- LRBRL: art. 47.3.

JURISPRUDENCIA

- STS 5.6.87 (6094): dominio Público, uso privativo, necesidad de concesión administrativa.
- STS 19.6.87 (6507): bienes de las entidades locales. Autorización administrativa.
- STS 18.3.96 (2212): utilización privativa, carácter temporal de la concesión.
- STS 25.4.96 (3767): concesión administrativa.
- STS 6.5.96 (4108): uso privativo de bienes de las entidades locales.
- STS 30.1.97 (305): concesión, no autorización.
- STS 10.4.97 (2752): uso especial no privativo, autorización, discrecionalidad arbitrariedad.

BIBLIOGRAFÍA

- FERNÁNDEZ ESPINAR, L.C.: «Los bienes públicos» en *Derecho Administrativo. La Jurisprudencia del Tribunal Supremo*, CEURA, Madrid, 1989, págs. 499-491.
- LÓPEZ PELLICER, J.A. y SÁNCHEZ DÍAZ, J.L.: *La concesión administrativa en la esfera local*, Madrid, 1976.
- MORILLO-VELARDE PÉREZ, J.I.: *Dominio Público*, Trivium, Madrid, 1992.
- PARADA VÁZQUEZ, R.: *Derecho Administrativo, Bienes Públicos. Derecho Urbanístico*, t. III, Marcial Pons, Madrid, 1998.
- PAREJO ALFONSO, L./ JIMÉNEZ-BLANCO, A./ ORTEGA ÁLVAREZ, L.: *Manual de Derecho Administrativo,* Vol. 2 (Parte especial), 5ª ed., Ariel, Barcelona, 1998, págs. 35 a 94.
- SÁINZ MORENO, F.: «Bienes de las Entidades Locales» en *Tratado de Derecho Municipal* (Coord. MUÑOZ MACHADO), Civitas, Madrid, 1988, págs. 1606-1609.
- SÁINZ MORENO, F.: «El Dominio Público, una reflexión sobre su concepto y naturaleza, cincuenta años después de la fundación de la Revista de Administración Pública (1950-1999), *RAP*, nº 150, 1999, págs. 477 a 514.

URBANISMO

Francisco de Borja López-Jurado
Universidad de Navarra

Caso nº 1: APROBACIÓN DEFINITIVA DE PLANEAMIENTO URBANÍSTICO. APROBACIÓN PARCIAL DE PLANES. RESERVAS DE DISPENSACIÓN

PLANTEAMIENTO

D. José C. solicitó del Ayuntamiento de Falla (Cataluña) licencia para edificar una nave industrial a la altura del km 36.150 de la carretera Barcelona-Puigcerdá. Obtenida la licencia llevó a cabo la edificación de la nave, instalando en la misma un negocio de reparación de automóviles denominado «Taller C: chapa y pintura». La Generalidad de Cataluña impugna ante los Tribunales dicha licencia por entenderla contraria al planeamiento urbanístico, obteniendo su anulación.

Con objeto de posibilitar la legalización de dicha obra el Ayuntamiento de Falla incluye entre las Normas Subsidiarias de Planeamiento que aprobó inicial y provisionalmente un art. 84 en el que se decía «El entorno e instalaciones de "Taller C: chapa y pintura" deberá ser objeto del correspondiente Plan Especial para adecuarlo armónicamente a las condiciones paisajísticas del lugar y fijar el uso, siendo posible el comercial y el industrial. Este Plan habrá de ser redactado en el término de seis meses a contar desde la aprobación definitiva de estas Normas».

La Comisión de Urbanismo aprobó definitivamente las Normas Subsidiarias de Planeamiento del Municipio de Falla con supresión del art. 84. Aduce que la edificación a que se refiere no cuenta con licencia por haber sido anulada por los Tribunales de Justicia.

A la vista de esos antecedentes se formulan las siguientes preguntas:

1. ¿Es admisible una aprobación parcial de los planes?
2. ¿Supone el citado art. 84 una reserva de dispensación?

3. ¿Puede la Comisión de Urbanismo, al aprobar definitivamente las Normas Subsidiarias, introducir modificaciones substanciales en la ordenación suprimiendo uno de sus artículos?
4. ¿Qué procedimiento debería seguirse? ¿Se da la modificación substancial en el presente caso?
5. ¿Qué carácter tiene el control que el órgano de la Comunidad Autónoma ejerce al aprobar definitivamente el instrumento de planeamiento elaborado por el Ayuntamiento? ¿Podría entenderse aprobado por silencio?

DOCTRINA

Las Normas Subsidiarias se vienen configurando entre nosotros como una «auténtica alternativa» a los Planes Generales «cuya ausencia suplen» (T.R. Fernández). Proporcionan la regulación mínima sobre clasificación y aprovechamiento de suelo necesaria para llevar a cabo el proceso urbanizador y edificatorio. Para resolver correctamente este caso es necesario diferenciar reservas de dispensación de modificación de un Plan General (Normas Subsidiarias aquí) respecto de una parcela concreta. La reserva supone que en el propio planeamiento o fuera del mismo se contemple la posibilidad de excepcionar o dispensar la aplicación de una norma contenida en el mismo. El principio de inderogabilidad singular (E. García de Enterría) veda la reserva de dispensación. Otra cosa es la modificación del instrumento de planeamiento. El control jurídico del contenido de la modificación es posible sólo desde parámetros como la razonabilidad o ausencia de discriminación, entre otros. El alcance de la modificación que se pretenda introducir en trámite de aprobación definitiva determina el procedimiento a seguir. Se trata, con esa aprobación, de adecuar al ordenamiento jurídico el ejercicio de la competencia municipal. La aprobación definitiva es un instrumento de coordinación de la discrecionalidad municipal con decisiones superiores (J. M. Trayter). Aquí la idea de «modificaciones substanciales» se convierte en concepto clave; concepto jurídico indeterminado que, con frecuencia se relaciona con si el cambio afecta al modelo territorial previsto por el plan. El alcance del control que supone la aprobación definitiva debe analizarse desde la perspectiva de la autonomía municipal y del alcance de los intereses, locales y supralocales, en presencia. La aprobación por silencio del plan depende de si sus previsiones son o no contrarias a Ley.

LEGISLACIÓN

- CE: art. 137 y 140.
- LRBRL: art. 2.1 y 25.2.d).
- Normativa catalana que debe ser aplicada: Ley 2/2002, de 14 de marzo, de urbanismo de Cataluña (BOE de 17 de abril de 2002).
- Con carácter supletorio TRLS 76:
  1) Art. 41.2 y 3 prevé que, en el supuesto de deficiencias que motivaren la denegación de la aprobación definitiva, el órgano a quien corresponde otorgarla señalará los defectos y las modificaciones a introducir para que, subsanadas, la entidad que hubiere efectuado la aprobación provisional eleve de nuevo el Plan a aprobación definitiva; salvo que quede relevada de hacerlo por la escasa importancia de las modificaciones.
  2) Art. 57.3 que prohibe las reservas de dispensación.
- RP: Su art. 132.3 afirma que si el órgano competente para aprobar definitivamente el Plan observa deficiencias que obligaran a introducir modificaciones substanciales, éste se someterá de nuevo a información pública y, previo acuerdo de la Entidad que lo aprobó inicial y provisionalmente, deberá elevarse de nuevo para la aprobación definitiva.

JURISPRUDENCIA

- STC 61/97, de 20 de marzo: ejercicio por parte del Estado de competencias en materia de urbanismo.
- SSTS 18.10.88 (7850), 5.12.90 (9732), 8.2.93 (588), 8.5.96 (3970): aprobación parcial de los planes.
- STS 8.5.96 (5474): interdicción de reservas de dispensación y la modificación de un plan general respecto de una parcela concreta.
- SSTS 3.5.90 (3792), 27.2.91 (1394), 16.12.93 (9642), 20.12.95 (1783/1996), 23.4.96 (3267): requisitos y carácter de las modificaciones a introducir por el órgano competente para otorgar la aprobación definitiva.
- SSTS 21.2.94 (1455), 25.10.95 (7711), 23.4.96 (5474), 8.5.96 (5474): carácter del control de las Comunidades Autónomas al aprobar definitivamente determinados Planes de urbanismo y autonomía municipal.
- SSTS 28.2.95 (1083), 20.10.95 (7426): naturaleza jurídica del acto de aprobación definitiva de los planes.
- SSTS 20.1.98 (240) y 18.5.98 (3851); titularidad de la potestad de planeamiento, admisibilidad de modificaciones en trámite de aprobación definitiva, posibilidad de aprobación parcial y principios inspiradores.

BIBLIOGRAFÍA

- CARCELLER FERNÁNDEZ, A: *Introducción al Derecho urbanístico*. Tecnos, Madrid, 1999.
- CASTELAO RODRÍGUEZ, J. y SANTOS DÍEZ, R: «El planeamiento urbanístico», Lecciones 35 y 36 del libro *Derecho Administrativo II*, Parte especial, 2ª ed., Madrid 1998.
- FERNÁNDEZ RODRÍGUEZ, T.R: *Manual de Derecho urbanístico*, 14ª ed., El Consultor, Madrid, 1999.
- GARCÍA DE ENTERRIA, E. y PAREJO ALFONSO, L: *Lecciones de Derecho Urbanístico*, 2 tomos, Madrid 1979 y 1981.
- GÓMEZ-FERRER, R: *La aprobación definitiva de los planes de urbanismo como acto de fiscalización*, *REDA* nº 10, 1976.
- GONZÁLEZ PÉREZ, J: *Comentarios a la Ley del Suelo*, 6ª ed., Madrid, 1994.
- LÓPEZ RAMÓN, F: *Urbanismo municipal y ordenación del territorio*, *REDA* nº 82, 1994.
- PARADA VÁZQUEZ, R.: *Derecho urbanístico*, Marcial Pons, Madrid, 1999.
- PAREJO ALFONSO, L: *Los límites del silencio positivo en la aprobación de los planes de urbanismo*, *REDA* nº 14, 1977.
- PAREJO ALFONSO, L: *Suelo y urbanismo: nuevo sistema legal*, Madrid, 1992
- SÁNCHEZ GOYANES, E: *La aprobación del planeamiento general tras la Ley 8/1990*, en *RDU* nº 152, 1997.
- SANTOS DIEZ, R. y CASTELAO RODRÍGUEZ, J.: *Derecho urbanístico. Manual para Juristas y Técnicos*, 4ª ed., Abella-El Consultor, Madrid, 2001.
- TRAYTER JIMÉNEZ, J.M: *El control del planeamiento urbanístico*, Madrid, 1996.

Caso nº 2: CLASIFICACIÓN DE SUELO. SUELO URBANO. CARGA DE LA PRUEBA. CARÁCTER NORMATIVO DE LOS PLANES URBANÍSTICOS

PLANTEAMIENTO

Promociones Bibataubín es propietaria de un terreno situado en el término municipal de Marbella. Dicho terreno cuenta con acceso rodado, abastecimiento de agua, evacuación de aguas residuales, abastecimiento de energía eléctrica, pavimentación de la calzada y encintado de aceras.

La Consejería de Obras Públicas y Transportes de la Junta de Andalucía aprueba la Revisión-Adaptación del Plan General de Ordenación Urbana de Marbella. Los administradores de Promociones Bibataubín comprueban que el terreno de su propiedad aparece clasificado como suelo urbanizable. Ya con motivo de la información pública de la Revisión-Adaptación, Promociones Bibataubín había presentado alegaciones en el sentido de que su terreno debía ser clasificado como suelo urbano.

A la vista de esos antecedentes se formulan las siguientes preguntas:

1. ¿Puede el Plan decidir sin atención a las circunstancias fácticas el suelo que clasifica como urbano?
2. ¿Es discrecional la potestad de clasificación de terrenos como suelo urbano?
3. ¿Qué circunstancias deben darse para que un suelo deba ser considerado como urbano?
4. ¿Quién debe probar las existencia de esas circunstancias? Si la Administración adujera insuficiencia de alguna de las dotaciones requeridas ¿quién debería probar?
5. ¿Qué vías se abren para la impugnación de la Revisión del Plan?

DOCTRINA

Comenzando por el final, los planes urbanísticos son verdaderas normas jurídicas de carácter reglamentario (por todos, J.M. Trayter). Contienen en sí tanto la ordenación como la ejecución de ésta ya que prefiguran de forma absoluta el resultado de la misma (E. García de Enterría y L. Parejo). Los cauces de impugnación son, pues, los propios de las disposiciones reglamentarias. La clasificación de un terreno como suelo urbano depende del hecho físico de la urbanización. De esta forma la Administración queda vinculada por una realidad que debe reflejar en las previsiones sobre clasificación que incluya en los planes. En principio la clasificación del suelo urbano supondría, a diferencia de la determinación de otras clases de suelo, el ejercicio de una potestad reglada. El control jurídico sobre la discrecionalidad del planeamiento respecto de la clasificación de terrenos es de todo interés. La interpretación de cuándo se dan los requisitos fácticos para que un terreno deba ser clasificado como urbano requiere tener en cuenta no sólo la existencia de las dotaciones específicamente recogidas en la normativa aplicable, sino, también la ligazón con el entramado urbanístico existente. En cuanto a la prueba, la regla general nos dice que la situación real de los terrenos debe ser probada por quien la alega, superándose en ciertos casos dicho criterio por la facilidad que tiene la Administración para comprobar la situación física de los mismos.

LEGISLACIÓN

- LS 98: arts. 7, 8 y 10.
- Ley de la Comunidad Autónoma de Andalucía 1/1997, de 18 de junio cuyo artículo único aprueba como Ley de dicha Comunidad determinados artículos y disposiciones del TRLS 92, entre otros, son aquí de interés los arts. 10, 70, 72.3.A, 126.
- RP: arts. 20, 21, 154 y 156.
- LJCA: arts. 25 y 26.

JURISPRUDENCIA

- SSTS 7.3.95 (1952), 3.10.95 (7213) y 30.1.97 (309): circunstancias que determinan la clasificación de un terreno como suelo urbano.
- SSTS 10.4.95 (3021), 14.12.95 (1783/1996) y 20.12.95, (1785/1996): carácter reglado o discrecional de la clasificación de suelo en los diferentes supuestos y sus consecuencias.
- SSTS 28.11.94 (8648), 2.10.95 (7205) y 8.5.96 (3970): necesidad de inserción en la «malla urbana».
- SSTS 29.11.91 (9383), 20.12.96 (1875/97) y 30.1.97 (309): carga y suficiencia de la prueba.
- STS 13.5.98 (3844): valoración conjunta de circunstancias que determinan la clasificación como suelo urbano, entre ellas la inserción en la «malla urbana».

- STS 14.4.98 (2799): imposibilidad de clasificar como urbano suelo que carece de las características determinadas por la norma.
- SSTS 16.5.96 (3976) y 26.4.96 (5282): carácter normativo de los instrumentos de planeamiento y las vías para su impugnación.

BIBLIOGRAFÍA

- CARCELLER FERNÁNDEZ, A: *Instituciones de Derecho Urbanístico*, Madrid, 1991.
- CASTELAO RODRÍGUEZ, J. y SANTOS DÍEZ, R: «El planeamiento urbanístico», Lecciones 35 y 36 del libro *Derecho Administrativo II*, Parte especial, 2ª ed., Madrid, 1998.
- DELGADO BARRIO, J: *El control de la discrecionalidad del planeamiento urbanístico*, Madrid, 1993.
- FERNÁNDEZ RODRÍGUEZ, T.R: *Manual de Derecho urbanístico,* El Consultor, Madrid, 2001.
- GARCÍA DE ENTERRÍA, E. y PAREJO ALFONSO, L: *Lecciones de Derecho Urbanístico*, 2 tomos, Madrid 1979 y 1981.
- GONZÁLEZ PÉREZ, J: *Comentarios a la Ley sobre Régimen del Suelo y Valoraciones: Ley 6/1998, de 13 de abril*, Madrid 1998.
- LLISET BORRELL, F: *El sistema urbanístico español después de la Ley 6/1998*, Barcelona, 1998.
- PARADA VÁZQUEZ, R: *Derecho Urbanístico,* Marcial Pons, Madrid, 1999.
- SANTOS DIEZ, R. y CASTELAO RODRÍGUEZ, J.: *Derecho Urbanístico. Manual para Juristas y Técnicos*, 3ª ed., Abella-El Consultor, Madrid, 1999.
- TRAYTER JIMÉNEZ, J.M: *El control del planeamiento urbanístico*, Civitas, Madrid, 1996.

Caso nº 3: LICENCIAS DE EDIFICACIÓN. CARÁCTER REGLADO. PROTECCIÓN DE LA LEGALIDAD URBANÍSTICA. DISCIPLINA URBANÍSTICA: APLICACIÓN DE LOS PRINCIPIOS DEL DERECHO PENAL

PLANTEAMIENTO

RUINO, S.A. obtuvo en su día licencia para la construcción de un edificio de viviendas en un solar de la calle Sancho el Fuerte de Pamplona. La licencia se concedía para la construcción de cuatro alturas y bajo comercial. Concluida la obra, técnicos del Ayuntamiento comprueban un exceso de edificación sobre la prevista en el Plan y reconocida en la licencia. En concreto: el edificio está compuesto de semisótano, planta baja y cinco alturas, con variación de los voladizos señalados en el proyecto original, así como del sistema de accesos (zaguán).

Tramitado el oportuno expediente, el Alcalde de Pamplona requiere a RUINO, S.A. para que ajuste la edificación a la licencia en el plazo de dos meses, transcurrido el cual se dispondrá por la Entidad Local su expropiación deduciéndose del justiprecio los costes de las demoliciones precisas. Impone también una sanción por infracción grave consistente en multa de 10 millones de pesetas (máxima que puede imponer por infracción grave) ya que estima que concurren hechos agravantes como es la reincidencia. Impone también sanción accesoria de prohibición de celebrar contratos, en los cinco años siguientes, con la Administración de la Comunidad Foral de Navarra y con las Administraciones locales de Navarra.

A la vista de esos antecedentes se formulan las siguientes preguntas:

1. ¿Cabría legalizar el exceso de edificación sobre lo previsto en la licencia? ¿de qué depende la posible legalización?
2. ¿Es el otorgamiento de licencias de edificación una potestad reglada? ¿qué consecuencias se derivan de tal carácter?
3. ¿Qué requisitos debe cumplir tanto la infracción como la sanción para que se puedan imponer?
4. ¿Se respetan las reglas para la graduación de las sanciones?
5. ¿Podrá el Ayuntamiento de Pamplona instar la ejecución forzosa de la sanción? ¿podrá instar la demolición del exceso?
6. ¿Cabría obtener la suspensión cautelar de la sanción?

DOCTRINA

La licencia de edificación es el prototipo de acto de carácter reglado: debe otorgarse si el proyecto para el que se solicita se ajusta al planeamiento aplicable. Para que una edificación realizada sin licencia, o apartándose de ésta, sea legalizable es necesario que la obra realizada sea conforme al planeamiento en vigor o que éste se modifique dando cobertura a la edificación. La aplicación con ciertos matices de los principios del orden penal al Derecho Administrativo sancionador como manifestación del ordenamiento punitivo del Estado se concreta, entre otras cosas, en la necesidad de que el contenido aflictivo impuesto sea proporcional a la conducta ilícita constitutiva de infracción. La regla de proporcionalidad debe aplicarse conforme a los criterios legalmente establecidos. La imposición de una sanción por infracción urbanística requiere observar tanto los llamados principios de potestad sancionadora como los principios de procedimiento sancionador. Las medidas de restauración del orden urbanístico quebrantado y —en su caso— de reposición de las cosas al estado anterior a la infracción, pueden adoptarse en el seno de un procedimiento sancionador imponiéndose como medidas accesorias a la sanción, siempre que se respeten los requisitos y trámites legalmente previstos para estas actuaciones. Lógicamente esas medidas en cuanto que suponen ejercicio de potestad deben estar legalmente previstas y deben aplicarse conforme a las condiciones de ejercicio contenidas en la norma que las establece sin que, en ningún caso, quepa la arbitrariedad.

LEGISLACIÓN

- LAP: arts. 130.2, 131 y 138.3.
- TRLS 92: arts. 242.1, 243.1 y 2.
- Ley Foral 10/1994, de 4 de julio de Ordenación del Territorio y Urbanismo de Navarra:
  1) Art. 229. 2: donde se establece que si hubiere concluido una edificación contraviniendo las condiciones señaladas en la licencia, la Entidad local, dentro del plazo de cuatro años, previa tramitación del oportuno expediente, requerirá al interesado para que ajuste la edificación a la licencia o, en caso de ser conforme con la legislación urbanística aplicable, solicite la oportuna licencia en el plazo que establezca la legislación aplicable o, en su defecto, el de dos meses. Desatendido el requerimiento, se dispondrá por la Entidad local la expropiación o sujeción al régimen de venta forzosa del terreno correspondiente y de las obras realizadas de confor-

midad con la licencia que puedan mantenerse, deduciéndose del justiprecio los costes de las demoliciones precisas.

2) Art. 249.5: donde se tipifica como infracción grave el exceso de edificación sobre la edificabilidad permitida por el plan.

3) Art. 253: el cual establece que las infracciones graves se sancionarán con multa de un millón una (1.000.001) a diez millones (10.000.000) de pesetas.

4) Art 255.1: determina que la reincidencia, cuando se comete una infracción del mismo tipo que la que motivó la sanción dentro de los cuatro años siguientes a la notificación de ésta, es una circunstancia que agrava la responsabilidad de los culpables de la infracción urbanística. Se requiere, en este caso, la firmeza de la resolución sancionadora antecedente.

5) Art. 257: establece que los sujetos responsables de infracciones muy graves y graves, cuando las acciones u omisiones que las motivaron no sean legalizables, podrán ser sancionados, según los casos, además de con las multas previstas con, entre otras, la sanción accesoria de prohibición durante el plazo de hasta cinco años de celebrar contratos con la Administración de la Comunidad Foral Navarra y con las Administraciones locales de Navarra.

6) Art. 258: prevé la posibilidad de reducir en un treinta por ciento la cuantía de las sanciones en supuestos de infracción por realización de, entre otras, construcciones legalizables, si se dan una serie de requisitos.

JURISPRUDENCIA

– SSTS 19.1.98 (852) y 21.5.98 (3861): sobre el carácter reglado de la licencia de edificación.
– STS 6.5.98 (3615): sobre naturaleza jurídica de la licencia de edificación.
– STC, por todas, 297/93, de 18 de octubre, y SSTS 31.1.95 (370), 9.4.96 (3375): sobre la aplicación con matices de los principios constitucionales inspiradores del orden penal al Derecho Administrativo sancionador.
– STS 23.2.98 (3075): compatibilidad de medidas de restauración del ordenamiento urbanístico e imposición de sanciones.
– STS 12.5.98 (3626): dualidad de potestades administrativas y de procedimientos.
– STS 10.3.98 (2225): proporcionalidad en órdenes de demolición para restauración de la legalidad urbanística.

BIBLIOGRAFÍA

– AGUILAR CORREDERA, J.M. y F.: *Infracciones urbanísticas y procedimiento sancionador*, Sevilla, 1994.

- ARREDONDO GUTIÉRREZ, J.M.: *Demolición de edificaciones ilegales y protección de la legalidad urbanística,* Madrid, 1996.
- CARCELLER FERNÁNDEZ, A.: «Medidas de protección de la legalidad urbanística», *Revista de Derecho Urbanístico* nn. 137 y 138, 1994.
- CASTELAO RODRÍGUEZ, J.: «El procedimiento sancionador urbanístico», *Revista CUNAL* n° 589, 1994.
- FERNÁNDEZ RODRÍGUEZ, T.R.: *Manual de Derecho urbanístico,* El Consultor, Madrid, 2001.
- GONZÁLEZ PÉREZ, J.: *Nuevo régimen de las licencias de urbanismo,* Madrid, 1991.
- PARADA VÁZQUEZ, R.: *Derecho Urbanístico,* Marcial Pons, Madrid, 1999.
- QUIRÓS ROLDÁN, A. y ESTELLA LÓPEZ, J.M.: *Estudio comentario jurisprudencial sobre licencias urbanísticas,* Granada, 1997.
- SÁNCHEZ GOYANES, E.: *Transgresiones del ordenamiento urbanístico: medidas administrativas restauradoras y sancionadoras,* Madrid, 1997.
- SANTOS DIEZ, R. y CASTELAO RODRÍGUEZ, J.: *Derecho Urbanístico. Manual para Juristas y Técnicos,* 3ª ed., Abella-El Consultor, Madrid, 1999.
- SARMIENTO ACOSTA, M.J.: «Datos para la definición de la disciplina urbanística en el Estado autonómico», *Revista de Derecho Urbanístico* n° 159, 1998.

Caso n º 4: EXPROPIACIÓN DE TERRENOS. FIJACIÓN DEL JUSTIPRECIO. PRESUNCIÓN DE LEGALIDAD Y ACIERTO DE LOS JURADOS DE EXPROPIACIÓN. PRUEBA PERICIAL

PLANTEAMIENTO

La Consejería de Política Territorial de la Comunidad Autónoma de Madrid expropia la finca signada con el número 464 del proyecto denominado «Polígono II Cerro del Tío Pío», propiedad de D. Julio Montero Díaz. En dicha finca existe una pequeña edificación destinada a vestuario, almacén de útiles de piscina y de aperos de labranza; también hay una pequeña piscina en mal estado de conservación.

El Jurado Provincial de Expropiación fija la cantidad a que asciende el justiprecio de los terrenos y edificaciones expropiados en treinta y siete millones doscientas cuarenta y tres mil quinientas dieciocho (37.243.518) pesetas.

La Comunidad Autónoma entiende que, a pesar de lo previsto actualmente por la LS98, se ha determinado el justiprecio atendiendo al criterio de libre estimación contenido en el art. 43 de la LEF, e inaplicando los preceptos sobre valoraciones de inmuebles recogidos en aquella Ley.

D. Julio Montero entiende que no se ha valorado correctamente la edificación y que no se ha tenido en cuenta a efectos de determinación del justiprecio la piscina que había en el terreno de su propiedad.

A la vista de esos antecedentes se formulan las siguientes preguntas:

1. ¿Qué criterios deben aplicarse a la valoración de suelo a efectos de expropiación? ¿Cuáles a la valoración de obras, edificaciones e instalaciones?
2. ¿Es de aplicación a las valoraciones de suelo la libertad de elección de criterio estimativo contenido en el art. 43 de la LEF?
3. ¿Gozan de presunción de legalidad los acuerdos de los Jurados de Expropiación? ¿qué detalle debe alcanzar la motivación de sus resoluciones?
4. ¿Qué valor tienen los informes periciales? ¿vincula la prueba pericial al juzgador a la hora de pronunciarse sobre el acierto en la determinación del justiprecio?

5. ¿Qué valor debiera atribuirse a los terrenos según el diverso grado de adquisición de facultades urbanísticas?

DOCTRINA

Las valoraciones de terrenos, cualquiera que sea la finalidad que motive su expropiación, se regirán por la LS98 y por las reglas que en ella se contienen. Así se habla de la regla de la universalidad de los criterios de valoración establecidos por la LS (L. Parejo), ciertamente circunscrita a los terrenos. Desaparece así la distinción entre expropiaciones urbanísticas y el resto de las expropiaciones basada en la diversidad de criterios de valoración aplicables. En la valoración de otros bienes habrá de acudirse a la legislación general sobre expropiación forzosa y a los criterios allí contenidos. En cuanto a la valoración de las edificaciones deberá tenerse en cuenta el coste de reposición corregido por factores de depreciación. Las decisiones de los Jurados de Expropiación gozan de presunción *iuris tantum* de acierto y veracidad como corresponde a la formación de sus miembros y a la permanencia y especialización de su función. En cuanto decisiones administrativas gozan de presunción de legalidad. Presunción que, sin embargo, admite prueba en contrario. De hecho puede ser desvirtuada por la prueba pertinente debiendo ésta valorarse conjuntamente. La motivación de las decisiones de los Jurados de Expropiación debe ser suficiente, por remisión a los criterios de valoración empleados.

LEGISLACIÓN

- LS 98: arts. 23 a 38,
- LHL: arts. 68 a 72, donde se contienen criterios para la fijación de valores catastrales, así como reglas para su aprobación, modificación y actualización.
- LEF: art. 43,
- RGU: art. 196.
- LSM: Ley del Suelo de la Comunidad de Madrid, arts. 138 y ss.

JURISPRUDENCIA

- SSTS 15.4.96 (3208) y 27.1.97 (271): sobre la aplicación de las reglas de la LS ó de los criterios estimativos contenidos en la LEF para la valoración de terrenos para su expropiación forzosa.

- SSTS 9.12.97 (249/1988), 4.4.98 (4043) y 25.4.98 (4046): trascendencia de los criterios urbanísticos para fijar el valor real de terrenos en expropiaciones no urbanísticas, incluso antes de la reforma de la Ley 8/90. No infracción del art. 43 LEF por aplicación de esos criterios. Predeterminación legal del método para obtener el valor urbanístico.
- STS 14.4.98 (3827): aplicación de los criterios de la LS y no del art. 43 LEF a las expropiaciones de terrenos.
- SSTS 21.1.97 (261), 29.1.97 (274), 13.2.98 (1630) y 17.4.98 (3828): sobre la presunción *iuris tantum* de veracidad y acierto de las decisiones de los Jurados de Expropiación; necesidad de motivación y posibilidad de ser desvirtuadas mediante prueba pericial.

BIBLIOGRAFÍA

- BARNÉS VÁZQUEZ, J. (Coord.): *Propiedad, expropiación y responsabilidad: la garantía indemnizatoria en el Derecho europeo comparado*, Madrid, 1995.
- CUESTA REVILLA, J. y MARTÍN VALDIVIA, S. Mª: «Las Expropiaciones urbanísticas», en JIMÉNEZ-BLANCO y otros, *Expropiación Forzosa*, 2ª ed., Francis Lefebvre, Madrid, 2002.
- FERNÁNDEZ TORRES, J. R.: *Las expropiaciones urbanísticas,* Aranzadi, Pamplona, 2001.
- GARCÍA GÓMEZ DE MERCADO, F.: *Problemas procesales de la impugnación de los acuerdos de los jurados de expropiación*, Madrid, 1997.
- GARCÍA MANZANO, P.: «La dualidad valorativa y las expropiaciones urbanísticas», en *Expropiación Forzosa*, CGPJ, Madrid, 1992, págs. 319 y ss.
- GONZÁLEZ PÉREZ, J.: *Comentarios a la Ley sobre Régimen del Suelo y Valoraciones: Ley 6/1998, de 13 de abril*, Madrid, 1998.
- LLISET BORRELL, F.: *El sistema urbanístico español después de la Ley 6/1998*, Barcelona, 1998.
- LÓPEZ-NIETO Y MALLO, F: *Manual de expropiación forzosa y otros supuestos indemnizatorios*, Barcelona, 1994.
- MENÉNDEZ REXACH, A: «Expropiaciones y régimen de venta forzosa. Supuestos indemnizatorios», en *La reforma del régimen urbanístico y de la ordenación urbana*, Granada, 1994, págs.189 y ss.
- MERELO ABELLA, J.M: *Valoraciones del suelo y del aprovechamiento urbanístico. Las valoraciones en los instrumentos redistributivos*, Revista de Derecho Urbanístico nn. 136 y 137, 1994.
- PAREJO ALFONSO, L: *Suelo y urbanismo: nuevo sistema legal*, Madrid, 1992.
- SERRANO ALBERCA, J. M. (Coord.): *Comentario a la Ley 6/1998, de 13 de abril, sobre régimen del suelo y valoraciones.* Marcial Pons, Madrid, 1998.

VIVIENDA

XV

José Muñoz Castillo
Universidad Jaime I. Castellón

Caso nº 1: VIVIENDAS DE PROTECCIÓN OFICIAL: CALIFICACIÓN PROVISIONAL. PRÓRROGA DEL PLAZO DE EJECUCIÓN Y REFORMADO DE PROYECTO. CALIFICACIÓN DEFINITIVA

PLANTEAMIENTO

La sociedad constructora «Edificios magníficos de Castellón, S.A.» (EMACASA) promueve en Villarreal (Castellón) un edificio de cuarenta viviendas de protección oficial de noventa metros cuadrados (90 m²) de superficie útil cada una de ellas, y cinco locales comerciales con una superficie útil total de dos mil seiscientos metros (2.600).

A tal efecto solicita del Servicio Territorial de Arquitectura y Vivienda de la Consejería de Obras Públicas, Urbanismo y Transportes, la Cédula de Calificación Provisional, acompañando un contrato privado de promesa de venta, para acreditar la titularidad de los terrenos.

1. ¿Es posible solicitar la cédula de calificación provisional sin ser titular registral de los terrenos? Entonces, ¿cómo se acredita la libertad de cargas y gravámenes de los mismos? El contrato de promesa de venta, ¿tiene que reunir alguna circunstancia especial?
2. ¿Es suficiente el porcentaje de superficie útil destinada a locales comerciales?

Avanzadas las obras se produce una huelga laboral importante en el sector de la construcción, que motiva un descenso de actividad y dificultades en el suministro de materiales, de tal manera que finaliza el plazo de ejecución de las obras concedido en la cédula de calificación provisional. Ante tal situación la promotora acude a la Administración para averiguar si es posible obtener una prórroga que le permita finalizar las obras, que, por cierto, reúnen un alto grado de ejecución, y, asimismo, consulta si es posible mejorar los zaguanes de entrada para hacerlos más amplios y más dignos para los adquirentes de las viviendas.

Las pretensiones de la promotora, ¿en qué sentido pueden ser resueltas por la Administración? Esto es, se trata de saber si la Administración puede otorgar una prórroga del plazo de ejecución de las obras, y por cuánto tiempo, y si es posible admitir un reformado de proyecto que afecta a elementos comunes del inmueble habida cuenta que existen compradores de las viviendas. Especificar, asimismo, la documentación y los requisitos necesarios.

Terminadas las obras, la promotora EMACASA solicita la calificación definitiva del edificio, comprobando la Administración, a través de la inspección previa, que se han utilizado materiales de muy alta calidad, se han introducido mejoras importantes, como mármoles, maderas de alto precio, jacuzzi en todas las viviendas con la supresión de un dormitorio, fachada de piedra, etc..., de todo lo cual la promotora se siente muy satisfecha. Determinar si puede existir algún impedimento o causa que obligue a denegar la calificación definitiva solicitada.

DOCTRINA

La concreción más inmediata del mandato que el art. 47 CE dirige a los poderes públicos, es el régimen legal de las viviendas de protección oficial.

La práctica totalidad de la doctrina (J.M. Espinosa del Río, A. Guillén Zanon y J.L. Zúñiga Molleda, D. Herrero Lozano y J. Capa Herran, S. Menéndez Pérez, J. Muñoz Castillo, J. Vesteiro Pérez) considera a la calificación provisional de las viviendas de protección oficial como un acto administrativo reglado, que tiene la virtualidad de abrir el régimen legal de viviendas de protección oficial con sus beneficios y sus limitaciones, a partir del cual comienza el período de ejecución de las obras, el proceso de comercialización de las viviendas y el acceso a la financiación cualificada. Con la calificación provisional queda aprobado el proyecto básico de la edificación.

La concesión de la calificación provisional supone, pues, el cumplimiento de los requisitos exigidos reglamentariamente, que son de tres tipos: jurídicos, urbanísticos y técnicos.

El plazo de ejecución de las obras consignado en la calificación provisional, y determinado por la normativa, es uno de los requisitos esenciales que debe cumplir el promotor para poder obtener la cédula de calificación definitiva, acto administrativo por el que se consolida plenamente el régimen legal de viviendas de protección oficial.

Existen posiciones doctrinales que diferencian entre prórroga del plazo de ejecución de las obras y suspensión de las obras (J.M. Espinosa del Río), o que considera la prórroga como excepcional (A. Guillén Zanón y J.L. Zúñiga Molleda).

El reformado de proyecto nos sitúa ante procedimientos administrativos triangulares, al ser determinante la posición de los posibles adquirentes de las viviendas, que reúnen las características de interesados en el procedimiento administrativo conforme al art. 31 LAP.

Comprobado el cumplimiento de la normativa aplicable a las viviendas de protección oficial, así como la adecuación entre el proyecto de ejecución final presentado y la obra realizada, previa la inspección de las obras, la Administración procederá a la concesión de la cédula de calificación definitiva.

LEGISLACIÓN

- CE: art. 47.
- LAP: art. 31.
- RD 3148/1978, de 10 de noviembre, por el que se desarrolla el Real Decreto-Ley 31/1978, de 31 de octubre, sobre política de vivienda (BOE nº 14 de 16 de enero de 1979): art. 16, art. 17 y Disp. final primera.
- Real Decreto-Ley 2/1985, de 30 de abril (BOE nº 111 de 9 de mayo).
- RD 828/1995, de 29 de mayo, que reglamenta el Real Decreto legislativo 1/1993, de 24 de septiembre, Texto refundido de la Ley del impuesto sobre transmisiones patrimoniales y actos jurídicos documentados (BOE nº 148 de 22 de junio de 1995): art. 123.
- RD 2190/1995, de 28 de diciembre (BOE nº 312 de 30 de diciembre): Disp. adicional décima.
- Reglamento de viviendas de protección oficial de 24 de julio de 1968 (BOE nº 216 de 7 de septiembre), rectificación errores BOE nº 227 de 20 de septiembre de 1968 y BOE nº 288 de 30 de noviembre): art. 96, art. 98 y art. 153.B)11.

JURISPRUDENCIA

- SSTS 6.10.87 (8300) y 14.11.90 (8927): La calificación provisional es un trámite inicial, que puede obtenerse por silencio administrativo positivo.
- STS 7.7.79 (3054): El decaimiento o pérdida de los derechos señalados en la cédula de calificación provisional se producen cuando el promotor no haya iniciado o terminado las obras en la forma y dentro de los plazos señalados.
- STS 9.10.87 (8323): Plazo de ejecución de las obras, la prórroga y los efectos por incumplimiento.
- STS 25.5.87 (5848): Legitima la posibilidad de prórrogas del plazo de ejecución de las obras que, al no estar prohibidas en los textos legales, tengan «cobertura bajo el concepto jurídico de fuerza mayor». Asimismo repara en que la alternativa a la prórroga era la descalificación del expediente que desde luego suponía un mayor perjuicio para todos, al privar a las viviendas de los beneficios inherentes a la protección oficial.
- STS 27.9.93 (6945): Las modificaciones de proyecto no autorizadas, y en perjuicio de los compradores, entran de lleno en el régimen sancionador de los viviendas de protección oficial.
- STS 21.1.84 (136): El otorgamiento de la calificación definitiva tiene carácter reglado.
- STS 17.7.90 (6566): En cuanto a la conversión de las viviendas de protección oficial en viviendas de lujo es muy ilustrativa pues pone de relieve las características que deben reunir las viviendas de protección oficial.

BIBLIOGRAFÍA

- ESPINOSA DEL RÍO, J.M.: *Viviendas de protección oficial*, Barcelona, Bosch, 1971.
- GARCÍA GARCÍA, J.: «La tramitación administrativa de los expedientes de promoción de viviendas de protección oficial (VPO 31/78) de promoción privada» en *Curso sobre viviendas de protección oficial*, Colegio Oficial de Arquitectos de Madrid, 1983.
- GUILLÉN ZANÓN, A. y ZÚÑIGA MOLLEDA, J.L.: *Comentarios a la legislación de viviendas de protección oficial*, MPOU, Madrid, 1983.
- HERRERO LOZANO, D./ANDRÉS SOLER, C./PICÓN ALONSO, J.: *Curso especial de régimen de la vivienda y la propiedad urbana en España. Derecho administrativo de la vivienda*, CEU, Madrid , 1972.
- HERRERO LOZANO, D. y CAPA HERRÁN, J.: *La protección oficial en la construcción de viviendas*, Ministerio de la Vivienda, Madrid, 1969.
- MENÉNDEZ PÉREZ, S.: «El derecho constitucional a la vivienda. Su desarrollo legislativo. El régimen de viviendas de protección oficial», Cuadernos de Derecho Judicial, CGPJ, Madrid, 1992.
- MIRANDA CABRERA, A.: *Manual del promotor inmobiliario*, Comares, Granada, 1997.

- MUÑOZ CASTILLO, J.: *Viviendas de protección oficial. El procedimiento administrativo*, Generalidad Valenciana, 1996.
- POL, F.: *Manual de promoción de viviendas de protección oficial*, COPUT, Valencia, 1987.
- VILLAR EZCURRA, J.L.: *La protección pública a la vivienda*, Montecorvo, Madrid, 1981.

Caso nº 2: LA PERCEPCIÓN DE CANTIDADES A CUENTA DEL PRECIO EN VIVIENDAS LIBRES Y EN VIVIENDAS DE PROTECCIÓN OFICIAL. LA FINANCIACIÓN CUALIFICADA. CONTRATOS Y ESCRITURA PÚBLICA

PLANTEAMIENTO

Dña. María Soledad Pérez suscribe un contrato de compraventa de un apartamento en construcción en la localidad de Benicasim, y entrega a cuenta del precio la cantidad de siete mil doscientos (7.200) euros.

Asesorada por una Organización de consumidores, Dña. María Soledad Pérez reclama al promotor vendedor que le acredite que la cantidad entregada a cuenta del precio está suficientemente garantizada mediante aval bancario o contrato de seguro.

1. El vendedor indica a Dña. María Soledad Pérez que no tiene obligación de hacerlo porque se trata de un edificio de viviendas libres, y no de un edificio de viviendas de protección oficial. ¿Es ello cierto? En su caso indicar qué vías tiene el comprador para reclamar al promotor: arbitral, judicial, administrativa.
2. La mediación de la Organización de consumidores, y la insistencia Dña. María Soledad Pérez, consiguen anular la venta efectuada con devolución de la cantidad entregada a cuenta. Al cabo de cierto tiempo, Dña. María Soledad Pérez decide adquirir una vivienda de protección oficial de régimen general en Castellón, para instalar en ella su residencia habitual y permanente, acogiéndose a la financiación cualificada establecida por el Plan de Vivienda y, antes de firmar el contrato, se asegura de que las cantidades pactadas como entregas a cuenta del precio estén debidamente garantizadas. ¿Es suficiente cualquier tipo de aval? ¿Se requiere alguna intervención administrativa? Especifique cuáles son los requisitos necesarios, en qué tipo de infracciones se puede incurrir y cómo se sancionan.
3. Para facilitar el acceso, Dña. María Soledad Pérez presenta en el Servicio Territorial de Arquitectura y Vivienda de la Consejería de Obras Públicas Urbanismo y Transportes una solicitud de ayudas económicas, a cuyo efecto acompaña el contrato privado suscrito que no contiene especialidad alguna digna de mención.¿Qué requi-

sitos debe contener y reunir el contrato para servir de base a la concesión de las ayudas económicas? ¿Puede haberse cometido alguna infracción administrativa?

4. La unidad familiar de Dña. María Soledad Pérez, que está casada y tiene tres hijos menores de edad, tiene unos ingresos brutos anuales de 18.000 euros, ¿qué tipos de ayudas públicas puede recibir del Plan de Vivienda y en qué cuantías?

5. Finalizada la construcción y obtenida la calificación definitiva, se producen desacuerdos entre las partes contratantes en orden a la elevación a escritura pública del contrato privado suscrito. Dña. María Soledad Pérez acude a la Administración en busca de asesoramiento. ¿Tiene alguna consecuencia de carácter administrativo la no elevación a escritura pública?

6. Con la entrega de la vivienda, ¿qué documentación de obra ejecutada tiene que entregar el promotor a los usuarios finales?, ¿está obligado el promotor a garantizar de alguna forma futuros vicios estructurales?

DOCTRINA

La regulación de la percepción de cantidades a cuenta del precio de las viviendas es una pieza básica en la protección al comprador que, actualmente, se enmarca dentro del conjunto normativo que se refiere a la defensa del consumidor.

La doctrina se ocupa de los requisitos exigidos por la legislación para toda clase de viviendas, y se refiere a sus aspectos administrativos, civiles, e, incluso, penales.

El acceso a la vivienda se realiza, fundamentalmente, a través del mercado, por lo que la contratación es un instrumento esencial que debe cumplir con los extremos regulados en la legislación de consumidores, sin perjuicio de la normativa más estricta que atañe a las viviendas de protección oficial. Los planes estatales de vivienda y la normativa complementaria autonómica, o los planes autonómicos propios de vivienda, ponen a disposición de los ciudadanos una gama de ayudas públicas para facilitar el acceso a la vivienda que, en conjunto, recibe el nombre de financiación cualificada.

La intervención administrativa que modula la contratación de las viviendas de protección oficial es una contrapartida a la financiación privilegiada para su promoción y para su adquisición, que justifica una mayor incidencia en el principio general de libertad de pactos, contribuyendo a hacer posible el mandato constitucional de acceso y disfrute de los españoles a una vivienda digna y adecuada.

La reciente legislación de Ordenación de la Edificación introduce nuevas obligaciones en cuanto a la documentación del edificio que ha de facilitarse a los usuarios finales, y determina la constitución de garantías que cubran los daños por vicios de construcción.

LEGISLACIÓN

- CE: art. 47.
- Ley 38/1999, de 5 de noviembre, de Ordenación de la Edificación: arts. 7, 19 y Disposición Adicional Primera.
- Ley 57/1968, de 27 de julio.
- Código Penal: singularmente Disposición Derogatoria Única y art. 250.
- LGDCU: arts. 13.2 y generales sobre contratación, o en su caso, la correspondiente normativa autonómica.
- RD 515/1989, de 21 de abril, sobre protección a los consumidores en cuanto a la información a suministrar en la compraventa de viviendas.
- Reglamento de viviendas de protección oficial de 24 de julio de 1968: arts. 114, 116, 153.c), 8 y 153. c), 2.
- Orden de 30 de mayo de 1970 del Ministerio de la Vivienda.
- RD 3148/1978, de 10 de noviembre: arts. 13, 15, 56 y 57.
- Orden de 26 de enero de 1979 sobre cláusulas de inserción obligatorias.
- RD 2569/1986, de 5 de diciembre, sobre medidas de financiación en materia de viviendas de protección oficial: art. 3.
- Plan Estatal de Vivienda y normativa autonómica complementaria, o propia, aplicables
- En cuanto a infracciones y sanciones, existen CCAA con legislación propia.

JURISPRUDENCIA

- STS 13.12.93 y 25.4.94: Pueden producirse graves consecuencias en relación con la percepción de cantidades a cuenta, sin observar los requisitos establecidos por la Ley 57/1968, de 27 de julio.
- STS 29.11.88: Se ocupa de la percepción de cantidades a cuenta del precio de las viviendas de protección oficial y afirma que «en tal extremo procede confirmar la resolución impugnada, por cuanto el recurrente se ha limitado a manifestar que en los contratos de venta no se hacía referencia a percepción de cantidades no autorizadas, pues aun cuando ello es cierto, también es cierto

que los compradores en la vía administrativa y en ésta jurisdiccional, han aportado hasta tres recibos, en los que se refería la percepción de cantidades a cuenta por la venta de viviendas, y tal realidad permite aceptar que percibió cantidades a cuenta a pesar de que no tuviesen el oportuno reflejo en los contratos, pues una cosa es que no figurasen y otra que las hubiesen percibido, cual acreditan los tres recibos aportados».

- STS 20.12.88: La falta de varios de los requisitos para la obtención de cantidades a cuenta inciden en una sola vulneración de la normativa aplicable.
- SSTS 22.9.92 y 15.10.84: Ésta última se ocupa en concreto de las consecuencias de la falta de visado de los contratos. Así dice: «lo que aparece como incuestionable es que el promotor tiene la (obligación) de presentarlos a fin de que la Administración pueda ejercer la actividad tutelar y fiscalizadora de que los mismos (los contratos) son conformes a las exigencias de la normativa en los distintos aspectos de calidad y caracteres de la construcción, técnicos y económicos, e incluso en las modalidades de pago pactadas».
- STS 28.9.90: Plantea la cuestión entrecruzada con la transferencia de competencias entre el Estado y la CA de Andalucía.
- STS 26.1.90: El alcance de la elevación a escritura pública de los contratos privados.
- STS 28.6.91: Se ocupa de la falta de otorgamiento y sus consecuencias e indica que «la respuesta de la entidad M.SA. fue por el contrario —reconociendo el retraso— evasiva sin que, existiesen, o al menos no se hayan aducido ni demostrado, discrepancias en el precio final, sino que lo que realmente existió fue una negativa no justificada razonablemente por el promotor a entregar las llaves y otorgar la escritura pública».

BIBLIOGRAFÍA

- ESPINOSA DEL RIO: *Viviendas de protección oficial*, Bosch, Barcelona, 1971.
- GONZÁLEZ CUSSAC: «Apropiación indebida y percepción de cantidades anticipadas en la construcción y venta de viviendas», *Revista General de Derecho* n° 604/605 (enero-febrero), Valencia, 1995.
- GUILLÉN ZANÓN y ZÚÑIGA MOLLEDA: *Comentarios a la legislación de viviendas de protección oficial*, MOPU, Madrid, 1983.
- HERRERO LOZANO, ANDRÉS SOLER y PICÓN ALONSO: *Curso especial de régimen de la vivienda y la propiedad urbana en España*, CEU, Madrid, 1972.
- MIRANDA CABRERA, *Manual del promotor inmobiliario*, Comares, Granada, 1997.
- MUÑOZ CASTILLO: *Viviendas de protección oficial. El procedimiento administrativo*, Generalidad Valenciana, Valencia, 1996.
- SANCHÍS FERNÁNDEZ-MENSAQUE: «Vivienda: La adquisición de la vivienda», *Cuadernos de Derecho Judicial*, CGPJ, Madrid, 1992.
- MUÑOZ CASTILLO: *El derecho a una vivienda digna y adecuada. Eficacia y ordenación administrativa*, Colex, Madrid, 2000.

Caso nº 3: RÉGIMEN SANCIONADOR DE LAS VIVIENDAS DE PROTECCIÓN OFICIAL: VICIOS Y DEFECTOS DE CONSTRUCCIÓN. RESPONSABILIDAD DEL PROMOTOR. VALOR DE LA CALIFICACIÓN DEFINITIVA Y ALCANCE DE LA INSPECCIÓN

PLANTEAMIENTO

Con fecha 16 de enero de 1997, Dª Virginia S. adquiere en escritura pública una vivienda de protección oficial en la localidad de Albacete, cuya cédula de calificación definitiva fue expedida el día 5 de enero de 1997.

Durante los seis primeros meses de utilización de la vivienda observa, entre otros desperfectos menores, la existencia de humedades en las zonas circundantes a los pilares orientados hacia el norte, que los *shunts* del aseo y del cuarto de baño no funcionan correctamente y además, que la altura entre los forjados de las viviendas no cumple la mínima exigida por la normativa aplicable.

Dado que todos los intentos realizados por vía amistosa con el promotor resultan infructuosos, Dª Virginia S. decide presentar una denuncia ante la Consejería de Obras Públicas, organismo que inicia un procedimiento sancionador contra el promotor de las viviendas, en cuyas actuaciones previas se realiza una inspección técnica al edificio cuyo informe indica que se han comprobado los hechos denunciados, si bien la diferencia de medida entre forjados es muy escasa, y, en realidad, no afecta a la utilización normal y a la habitabilidad de las viviendas.

Sin embargo, personado en el procedimiento, el promotor alega que el edificio fue objeto de inspección previa a la expedición de la calificación definitiva por parte de los servicios correspondientes de la Consejería de Obras Públicas, sin que se detectaran irregularidades de tipo alguno, y que, a la vista de ello, la Administración le ha concedido la cédula de calificación definitiva, circunstancia por la cual no existe responsabilidad alguna para el promotor de las viviendas.

No obstante ello, la Delegación Provincial, Servicio Vivienda, de la Consejería de Obras Públicas impone al promotor una sanción de cuatro mil doscientos euros (4.200) euros. El Consejero de Obras Públicas tiene que resolver el recurso administrativo presentado por el promotor, en el que alega que la constructora por él contratada se ha limitado a ejecutar el proyecto técnico de ejecución de las obras y a seguir las instrucciones de la dirección facultativa, sin intervención alguna por su parte en estos aspectos.

1. ¿Cuál es el alcance de la inspección previa a la calificación definitiva? ¿qué efectos tiene la calificación definitiva en relación con los vicios o defectos de construcción?
2. ¿Es el promotor el único responsable?, ¿qué personas pueden ser sancionadas?
3. ¿Sobre quién recae la obligación de reparación de esos vicios o defectos?
4. Indicar, finalmente, qué tipos de infracción se han cometido y cómo podrían sancionarse. ¿Debe confirmarse la sanción impuesta?

DOCTRINA

La legislación de viviendas de protección oficial reúne las características típicas de las legislaciones administrativas de fomento, de forma que los beneficios para el impulso de la iniciativa privada tienen, como contrapartida, la sujeción a unas limitaciones y a un régimen sancionador específico, garantía de que la actividad fomentada cumpla con los fines, características y condiciones previstos por la norma.

La jurisprudencia propone, incluso, que los promotores de viviendas de protección oficial están vinculados con la Administración mediante una relación de especial sujeción, aunque la doctrina más reciente en la materia (R. García Macho, I. Lasagabaster Herrarte, M. López Benítez) no propugna la existencia de este tipo de relaciones de supremacía especial después de la entrada en vigor de la CE.

El régimen sancionador de las viviendas de protección oficial, conformado principalmente por normativa reglamentaria preconstitucional, participa de los principios penales en cuanto a la exigencia de responsabilidades a los posibles infractores, sin perjuicio de reconocer una responsabilidad objetiva y directa a los promotores de viviendas de protección oficial.

Las CCAA, en uso de sus competencias exclusivas en la materia, pueden establecer leyes sancionadoras, como así lo han hecho ya algunas (Valencia, Galicia).

LEGISLACIÓN

- Reglamento de viviendas de protección oficial de 24 de julio de 1968 (BOE nº 216 de 7 de septiembre; rectificación errores BOE nº 227 de 20 de septiembre y BOE nº 288 de 30 de noviembre): art. 111, art. 153.C) 6.
- RD 3176/1979, de 26 de octubre (BOE nº 60 de 10 de marzo de 1980).
- Real Decreto-Ley 31/1978, de 31 de octubre (BOE nº 267 de 8 de noviembre): art. 8.
- RD 3148/1978, de 10 de noviembre (BOE nº 14 de 16 de enero de 1979): art. 56, art. 57, DT Undécima y DF Primera.
- LAP: Título IX.
- RD 1398/1993, de 4 de agosto (BOE nº 189 de 9 de agosto de 1993), por el que se aprueba el Reglamento del procedimiento para el ejercicio de la potestad sancionadora.
- Legislación sancionadora en materia de vivienda en las CCAA que la tienen establecida mediante normativa propia.

JURISPRUDENCIA

La jurisprudencia ha contribuido decisivamente a configurar elementos esenciales del régimen sancionador de las viviendas de protección oficial.

Son innumerables las sentencias que se ocupan de poner de relieve los efectos que la calificación definitiva tiene sobre los vicios o defectos de construcción que puedan afectar a las viviendas, ya que «es obvio que una calificación sólo puede atribuir derechos y obligaciones» (STS 1.3.94; 1698), y a determinar el alcance de las negligencias inspectoras (STS 27.9.93; 6945).

Asimismo, y, reiteradamente, la jurisprudencia de nuestro TS hace hincapié en la existencia de dos regímenes jurídicos distintos: el referente a la responsabilidad del promotor, y la depuración de responsabilidades que implica la instrucción de un procedimiento sancionador, que nos lleva a la aplicación de principios del Derecho penal que exige que conste claramente la autoría de los hechos.

- SSTS 27.12.89 (9840), 6.2.91 (778), 2.7.91 (5724), 30.10.91 (9174), 18.12.91 (9750), 23.1.92 (750), 3.3.92 (1776), 4.3.92 (3225), 20.5.92 (4291), 26.5.92 (4297) y 2.11.92 (8742)

BIBLIOGRAFÍA

- ESPINOSA DEL RÍO, J.M.: *Viviendas de protección oficial,* Barcelona, Bosch, 1971.
- GARCÍA MACHO, R.: *Las relaciones de especial sujeción en la CE,* Tecnos, Madrid, 1992.
- HERRERO LOZANO, D./ANDRÉS SOLER, C./PICÓN ALONSO, J.: *Curso especial de régimen de la vivienda y la propiedad urbana en España. Derecho administrativo de la vivienda,* CEU, Madrid, 1972.

- HERRERO LOZANO, D. y CAPA HERRÁN, J.: *La protección oficial en la construcción de viviendas*, Madrid, Ministerio de la Vivienda, 1969.
- LASAGABASTER HERRARTE, I.: *Las relaciones de sujeción especial*, Civitas, Madrid, 1994.
- LÓPEZ BENÍTEZ, M.: *Naturaleza y presupuestos constitucionales de las relaciones especiales de sujeción*, Civitas, Madrid, 1994.
- MUÑOZ CASTILLO, J.: *Viviendas de protección oficial. El procedimiento administrativo*, Generalidad Valenciana, 1996.

MEDIO AMBIENTE

XVI

Isabel Pont Castejón
Universidad Autónoma de Barcelona

Caso nº 1: DERECHO A UN MEDIO AMBIENTE ADECUADO

PLANTEAMIENTO

El art. 45 CE afirma que «Todos tienen el derecho a un medio ambiente adecuado para el desarrollo de la persona, así como el deber de conservarlo». A la vista de tal dictado, una asociación visita vuestro despacho profesional deseando conocer el alcance potencial y real de tales palabras. Os solicita informe donde, en base a textos legales, doctrinales y jurisprudenciales, deben darse argumentos para las dos posiciones siguientes:

a) El art. 45 CE es en la práctica inoperante para la tutela ambiental y para la defensa de los intereses ambientales. Los efectos jurídicos de la dicción constitucional son realmente limitados.

b) El art. 45 CE aporta grandes posibilidades de juego a nivel jurídico anteriormente inexistentes, y es potencial y realmente útil para la materia que nos ocupa.

El informe debe plantearse fundamentalmente en relación a las siguientes cuestiones:

1. Alegación directa e independiente del art. 45 por parte de individuos o grupos ante la Administración, jueces y tribunales, y respecto a las relaciones entre individuos. Necesidad o no de desarrollo postconstitucional en la legislación sectorial para que el dictado del art. 45 produzca verdaderos efectos.
2. Idoneidad de las argumentaciones basadas en el artículo 45 en procesos vía LJCA (arts. 114-122) y para recurrir vía amparo ante el Tribunal Constitucional.

3. Efectos potenciales futuros de la Sentencia del TEDH «López Ostra» contra España sobre el alcance y operatividad del art. 45 CE.

4. Límites concretos que impone el art. 45 CE a la actuación de los poderes públicos.

DOCTRINA

El art. 45 CE reconoce en su apartado primero «el derecho a disfrutar de un medio ambiente adecuado para el desarrollo de la persona, así como el deber de conservarlo». Este precepto se ubica en el capítulo III del título I, entre los denominados principios rectores de la política social y económica, por lo que, en relación a su alcance, debe conectarse con lo dispuesto en el art. 53.3 CE. Es, pues, un derecho de configuración legal, sobre el que puede argumentarse una eficacia jurídica limitada, si bien debe tenerse también presente que el art. 45, como toda la CE tiene valor normativo inmediato y directo derivado del art. 9.1, según el cual «los ciudadanos y los poderes públicos están sujetos a la Constitución y al resto del ordenamiento jurídico» (García de Enterría). Por ello, constituye un parámetro para el enjuiciamiento de la constitucionalidad de las leyes, además de un principio informador de todo el ordenamiento.

El art. 45.1 ha suscitado un intenso debate doctrinal a la hora de definir la situación jurídica subjetiva de que disponen los titulares de este derecho. Un sector doctrinal (Fernández Rodríguez, Jordano Fraga entre otros) ha defendido la configuración del derecho a disfrutar de un medio ambiente adecuado como auténtico y verdadero derecho subjetivo. Otro sector (Martín Mateo), sostiene que el derecho al medio ambiente no es un derecho subjetivo, sino una aspiración colectiva cuya tutela y protección constituye una responsabilidad pública.

Asimismo, cierto sector doctrinal ha defendido que, a pesar de su ubicación en el Texto Constitucional, el derecho al medio ambiente es susceptible de una protección refleja a través del recurso de amparo dirigido a la tutela de otros derechos. Éste sería el caso del derecho a la vida (art. 15 CE), el derecho a la intimidad (art. 18 CE), el derecho a la participación (art. 23 CE), el derecho a la tutela judicial efectiva de los derechos e intereses legítimos (art. 24 CE) y el derecho a la educación (art. 27 CE) (Jordano Fraga). Este planteamiento, como se señala *infra,* puede considerarse que para un supuesto particular y en base al

Convenio Europeo de Derechos Humanos ha servido de apoyo argumental a una sentencia del TEDH.

El apartado segundo del art. 45 establece que «los poderes públicos velarán por la utilización racional de todos los recursos naturales, con el fin de proteger y mejorar la calidad de la vida y defender y restaurar el medio ambiente, apoyándose en la indispensable solidaridad colectiva». A los poderes públicos le es encomendada en el seno de este precepto una triple función: la preventiva o tutelar —en tanto han de tutelar la utilización racional de los recursos naturales—, la restauradora —de reparación de daños al entorno— y, la promocional —o de mejora de la calidad de vida—. Las tres se ejercerán con el soporte de la indispensable solidaridad colectiva, que se configura en nuestro ordenamiento como valor informador de los derechos individuales y, especialmente, de los económicos.

Finalmente, el apartado tercero del art. 45 consagra el principio de «quien contamina paga» y la existencia de sanciones penales o, en su caso, administrativas, en el caso de que se infrinjan los deberes en relación con el medio de los apartados precedentes. Asimismo, se prevé allí la obligación de reparar el daño causado.

LEGISLACIÓN

- CE: arts. 9, 10.2, 15, 18, 23, 24, 27, 45 y 53.
- Declaración Universal de Derechos Humanos: art. 12.
- Convenio Europeo de los Derechos humanos y de las libertades fundamentales hecho en Roma el 4 de noviembre de 1950 y enmendado por los Protocolos adicionales números 3 y 5, de 6 de mayo de 1963 y 20 de enero de 1966, respectivamente: art. 8.

JURISPRUDENCIA

La constitucionalización del derecho a disfrutar de un medio ambiente adecuado para el desarrollo de la persona ha sido ya objeto de atención por parte de la jurisprudencia, tanto del Tribunal Constitucional como del Tribunal Supremo, en el marco de litigios relacionados con la protección del medio ambiente.

El TC ha dejado sentado reiteradamente que los derechos recogidos en el capítulo III del Título I, entre los principios rectores de la política social y económica, no son derechos fundamentales susceptibles de amparo constitucional directo; por lo tanto, cabe argüir que el derecho al ambiente no lo es en la medida en que el catálogo de derechos fundamentales abarca sólo los que se contienen en la sección primera del capítulo II del Título I de la Constitución. De este modo, a pesar del carácter normativo que se predica de toda la CE, parece que no cabe sobre él fundar derechos subjetivos, ni es posible imponer la efectividad práctica de sus mandatos si el legislador ordinario no ha precisado y matizado su alcance.

Por su parte, el TS, en relación al valor normativo del art. 45, siguiendo la línea sentada por el TC, ha tenido ocasión de pronunciarse en diversas ocasiones sobre su carácter normativo y su eficacia directa. Así, por ejemplo, en la STS 26.12.91 (378/92) el TS establece que «El artículo 45 de la CE señala en su apartado primero que todos tienen derecho a disfrutar de un medio ambiente adecuado para el desarrollo de la persona, así como el deber de conservarlo (...) Este patrocinio constitucional plantea también trascendencia jurídica en cuanto a su aplicación directa por los Tribunales de Justicia, ya que, aunque no se trata aquí de derechos fundamentales, rige lo establecido en el artículo 53.3 de la Norma Fundamental, con arreglo al cual el reconocimiento, el respeto y la protección de los principios reconocidos en el capítulo III informan, no sólo la legislación positiva y la actuación de los poderes públicos, sino también la práctica judicial». En esta misma línea, SSTS 11.7.87 (6877), 25.4.89 (3233) y 18.4.90 (3650).

A partir de la Sentencia del TEDH de 9 de diciembre de 1994 «López Ostra contra España» cabe argumentar que, en parte, se ha reforzado la eficacia jurídica del derecho constitucional a disfrutar de un medio ambiente adecuado. En el marco de un litigio netamente ambiental el Tribunal ha argumentado que se había infringido el art. 8 del Convenio Europeo de Derechos Humanos. Nótese que el supuesto controvertido llega a tal instancia tras agotarse la vía administrativa y utilizarse la entonces vigente Ley 62/78 y después de entablarse posterior recurso de amparo de forma infructífera para la actora. La incógnita a despejar es pues cuál es el alcance que cabe dar a tal sentencia, y si de su dictado podemos entrever una futura e importante modulación a la tendencia jurisprudencial y doctrinal restrictiva de la operatividad del art. 45 CE cuando actúa sólo o en conexión con otras disposiciones constitucionales.

A tal efecto han servido, en parte, sentencias posteriores a la mencionada, y que merecen atención especial, como son las del TC 119/2001, de 24 de mayo, y 191/2001, de 1 de octubre, ambas dictadas tras específicos recursos de amparo. También en el ámbito de la jurisprudencia del TEDH debe atenderse a las posteriores sentencias Guerra y otras contra Italia, de 19 de febrero de 1998 (TEDH 1998, 735), y más recientemente, a la condena contra el gobierno británico por el ruido que aquejaba a vecinos del aeropuerto londinense de Heathrow que se ha establecido mediante Sentencia de 2 de octubre de 2001 (TEDH 2001, 567),

BIBLIOGRAFÍA

– BELTRÁN AGUIRRE, J.L.: «El medio ambiente en la reciente jurisprudencia del Tribunal Supremo», *RAP* n° 134, 1994, págs. 281 y ss.

– CARRILLO DONAIRE, J.A. y GALÁN VIOQUE, R.: «¿Hacia un derecho fundamental a un medio ambiente adecuado?», *REDA* nº 86, 1995.
– CASADO IGLESIAS, E.: «El medio ambiente. Su tratamiento en la Constitución Española y por las Comunidades Económicas Europeas», *Revista General de Derecho* nn. 577-578, 1992.
– DELGADO PIQUERAS, F.: «Régimen jurídico del derecho constitucional al medio ambiente», *Revista Española de Derecho Constitucional* nº 38, 1993.
– DOMPER FERRANDO, J.: *El medio ambiente y la intervención administrativa en las actividades clasificadas*, t. I, Civitas, Madrid, 1992.
– FERNÁNDEZ RODRÍGUEZ, T.R.: «El medio ambiente en la Constitución Española», *Documentación Administrativa* nº 190, 1981.
– FRANCO DEL POZO, M., *El derecho humano a un medio ambiente adecuado*, Universidad de Deusto, Bilbao, 2000
– GARCÍA DE ENTERRÍA, E.: *La Constitución como norma y el Tribunal Constitucional*, 2ª ed., Civitas, Madrid, 1985.
– LAVILLA RUBIRA, J.J. y MENÉNDEZ ARIAS, M.J.: «Derecho fundamental a un medio ambiente adecuado», en *Todo sobre el medio ambiente*, Praxis, Barcelona, 1996.
– LOPERENA ROTA, D.: «La protección de la salud y el medio ambiente adecuado para el desarrollo de la persona en la Constitución», en *Estudios sobre la Constitución Española. Libro Homenaje al profesor Eduardo García de Enterría*, t. II, Civitas, Madrid, 1991.
– LOPERENA ROTA, D.: *El derecho al medio ambiente adecuado*, Cuadernos Civitas, Madrid, 1996.
– LÓPEZ RAMÓN, F., «Derechos fundamentales subjetivos y colectivos, al medio ambiente», *REDA,* núm .95, 1997.
– JORDANO FRAGA, J.: «El derecho a un medio ambiente adecuado», en *Revista Aragonesa de Administración Pública* nº 4, 1995, págs. 136 y ss.
– JORDANO FRAGA, J.: *La protección del derecho a un medio ambiente adecuado*, Bosch, Barcelona, 1995.
– MARTÍN MATEO, R.: *Tratado de Derecho Ambiental*, t. I, Trivium, Madrid, 1991, págs. 107 y ss.
– PÉREZ LUÑO, A.E.: «Medio ambiente. Comentario al art. 45» en *Comentario Sistemático a la Constitución de 1978* (Dir. ALZAGA VILLAAMIL), t. IV, EDERSA, Madrid, 1984.
– PÉREZ LUÑO, A.E.: «Calidad de vida y medio ambiente en la Constitución» en *Derechos humanos, Estado de Derecho y Constitución* (Dir. PÉREZ LUÑO), Tecnos, Madrid, 1984.
– PIÑAR DÍAZ, M.: *El derecho a disfrutar del medio ambiente en la jurisprudencia*, Comares, Granada, 1996.
– PONT CASTEJÓN, I.: «Medio Ambiente y Constitución Española», en *La empresa en la Constitución Española*, Aranzadi, Madrid, 1989.
– QUINTANA LÓPEZ, T.: *La repercusión de las actividades mineras en el medio ambiente*, Montecorvo, Madrid, 1987.
– RODRÍGUEZ RAMOS, L.: «El medio ambiente en la Constitución española (Su conservación como principio político rector y como competencia de las Comunidades Autónomas)», en *Derecho y Medio Ambiente*, CEOTMA-MOPU, 1981.
– RUIZ RICO-RUIZ, G., *El derecho constitucional al medio ambiente,* Tirant lo Blanch, Valencia, 2000.

– RUIZ ROBLEDO, A.: «Un componente de la Constitución Económica: la protección del medio ambiente», *Revista Andaluza de Administración Pública* nº 14, 1993.

– RUIZ-RICO RUIZ, G.: «La protección del ambiente como principio rector de la política económica y social», *Revista de la Facultad de Derecho de la Universidad de Granada* nº 16, 1988.

– SERRANO MORENO, J.L.: «El derecho subjetivo al ambiente», *Revista de la Facultad de Derecho de la Universidad de Granada* nº 16, 1988.

– SERRANO MORENO, J.L.: «La constitución ambiental: el ambiente como fin del estado y como derecho subjetivo», *Anuario de Derecho Público y Estudios Políticos* nº 2, 1990.

– ULL PONT, E.J.: «La defensa del medio ambiente en la Constitución», *Revista de Estudios Políticos* nº 5, 1978.

– VELASCO CABALLERO, F.: «El medio ambiente en la Constitución: ¿Derecho público subjetivo y/o principio rector?», *Revista Andaluza de Administración Pública* nº 19, 1994.

– VELASCO CABALLERO, F.: «La protección del medio ambiente ante el Tribunal Europeo de Derechos Humanos», *Revista Española de Derecho Constitucional* nº 45, 1995.

– VERA JURADO, D.: *La disciplina ambiental de las actividades industriales*, Tecnos, Madrid, 1994.

Caso nº 2: CONTAMINACIÓN ACÚSTICA

PLANTEAMIENTO

El Sr. Vilaseca, melómano donde los haya, vive en un piso de su propiedad en una de las calles más céntricas de la ciudad de Barcelona (concretamente, en Rambla Cataluña, núm. 72, primero). Desde 1998, la sociedad MARCHA S.A. ha instalado en los locales situados exactamente debajo de su vivienda una discoteca nocturna con horario de funcionamiento de 12 de la noche a 5 de la mañana, previa obtención de la oportuna licencia municipal de actividades clasificadas, por Decreto de Alcaldía. Desde que ha entrado en funcionamiento este establecimiento el Sr. Vilaseca y su familia han comenzado a «actualizarse» y a vivir prácticamente en directo la música más moderna de la ciudad. A las perturbaciones sonoras que padecen, se unen las ya habituales, originadas por el intenso tráfico nocturno de este tramo de la ciudad. Lo cierto es que se ha alterado la tranquilidad de su hogar y que todo ello ha repercutido seriamente en las condiciones de su vida y las de su familia. Además, todas estas molestias se han visto acrecentadas al llegar la época veraniega, ya que su vecino Restaurante VORAMAR también obtuvo hace dos veranos, mediante Decreto de Alcaldía del Ayuntamiento de Barcelona, licencia para la instalación de música en terraza al aire libre en verano, en un local ubicado justamente en el número 70 de la calle en que habita. El Sr. Vilaseca, incapaz de soportar esta situación por más tiempo, acude a un despacho de abogados con la finalidad de obtener asesoramiento acerca de las posibles acciones a emprender y de las posibilidades de éxito. Concretamente plantea las siguientes preguntas:

1. ¿A qué Administración debe dirigirse? Si fuera competente la Administración municipal ¿podrá intervenir la Administración autonómica en caso de pasividad de la primera?
2. ¿Podría solicitar la realización de una inspección con la finalidad de comprobar los niveles sonoros de estos dos establecimientos?, ¿podría hacer esta inspección la Administración de oficio?
3. En caso de que sea posible efectuar la inspección ¿quién debería realizar esta comprobación; ¿sería posible que la realizasen agentes de la Policía Municipal?; ¿deben estar presentes los titulares de los establecimientos afectados?, ¿y el Sr. Vilaseca u otros posibles afectados?; ¿puede conseguir que vengan a realizarla a las 4 de la mañana sea sábado o domingo?

4. Si los establecimientos no respetan los niveles sonoros:

a) ¿Podría la Administración decretar la clausura de las dos actividades?; ¿y obligar al establecimiento de medidas correctoras de aislamiento acústico?; ¿y revocar la licencia?

b) ¿Cabría imponer, además, sanciones administrativas? Si la respuesta es afirmativa, ¿en base a qué norma?

c) ¿Podrían los titulares de estos establecimientos oponerse al cumplimiento de dichas medidas alegando el derecho a la libertad de empresa reconocido en el art. 38 CE?

5. ¿La respuesta a las preguntas planteadas en el apartado 4 sería la misma si alguno de los establecimientos careciese de la preceptiva licencia de actividades clasificadas?

6. En caso de que ambas actividades respeten los niveles sonoros y todas las medidas impuestas en la licencia, pese a que se pruebe que causan impactos al medio ambiente y a las personas, ¿dispone la Administración Pública o él mismo de alguna posibilidad adicional de actuación?

7. El Sr. Vilaseca se muestra especialmente preocupado por saber qué acciones podría emprender en caso de que se dirigiera a la Administración competente y ésta no respondiera a su petición. Por ello pregunta:

a) ¿Qué efectos deberían otorgarse a la ausencia de resolución de la Administración?

b) ¿Sería posible acudir a los tribunales contencioso-administrativos? En caso de respuesta afirmativa, ¿podría solicitar como medida cautelar la suspensión de la actividad?

c) ¿Sería posible exigir responsabilidad patrimonial a la Administración Pública por no haber realizado las labores de vigilancia, inspección y control que, respecto del medio ambiente, se señalan en la normativa sectorial?

d) ¿Sería posible interponer un recurso de amparo ante el Tribunal Constitucional?

DOCTRINA

A pesar de que el ruido es uno de los problemas ambientales más graves padecidos por los ciudadanos en las grandes (y también ya menos grandes) ciudades españolas, aún no ha recibido un tratamiento normativo adecuado. España, a diferencia de otros países de nuestro entorno (Francia o Italia, por ejemplo) carece de una norma básica que aglutine los aspectos más decisivos relacionados con este tipo de contaminación, tales como el establecimiento, de forma general, de cuáles son los niveles de ruido tolerables y ambientalmente correctos, prevención de ruidos evitables, corrección de instalaciones y posibles medidas represivas a adoptar por los poderes públicos.

La dificultad existente para establecer un régimen jurídico uniforme que discipline todas las manifestaciones de contaminación sonora ha determinado la existencia de un panorama normativo muy disperso. Por ello, la lucha contra la contaminación sonora se afronta desde las diversas regulaciones sectoriales (costas, vivienda, transporte, urbanismo, espacios naturales protegidos, tráfico...), que ofrecen un tratamiento jurídico específico en función de cuál sea la fuente productora del ruido.

En este entramado normativo juega un papel decisivo la normativa reguladora de las actividades clasificadas, que resulta de aplicación en la medida en que el art. 3 del Reglamento de Actividades Molestas, Insalubres, Nocivas y Peligrosas —en adelante RAMINP— califica como molestas «las actividades que constituyan una incomodidad por los ruidos o vibraciones que produzcan». El RAMINP, aunque no fija límites de ruido, faculta a las Corporaciones Locales, a través de la tramitación de licencias, para exigir las medidas correctoras adecuadas, así como para examinar la idoneidad de los emplazamientos de acuerdo con la calificación de la actividad a implantar. Apuntemos sin embargo que algunas Comunidades Autónomas ya no aplican el RAMINP en su territorio, toda vez que han aprobado normas propias. A ellas debe estarse en primer lugar para la solución supuestos como el presente (vid Ley catalana 3/1998, de 27 de febrero, de Intervención Integral de la Administración Ambiental; Ley 2/2002, de 19 de junio, de Evaluación Ambiental de la Comunidad de Madrid..), sin que pueda olvidarse el dictado de la reciente Ley estatal 16/2002, de 1 de julio, de prevención y control integrados de la contaminación, norma que pudiera entrar en juego en tanto coincidiese que en nuestro supuesto estuviésemos ante alguna categoría de actividad de las que se encuentran en el Anexo I de tal Ley (vid. arts.11,12 y 29).

Asimismo, la lucha contra la contaminación acústica puede encontrar un cierto soporte constitucional, además de en el art. 45 CE, en el art. 18, que reconoce el derecho a la intimidad y a la inviolabilidad del domicilio. La doctrina, anticipándose a la jurisprudencia, ha considerado desde hace una década que debe ser plenamente aplicable a este ámbito la defensa del derecho a la intimidad y la inviolabilidad domiciliaria (L.Martín-Retortillo Baquer y Sosa Wagner).

En este decorado, no puede dejarse tampoco de mencionar el importante rol que, de facto, asumen los Ayuntamientos pues en este ámbito la autonomía municipal ofrece un campo abonado para paliar las carencias referenciadas. Con objeto de que puedan ejercerse adecuadamente las competencias que tienen atribuidas, los Ayuntamientos pueden adoptar, y de hecho es del todo común, las correspondientes Ordenanzas, que se alzan hoy por hoy como una fuente esencial del régimen jurídico de la contaminación acústica. Sin embargo, este protagonismo no impide que las CCAA puedan ejercer determinadas funciones o adoptar regulaciones en este ámbito (así lo han hecho, por ejemplo Castilla y León, Baleares, Navarra, Extremadura y Murcia). En este contexto cabe destacar la iniciativa de algunas CCAA, como Cataluña, que ha optado por aprobar una Ordenanza tipo para facilitar la labor de los municipios en esta materia e, incluso, más recientemente, una ley sectorial cuya efectividad está por dilucidar, toda vez que entra en vigor en octubre del año 2002 (Ley 16/2002, de 28 de junio, de protección contra la contaminación acústica). También se abren nuevos horizontes a la protección contra esta específica contaminación a raíz de la aprobación de la Directiva 2002/49/CE del Parlamento Europeo y del Consejo, de 25 de junio de 2002, sobre evaluación y gestión del ruido ambiental, que deberá aplicarse necesariamente a partir del 18 de julio del año 2004.

LEGISLACIÓN

- Declaración Universal de Derechos Humanos: art. 12.
- CE: arts. 10.2, 18, 38, 40.2, 43, 45, 47 y 51.
- Decreto 2414/1961, de 30 de noviembre, por el cual se aprueba el Reglamento de Actividades Molestas, Insalubres, Nocivas y Peligrosas.
- Ley catalana 3/1998, de 27 de febrero, de la intervención integral de la Administración Ambiental.
- Decreto 2107/1968, de 16 de agosto, de Régimen de poblaciones con altos niveles de contaminación atmosférica o de perturbaciones por ruido o vibraciones.
- RSCL: art. 1.1.
- LRBRL: art. 26.1.
- Ley 14/1986, de 25 de abril, General de Sanidad: art. 42.3.b).
- Real Decreto Legislativo 339/1990, de 2 de marzo, por el que se aprueba el Texto Articulado de la Ley sobre Tráfico, Circulación de Vehículos a Motor y Seguridad Vial: arts. 7.2, 10.5 y 44.3.

- Resolución de 30 de octubre de 1995, del Departament de Medi Ambient de la Generalitat de Catalunya, por la que se aprueba la Ordenanza tipo de Ruido y Vibraciones.
- Directiva 2002/49/CE del Parlamento Europeo y del Consejo, de 25 de junio de 2002, sobre evaluación y gestión del ruido ambiental
- Ley 16/2002, de 1 de julio, de prevención y control integrados de la contaminación.
- Ley catalana 16/2002, de 28 de junio, de protección contra la contaminación acústica

JURISPRUDENCIA

La jurisprudencia ha considerado el ruido como uno más de los problemas ambientales que necesariamente debe tener encaje en el derecho a disfrutar de un medio ambiente adecuado contenido en el art. 45 CE. En efecto, «el sistema del medio ambiente se integra en diversos subsistemas entre ellos el de la lucha contra la contaminación de cualquier tipo, incluida la acústica» (ATS 11.5.89 —3867—). Además, se advierte una especial sensibilidad de los tribunales en torno a este problema ambiental, así como una preocupación por implicar a todos los poderes públicos, especialmente, a los Entes Locales, en su respeto. Prueba de ello es la STS 7.11.90 (8750), en la que el Tribunal establece que «(...) el recurrente tenía que saber que si su local es al aire libre en su casi totalidad no podía pretender que ese derecho al medio ambiente adecuado, que implica, entre otras cosas, medio ambiente acústicamente no contaminado, deba verse abatido en su beneficio. Los vecinos tienen derecho al descanso y a la salud, y uno y otro se ven gravemente conculcados si no se respeta la moderación en la música ambiental. En este problema del respeto por el medio ambiente —en cualquiera de sus manifestaciones, la acústica entre ellas— los Ayuntamientos y, en general, todos los poderes públicos —por tanto, también los Tribunales— tienen que mostrarse particularmente rigurosos. Y este Tribunal Supremo, con machacona insistencia, así lo viene recordando con apoyo precisamente en el artículo 45 de la Constitución. Y obviamente, esto no es una moda jurisprudencial más o menos pasajera, porque ante preceptos constitucionales tan claros como el citado, no hay opción distinta de la aquí postulada».

La jurisprudencia contencioso-administrativa se ha enfrentado a multitud de casos relacionados con el ruido, desde el dictado de la normativa reguladora de las actividades clasificadas. Ello ha permitido a los tribunales considerar ajustadas a Derecho medidas adoptadas por la Administración municipal para afrontar la contaminación sonora, tales como la clausura (ATC 13.10.87; STS 19.1.96 —286—), o la suspensión del funcionamiento de determinados establecimientos ruidosos (ATS 11.5.89 —3867—); la adopción de medidas de aislamiento acústico destinadas a evitar molestias sonoras a los vecinos (STS 7.11.90 —8750—)... Asimismo, el TS ha salvado la legalidad de una Ordenanza municipal sobre ruido en la que se daba cabida al criterio del establecimiento de distancias mínimas para el emplazamiento de las actividades clasificadas (STS 20.9.94 —6973—).

Las Salas de lo contencioso-administrativo han conectado en algunas ocasiones las intromisiones sonoras con el derecho fundamental a la intimidad y a la inviolabilidad del domicilio reconocido en el art. 18 CE, posibilidad propiciada por el TC en su Sentencia 22/1984, de 17 de febrero, al reconocer que «la regla de la inviolabilidad del domicilio es de contenido amplio e impone una extensa serie de garantías y de facultades en las que se comprenden las de vedar toda clase de invasiones, incluidas las que puedan realizarse sin penetración directa por medio de aparatos mecánicos, electrónicos u otros análogos». Esta línea, que abre muchas expectativas para hacer frente a los problemas relacionados con la contaminación sonora, ha comenzado a ser reconocida abiertamente por la jurisprudencia. Es pionera la STSJ de Cataluña de 9.4.91, en la que se manifiesta que «La polución acústica constituye una intromisión ilegítima en el derecho a la intimidad de los ciudadanos que se desarrolla en el espacio privativo de su domicilio garantizado por el artículo 18 de la CE». Esta posibilidad ha sido reconocida también por el TEDH en la Sentencia de 9.12.94, «López Ostra contra España», al posibilitar el encaje del derecho a un medio ambiente adecuado en el art. 8 del Convenio Europeo de Derechos Humanos.

– Precisamente la temática del ruido ha sido la protagonista de otra Sentencia reciente del TEDH, la de 2 de octubre de 2001, observándose cómo se condena al gobierno británico por el ruido originado por el aeropuerto londinense de Heathrow .

– Por último, debe señalarse que en la mayor parte de litigios relacionados con la contaminación acústica los tribunales ha habido de sopesar el derecho de los ciudadanos a un medio ambiente adecuado con el derecho a la libertad de empresa reconocido en el art. 38 CE, derecho en el que han pretendido ampararse los titulares de establecimientos generadores de perturbaciones sonoras.

– Son actualmente numerosas las sentencias de los Tribunales Superiores de Justicia y del Tribunal Supremo español que resuelven problemáticas relacionadas con el ruido, sea con relación a la imposición de sanciones, cierre cautelar o definitivo de locales o actividades , indemnización por daños y perjuicios.....En el último año ha cobrado especial popularidad la Sentencia del Tribunal Superior de Justicia de la Región de Murcia, Sala de lo Contencioso-Administrativo, Sección 2.ª, de 29 de octubre de 2001 -Ponente: Enrique Quiñonero Cervantes- . El acto administrativo impugnado era la denegación presunta por silencio administrativo de la reclamación de resarcimiento de responsabilidad patrimonial por los daños causados por el Excmo. Ayuntamiento de Cartagena, por dejación de funciones de policía ambiental respecto a los establecimientos hosteleros instalados en la Plaza Virgen del Mar y alrededores de la población de Cabo de Palos. La pretensión de la actora era que la sentencia finalmente condenase al Excmo. Ayuntamiento de Cartagena a abonar a los demandantes determinadas cantidades por razón de daño moral y depreciación de vivienda. La sentencia que comentamos es parcialmente estimatoria en ambas pretensiones.

Por último, debe señalarse que en la mayoría de casos relacionados con el ruido a los que se ha enfrentado nuestra jurisprudencia ha debido sopesarse el derecho de los ciudadanos a un medio ambiente adecuado con el derecho a la libertad de empresa reconocido en el art. 38 CE, derecho en el que han pretendido ampararse los titulares de establecimientos generadores de perturbaciones sonoras.

- SSTS 4.3.93 (1552), 22.9.95 (6845), 6.2.96 (1098), 27.2.96 (1658) y 5.3.96 (2162).

BIBLIOGRAFÍA

- ALONSO GARCÍA, M.C.: *El régimen jurídico de la contaminación atmosférica y acústica*, Marcial Pons, Madrid, 1995.
- ALONSO GARCÍA, E.: *El Derecho Ambiental de la Comunidad Europea*, t. 2, Civitas, Madrid, 1993.
- ALONSO GARCÍA, E.: «La ley francesa contra el ruido», *RAP* n° 131, 1993.
- BLASCO ESTEVE, A., «Idas y venidas en la lucha contra el ruido», *RAP*, núm 153, 2000.
- DE MIGUEL GARCÍA, P.: «El tratamiento de la contaminación atmosférica y acústica en el Derecho español», *Documentación Administrativa* n° 179, 1978.
- EVANGELIO, R., *La acción negatoria de inmisiones en el ámbito de las relaciones de vecindad,* Granada, Comares, 2000
- GONZÁLEZ-VARAS IBAÑEZ, S.: «Tratamiento jurídico acerca del ruido de los transportes», *Revista de Derecho Ambiental* n° 11, 1993.
- LANDERO, M.A.: «Ruido urbano: La ciudad a todo volumen», *Revista MOPU* n° 377, Madrid, 1990.
- LAVILLA RUBIRA, J.J. y MENÉNDEZ ARIAS, M.J.: «Contaminación acústica», en *Todo sobre el medio ambiente*, Praxis, Barcelona, 1996, págs. 335 y ss.
- LLAMAS, E. Y MACIAS, A., «Algunos paradigmas jurisprudenciales de la responsabilidad civil derivada del ruido», *Actualidad Civil*, núm.44, 1998.
- LÓPEZ RAMÓN, F., «La ordenación del ruido», *RAP,* núm 157, 2002.
- MARTÍN MATEO, R.: *Tratado de Derecho Ambiental*, t. II, Trivium, Madrid, 1992, págs. 601 y ss.
- MARTÍN-RETORTILLO BAQUER, L.: «Los ruidos evitables (Sentencia de la Sala de lo Contencioso-Administrativo de la Audiencia Territorial de Zaragoza de 10 de octubre de 1988)», *Revista de Estudios de la Administración Local y Autonómica* n° 238, 1988.
- MARTÍN-RETORTILLO BAQUER, L.: «La defensa frente al ruido ante el Tribunal Constitucional (Auto de 13 de octubre de 1987, en relación con la clausura de un bar en Sevilla)», *RAP* n° 115, 1988 (también en *Actualidad y perspectivas del Derecho Público a fines del siglo XX. Libro Homenaje al profesor Garrido Falla*, U. Complutense, Madrid, 1992).
- MARTÍN-RETORTILLO BAQUER, L.: «El ruido ante la reciente jurisprudencia», *RAP* n° 125, 1991.
- MARTÍN-RETORTILLO BAQUER, L.: «El ruido de los grandes aeropuertos en la Jurisprudencia del Tribunal Europeo de Derechos Humanos» en *Libro Homenaje al profesor D. Aurelio Menéndez.*

– MARTÍN-RETORTILLO BAQUER, L.: «Medio ambiente sonoro» en *Derecho del Medio Ambiente y Administración Local* (Coord.ESTEVE PARDO), Civitas, Madrid, 1996, págs. 227 y ss.

– PINEDO HAY, J., *El ruido del ocio: análisis jurídico de la contaminación acústica producida por las actividades de ocio* , Barcelona, Bosch, 2001.

– SAINZ MORENO, F.: «Sobre el ruido y la policía de la tranquilidad», *REDA* n° 15, 1977.

– SOSA WAGNER, F.: «La lucha contra el ruido», en *Revista de Estudios de la Administración Local y Autonómica* n° 249, 1991.

– SOSA WAGNER, F.: *Las actividades molestas: en especial, el ruido*, Colección Jurisprudencia Práctica, Tecnos, Madrid, 1991.

– TORNOS MAS, J.: «Ruido y vibraciones», en *Derecho y Medio Ambiente*, CEOTMA-MOPU, Madrid, 1981.

– URIARTE RICOTE, M.: «El desarrollo normativo de la protección frente al ruido en la Comunidad Autónoma Vasca», *Revista Vasca de Administración Pública*, n° 34, 1992.

Caso nº 3: RESIDUOS.IMPACTO AMBIENTAL

PLANTEAMIENTO

El Señor Pujol, empresario, quiere conjuntamente con otros inversores iniciar dos proyectos: la construcción y puesta en marcha de una planta de regeneración de disolventes en un municipio y la construcción de una instalación química integrada en otro.

El Sr. Pujol solicita asesoramiento y plantea las siguientes cuestiones:

1. En relación a ambas iniciativas:
   a) ¿Qué proyecto/s debe/n incardinarse bajo la normativa de impacto ambiental?
   b) ¿Quién debe realizar un «estudio de impacto ambiental» y qué debe contener? ¿En qué se diferencia aquél de la «evaluación de impacto ambiental», y de la «declaración de impacto ambiental»?
   c) ¿Puede obtenerse decisión denegatoria de una autorización en un procedimiento de evaluación de impacto ambiental solo en base a que el impacto es alto y aun cumpliendo con la totalidad de la normativa protectora del entorno?
   d) ¿Qué sucedería si la Administración omitiese la evaluación de impacto ambiental cuando resulta exigible?
2. En relación a la futura planta de regeneración de disolventes:
   a)¿Se le puede considerar gestor de residuos en base a la legislación vigente? En caso afirmativo, ¿qué obligaciones conlleva?
   b)La empresa de pinturas del Sr. Martínez le desea enviar una serie de disolventes para regenerar. ¿Es suficiente con el acuerdo verbal entre los dos empresarios? En caso contrario, ¿qué debe hacerse?
   c) ¿Qué organismo/s público/s es/son los encargados de tutelar que la gestión de residuos se lleve a cabo de forma correcta?

DOCTRINA

– En relación a las evaluaciones de impacto ambiental:

Después de algunos años operando en otros ordenamientos, en 1986 se introdujo, en el español, la evaluación de impacto ambiental como nueva y enérgica potestad administrativa del Derecho ambiental, convirtiéndose en el más sobresaliente instrumento de la acción preventiva en la tutela del entorno. Se trata con ella, de identificar los efectos y valorar los impactos que, previsiblemente, las acciones humanas pueden ocasionar en el ambiente.

El ordenamiento español incorpora dicha herramienta constreñido por mandatos comunitarios, lo que condiciona, de manera definitiva, la conformación en nuestro sistema de la evaluación de impacto ambiental y su propio devenir.

En efecto, con la entrada en las Comunidades Europeas, el legislador español se vio obligado a incorporar las directrices y objetivos que emanan de la política ambiental de los órganos supranacionales y, concretamente, la Directiva 85/337/CEE, de 27 de junio. Ello se realizó, en virtud de la delegación efectuada por la Ley 47/1985, a través del Real Decreto Legislativo 1302/1986, de 28 de junio, completando su marco jurídico estatal el Real Decreto 1131/1988, de 30 de septiembre; a estas disposiciones debe adicionarse la diversa normativa autonómica de desarrollo.

La Directiva comunitaria 85/337 (posteriormente modificada mediante la Directiva 97/11/ CE) exige una evaluación de impacto ambiental previamente a la autorización de determinados proyectos concretos de obras e instalaciones. Una técnica similar, pero referida a la necesaria evaluación previa del impacto ambiental derivado no de proyectos, sino de planes y programas, deberá ser instaurada inexcusablemente a partir del año 2004, tal como dispone la Directiva 2001/42/CE, de 27 de junio, relativa a la evaluación de los efectos de determinados planes y programas en el medio ambiente.

La Directiva 85/337 en su redacción actual, utiliza listas positivas para identificar el campo de aplicabilidad. Exige la evaluación de impacto ambiental de los proyectos que se listan en su Anexo I. En el Anexo II se listan proyectos sobre los que debe decidirse -por los Estados Miembros-, sea caso a caso o mediante la fijación de umbrales o criterios, si debe someterse o no a evaluación de impacto ambiental, debiéndose motivar y ofrecer publicidad a la decisión. A tal determinación ayudan los criterios que han sido incluidos en el Anexo III de la misma directiva.

El legislador español, tras un período de anómala transposición y aplicación de la normativa comunitaria europea (vid. al efecto, la Sentencia del Tribunal de Justicia de la Comunidad de 13 de julio de 2002 condenatoria contra el Reino de España), ha modificado el originario Real Decreto Legislativo 1302/1986, de 28 de junio mediante la Ley

6/2001, de 8 de mayo. En la nueva versión consolidada de la norma debemos, como ya resulta habitual, acudir a los anexos para conocer si un determinado proyecto o actividad está sujeto al régimen de Evaluación de Impacto Ambiental. Subrayemos también dos aspectos de interés con carácter previo y a los que debe atenderse para la solución del supuesto. El primero es que estamos en presencia de legislación que es calificada como de legislación básica estatal de acuerdo con el art. 149.1.23 CE El segundo hace referencia a aspectos competenciales. En tal sentido, de acuerdo con el art. 5, el Ministerio de Medio Ambiente constituye el órgano ambiental con relación a aquellos proyectos que deban ser autorizados o aprobados por el Estado. Fuera de tales casos, constituye órgano ambiental aquél que determine la Comunidad Autónoma. En cualquier supuesto que nos planteemos, por tanto , si observamos que no estamos en presencia de un proyecto que deba aprobarse/autorizarse por el Estado, deberemos directamente acudir a la legislación autonómica sobre impacto ambiental (especialidad legislativa presente en todas las Comunidades Autónomas, que tengamos noticia, menos en La Rioja). Esa legislación autonómica, riquísima y creativa como en pocos otros subsectores ambientales, contiene diferentes variedades de evaluación de impacto, singularidades procedimentales, y también habitualmente una ampliación del abanico de proyectos que deben someterse a este análisis preventivo»

Formalmente, la evaluación de impacto ambiental constituye un procedimiento administrativo, no especial, que se desenvuelve paralelamente al procedimiento autorizatorio o aprobatorio de la actividad y culmina con carácter previo al mismo, con el que que participa en determinadas fases procedimentales y con el que guarda el principio de unidad de expediente (Rosa Moreno).

El concepto de evaluación de impacto ambiental es definido en nuestro Derecho positivo, por el art. 5 del Reglamento para la ejecución del Real Decreto Legislativo de Evaluación de impacto ambiental, como el conjunto de estudios y sistemas técnicos que permiten estimar los efectos que la ejecución de un determinado proyecto, obra o actividad causa sobre el medio ambiente.

El art. 6 del mismo cuerpo normativo determina el contenido de la evaluación de impacto ambiental, estableciendo que ésta debe comprender, al menos, la estimación de los efectos del proyecto, obra o actividad sobre la población humana, la fauna, la flora, la vegetación, la gea, el suelo, el agua, el aire, el clima, el paisaje y la estructura y función de los ecosistemas presentes en el área previsiblemente afectada. Asimismo y de conformidad con lo establecido por el citado precepto, la evaluación de impacto ambiental debe comprender la estimación de la incidencia que el proyecto, obra o actividad de que se trate tiene sobre los elementos que componen el Patrimonio Histórico Español, sobre las relaciones sociales y las condiciones de sosiego público, tales como ruidos, vibraciones, olores y emisiones luminosas, y la de cualquier otra incidencia ambiental derivada de su ejecución (Lavilla Rubira).

— En relación a los residuos:

La Directiva 75/442/CEE y la Ley estatal 10/1998, de 21 de abril, de Residuos, definen «residuo» como cualquier sustancia u objeto del cual su poseedor se desprende o del que tenga la intención u obligación de desprenderse en virtud de las disposiciones en vigor. La Ley 10/1998, de 21 de abril, define asimismo los que deben considerarse como residuos peligrosos. Se trata de aquellos que figuren en la lista de residuos peligrosos, aprobada en el RD 952/1997, así como los recipientes y envases que los hayan contenido. También los que hayan sido calificados como peligrosos por la normativa comunitaria y los que pueda aprobar el Gobierno de conformidad con la normativa europea o en convenios internacionales en los que España sea parte. Se trata de residuos que representan un riesgo para la salud humana, recursos naturales y medio ambiente.

En materia de residuos tienen capital importancia no sólo la Administración, que tutela las distintas actividades de producción, tratamiento, valorización o disposición final de los residuos, sino también los productores y los gestores de residuos. Constituyen gestores las personas o entidades que realicen tareas de gestión, sean o no productores de los mismos, es decir, que lleven a cabo la recogida, almacenamiento, transporte, valorización y la eliminación de los residuos, incluida la vigilancia de tales actividades o la de los lugares de depósito o vertido después de su cierre.

La ley 10/1998, tiene la consideración de legislación básica sobre protección del medio ambiente de acuerdo con lo establecido en el art. 149.1.23 CE y, por tanto, puede desarrollarse y aumentarse su severidad por parte de las CCAA. Persigue prevenir la producción de los residuos, establecer el régimen jurídico que regula su producción y gestión y el fomento de su reducción, reutilización, reciclado y otras formas de valorización. Incluye además normas específicas relativas a la producción, posesión y gestión de los residuos urbanos y de los residuos peligrosos. Deroga las previas leyes 42/1975 y 20/1986 que regulaban los residuos sólidos urbanos y los tóxicos y peligrosos, pero el Reglamento de ejecución de la última de ellas (RD 833/1988, modificado mediante RD 952/1997) queda prácticamente intacto al declararse vigente la mayoría de su contenido si sus prescripciones no se oponen a la Ley 10/1998.

LEGISLACIÓN

1) En relación a las evaluaciones de impacto ambiental:
– Directiva 85/337/CEE, de 27 de junio, sobre evaluación de las repercusiones de determinados proyectos públicos y privados sobre el medio ambiente.
– Directiva 97/11/CE, del Consejo, de 3 de marzo de 1997,por la que se modifica la Directiva 85/337/CEE, de 27 de junio.
– Real Decreto Legislativo 1302/1986, de 28 de junio, de Evaluación de Impacto Ambiental, modificado mediante Ley 6/2001, de 8 de mayo.
– RD 1131/1988, de 30 de septiembre que aprueba el Reglamento para la ejecución del Real Decreto Legislativo 1302/1986, de 28 de junio, de Evaluación de Impacto Ambiental.
  Es ya profusa la normativa autonómica que regula de forma pormenorizada y a veces novedosa esta figura. Deberá también intentarse atender a ella a la hora de responder a las preguntas anteriores.
2) En relación a los Residuos:
– Directiva 75/442/CEE, de 15 de julio, del Consejo, relativa a los residuos, modificada por la Directiva 91/156/CEE, de 18 de marzo.
– Directiva 91/689/CEE, de 12 de diciembre relativa a los residuos peligrosos, modificada por la Directiva 94/031/CEE, de 27 de junio.
– Ley 10/1998, de 21 de abril, de Residuos.
– RD 833/1988, de 20 de julio, por el que se aprueba el Reglamento para la ejecución de la Ley 20/1986, básica de residuos tóxicos y peligrosos, modificado mediante RD 952/1997, de 20 de junio.
  Es ya profusa la normativa autonómica que regula la temática de los residuos. Deberá también intentarse atender a ella a la hora de responder a las preguntas anteriores.

JURISPRUDENCIA

1) En relación a las evaluaciones de impacto ambiental:
– ATS 19.5.92 y 20.5.92: Respecto a la omisión del procedimiento de evaluación de impacto ambiental.
– STS 30.9.92: En cuanto a la necesidad de que se siga el procedimiento de evaluación de impacto ambiental.
– STS 24.10.96 (7594): Un reglamento no puede ampliar los supuestos en que es exigible la evaluación de impacto ambiental según la Ley.

- SSTS 16.11.92 (9054), 13.7.93 (5575), 2.12.94 (10023), 27.1.96 (1689), 3.4.96 (3149) y 7.5.96 (4220).
- Sentencia de la Audiencia Nacional 29.10.95 y STS de 14.7.97: Caso Itoiz.
- SSTSJ de Valencia 2.7.94, STSJ de Andalucía 14.11.94,STSJ de Cataluña 2.5.95 y Canarias 20.12.95.

Son en la actualidad múltiples ya las sentencias que analizan la técnica de las evaluaciones de impacto ambiental. Anotemos que, fuera de las conocidas decisiones recaidas en el "caso Itoiz", la naturaleza y alcance de este trámite previo y su exigencia para la autorización de determinados proyectos ha sido abordada especialmente desde la STSJ de Canarias de 24 de diciembre de 1996, STS de 17 de noviembre de 1998 y más recientemente desde la STS de la Sala 3ª Secc. 3ª de 17 de mayo del 2002.

2) En relación a los residuos:
- STSJ de Cataluña 268/1995, de 3 de abril, Sala de lo Contencioso Administrativo, Sección 3ª (Marginal RJCA 1995/352): Pese a que no sirva directamente para el análisis y solución del supuesto de hecho planteado sí presenta cierto interés esta Sentencia: «Aduce también que sí dispone de autorización para gestionar residuos, en concreto la número P-03624, punto que nadie discute pero que en nada afecta a la infracción cometida, pues se le castiga no por no tener autorización sino por gestionar residuos sin ella, conducta que se extiende no sólo a la autorización no permitida, sino a la cesión de la gestión a un tercero no autorizado...»

También resultan de interés las siguientes Sentencias: STS Sala de lo Contencioso-Administrativo, Sección 3.ª, de 21 de julio de 1999, donde se dilucida el otorgamiento indebido de título autorizatorio por el órgano administrativo competente sobre la materia en Catalunya, la Junta de Residuos. Asimismo, la STSJ de La Rioja de 21 de enero de 2000, en tanto que, se analiza la cuestión de la realización de actividad sin preceptiva autorización administrativa y se examina la procedencia de la sanción impuesta. Por último, mencionemos la STS, Sala de lo Contencioso-Administrativo, Sección 3.ª de 24 de octubre del año 2001, toda vez que se refiere precisamente a la actividad de gestión de residuos tóxicos y peligrosos.

BIBLIOGRAFÍA

1) En relación a las evaluaciones de impacto ambiental:
- ALLENDE LANDA,J.: «La evaluación de impacto ambiental. Marco de referencia y aspectos relevantes a debatir», *Ciudad y Territorio* nº 1, 1990.
- ALLI ARANGUREN,J.C.: «Régimen jurídico de la evaluación de impacto ambiental», *RJN* nº 8, 1989.
- ANDRÉS ABELLÁN, M.: «Marco legal de las evaluaciones de impacto ambiental. Descripción metodológica», *Revista jurídica de Castilla-La Mancha* nº 17, 1993.
- CASTILLO BLANCO, F.: «Las evaluaciones de impacto ambiental: marco jurídico» en la obra colectiva *Estudios de evaluación de impacto ambiental*, CEMCI, Granada, 1991.

– ESCOBAR GÓMEZ, C.: «Evaluación de impacto ambiental en España: resultados prácticos», *Ciudad y Territorio* n° 102, II.

– FUENTES BODELÍN, F.: «Las evaluaciones de impacto ambiental en la CEE», *Información Ambiental* n° 7, 1985.

– GÓMEZ OREA, D.: «Evaluación de impacto ambiental», *Ciudad y Territorio* n° 75, 1988.

– LAVILLA RUBIRA, J.J y MENÉNDEZ ARIAS, M.J.: *Todo sobre el medio ambiente*, Praxis, Barcelona, 1996, págs. 49 y ss.

– LÓPEZ GONZÁLEZ, J.I.: «El régimen jurídico de la evaluación de impacto ambiental», *Revista Andaluza de Administración Pública* n° 4, 1990.

– MARTÍN MATEO, R.: *Tratado de Derecho ambiental*, t. I, Trivium, Madrid, 1991, págs. 301 y ss.

– PARDO, M.: «El estado de las evaluaciones de impacto ambiental en España: limitaciones y oportunidades en la gestión del medio ambiente», *Estudios Territoriales* n° 25, 1987.

– QUINTANA LÓPEZ (coord.), *Comentarios a la legislación de evaluación de impacto ambiental*. Civitas, Madrid, 2002.

– RAZQUÍN LIZÁRRAGA, J.A., *La evaluación de impacto ambiental*, Aranzadi, Ed., Elcano-Navarra, 2000.

– ROSA MORENO, J.: *Régimen jurídico de la evaluación de impacto ambiental*, Trivium, Madrid, 1993.

– ROSA MORENO, J.: «La evaluación de impacto ambiental. Intervención de los entes locales» en *Derecho del medio ambiente y administración local* (Coord. ESTEVE PARDO), Civitas, Madrid, 1996.

– UTRERA CANO, S.F., «La impugnabilidad de la declaración de impacto ambiental tras las recientes novedades legislativas y jurisprudenciales», en vol. col. *El Derecho Administrativo en el umbral del siglo XXI. Homenaje al profesor Dr. D. Ramón Martín Mateo,* t. III. Tirant lo Blanch, Valencia 2000.

2) En relación a los residuos:
– ALENZA GARCÍA, J.F. «Reflexiones críticas sobre la nueva Ley de Residuos», *Actualidad Administrativa,* núm.11, 1999.

– ALENZA GARCÍA, J.F. «El ordenamiento de los residuos: sus problemas y carencias», en *Actas del III Congreso Nacional del Derecho Ambiental,* Barcelona, 1999.

– ANTÓN BARBER, F. y SOLER TORMO, J.I.: *Policía y medio ambiente*, Comares, Granada, 1996, págs. 249 y ss.

– CAMPINS ERITJA, M.: *La gestión de los residuos peligrosos en la Comunidad Europea*, Bosch, Barcelona, 1994.

– CAMPINS ERITJA, M.: *La gestión de residuos tóxicos y peligrosos en España*, DGMA-MOPU, Madrid, 1988.

– HANNEQUART, J-P.: *El Derecho Comunitario en materia de residuos*, PPU, Barcelona, 1996.

– LAVILLA RUBIRA, J.J y MENÉNDEZ ARIAS, M.J.: *Todo sobre el medio ambiente*, Praxis.S.A, Barcelona, 1996, págs. 494 y ss.

– LÓPEZ RAMÓN, F., «Problemas del régimen general de los residuos», *REDA* , núm. 108, 2000.

– MARTÍN MATEO, R.: *Tratado de Derecho ambiental*, t. II, Trivium, Madrid, 1992, págs. 509 y ss.

- MARTÍN MATEO, R.: «Residuos industriales: tóxicos y peligrosos» *Revista de Derecho Ambiental* n° 3, 1989.
- MARTÍN MATEO, R. y ROSA MORENO, J.: «El Convenio de Basilea sobre movimientos transfronterizos de residuos peligrosos», *Revista de Derecho Ambiental* n° 3, 1989.
- MARTÍN MATEO, R.: *Manual de Derecho Ambiental*, Trivium, Madrid, 1995.
- MARTÍNEZ HORGADO, C.: «Residuos tóxicos y peligrosos» en *Unidades Temáticas de la Dirección General de Medio Ambiente*, MOPU, Madrid, 1989.
- POVEDA GÓMEZ, P., *Comentarios a la Ley 10/1998, de 21 de abril, de Residuos,* Comares, Granada, 1998.
- SANTAMARÍA ARINAS, R.J. *Administración pública y prevención ambiental: el régimen jurídico de la producción de residuos peligrosos,* IVAP, Bilbao, 1996.
- SEOANEZ CALVO, M., *Residuos,* Ed. Mundi Prensa, Madrid, 2000.

Caso nº 4: ACTIVIDADES CLASIFICADAS. ETIQUETADO ECOLÓGICO. AUDITORÍAS AMBIENTALES

PLANTEAMIENTO

Un ciudadano ha obtenido del municipio de Villaviciosa una licencia de actividades clasificadas para su empresa CUCUT, S.A. que se instalará en el Polígono industrial «Los Campillos». En la licencia de actividades le han sido incluidos unos límites para sus emisiones a las aguas y a la atmósfera bastante más severos que los que establece la legislación en vigor. La Administración le argumenta que ha debido aplicárselos porque el empresario ha solicitado ya un etiquetado ecológico o ecoetiqueta —el ecolabel comunitario— para uno de sus productos, y porque ha tenido conocimiento de que tal centro en cuestión quiere seguir en el futuro el sistema comunitario de ecogestión y ecoauditoría. Aunque el empresario afirma que, en principio, cree que va a poder alcanzar tales límites, solicita informe donde se clarifique si la mayor severidad en los requisitos que se le está aplicando es posible. De no serlo, se deben mencionar qué actuaciones puede llevar a cabo.

DOCTRINA

1) En relación a las actividades clasificadas Molestas, Insalubres, Nocivas y Peligrosas:

La realización de las actividades consideradas como molestas, insalubres, nocivas u peligrosas ha estado sometida entre nosotros, desde hace décadas, a un régimen jurídico específico fundamentalmente consistente en que, con carácter previo al otorgamiento de la correspondiente licencia municipal que ampara tal realización, la actividad que se pretende llevar a cabo es sometida a un trámite de calificación vinculante en cuya virtud se examina su emplazamiento, la distancia de éste respecto de determinados núcleos o edificaciones y la suficiencia de las medidas correctoras que, en su caso se vayan a adoptar.

Tal régimen jurídico específico se contiene en la actualidad en el Reglamento de Actividades Molestas, Insalubres, Nocivas y Peligrosas (RAMINP), aprobado por Decreto 2414/1961, de 30 de diciembre, cuya finalidad es, según resulta de su art. 1, evitar que las instalaciones, establecimientos, actividades, industrias o almacenes, produzcan incomodidades, alteren las condiciones normales de salubridad e higiene del medio ambiente y ocasionen daños a la riqueza pública o privada o impliquen riesgos graves para las personas o los bienes.

El RAMINP está vigente todavía, y es aplicable, en la mayoría de las Comunidades Autónomas, pero apuntemos que alguna de ellas ha declarado expresamente su inaplicabilidad tras haber aprobado normas específicas sobre esta misma materia que actualizan y pormenorizan su contenido y que por tanto desplazan el RAMINP. A ellas deberá atenderse en primer lugar. Alguna muestra ya la hemos aportado en este trabajo, por ejemplo la Ley catalana 3/1998, de 27 de febrero, de la intervención integral de la Administración Ambiental, pero, en el mismo sentido, se pronuncia la legislación sobre actividades clasificadas de Valencia, de Navarra, de Castilla y León...

La aprobación de normas autonómicas específicamente reguladoras de las actividades clasificadas, de licencias de actividad, de control integrado de la contaminación o similares... conlleva a menudo la inaplicabilidad de este Reglamento (vid por ejemplo Ley catalana 3/1998, de 27 de febrero, de Intervención Integral de la Administración Ambiental; Ley 2/2002, de 19 de junio, de Evaluación Ambiental de la Comunidad de Madrid..). En tales supuestos, deberá atenderse directamente para la solución del presente caso práctico, a la normativa autonómica concreta que desplaza el RAMINP.

Pero no es esta la única peculiaridad actual. En la solución del supuesto deberá también atenderse al dictado de la reciente Ley 16/2002, de 1 de julio, de prevención y control integrados de la contaminación, norma que pudiera entrar en juego en tanto coincidiese que en nuestro supuesto estuviésemos ante una categoría de actividad de las que se encuentran en el Anexo I de tal Ley. Ello trae causa en que, dejando a salvo lo que pueda estar especialmente dispuesto en el ámbito autonómico por las normas anteriormente mencionadas, tal ley apunta que para la autorización de actividades en el anexo no deberá acudirse al RAMINP, sino que la licencia municipal de actividades clasificadas deberá sustituirse por el nuevo régimen (art. 29 de la Ley 16/2002)" .

2) En relación al etiquetado ecológico:

Las Ecoetiquetas no tienen estrictamente naturaleza coactiva. Son solicitadas voluntariamente para específicos productos por quienes desean obtener el preciado distintivo. Para que prospere su autorización deben cumplirse las exigencias contenidas en la legislación vigente en materia ambiental, seguir el procedimiento y adecuarse a los criterios establecidos por la legislación comunitaria reguladora del *ecolabel*. Se ha considerado que a la larga, si este sistema funciona adecuadamente, serán los propios consumidores los que con su interés y preferencia por los productos que contengan ecoetiquetas como el *ecolabel*, penalizarán a aquellos productores que no demuestren suficientemente, en términos comparativos en relación a otros productos que sirvan al mismo propósito, su mayor respeto para con la temática ambiental.

Las Ecoetiquetas se insertan pues en los mecanismos de mercado, responden a las modernas tendencias, liberalizadoras hasta cierto punto, que pretenden incorporar a los precios los costos ambientales de la producción y distribución. Tienen un alcance predominantemente dispositivo, formalmente al menos, lo que las distingue de otros instrumentos como las «ecotasas».

La Comunidad Europea ha sido sensible a las mismas consideraciones que han impulsado en otros países la introducción de distintivos ambientales.

El Consejo mandó a la Comisión en mayo de 1990 una propuesta de sistema comunitario de etiquetado ecológico, petición que en una primera aproximación fue atendida el 29 de noviembre de 1990, dando lugar a un texto que más adelante se convirtió en el Reglamento CEE nº 880 del Consejo, de 23 de mayo de 1992. Tal norma ha sido sustituida por la actualmente vigente, el Reglamento (CE) 1980/2000, del Parlamento Europeo y del Consejo, de 17 de julio del 2000, relativo a un sistema revisado de concesión de etiqueta ecológica.

La normativa comunitaria se alinea con los criterios antes expuestos de:

- Difusión de una correcta información ambiental
- Establecimiento de criterios uniformes
- Utilización de los mecanismos de mercado
- Presentación de alternativas menos perjudiciales
- Voluntariedad

La ecoetiqueta es un distintivo o logotipo autorizado por un ente competente designado al efecto que se incluye en la presentación de un determinado producto y cuyo objeto último es el de resaltar sus virtudes ambientales frente a otros productos con utilidad similar también existentes en el mercado.

Este instrumento, al igual que el de las auditorías que a continuación mencionaremos, está inmerso en el binomio de amplio alcance que podríamos denominar «ambiente-empresa», construyéndose actualmente como herramienta que puede servir para la tutela ambiental. La entrada en el procedimiento que llevará a su obtención por parte del empresario es totalmente voluntaria, y qué duda cabe que su otorgamiento se presupone que le comportará cierta ventaja competitiva en el mercado. Además, nótese que una vez obtenida la posibilidad de utilización de un determinado logotipo, nos «garantiza» a los consumidores, vía información en la publicidad del producto, de lo «amables» para el entorno que resultan estos concretos bienes que han obtenido el preciado distintivo (Pont Castejón).

3) En relación a las auditorías ambientales:

Las auditorías ambientales se conciben también actualmente como un mecanismo de adopción voluntario por parte de la empresa, que pretende ofrecer ventajas notables a quienes deciden subsumirse bajo su radio de actuación. La temática en que se mueven está asimismo inmersa en el binomio de amplio alcance que podríamos denominar «ambiente-empresa», puesto que son especialmente estas últimas quienes como destinatarios de múltiples normas de contenido ambiental, o, en simples palabras, de variadas obligaciones, desean conocer, entre otros aspectos, su adecuación a Derecho. Por ello puede afirmarse que en el presente se conciben como instrumentos de «autorregulación», en tanto en cuanto la empresa tiende a actuar, autocontrolándose, de forma acorde al Derecho vigente (Pont Castejón). Se pretende así que las empresas sean conscientes de su situación en punto al cumplimiento de las exigencias normativas medioambientales, con el fin de introducir las correcciones que sean pertinentes a efectos de evitar la imposición de sanciones, de facilitar la contratación de seguros y, en último término, de fomentar el consumo de sus productos (supuesta preferencia de los consumidores por los fabricados por empresas atentas a los requerimientos medioambientales).

Pues bien, entre tales sistemas destaca especialmente el denominado «sistema comunitario de ecogestión y ecoauditoria», creado por el Reglamento (CEE) 1836/93, del Consejo, de 29 de junio de 1993, que, según resulta de su art. 1.1 se dirige a permitir «la participación voluntaria de las empresas que desarrollen actividades industriales para la evaluación y mejora de los resultados de las actividades industriales en relación con el medio ambiente y facilitación de la correspondiente información al público» (Lavilla Rubira). Tras la correspondiente revisión, el Reglamento mencionado ha sido sustituido por el Reglamento 761/2001, del Parlamento Europeo y del Consejo, por el que se permite que las organizaciones se adhieran con carácter voluntario a un sistema de gestión y auditoría medioambientales (EMAS).

LEGISLACIÓN

1) En relación a las actividades clasificadas (molestas, insalubres, nocivas y peligrosas):
- Decreto 2414/1961, de 30 de diciembre, por el que se aprueba el Reglamento de Actividades Molestas, Insalubres, Nocivas y Peligrosas (RAMINP).
- Ley estatal 16/2002, de 1 de julio, de prevención y control integrados de la contaminación
- Anotemos la existencia de profusa normativa sectorial autonómica reguladora de esta materia.

2) En relación al etiquetado ecológico comunitario —*ecolabel*—:
- Reglamento (CE) 1980/2000, del Parlamento Europeo y del Consejo, de 17 de julio del 2000, relativo a un sistema revisado de concesión de etiqueta ecológica.
- Decisión de la Comisión, de 21 de diciembre de 2001, por la que se establece el plan de trabajo relativo a la etiqueta ecológica comunitaria
- Decisión de la Comisión, de 10 de noviembre de 2000, por la que se establece el reglamento interno del Foro de consulta del sistema revisado de concesión de la etiqueta ecológica
- Decisión de la Comisión, de 10 de noviembre de 2000, por la que se crea el Comité de etiqueta ecológica de la Unión Europea y el reglamento interno del mismo
- Decisión de la Comisión, de 10 de noviembre de 2000, relativa a un contrato tipo sobre las condiciones de utilización de la etiqueta ecológica comunitaria
- Decisión de la Comisión, de 10 de noviembre de 2000, por la que se establecen los cánones de solicitud y anuales de la etiqueta ecológica
- Real Decreto 598/1994, de 8 de abril, por el que se establece normas para la aplicación del Reglamento (CEE) 880/92, de 23 de marzo.
- Nótese que alguna Comunidad Autónoma, como por ejemplo la catalana con su «Distintiu de Qualitat Ambiental» (introducido mediante Decreto 316/1994, de 4 de noviembre) ha creado un sistema de etiquetado

ecológico propio, similar en algunos aspectos al *ecolabel* comunitario y que coexiste con aquél.

3) En relación a las auditorías ambientales comunitarias:
– Reglamento 761/2001, del Parlamento Europeo y del Consejo, por el que se permite que las organizaciones se adhieran con carácter voluntario a un sistema de gestión y auditoría medioambientales (EMAS)
– Decisión de la Comisión, de 7 de septiembre de 2001, que determina unas Directrices para la aplicación del Reglamento (CE) no 761/2001 del Parlamento Europeo y del Consejo por el que se permite que las organizaciones se adhieran con carácter voluntario a un sistema comunitario de gestión y auditoría medioambientales (EMAS)
– Real Decreto 85/1996, de 26 de enero, por el que se establece normas para la aplicación del Reglamento (CEE) 1836/93, del Consejo, de 29 de junio, por el que se permite que las empresas del sector industrial se adhieran con carácter voluntario a un sistema comunitario de gestión y auditoría medioambientales.

JURISPRUDENCIA

– STS 28.2.94 (1292): La autorización de una actividad que requiere una licencia de actividades clasificadas no es ejercicio de una potestad de carácter discrecional, sino reglada.
– STS 20.11.1995 (8339): La licencia es un acto rigurosamente reglado y motivado y que necesariamente ha de otorgarse o denegarse según que la actuación pretendida se ajuste o no a la normativa aplicable.Precisamente, esa naturaleza reglada de la licencia y su sometimiento al principio de legalidad enunciado en los artículos 9.3 y 103.1 de la Constitución, exige que la denegación de la misma sea adecuadamente motivada y especificada, concretando con el máximo rigor posible las causas de la negativa.El principio de autonomía municipal consagrado en el art. 137 de la Constitución implica que los Ayuntamientos gozan de autonomía municipal, sí, para la gestión de respectivos intereses, pero tal autonomía ha de coordinarse con el principio de unidad y supremacía del interés general.
– SSTS 22.6.94 (5092) y 19.2.95 (9539): El art. 38 de la Constitución, que tiene una dimensión indudable de garantía institucional, también comprende, a juicio de esta Sala, el derecho a concebir, establecer, mantener y disfrutar, en la libertad de una economía de mercado, de una actividad empresarial, pero tal derecho no excluye que el concreto ejercicio de la actividad resulte disciplinado por normas de muy distinto carácter, incluso, en el muy limitado ámbito en que las normas locales pueden moverse, por Ordenanzas municipales. No debemos olvidar que el art. 38 CE se debe interpretar siempre en conexión con los arts. 128 y 131 de la misma Norma Fundamental.

Esta jurisprudencia se viene manteniendo invariablemente hasta la fecha

BIBLIOGRAFÍA

1) En relación a las actividades Clasificadas:
- ABELLA POBLET, F.: *Reglamento de Actividades Molestas, Insalubres, Nocivas y Peligrosas*, El Consultor de los Ayuntamientos, Abella, Madrid, 1991.
- DOMPER FERRANDO, J.: *El medio ambiente y la intervención administrativa en las actividades clasificadas*, Civitas, Madrid, 1992.
- DOMPER FERRANDO, J.: «Las licencias municipales de medio ambiente *versión* la licencia de actividades clasificadas» en *Derecho del Medio Ambiente y Administración Local* (Coord. ESTEVE PARDO), Civitas, Madrid, 1996, págs. 99 y ss.
- FERNÁNDEZ DE LA GATTA SANCHEZ, «La ley de actividades clasificadas de Castilla y León», en vol. col. *El Derecho Administrativo en el umbral del siglo XXI*. Homenaje al profesor Dr. D. Ramón Martín Mateo, t. III. Tirant lo Blanch, Valencia 2000.
- FERNÁNDEZ RODRÍGUEZ, T.R.: *El Medio Ambiente Urbano y las Vecindades Industriales,* Instituto de Estudios de la Administración Local, Madrid, l973.
- GARCÍA GARCÍA, E.: *Manual práctico de Actividades Molestas, Insalubres, Nocivas y Peligrosas*, Dykinson, Madrid, 1989.
- LAVILLA RUBIRA, J.J y MENÉNDEZ ARIAS, M.J.: *Todo sobre el medio ambiente*, Praxis.S.A, Barcelona, 1996, págs. 339 y ss.
- LÓPEZ-NIETO y MALLO F.; *Manual de actividades molestas, insalubres, nocivas y peligrosas*, Tecnos, Madrid, 1984.
- MARTÍN MATEO, R.: *Tratado de Derecho ambiental*, Trivium, Madrid, 1991, págs 339 y ss.
- DE LA MORENA Y DE LA MORENA, L.: «Las actividades clasificadas como título de intervención administrativa en el marco jurídico de la protección del medio ambiente», en *Derecho y medio ambiente*, CEOTMA/MOPU, Madrid, 1981.
- QUINTANA LÓPEZ ,T, "Licencia de actividad y declaración de impacto ambiental en Castilla y León. Problemas de articulación" , *Revista Interdisciplinar de Gestión Ambiental*, 2002.
- VERA JURADO, D., *La disciplina ambiental de las actividades industriales*, Tecnos, Madrid, 1994.

2) En relación al etiquetado ecológico:
- AUDIVERT ARAU, R.; *Régimen jurídico de la etiqueta ecológica*, Cedecs, Barcelona 1996.
- DOPAZO, P.: «El etiquetado ecológico. Empresa y Consumo», en *IV Congreso Nacional de ADAME: Consumo y Derecho Ambiental*, Alicante.
- LAVILLA RUBIRA, J.J. y MENÉNDEZ ARIAS, M.J.: *Todo sobre el medio ambiente*, Praxis.S.A, Barcelona, 1996, págs. 111 y ss.
- MARTÍN MATEO, R.: *Nuevos instrumentos para la tutela ambiental*, Trivium, Madrid, 1994, págs. 37 y ss.
- PONT CASTEJÓN, I.: «El etiquetado ecológico y las auditorías ambientales» en *Nuevas perspectivas de Derecho Comunitario Ambiental* (Coords. CAMPINS M. y PONT, I.), IUEE, Barcelona, 1997.
- SERRANO, C.: *El etiquetado ecológico*, MOPTMA, Madrid, 1995.

3) En relación a las auditorías ambientales:

– ARANGÜENA PERNAS, A.: *Auditoría Medioambiental en la empresa*, CEURA, Madrid, 1994.

– ARANGÜENA PERNAS, A.: *ICC Guide to Effective Environmental Auditing*, Cámara de Comercio Internacional, ICC Publishing S.A, París, 1991.

– LAVILLA RUBIRA, J.J y MENÉNDEZ ARIAS, M.J.: *Todo sobre el medio ambiente,* Praxis.S.A, Barcelona, 1996, págs. 97 y ss.

– MARTÍN MATEO, R.: *Nuevos instrumentos para la tutela ambiental*, Trivium, Madrid, 1994, págs. 101 y ss.

– MARTÍNEZ GARCIA, F.J.: «La auditoría ambiental en la Comunidad Europea», *Boletín de Información sobre las Comunidades Europeas*, Universidad de Oviedo nº 45/1993.

– NOGUEIRA LOPEZ, A., *Ecoauditorías, intervención pública ambiental y autocontrol empresarial*, Madrid, 2000

– PONT CASTEJÓN, I.: «El etiquetado ecológico y las auditorías ambientales» en *Nuevas perspectivas de Derecho Comunitario Ambiental* (Cord. CAMPINS M. Y PONT I.), IUEE, Barcelona, 1997.

Caso nº 5: ACCESO A LA INFORMACIÓN EN MATERIA AMBIENTAL

PLANTEAMIENTO

El representante de la Asociación «BIRDS FOR LIFE», con sede en Manchester, desea conocer qué tipo de acciones y política sigue la Administración autonómica en relación a la protección de las cigüeñas que anidan en vuestro municipio.

Realizada la solicitud de tal información, por escrito y correctamente registrada, ante la Administración autonómica, y previendo la respuesta ante las caras con que le dispensaron los funcionarios a los que acudió, formula las siguientes preguntas:

1. ¿Estamos ante un supuesto donde el acceso a la información viene regulado por la Ley 30/1992, de 26 de noviembre, de Régimen Jurídico de las Administraciones Públicas y Procedimiento Administrativo común?
2. ¿Goza del derecho a obtener tal información aún no disponiendo de la nacionalidad española ni siendo ninguno de los socios de «BIRDS FOR LIFE» residente en el municipio de referencia? ¿Por qué razones puede denegársele ésta?
3. ¿Cuánto tiempo debe esperarse a obtenerla? ¿Existe alguna acción a seguir en caso de que el silencio de la Administración se prolongue excesivamente?
4. En el supuesto de que la respuesta sea negativa y no se le motive la causa de denegación, ¿existe algún mecanismo interno, comunitario,.. que pueda emplearse frente a la Administración?
5. En el supuesto de que se le facilite efectivamente la información, ¿cómo se le debe/puede suministrar?, ¿habrá de desembolsar alguna cantidad de dinero a cambio?

DOCTRINA

El Consejo de las Comunidades Europeas aprobó en 1990 la Directiva 90/313/CE, de 7 de junio, sobre libertad de acceso a la información en materia de medio ambiente. La norma configura en términos muy amplios el derecho de todos los ciudadanos a acceder a la información ambiental de que disponen las Administraciones Públicas, imponiendo a los Estados miembros la obligación de establecer las disposiciones necesarias para hacer realidad este derecho.

En un primer momento España consideró que las previsiones contenidas en esta Directiva habían sido incorporadas implícitamente al ordenamiento interno español mediante la aprobación de la LAP, concretamente a través de los arts. 35 y 37. El art. 35 reconoce el derecho de los ciudadanos «al acceso a los registros y archivos de las Administraciones Públicas en los términos previstos en la Constitución y en ésta u otras Leyes». Por su parte, el art. 37 contiene, en desarrollo del art. 105.b) de la Constitución Española, una regulación general de este derecho de los ciudadanos, así como de las causas por las que puede limitarse o denegarse su ejercicio, que contrastan con la generosidad con que se ordena tal cuestión en el art. 3.1 de la Directiva 90/313/CEE.

El carácter restrictivo de la regulación contenida en la Ley 30/1992 frente a la establecida en la Directiva 90/313/CEE, puso de relieve la necesidad de establecer un régimen jurídico específico en materia de acceso a la información relativa al medio ambiente, para dar cumplimiento a las obligaciones impuestas por el Derecho comunitario. Finalmente, la Directiva 90/313/CEE ha sido transpuesta al ordenamiento español mediante la Ley 38/1995, de 12 de diciembre, sobre el derecho de acceso a la información en materia de medio ambiente, con un considerable retraso respecto del tiempo para el que preveía su puesta en marcha la norma comunitaria,circunstancia que provocó el inicio de un procedimiento de infracción contra el Estado Español por parte de la Comisión de las Comunidades Europeas. La Ley declara expresamente la aplicación supletoria, en todo lo no establecido por ella, de lo prescrito mediante la Ley 30/1992, de 26 de noviembre, de Régimen Jurídico de las Administraciones Públicas y del Procedimiento Administrativo Común (Disposición final primera) y confiere el carácter de legislación básica, de acuerdo con lo preceptuado en el artículo 149.1.23 de la Constitución, a los artículos 1 y 2, que son los que establecen quiénes tienen derecho de acceso a la información sobre el medio ambiente y determina también el ámbito de aplicación de este derecho (Disposición final segunda). Por su parte, el art. 3 recoge los supuestos en que las Administraciones públicas podrán denegar la información sobre medio ambiente, supuestos que coinciden sustancialmente con los sugeridos en la Directiva comunitaria, aunque se añade alguno nuevo.El art. 4 de la Ley regula el procedimiento para el ejercicio del derecho a acceder a información en materia de medio ambiente, estableciendo también el plazo máximo en que las Administraciones públicas deberán resolver las solicitudes de información. Finalmente, también se regula el deber de las Administraciones públicas a la difusión periódica de información ambiental (art. 6).

La próxima aplicación en España del convenio internacional de Aarhus (apuntemos que las Cortes Generales ya han posibilitado su ratificación desde 17 de mayo de 2001), así como los retos comunitarios actuales de sustitución de la Directiva 90/313 por otra norma más ambiciosa, y la adopción de una directiva de derecho de participación del público en la elaboración de planes y programas relacionados con el medio ambiente, abren todavía mayores horizontes garantistas a este derecho.

LEGISLACIÓN

- Directiva 90/313/CEE, del Consejo, de 7 de junio, sobre libertad de acceso a la información en materia de medio ambiente.
- CE: art. 105 b).
- LRBRL: arts. 69 y 70.
- LAP: arts. 31, 35, 37, 42, 43 y 44.
- Ley 38/1995, de 12 de diciembre, sobre el derecho de acceso a la información en materia de medio ambiente, modificada mediante Ley 55/1999, de 29 de diciembre, de Medidas Fiscales, Administrativas y del Orden Social.
- RD 208/1996, de 9 de febrero, por el que se regulan los servicios de información administrativa y atención al ciudadano.
- Convenio ONU/CEPE sobre el acceso a la información, la participación del público y el acceso a la justicia en materia de medio ambiente (Convenio Aarhus- Dinamarca, de 25 de junio de 1998, en vigor desde 30 de octubre de 2001)

JURISPRUDENCIA

Comienza ya a tomar cierto cuerpo la jurisprudencia relativa al acceso a la información en materia ambiental, tanto a nivel comunitario europeo como a nivel interno. En el primer ámbito, destaquemos la STJCE de 17 de junio de 1998, donde el tribunal tuvo que decidir si el derecho de acceso a la información ambiental alcanza también a un informe emitido por una Administración en el seno de un procedimiento de aprobación de un plan, o qué debe entenderse por "investigación preliminar" a los efectos de excepcionar la aplicación de la directiva. De otro lado, la STJCE de 9 de septiembre de 1999, interpreta qué contiene la directiva bajo el concepto "autoridades públicas", qué organos están excluidos, qué cabe entender por suministro parcial de información, y hasta donde puede alcanzar la percepción de tasas de cobro de la información solicitada. Por lo que respecta al tratamiento dispensado a la materia por parte de los tribunales españoles, debemos referirnos a la STS de 23 de junio de 1999 (Sala 3ª, sección 4ª), a la Sentencia del Tribunal Superior de Justicia de Castilla y León, Burgos, núm. 298/1999 (sala de lo contencioso administrativo) de 26 de marzo de 1999, a la Sentencia del Tribunal Superior de Justicia de Madrid, núm 368/1999 (sala de lo contencioso administrativo) de 9 de junio y, a la de igual Tribunal y sala de 21 de julio del mismo año"

BIBLIOGRAFÍA

- ÁLVAREZ RICO, M.y ÁLVAREZ RICO, I.: «Derecho de acceso a los archivos y registros administrativos en la nueva ley de régimen jurídico de las administraciones públicas y del procedimiento administrativo común», *RAP* nº 135, 1994, págs. 473 y ss.
- CASTELLS ARTECHE, J.M.: «El derecho de acceso a la documentación de la Administración pública», *Revista Vasca de Administración Pública* nº 10, 1984, págs. 135 y ss.
- EMBID IRUJO, A.: *El ciudadano y la Administración*, Ministerio de Administraciones Públicas, Madrid, 1994.
- EMBID IRUJO, A.: «El derecho de acceso a los archivos y registros administrativos. Algunas reflexiones en las vísperas de su consagración legislativa», en *La protección jurídica del ciudadano. Estudios en Homenaje al Profesor Jesús González Pérez*, t. I, Madrid, Civitas, 1993, págs. 727 y ss.
- EMBID IRUJO, A.: «El derecho de acceso a los archivos y registros administrativos», en *La nueva Ley de Régimen Jurídico de las Administraciones Públicas y del Procedimiento Administrativo Común* (Dirs. LEGUINA VILLA, J. y SÁNCHEZ MORÓN, M.), Tecnos, Madrid, 1993, págs. 99 y ss.
- ENTRENA RUIZ, D., "El cercenamiento del derecho de acceso de los ciudadanos a la información ambiental, esta vez por el Consejo de Seguridad Nuclear: ¿deben proporcionarse copias de las actas de inspección?", en Jurisprudencia Administrativa, *Revista Interdisciplinar de Gestión Ambiental,* 2001.
- FERNÁNDEZ RAMOS, S.: «La directiva comunitaria sobre libertad de acceso a la información en materia de medio ambiente y su transposición al Derecho español», *Revista Andaluza de Administración Pública* nº 22, 1995.
- GAY FUENTES, C.: *Intimidad y tratamiento de datos en las Administraciones Públicas*, 1995.
- LAVILLA RUBIRA, J.J. y MENÉNDEZ ARIAS, M.J.: «Información medioambiental», en *Todo sobre el medio ambiente*, Praxis, Barcelona, 1996, págs. 108-110.
- MARTÍN MATEO, R.: *Nuevos instrumentos para la tutela ambiental*, Trivium, Madrid, 1994.
- MESTRE DELGADO, J.F.: *El derecho de acceso a archivos y registros administrativos*, Civitas, Madrid, 1993.

- POMED SÁNCHEZ, L.A.: *El derecho de acceso a archivos y registros administrativos*, Instituto Nacional de Administración Pública, Madrid, 1989.
- POMED SÁNCHEZ, L.A.: «La intimidad de las personas como límite al derecho de acceso a la documentación administrativa», en *La protección jurídica del ciudadano. Estudios en Homenaje al Profesor Jesús González Pérez*, t. I, Madrid, Civitas, 1993, págs. 753 y ss.
- POMED SÁNCHEZ, L.A.: «El acceso a los archivos administrativos: el marco jurídico y la práctica administrativa», *RAP* n° 142, 1997.
- SÁINZ MORENO, F.: «Un caso de aplicación directa de la Constitución: el acceso de los ciudadanos a los archivos y registros administrativos», *REDA* n° 24, 1980, págs. 118 y ss.
- SÁINZ MORENO, F.: «Secreto e información en el Derecho Público» en *Estudios sobre la Constitución Española, Homenaje al Prof. García de Enterría,* t. III, Civitas, Madrid, págs. 2946 y ss.
- SÁNCHEZ MORÓN, M.: «El derecho de acceso a la información en materia de Medio Ambiente», *RAP* n° 137, 1995, págs. 31 y ss.

FORMAS DE ACTUACIÓN DE LOS PODERES PÚBLICOS

Francisco Delgado Piqueras (Casos 1 a 3)
José A. Moreno Molina (Casos 4 y 5)
Universidad de Castilla-La Mancha

Caso nº 1: LA ACTIVIDAD ADMINISTRATIVA DE INTERVENCIÓN: AUTORIZACIÓN Y PROHIBICIÓN DE UN ALMACÉN DE GASÓLEO

PLANTEAMIENTO

D. Agustín Campayo es un empresario dedicado al almacenamiento y distribución de gasóleo agrícola y para calefacción. Hace un año instaló su negocio a la altura del punto kilométrico 170'800 de la carretera N-400 de Tarancón a Cuenca, a la entrada de esta ciudad, donde ha venido funcionando hasta ahora.

La semana pasada recibió una resolución del Delegado del Gobierno en Castilla-La Mancha, en la que ordena la suspensión y prohibición de su actividad de comercialización de carburantes, ubicada en la zona de afección de la carretera, por carecer de la preceptiva autorización del Ministerio de Fomento.

El Sr. Campayo acude a un bufete para evitar la clausura de su establecimiento. Aduce que es propietario de los terrenos y cuenta con licencia municipal de obras y licencia de actividad clasificada (informada favorablemente por la Comisión Provincial de Servicios Técnicos de la Junta de Comunidades de Castilla-La Mancha). En su momento también solicitó autorización al Ministerio, pero le fue denegada en base a un proyecto de variación de la carretera que todavía no se ha realizado. Por lo cual estima que su actividad es completamente legítima, contribuyendo al desarrollo económico y la creación de empleo. Y considera que ha sido objeto de una sanción desmesurada por parte de un órgano incompetente que no ha seguido el procedimiento debido.

1. Identifique las diferentes técnicas de intervención que aparecen en este supuesto y señale sus características, conforme a los criterios de clasificación que ofrece la doctrina.
2. ¿Qué opinión le merecen los juicios de valor que expresa el Sr. Campayo sobre la situación que está atravesando? Reflexione sobre la tensión que casos como éste suscitan entre libertad económica e intervención administrativa. Analice desde un punto de vista técnico la justificación de cada uno de los reproches vertidos.
3. ¿Cómo se explica el hecho de que el mismo establecimiento fuera aprobado por unas Administraciones y prohibido por otra? Cite fórmulas de coordinación interadministrativa que prevengan intervenciones concurrentes contradictorias.
4. Como asesor legal, deberá estudiar y exponer a su cliente las posibles vías jurídicas de solución para el problema planteado.

DOCTRINA

El intervencionismo administrativo es comunmente denostado en los discursos políticos e ideológicos. Sin embargo, sabemos que el Estado y las Administraciones públicas surgieron para ordenar los conflictos de intereses interviniendo en la realidad social. Lo que cambian son las formas utilizadas en cada momento histórico y, sobre todo, los grupos sociales beneficiarios de esa intervención (Giannini). La ruptura del monopolio estatal y consiguiente liberalización de las telecomunicaciones, sin ir más lejos, ha producido una hiper-regulación del sector y la aparición de nuevos entes administrativos de control antes inexistentes.

En Derecho, se denomina actividad administrativa de intervención o de policía a aquélla que incide de manera restrictiva sobre la libertad de actuación de los particulares, nota básica que la diferencia de manifestaciones como fomento, servicio público, planificación, etc.

Las técnicas de intervención son muy variadas (reglamentaciones, autorizaciones, inspecciones, prohibiciones, mandatos, etc). Su carácter meramente condicionador permite distinguirlas de otras que suponen, en cambio, una ablación de derechos preexistentes (expropiación), la atribución de un derecho nuevo (concesión) o la represión de una conducta ilícita con un castigo (sanción).

La intervención administrativa ha de ser, en todo caso, respetuosa con la libertad individual, aunque ésta no debe entenderse como algo omnímodo sino incardinada en el Ordenamiento jurídico. Así, cuando esta tensión se plantea a nivel normativo, las limitaciones de derechos e intereses privados han de justificarse en bienes constitucionales, en un verdadero interés general. Y su ejecución concreta debe atenerse a principios como los de igualdad, proporcionalidad o congruencia entre medio y fin y *favor libertatis*.

Desde esa perspectiva, resultarían preferibles las técnicas represivas que las preventivas, pues no coartan *a priori* la libre iniciativa privada. Además de paradójica, esta opción conlleva un importante coste en riesgos para la colectividad.

LEGISLACIÓN

- Ley de Carreteras : arts. 23 y 27.
- Reglamento de carreteras (RD 1812/1994, de 2 de septiembre).
- TRLS 92.
- RAMINP.
- RD 1778/1994, de 5 de agosto, por el que se adecúan a la Ley 30/1992, de 26 de noviembre, las normas reguladoras de los procedimientos de otorgamiento, modificación y extinción de autorizaciones.

JURISPRUDENCIA

- STC de 15 de noviembre de 1990: Las exigencias del pago de tasas y de aprobación del plan técnico correspondiente al tendido de cables necesario para la emisión en video comunitario no son contrarias a la libertad de expresión. La revocación de la licencia y la prohibición de tendido de cables no son actos de naturaleza sancionadora.
- STS 22.2.91: Transformación de una cantina abandonada en bar-restaurante. Colocación de carteles de publicidad. Realización de obras y cambio de uso en zona de afección de la carretera no autorizable.
- STS 2.6.92: El otorgamiento de la licencia de actividad para una cantera lleva implícita la concesión de la licencia de obras para movimientos de tierras necesarios para la extracción del mineral.
- STS 11.11.93: Licencia de apertura de restaurante en suelo no urbanizable, procedimiento bifásico. El informe autonómico de actividad es imprescindible pero no predetermina el contenido de la licencia, para cuya adopción la autoridad municipal debe tener en cuenta si la obra proyectada se ajusta o no a las determinaciones urbanísticas. Consecuentemente, si se otorga la licencia

sin previa autorización autonómica se producirá una nulidad de retroacción de actuaciones. Si la licencia es denegada correctamente por razones urbanísticas, la inexistencia de autorización autonómica no afecta a su regularidad y resulta supérflua.

– STS 17.1.97: Concurrencia de autorizaciones. La actividad de extracción de áridos a cielo abierto está sometida a licencia urbanística y no queda legitimada por contar con autorización de explotación minera.

– STS 19.12.95: Responsabilidad patrimonial de la Administración local por los beneficios dejados de percibir a consecuencia de la demora en resolver expediente sobre solicitud de licencia de apertura de un establecimiento y por revocación jurisdiccional de su denegación.

BIBLIOGRAFÍA

– DAGNINO GUERRA, E.: «Propiedad privada y dominio público en materia viaria», *RAP* n° 141, 1996.
– ENTRENA CUESTA, R.: «Las licencias en la legislación local», *REVL* n° 107.
– FERNÁNDEZ RODRÍGUEZ, T.R.: «Inscripciones y autorizaciones industriales».
– GARCÍA DE ENTERRÍA, E.: «Sobre los límites del poder de policía general y del poder reglamentario», *REDA* n° 5.
– GARRIDO FALLA, F.: «Los medios de policía y la teoría de las sanciones administrativas», *RAP* n° 26, 1959.
– GIANNINI, M.S.: *El poder público: Estados y Administraciones públicas*, Civitas, 1991.
– MARTÍN MATEO, R.: «Silencio positivo y actividad autorizante», *RAP* n° 48, 1965.
– MARTÍNEZ-CARRASCO PIGNATELLI, C.: *Carreteras. Su régimen jurídico*, Montecorvo, 1990.
– NIETO GARCÍA, A.: «Algunas precisiones sobre el concepto de policía», *RAP* n° 81, 1976.
– PEMÁN GAVÍN, J.: «Sobre la regulación de las carreteras en el Derecho español: una visión de conjunto», *RAP* n° 129, 1992.
– VILLAR PALASÍ, J.L.: «La intervención administrativa en la industria», *IEP*, 1964.

Caso nº 2: LA ACTIVIDAD ADMINISTRATIVA DE FOMENTO: INCENTIVOS A LA INVERSIÓN EMPRESARIAL

PLANTEAMIENTO

Frutas Coco, S.L. presentó el 9 de octubre de 1991 una solicitud de subvención (al amparo de la Orden de 11 de marzo de 1991, «por la que se regula la concesión de ayudas para incentivar la inversión empresarial en Castilla-La Mancha», DOCM nº 24, del 22 de marzo) para la transformación de su tienda de ultramarinos en un supermercado mediante el traslado a unas nuevas instalaciones, acompañada de los presupuestos de albañilería, electricidad, frigorización y un contrato de opción de compra sobre el local.

Esta petición fue denegada por resolución del Sr. Consejero de Industria y Turismo de 1 de abril de 1992, al estimar que la inversión se había realizado con anterioridad a solicitud, pues según el informe de la visita girada el 14 de noviembre de 1991 por el Jefe del Servicio de Promoción Empresarial la actividad llevaba en funcionamiento desde la semana anterior, lo que hace suponer que no había trascurrido tiempo suficiente para poner en marcha el establecimiento. Estima además que, por tratarse de una potestad discrecional, «puede conceder o no unas ayudas acudiendo a cuantos criterios considere que justifican en uno u otro sentido su decisión, al ser por naturaleza la subvención una atribución patrimonial a fondo perdido de la Administración, esto es, una donación modal pública».

La citada empresa pide asesoramiento al Grupo de Prácticas de Derecho Administrativo, afirmando que sí fue posible realizar la inversión en un mes, dada su dilatada experiencia en el sector, la planificación que tenía hecha de la operación y la necesidad imperiosa de no interrumpir el negocio. Muestra además copia de la escritura de compraventa del local y del préstamo hipotecario suscrito con la Caja de Ahorros el 28 de marzo de 1991, visado colegial del proyecto de obra menor del 13 de noviembre de 1991 y las facturas del electricista, del albañil y de frío industrial, fechadas contemporáneamente.

1. Califique la naturaleza jurídica de la actividad pública examinada y explique sus características generales, con especial atención a los aspectos competenciales y comunitarios.

2. ¿Hasta qué punto puede la Administración otorgar o denegar ayudas de manera discrecional? Reflexione sobre el sentido y los límites de la potestad actuada.
3. ¿Qué tipo de acción podría ejercer la empresa para que se le reconociera el derecho a la ayuda solicitada? ¿Cuáles serían sus argumentos?

DOCTRINA

En primer lugar, ha de notarse que la potestad de otorgar ayudas o estímulos de conductas privadas que es propia de la actividad de fomento, como cualquier otra potestad administrativa, ha de basarse en la norma y ésta puede configurarla bien como reglada, bien como discrecional y en muy diverso grado. El carácter reglado o discrecional de la potestad está normalmente en función muy directa tanto de la naturaleza del estímulo o beneficio (honorífico, jurídico, económico), como de las características del sector de la realidad sobre el que se opera y del interés público perseguido. Así, suelen ser altamente discrecionales los estímulos puramente honoríficos (condecoraciones, títulos, etc.) y suelen ser regladas las becas a la educación. En suma, no hay una regla general. Sin embargo, el progreso del Ordenamiento jurídico marca una tendencia a la reducción de la discrecionalidad de la Administración en el ámbito de la actividad de fomento a la inversión empresarial, inducida por la necesidad tanto de transparencia en la gestión de los fondos públicos, como de la *vis* expansiva del principio de igualdad de trato de los ciudadanos por la Administración y de la necesidad de generar confianza en los colectivos destinatorios de estas políticas (Parejo).

Por otro lado, en todos los países con una economía de mercado el tiempo se ha convertido en el factor más importante de competitividad, de modo que lo verdaderamente ventajoso para la economía consiste en la posibilidad de responder a las rápidas transformaciones de la técnica y de las necesidades mediante una veloz adaptación de la producción y la distribución. En cambio, los procedimientos administrativos de autorización u otros que condicionan o inciden sobre la actividad empresarial de inversión suelen estar más preocupados por vincular el contenido de las decisiones a los principios del Estado de Derecho, entre los cuales la pronta resolución de los asuntos no acaba de ser entendida como un objetivo primordial hasta hace muy poco tiempo (M. Bullinger). Se puede discutir si la conexión entre protección de la libre iniciativa económica (art. 38 CE) y el principio de eficacia administrativa, dentro siempre del Estado de Derecho (art. 103.1 CE) respalda una nueva concepción del procedimiento en la que la pronta verificación de la adecuación de los proyectos privados de inversión económica, también en interés público, se entienda como una prestación de la Administración.

LEGISLACIÓN

En relación con las subvenciones como técnica de fomento:
- Tratado de la Comunidad Europea: arts. 92, 93 y 130A a 130D.
- Ley 50/1985, de 27 de diciembre, sobre incentivos regionales y su Reglamento, aprobado por RD 1535/1987, de 11 de diciembre.
- RD 2225/1993, de 17 de diciembre que aprueba el Reglamento del procedimiento para la concesión de ayudas y subvenciones públicas.

JURISPRUDENCIA

1) Jurisprudencia Comunitaria sobre las Ayudas de Estado:
- STJCE (Pleno) de 5.10.94, «R.F. Alemana v. Comisión»: Ayudas a la construcción naval.
- STJCE (Pleno) de 2.2.89, «Comisión v. R.F. Alemana»: Restitución de ayudas a la producción de aluminio primario.
- STJCE (Pleno) de 10.7.86, «Bélgica v. Comisión»: Participación en el capital de una empresa.
- STJCE de 15.1.86, «Comisión v. Bégica»: libre concurrencia comercial dentro del mercado común.

2) Jurisprudencia Constitucional sobre Problemas Competenciales:
- STC 96/1990 de 24 de mayo: Medidas de fomento con cargo a fondos estatales cuya gestión corresponde a las Comunidades Autónomas como consecuencia del traspaso de servicios.
- STC 146/1992 de 16 de octubre : Incentivos económicos supraautonómicos.
- STC 79/1992 de 28 de mayo: Ejecución de convenios internacionales y de Derecho comunitario europeo.
- STC 59/1995 de 17 de marzo: Convenio entre el Estado y el Ayuntamiento de Barcelona.
- STC de 1 de febrero de 1996: Autonomía política y financiera.

3) Jurisprudencia del Tribunal Supremo sobre Ayudas y Subvenciones:
- STS 27.5.77 (3229): sobre el concepto de fomento.

– STS 10.5.96: Denegación por agotamiento de la partida presupuestaria, aun cuando se reúnan las condiciones para acceder a la subvención.
– STS 18.1.96: Los actos administrativos de otorgamiento o denegación son actos discrecionales y por lo tanto han de ser motivados. Admitía el ejercicio simultáneo de la vía procesal de la, entonces vigente, Ley 62/1978 y de la contencioso-administrativa común si se articulaban las pretensiones correspondientes a cada proceso.
– STS 3.3.93: Carácter discrecional del establecimiento de las subvenciones y reglado de su otorgamiento.
– STS 26.9.90: Su cuantificación no es discrecional.
– STS 30.6.92: Caducidad de la subvención por inejecución del proyecto en el plazo establecido.
– STS 21.6.94: Han de otorgarse aunque esté agotada la consignación presupuestaria.

BIBLIOGRAFÍA

– BAENA DEL ALCÁZAR, M.: «Sobre el concepto de fomento», *RAP* nº 54, 1967.
– BULLINGER, M.: «Procedimientos administrativos al ritmo de la economía y de la sociedad», *REDA* nº 61, 1991.
– FERNÁNDEZ FARRERES, G.: *El régimen de las ayudas estatales en la Comunidad Europea*, Civitas, 1993.
– FERNÁNDEZ FARRERES, G.: *La subvención: concepto y régimen jurídico*, IEF, 1983.
– GIMENO FELIÚ, J. Mª: «Legalidad, transparencia, control y discrecionalidad en las medidas de fomento del desarrollo económico (ayudas y subvenciones)», *RAP* nº 137, 1995.
– SÁNCHEZ MORÓN, M.: *Discrecionalidad administrativa y control judicial*, Tecnos, 1994.
– SÁNCHEZ MORÓN, M.: *Subvenciones del Estado y Comunidades Autónomas*, Tecnos, 1990.

Caso nº 3: LA ACTIVIDAD ADMINISTRATIVA DE FOMENTO: AYUDAS A LA RETIRADA DE TIERRAS DE LA PRODUCCIÓN AGRARIA

PLANTEAMIENTO

A la Secretaria General Técnica que Vd. dirige llega, para informe previo a la resolución que deberá dictar el Sr. Consejero de Agricultura, el recurso presentado por don Juan Cuartero contra el acuerdo de la Dirección General de Desarrollo Agrario de 15 de noviembre de 1993, sobre anulación de ayuda por retirada de tierras de la producción agraria y reintegro de las cantidades percibidas, por incumplimiento de las condiciones impuestas al beneficiario.

En el expediente constan los siguientes escritos:

a) Solicitud del Sr. Cuartero de 13 de febrero de 1992 de acoger su explotación agraria al plan quinquenal de retirada de tierras, en la que declara tener 408 Has dedicadas a cereales con Organización Común de Mercado y 17 a olivar y viña. La producción acreditada en el trienio anterior correspondería a 283 Has, pues 125 Has. permanecían en barbecho rotatorio.

b) Resolución del Director General de Desarrollo Agrario de 17 de junio de 1992, en la que se otorga una ayuda de 5.377.000 ptas. anuales por «los destinos y superficies computables calculadas que se especifican: Barbecho 283 Has. Todo ello conlleva además, en su caso, no destinar en su explotación superficie alguna a cultivos OCM en los años de compromiso (campañas 91-92 a 95-96)».

c) Certificación del Jefe del Servicio de la Delegación de Agricultura 13 de julio de 1993 que acredita que el Sr. Cuartero cultivó 112 Has. de girasol y cebada en la campaña 92-93.

d) Escrito de alegaciones del Sr. Cuartero de 21 de septiembre de 1993 en el que replica que esa misma superficie fue cultivada la campaña anterior, sin que la Administración advirtiera ningún incumplimiento, y manifiesta haber cometido un error al interpretar la compleja regulación de la subvención, por lo que pide ser excluido los tres años restantes del abandono quinquenal.

En el recurso, el Sr. Cuartero denuncia la inexistencia absoluta de cualquier procedimiento sancionador previo, con tipificación de infracciones y trámite de audiencia. Por lo que solicita la revocación del acto impugnado y el mantenimiento del régimen de subvención o ayudas por retirada de tierras de cultivo durante todo el tiempo que fue concedido y sobre la base de mantenimiento de sólo 283 Has. de barbecho cada año.

1. Analice detenidamente la normativa que regula estas ayudas y resuma sus elementos definitorios (objetivos, beneficiarios, requisitos, compromisos, etc.).
2. El hecho de que no se actuara antes contra el Sr. Cuartero, ¿sería un precedente vinculante para la Administración? ¿Constituye algún tipo de tolerancia que genere una confianza legítima?
3. La anulación de las ayudas, ¿supone la imposición de una sanción? Teniendo en cuenta las circunstancias concurrentes, ¿considera fraudulenta y sancionable la actuación del Sr. Cuartero?
4. Redacte un informe con la propuesta de resolución que, en su opinión, mejor se ajuste a Derecho.
5. El régimen comunitario de retirada de tierras de la producción cambió en 1992, con el Reglamento 1765/92/CEE, del Consejo, de 30 de junio, por el que se establece un régimen de apoyo a los productores de determinados cultivos herbáceos, y los Reglamentos aplicativos 2293/92/CEE y 1373/93/CEE, de la Comisión. La Orden de 18 de diciembre de 1992, del MAPA, dictó normas en relación con el programa de retirada de tierras de la producción regulado en el RD 1435/1988, de 25 noviembre. Estudie las novedades que presenta este régimen respecto del anterior y reflexione sobre la sorprendente evolución de la Política Agrícola Comunitaria.

DOCTRINA

La intervención administrativa es un elemento esencial para comprender la agricultura hoy día. Hay que saber que la presencia pública en el sector se remonta a la época de la Ilustración y además es la tónica general en todos los países de nuestro entorno (López Ramón).

Los instrumentos administrativos abarcan todas las modalidades conocidas (planes agrarios, obras hidráulicas, tratamientos fitosanitarios,..), algunas con especial incidencia sobre la propiedad de la tierra (expropiación de fincas mejorables, concentración parcelaria).

Pero destacan sin duda los de fomento dirigidos a apoyar a la empresa agraria, que van desde la formación del agricultor a los precios de garantía, pasando por la tutela del cooperativismo agrario, los créditos blandos, los seguros primados, la orientación de cultivos, las transformaciones en regadío, etc.

Desde su fundación, la Comunidad Europea asumió la agricultura como política común, con los objetivos de garantizar un nivel de vida equitativo a la población rural y el abastecimiento de los consumidores a precios razonables y estables. La conocida como PAC en estos años ha tenido un desarrollo espectacular, acaparando un creciente volumen de recursos y generando una abundante y compleja normativa. Sus dos grandes vectores son la política de mercados agrarios, que asegura los precios de los productos (a través de la organización común de los mercados), y la política de estructuras, para la formación de explotaciones agrarias económicamente viables. Desde esta segunda perspectiva se explican también líneas de actuación aparentemente contrarias a las políticas de fomento, en cuanto que favorecen la desaparición de las explotaciones agrarias inviables, como son las ayudas a los agricultores por abandono de tierras o la disminución de ciertas producciones excedentarias.

En los últimos años, dentro de la PAC emergen programas de ayudas de inspiración ecológica (reducción de nitratos, conservación de humedales, reforestación) que satisfacen los objetivos ambientales sin perjudicar el nivel de renta de la población rural, por razones políticas y sociales evidentes.

LEGISLACIÓN

- LGP: arts. 81 y 82.
- Tratado de la Comunidad Europea: arts. 38 a 47 (Política Agrícola Común).
- Reglamento 1094/88/CEE, del Consejo, de 25 de abril y Reglamentos aplicativos 1273/88/CEE y 1273/88/CEE, de la Comisión, relativos al régimen de ayudas destinado a fomentar la retirada de la producción de cultivos herbáceos.
- RD 1435/1988, de 25 de noviembre, sobre régimen de ayudas para fomentar la retirada de tierras de la producción y su Orden de aplicación, de 5 de diciembre de 1988.

JURISPRUDENCIA

1) Jurisprudencia Comunitaria sobre la Politica Agrícola Común:
- STJCE (Pleno) de 24.1.91: Validez del Reglamento de ayudas para la transformación del Tomate.
- STJCE (Sala 3ª) de 21.3.91: OCM en el sector de las materias grasas: exacción reguladora a la importación.
- STJCE (Sala 6ª) de 14.1.93: Reconversión agraria. Ayuda a la reestructuración.
- STJCE (Pleno) de 20.2.86: Incumplimiento de primas por abandono de superficies plantadas con viñedos.
- STJCE de 17.4.86: Principios por los que se rige el FEOGA. Acumulación de ayudas. Contratos que originan subvención.

2) Jurisprudencia Constitucional sobre Competencias en Materia de Subvenciones a la Agricultura:
- STC 201/1992 de 28 de mayo: La traslación de la normativa comunitaria al Derecho interno ha de seguir los criterios constitucionales y estatutarios de reparto de competencias. La ejecución del Derecho comunitario corresponde a quien materialmente ostente la competencia sin perjuicio de la potestad del Gobierno para desempeñar la función que le encomienda en artículo 93 CE. Las normas del Estado al respecto sólo pueden tener aplicación directa cuando sean básicas de ordenación del sector o estén justificadas por razón de la coordinación de las actividades del Estado y de las Comunidades Autónomas en la materia. En los demás casos tienen carácter supletorio. El pago de las ayudas procedentes del FEOGA corresponde a las CC.AA., salvo que la resolución del expediente esté atribuida a un órgano centralizado del Estado.
- STC 213/1994 de 14 de julio: Desarrollo interno del Reglamento 797/1985/CEE, sobre mejora de las estructuras agrarias. El establecimiento de la «renta de referencia» del régimen de ayudas a las explotaciones agrarias es competencia estatal por su carácter de norma básica. El pago de las ayudas y subvenciones es competencia autonómica.

3) Jurisprudencia del Tribunal Supremo sobre Revocación de Subvenciones:
- STS 28.2.89: Revocación de la autorización de un Centro Privado por infracción de las condiciones impuestas para la concesión de beneficios y ayudas. Necesidad de acreditar los cargos imputados en expediente sancionador.
- STS 6.6.89:Concesión de subvención a Centro Escolar Privado de EGB; es acto declaratorio de derechos solamente revocable conforme al art. 110 LPA.
- STS 22.9.95: Gran área de expansión industrial. Naturaleza contractual de la subvención. Caducidad de los beneficios por incumplimiento de las condiciones impuestas.

– STS 16.10.95: El incumplimiento de las condiciones origina el derecho de la Hacienda Pública a reconocer o liquidar el crédito a partir del momento en que el Consejo de Ministros declara la caducidad de la subvención.

4) Jurisprudencia Menor sobre Subvenciones a la Agricultura:

– STSJ de Castilla y León (Valladolid) de 10.12.91: Subvenciones a los productores de carne de ovino o caprino, por pérdida de renta en zonas agrícolas desfavorecidas. El carácter trashumante de la explotación no obsta a la concesión de la subvención.

– STSJ de Madrid de 30.6.94: Solicitud de reintegro de la suma de dinero correspondiente a las cantidades de maíz transformadas de más, respecto de las solicitadas. Denegación por incumplimiento de las condiciones que permiten tener derecho a la restitución.

5) Decisiones del Tribunal de Cuentas:

– STCu (Sala de apelación) de 20.5.93: Exigencia de responsabilidad contable a las personas jurídicas. Imputación de responsabilidad contable a los perceptores de subvenciones. Falta de justificación de las aplicaciones de las subvenciones concedidas.

– STCu (Sala de apelación) de 19.10.92: Control jurisdiccional contable de las subvenciones. Ámbito subjetivo de la responsabilidad contable.

BIBLIOGRAFÍA

– BARDAJI AZCÁRATE, I.: *La Política Agraria Común*, Mundiprensa, 1989.
– BARNÉS, J.: *La propiedad constitucional. El estatuto jurídico del suelo agrario*, Civitas, Madrid, 1988.
– DE LA CUESTA, J.M.: «La regulación de los mercados agrarios en España», *Derecho Agrario y Alimentario* nº 9-10, 1987.
– DÍAZ FRAILE, J.M.: *El Derecho comunitario sobre estructuras agrarias y su desarrollo normativo en el Derecho español*, Madrid, 1990.
– FERNÁNDEZ DEL HOYO, J.J.: *La Política Agrícola Común y sus reformas*, CEURA, Madrid, 1994.
– GIL DEL REAL, F. y ARROYO, J.A.: *Política agrícola común*, Madrid, 1988.
– LÓPEZ RAMÓN, F.: «Agricultura», en *Derecho Administrativo Económico* (Dir. MARTÍN-RETORTILLO), t.II, La Ley, 1991.

Caso n° 4 : ADMINISTRACIÓN PRESTACIONAL. SUBSIDIO A PERSONAS SIN INGRESOS

PLANTEAMIENTO

Doña Andrea Rodríguez disfrutaba desde el 25 de enero de 1994 de un subsidio en base a la Ley castellano-manchega de solidaridad. Sin embargo, el 1 de febrero de 1995 uno de sus hijos firmó un contrato de trabajo de seis meses, por lo que la renta *per capita* percibida durante el año natural por la unidad familiar compuesta por Doña Andrea Rodríguez, sus tres hijos y una nieta pasaba a exceder del mínimo previsto por la norma reguladora de la concesión de dichas ayudas. En base a esta circunstancia, comprobada por un funcionario de la Delegación Provincial de Bienestar Social, el Delegado Provincial dictó el 30 de junio de 1995 una resolución denegatoria de la ayuda.

1. ¿Puede la Administración recuperar las prestaciones cobradas indebidamente? ¿Debería para ello iniciar un expediente sancionador?
2. Doña Andrea sostiene que su hijo sólo trabajó dos meses y que, por tanto, la renta que percibió la unidad familiar no superó los umbrales previstos por la norma para conservar la ayuda. ¿Qué valor tiene esta declaración frente al acta instruída por el agente público?
3. Si el contrato de trabajo se extinguía el 31 de julio de 1995, desde ese momento desaparecería una fuente esencial de renta de las que disfrutaba la familia, ¿tendría en consecuencia el derecho a seguir percibiendo el subsidio?, ¿desde cuándo?

DOCTRINA

La noción de servicio público corre prácticamente en paralelo con la evolución histórica del crecimiento de las tareas estatales. De un Estado liberal constreñido a actividades que implicaban el ejercicio de soberanía, se ha pasado a un Estado o Administración caracterizado por la prestación de servicios a los ciudadanos. En este contexto, la expansión de las actividades estatales alcanza, y progresa, en el campo de la cobertura de necesidades y riesgos sociales no atendidas por la iniciativa privada. De la Administración de los servicios públicos se pasa al Estado y Administración prestacionales.

Los llamados «derechos sociales y económicos» se configuran por la Constitución más como obligaciones genéricas del Estado que como efectivos derechos individuales. En este sentido, el art. 53.3 CE ha precisado que los mismos sólo podrán ser alegados ante la jurisdicción ordinaria «de acuerdo con lo que dispongan las leyes que los desarrollen».

La Ley castellano-manchega 5/1995 contempla unas ayudas para personas con escasos recursos económicos, a la vez que atribuye a la Administración facultades para la comprobación del mantenimiento de las condiciones exigidas para el disfrute de la prestación (lo que no obsta a la obligación del beneficiario de comunicar esos cambios a la Administración) y para la recuperación de las cantidades cobradas indebidamente.

Las actas de inspección gozan de presunción de veracidad, presunción que es perfectamente compatible con el derecho fundamental a la presunción de inocencia. La presunción de certeza ha de entenderse referida a los hechos comprobados por el inspector y reflejados en el acta, siempre que se observen los requisitos legales pertinentes.

LEGISLACIÓN

- CE: arts. 9.2, 39 y ss. y 53.3.
- LAP: art. 137.
- Ley de Castilla-La Mancha 5/1995, de 23 de marzo, de Solidaridad (BOE de 5 de marzo de 1996): art. 51, que establece una prestación económica destinada a garantizar la inserción social de aquellas personas y unidades familiares que por carecer de recursos económicos suficientes no puedan atender sus necesidades básicas.

JURISPRUDENCIA

- SSTS 11.6.1996 (5207), 18.3.1991 (3183) y 24.6.1991 (7578): Presunción de veracidad de las actas de inspección y posibilidad de practicar prueba en contrario.

BIBLIOGRAFÍA

- GARCÉS SANAGUSTÍN, A.: *Las prestaciones económicas en el ámbito de la prestación asistencial*, Cedecs, Barcelona, 1996.

– GARCÉS SANAGUSTÍN, A.: *Prestaciones sociales, función administrativa y derechos de los ciudadanos*, Mc-Graw Hill, Madrid, 1996.
– GARCÍA ECHEVARRÍA, S.: *El futuro de las prestaciones sociales: la crisis del Estado de bienestar*, Univ. Alcalá de Henares, 1988.
– GARCÉS FERRER, J.: *La Administración pública del bienestar social*, Tirant lo Blanch, Valencia, 1994.
– FORSTHOFF, E.: *Concepto y Esencia del Estado Social de Derecho en el Estado Social*, Centro de Estudios Constitucionales, Madrid, 1986.
– MARTÍN MATEO, R.: «La asistencia social como servicio público», en *Guía de actividades públicas asistenciales*, Madrid, 1967.
– PAREJO ALFONSO, L.: *Estado social y Administración pública*, Civitas, Madrid, 1983.
– PAREJO ALFONSO, L.: "Estado social y Administración prestacional", Revista Vasca de Administración Pública nº 57, 2000.

Caso n° 5: GESTIÓN INDIRECTA DEL SERVICIO MUNICIPAL DE ABASTECIMIENTO DE AGUAS

PLANTEAMIENTO

El Ayuntamiento de Albacete decidió en sesión plenaria de 20 de mayo de 1996 adjudicar la concesión del servicio municipal de aguas a la empresa «Albaservi, S.A.» por un período de 30 años. Transcurrido un año desde que la empresa prestaba el servicio, la misma decide aplicar a los usuarios un incremento de las tarifas de un 6%.

D.Pedro Serrano, maestro de escuela residente en la ciudad, tras escribir varias cartas de queja tanto a la prensa local como a la empresa concesionaria y al Ayuntamiento, comprueba sorprendido el 8 de julio de 1997 como le han cortado el suministro de agua en la vivienda unifamiliar donde habita.

1. ¿Debe el Ayuntamiento garantizar en su ciudad el servicio de abastecimiento domiciliario de agua potable? ¿Puede dejar a una empresa privada que gestione dicho servicio público? ¿A través de qué figura jurídica? ¿Ha respetado el Ayuntamiento en este supuesto el procedimiento adecuado?
2. ¿Puede la empresa concesionaria modificar unilateralmente las tarifas? ¿En qué supuestos cabría el incremento del precio?
3. ¿Qué garantías tienen los terceros o usuarios respecto del concesionario? ¿Cúales son las obligaciones del concesionario del servicio público?

DOCTRINA

El art. 154 del TRLCAP define a los contratos de gestión de servicios públicos como aquéllos mediante los cuales las Administraciones Públicas encomiendan a una persona, natural o jurídica, la gestión de un servicio público. En realidad, más que de un tipo contractual definido, se trata de supuestos de gestión indirecta de los servicios públicos.

Por medio de la concesión se transfiere a una persona física o jurídica la gestión de un servicio, asumiendo ésta el riesgo económico de la actividad concedida.

La Administración pública concedente, como ha destacado la jurisprudencia del TS, tiene en la concesión de servicios públicos facultades superiores a aquellas de que dispone en otros contratos administrativos y prácticamente análogas a las que tendría si gestionase directamente el servicio (dar órdenes, inspeccionar el servicio, sancionar al concesionario, fijar las tarifas, etc.). Ahora bien, en la concesión administrativa de servicios públicos, especifica el Real Decreto 1098/2001, por el que se aprueba el RGLCAP, que el órgano de contratación podrá atribuir al concesionario determinadas facultades de policía, sin perjuicio de las generales de inspección y vigilancia que incumban a aquél.

El contrato de concesión vincula a concedente y concesionario regulando las relaciones jurídicas que se establecen entre ellos. Por el contrario, las relaciones jurídicas que se entablen entre concesionario y usuarios del servicio público quedarán generalmente sometidas al Derecho privado y, según confirma el art. 3.1.b) TRLCAP, excluidas del ámbito de aplicación de la Ley de Contratos. Sin embargo, en la mayoría de los casos, las disposiciones especiales del respectivo servicio reconocen en favor del usuario el derecho a la reclamación y recurso ante la Administración pública concedente y, en su caso, ante la jurisdicción contencioso-administrativa por razón de irregularidades en la prestación del servicio público por el concesionario.

LEGISLACIÓN

- TRLCAP: arts. 154 y ss.
- LBRL: arts. 21.1, 24, 25, 26, 33.2, 34.1 y 47.
- RSCL: arts. 114, 115, 116, 124, 128 y 129.
- RGLCAP: arts. 180 y ss.

JURISPRUDENCIA

- STS 27.1.92 (636): concepto de contrato de gestión de servicios públicos.
- STS 9.5.89 (4487): responsabilidad patrimonial de la Administración local por los servicios públicos concedidos.
- SSTS 1.7.81 (3149), 2.3.87 (3456), 30.6.90 (5758) y 30.1.92 (727): sobre las concesiones de servicio locales.
- STS 20.1.98 (904): control de la potestad tarifaria
- STS 21.1.98 (247): derecho al cobro de las tarifas

BIBLIOGRAFÍA

- AAVV: *Contratos de las Administraciones Públicas (Comentarios a la Ley 13/1995)*, El Consultor de los Ayuntamientos; Abella, Madrid, 1995.
- ALBI CHOLBI, F.: *Tratado de los modos de gestión de las Corporaciones Locales*, Aguilar, Madrid, 1960.
- ARIÑO, G.: *Las tarifas de los servicios públicos*, Instituto García Oviedo, Sevilla, 1976.
- FERNÁNDEZ AGÜERO, E.: "Emnpresa privada que mediante concesión administrativa presta el servicio público de suministro de agua potable: naturaleza y calificación de los actos que dicta para la cobranza de dicho servicio", Revista de estudios Locales nº 45, 2001.
- GARCÍA DE ENTERRÍA, E.: «La figura del contrato administrativo», *RAP* nº 41.
- MESTRE DELGADO, J. F.: «Las formas de prestación de los servicios locales, en particular, la concesión», *Tratado de Derecho Municipal* (Coord. MUÑOZ MACHADO), Civitas, Madrid, 1988.
- PÉREZ MOROTE, R.: "Diferencias en el tratamiento del coste de capital en la prestación de los servicios públicos municipales: prestación directa frente a concesión administrativa", Análisis Local, nº 32, 2000.
- SÁNCHEZ ISAC, J.: *La contratación en las corporaciones locales*, Bayer Hnos, Barcelona, 1996.
- SOSA WAGNER, F.: *La gestión de los servicios públicos locales*, 3ª ed., Civitas, Madrid, 1997.

CAPÍTULO

XVIII | ACTIVIDAD SANCIONADORA

José Suay Rincón
Universidad de Las Palmas de Gran Canaria

Caso nº 1: RESERVA DE LEY Y TIPICIDAD

PLANTEAMIENTO

Un médico de la provincia de Tarragona concluye un contrato con una compañía aseguradora, y por virtud de dicho contrato queda obligado a cobrar una serie de precios tasados, según el servicio prestado, a los asegurados de la compañía. Esta circunstancia es advertida enseguida por el Colegio Oficial de Médicos, que repara, además, en que los precios pactados en el contrato resultan inferiores a los establecidos como honorarios mínimos por el propio Colegio. Así las cosas, y después de instruido el preceptivo procedimiento sancionador, la Junta de Gobierno del Colegio acuerda imponer al médico antes citado una amonestación pública como sanción colegial. Como base para la imposición de dicha sanción, el texto de la resolución invoca la infracción de las normas deontológicas de la profesión, así como haber causado perjuicio material y moral a los compañeros de profesión, previstos ambos tipos como ilícitos en los propios Estatutos del Colegio. Disconforme con la sanción impuesta, el médico afectado por ella decide entablar recurso a cuyo objeto formula la siguiente consulta:

1. ¿Se aplica el principio constitucional de legalidad en materia sancionadora solamente a las sanciones penales? ¿Es posible atenuar en algunos ámbitos las exigencias constitucionales derivadas de dicho principio?

2. ¿Constituyen base suficiente para la imposición de una sanción los Estatutos de un Colegio Profesional o, en todo caso, se requiere que el ejercicio de la potestad sancionadora disponga de cobertura legal? En tal hipótesis, ¿puede la Ley remitir a un Reglamento para la determinación de algunos de los elementos constitutivos de las infracciones y sanciones?

3. Por último, ¿basta invocar el incumplimiento genérico de las normas deontológicas de la profesión para fundamentar la imposición de una sanción? ¿es admisible el empleo de tipos amplios y residuales y, de ser así, en qué supuestos y con qué límites?

DOCTRINA

La vigente Constitución española de 1978 confiere máximo rango, y otorga el carácter de derecho fundamental, al principio de legalidad en materia sancionadora. En la proclamación de este principio, el art. 25.1 de la Carta Magna asimila las sanciones administrativas a las penales, como especies del mismo *ius puniendi* del Estado.

Reiteradamente afirma la jurisprudencia que el principio constitucional de legalidad en materia sancionadora incorpora en su esencia, y sin con ello agotar su virtualidad, una doble garantía, material y formal. La garantía de orden formal se concreta en la exigencia de una norma legal como vehículo necesario para la tipificación de las infracciones y sanciones administrativas. La de carácter material, por su parte, obliga a una descripción precisa y completa de la conducta incriminable (ilícito), así como de la sanción que procede imponer, en su caso. También ha declarado la jurisprudencia que, mientras la garantía formal admite con ciertas limitaciones la colaboración reglamentaria y hasta algunas modulaciones en contados casos, la garantía material tiene carácter absoluto.

LEGISLACIÓN

- CE: art. 25.
- LAP: arts. 127 y 129.
- Ley 2/74, de 13 de diciembre, reguladora de los Colegios Profesionales, modificada por Ley 74/78, de 26 de diciembre: arts. 5 y 6. Algunas Comunidades Autónomas disponen de su propia normativa en materia de colegios profesionales: así, por ejemplo, Cataluña (Ley de 17 de diciembre de 1982) y Canarias (Ley de 23 de mayo de 1990). Recientemente otras Comunidades Autónomas también han dictado su propia legislación en esta materia (País Vasco: Ley de 21 de noviembre de 1997; Comunidad Valenciana: Ley de 4 de diciembre de 1997; Aragón: Ley de 12 de marzo de 1998; Navarra: Ley de 6 de abril de 1998; Madrid: Ley de 11 de julio de 1997 y Castilla y León: Ley de 8 de julio de 1997).

JURISPRUDENCIA

- STC 341/93, de 18 de noviembre (F° 9 y 10): Una síntesis de la doctrina constitucional sobre el contenido y alcance del principio de legalidad en materia sancionadora.
- STS 4.7.94 (5580): Sobre la exigencia concreta impuesta por el principio de reserva de Ley en materia sancionadora.
- STS 9.11.93 (8951): Sobre la inclusión de la clasificación de las infracciones en el ámbito de la reserva de Ley.
- STS 20.12.89 (9640): La doctrina general de la tipicidad como garantía material del principio de legalidad.
- STC 219/89, de 21 de diciembre: La aplicación matizada del principio de legalidad en el ámbito de la categoría de las relaciones de sujeción. Más favorable a la recepción plena de dicho principio en el ámbito indicado: STS 7.4.90 (2859).
- SSTS 16.12.93 (10053) y 8.3.96 (2267): Sobre la aplicación del art. 25.1 de la Constitución a los Colegios Profesionales.
- STS 25.5.93 (3815): El alcance del principio de legalidad en otro campo controvertido, la Administración local. Frente a esta postura favorable a su aplicación plena: Dictamen del Consejo de Estado de 23.2.95.

BIBLIOGRAFÍA

- GARCÍA MACHO, R.: «Sanciones administrativas y relaciones de especial sujeción», *REDA* n° 72, 1991, págs. 515 y ss.
- MARTÍN-RETORTILLO, L. y otros: *Los colegios profesionales a la luz de la Constitución*, Madrid, 1996, págs. 304 y ss.
- MESTRE DELGADO, J.F.: «La configuración constitucional de la potestad sancionadora de la Administración Pública», en *Estudios sobre la Constitución española. Homenaje al Profesor E. García de Enterría*, t. III, Madrid, 1991, págs. 2493 y ss.
- NIETO GARCÍA, A.: *Derecho administrativo sancionador*, 2ª ed., Tecnos, Madrid, 1994, págs. 259 y ss.

Caso n° 2: *NON BIS IN IDEM* Y **PROPORCIONALIDAD**

PLANTEAMIENTO

D. Ricardo Sanz Guerra, funcionario del Ministerio de Economía y Hacienda, adscrito al Puerto de Vigo como Agente de Aduanas, gira el pasado día 10 de agosto de 1997 liquidación por la importación de una mercancía, estableciendo una cuantía notablemente superior a la que procede realmente, al objeto de retener para sí el exceso resultante. Resulta, sin embargo, rápidamente descubierto por la Administración que enseguida ordena la apertura de un expediente disciplinario y acuerda dentro del mismo la suspensión de empleo como primera providencia. Puestos los hechos en conocimiento del juez de la localidad por su presunto carácter delictivo, las actuaciones penales dan lugar al procesamiento, primero, y a la condena, más tarde, del funcionario antes mencionado por apropiación indebida. Adquirida firmeza la resolución judicial, la Administración con base en los mismos hechos declarados probados en sede penal decide proseguir el procedimiento disciplinario abierto con anterioridad y, a resultas del mismo, impone al funcionario como sanción el traslado forzoso por tres años a Las Palmas de Gran Canaria. Disconforme con ello, decide entablar recurso a cuyo objeto formula la siguiente consulta:

1. ¿Es correcta la tramitación del caso, concretamente, debe la Administración suspender el procedimiento, elevar las actuaciones al juez penal y esperar hasta que éste resuelva?
2. ¿Es legítima la adopción de una medida provisional en el seno del procedimiento disciplinario? En caso afirmativo, ¿con qué requisitos y con qué límites?
3. ¿Es posible en el caso suscitado la doble sanción penal y administrativa por los mismos hechos?
4. En la hipótesis que el juez penal hubiera absuelto al funcionario implicado y declarado inexistentes los hechos aducidos, ¿habría podido la Administración proseguir sus actuaciones y acordar la sanción impuesta?
5. Finalmente, ¿puede el funcionario afectado invocar el principio de proporcionalidad para obtener una revisión judicial de los criterios de graduación y, en su caso, una reducción de la sanción?

DOCTRINA

El principio *non bis in idem*, que en su formulación básica prohíbe la imposición de dos o más sanciones por un mismo hecho, no aparece contemplado como tal en nuestra Constitución, aunque la jurisprudencia ha afirmado que implícitamente puede deducirse del art. 25.1 de la Constitución y del principio de legalidad en materia sancionadora que este precepto reconoce y garantiza. Reconocido el principio, la jurisprudencia también ha ido decantando su alcance, que no es coincidente exactamente en todos los ámbitos y sectores sujetos a la intervención administrativa. La legislación, por otra parte, ha depurado el procedimiento a seguir de suscitarse el caso de que un mismo hecho sea susceptible de dos o más sanciones.

En distinto orden de consideraciones, el principio de proporcionalidad, también íntimamente ligado al principio de legalidad, compele a la Administración a concretar la sanción administrativa en función de las características del caso y a las circunstancias de la infracción y del infractor. Asimismo, obliga al legislador a prever y cifrar los criterios de graduación de las sanciones que procede aplicar en cada caso, al objeto de acotar el inicial margen de discrecionalidad administrativa.

LEGISLACIÓN

- CE: art. 25.
- LAP: arts. 131, 133, 136 y 137.
- RD 1398/93, de 4 de agosto, por el que se aprueba el reglamento del procedimiento para el ejercicio de la potestad sancionadora de la Administración: arts. 5, 7 y 15.
- RD 33/86, de 10 de agosto, por el que se aprueba el Reglamento de régimen disciplinario de los funcionarios de la Administración del Estado: arts. 7, 14, 23 y 24.

JURISPRUDENCIA

- STC 234/91, 10 de diciembre: Para la determinación del contenido constitucional del principio *non bis in idem* en el ámbito del Derecho administrativo sancionador.
- STS 24.12.85 (6545): Sobre la procedencia de la paralización del procedimiento administrativo sancionador hasta el pronunciamiento del juez penal.

- STS 21.1.87 (1796): Sobre los efectos de la declaración por el juez penal de la inexistencia de los hechos imputados.
- STS 14.12.94 (9791): La aplicación del principio de proporcionalidad en el Derecho administrativo sancionador.
- STS 20.1.97 (535): Doctrina general sobre el *non bis in idem*

BIBLIOGRAFÍA

- DOMÍNGUEZ VILA, A.: *Constitución y Derecho sancionador administrativo*, Madrid, 1997, págs. 291 y ss.
- NIETO GARCÍA, A.: *Derecho administrativo sancionador*, 2ª ed., Tecnos, Madrid, 1994, págs. 398 y ss.
- QUINTANA LÓPEZ, T.: «El principio *non bis in idem* y la responsabilidad administrativa de los funcionarios», *REDA* nº 74 1992, págs. 267 y ss.
- TRAYTER JIMÉNEZ, J.M. y AGUADO I CUDOLA, V.: *Derecho administrativo sancionador (Materiales)*, Barcelona, 1995, págs. 71 y ss; 89 y ss.
- TRAYTER JIMÉNEZ, J.M.: «Sanción penal-sanción administrativa: el principio non bis in idem en la jurisprudencia», *Poder Judicial* nº 22, 1991, págs. 113 y ss.
- VERA JURADO, D.: «El principio *non bis in idem* y su aplicación a las relaciones de sujeción especial de la Policía gubernativa», *REDA* nº 79, 1993, págs. 537 y ss.

Caso n° 3: RESPONSABILIDAD PERSONAL Y CULPABILIDAD

PLANTEAMIENTO

Al objeto de obtener determinados documentos acreditativos de su real situación de solvencia económica y financiera, el Banco de España cursa un requerimiento a una entidad de crédito que no es atendido. Reiterados los requerimientos por escrito y mantenida la misma actitud de desafío por la entidad de crédito antes mencionada, la Administración incoa el preceptivo procedimiento que concluye con la imposición de una sanción a la entidad. No obstante, además de dicha sanción, se impone a los miembros del Consejo de Administración (incluido, su Presidente), con carácter solidario, una multa de treinta mil (30.000) euros. Disconforme con estas actuaciones, los directivos afectados deciden entablar recurso a cuyo objeto formulan la siguiente consulta:

1. ¿Cabe imponer una sanción a una persona jurídica carente de voluntad?
2. En caso afirmativo, si dicha sanción es legítima, ¿cabe imponer adicionalmente una sanción a las personas físicas responsables de la actuación de la entidad?
3. ¿Pueden algunos de los miembros del Consejo aducir que no participaron en la decisión del colectivo para eludir la sanción?
4. ¿Es posible imponer una multa a todos ellos a título solidario?

DOCTRINA

La aplicación de los principios penales a las sanciones administrativas, como especies ambas del mismo *ius puniendi* del Estado, se proyecta también sobre este caso y lleva a afirmar la plena vigencia de los principios de responsabilidad personal (o por actos propios) y de culpabilidad en el ámbito del Derecho administrativo sancionador.

Esto no obstante, la apelación por la jurisprudencia a favor de la aplicación de los principios penales en este ámbito se efectúa no sin matices. Se admite, de este modo, la responsabilidad de las personas jurídicas y determinadas formas de responsabilidad solidaria, si bien la jurisprudencia se ha cuidado asimismo de establecer con precisión con qué condiciones y bajo qué límites son admisibles una y otra. Por otra parte, la responsabilidad concurrente o conjunta entre personas físicas y jurídicas aparece reconocida por alguna normativa sectorial.

LEGISLACIÓN

- LAP: art. 130.
- Ley 26/88, de 29.7, sobre disciplina e intervención de las entidades de crédito: arts. 4, 9, 12, 14 y 15.

JURISPRUDENCIA

- STC 76/90, de 26 de abril (F 4° a); SSTS 17.10.89 (3700) y 22.2.92 (852): Afirmación de la vigencia del principio de culpabilidad en el Derecho administrativo sancionador.
- STC 246/91, de 19 de diciembre y STS 30.11.93 (1230): Sobre la procedencia y condiciones para la responsabilidad de las personas jurídicas en materia sancionadora.
- STC 219/88, de 22 de febrero y STS 8.3.94 (1674): Aplicación del principio de la responsabilidad personal o por actos propios a las sanciones administrativas.
- STC 76/90, de 26 de abril (F 4° a) y 146/94, de 12 de mayo: Condiciones para la admisiblidad de la responsabilidad solidaria. Asimismo pero en sentido más restrictivo: STS 26.1.98 (573)

BIBLIOGRAFÍA

- FERNÁNDEZ RODRÍGUEZ, T.R. y otros: *Comentarios a la Ley de Disciplina e Intervención de las Entidades de Crédito*, 2ª ed., Madrid, 1991, págs. 65 y ss.
- JUNCEDA MORENO, J.: «¿Una vuelta hacia la responsabilidad objetiva en Derecho administrativo sancionador?», *REDA* n° 86, 1995, págs. 261 y ss.
- LOZANO, B.: «La responsabilidad de la persona jurídica en el ámbito sancionador administrativo», *RAP* n° 129, 1992, págs. 211 y ss.
- MAYOR MENÉNDEZ, P.: «Sobre la responsabilidad conjunta de las personas jurídicas y sus administradores en el Derecho administrativo sancionador (especial referencia al Mercado de Valores)», *REDA* n° 87, 1995, págs. 343 y ss.
- NIETO GARCÍA, A.: *Derecho administrativo sancionador*, 2ª ed., Tecnos, Madrid, 1994, págs. 336 y ss.
- PALMA DEL TESO, A.: *El principio de culpabilidad en el Derecho administrativo sancionador*, Madrid 1996, págs. 188 y ss.

Caso nº 4: PRESCRIPCIÓN DE LA INFRACCIÓN Y CADUCIDAD DEL PROCEDIMIENTO

PLANTEAMIENTO

D. Manuel Pérez Cruz procedió el pasado 14 de julio a estacionar su vehículo en lugar prohibido. De vuelta de las gestiones que le habían llevado al centro y entretenido más de lo esperado, percibió que en el cristal del coche un agente de la Policía Local había dejado copia de la denuncia que se proponía realizar por la supuesta infracción cometida. Sin darle mayor importancia, sin embargo, se introdujo en el vehículo y regresó al hogar. Trascurridos poco más de dos meses de que estos hechos sucedieran, el 25 de septiembre, recibió en su domicilio notificación por correo certificado de la incoación de procedimiento sancionador, indicándole que disponía de quince días para formular alegaciones. En el indicado trámite se invocó la prescripción de la infracción por revestir carácter leve. Y una vez evacuado el mismo, D. Manuel Pérez Cruz dejó de tener la menor noticia del asunto hasta que nueve meses después se le comunicó, de nuevo mediante correo certificado, que la Administración había acordado imponerle una multa de ciento cincuenta (150) euros. Disconforme con ello, decide entablar recurso a cuyo objeto formula la siguiente consulta jurídica:

1. ¿No debió la Administración haber acordado en el curso del procedimiento la prescripción de la infracción por el transcurso del plazo legalmente establecido? ¿Cuál es la fecha que hay que considerar como día inicial para el cómputo del mencionado plazo de prescripción y cuándo hay que entender interrumpida ésta?
2. ¿Exige la normativa un plazo máximo para concluir el procedimiento y, en su caso, para notificar la sanción impuesta al afectado? De ser afirmativa la respuesta, ¿cabe interrumpir el citado plazo? Y, por otra parte, ¿basta el mero transcurso del tiempo o se requiere alguna actuación ulterior para decretar la caducidad del procedimiento?

DOCTRINA

Íntimamente vinculada a la seguridad jurídica y, por consiguiente también, al principio de legalidad como manifestación de aquélla, la prescripción de las infracciones y sanciones administrativas es una cuestión de enorme importancia práctica, cuya regulación dejaba mucho que desear hasta fechas próximas. A la jurisprudencia correspondió poner orden, tarea en la que recientemente le ha reemplazado el propio legislador. El establecimiento de un plazo expreso para la prescripción de las infracciones, y también de las sanciones, seguramente sea el aspecto de la cuestión más conocido; pero no pueden ignorarse otros igualmente polémicos, como el modo del cómputo del plazo en su caso establecido, la fijación del *dies a quo* y la regulación de la interrrupción de la prescripción.

Este último aspecto está asociado al problema de la caducidad del procedimiento: admitida sólo en algunas normativas sectoriales también hasta hace poco, la legislación general sobre procedimiento administrativo ofrece ahora las bases para renovar y hacer efectiva la institución de la caducidad del procedimiento.

LEGISLACIÓN

- LAP: arts. 42.2 y 3, 43.4, 44 y 132.
- RD 1398/93, de 4 de agosto, por el que se aprueba el Reglamento del procedimiento para el ejercicio de la potestad sancionadora de la Administración: arts. 6 y 20.
- RD Legislativo 339/90, de 2 de marzo, por el que se aprueba el Texto Articulado de la Ley sobre tráfico, circulación de vehículos a motor y seguridad vial (últimamente reformado por Ley 5/97, de 24 de marzo): art. 81.
- RD 320/94, de 25 de febrero, por el que se aprueba el Reglamento de procedimiento sancionador en materia de tráfico, circulación vehículos a motor y seguridad vial: arts. 16 y 18.

JURISPRUDENCIA

- STS 17.7.89 (5977): La posición general de la jurisprudencia sobre la prescripción de las infracciones.
- STS 3.7.90 (6353): Matiza la doctrina anterior.
- STS 8.11.93 (8606): Sobre la interrupción de la prescripción.
- STS 20.1.97 (535): Sobre la caducidad del procedimiento sancionador y su distinción con la prescripción de las infracciones.

BIBLIOGRAFÍA

- BELTRÁN AGUIRRE, J.L.: «La prescripción de las infracciones administrativas: unificación de la doctrina jurisprudencial», *REDA* nº 73, págs. 1992 y ss.
- CALVO MIRANDA, J. L.: «La prescipción de las sanciones administrativas en vía de recurso», *RArAP*, nº 12, págs. 343 y ss.
- LOZANO, B.: *La extinción de las sanciones administrativas y tributarias*, Madrid 1990, págs. 201 y ss.
- NIETO GARCÍA, A.: *Derecho administrativo sancionador*, 2ª ed., Tecnos, Madrid, 1994, págs. 456 y ss.
- TRAYTER JIMÉNEZ, J.M. y AGUADO I CUDOLA, V.: *Derecho administrativo sancionador (Materiales)*, Barcelona 1995, págs. 97 y ss.
- TRAYTER JIMÉNEZ, J.M.: *Manual de Derecho disciplinario de los funcionarios públicos*, Madrid, 1992, págs. 342 y ss.

Caso nº 5: PROCEDIMIENTO SANCIONADOR

PLANTEAMIENTO

Detectada por la Administración en la comercialización de un producto lácteo la presencia de un nivel de lactosueros por encima del tolerado, se ordena la apertura de procedimiento sancionador. En el curso del mismo, se producen diversas incidencias. Primero, la empresa afectada solicita la admisión y práctica de un análisis contradictorio que le es rechazado. Pero es que, además, después de formulado el entonces preceptivo pliego de cargos y la propuesta de resolución, donde la imputación se concreta en la comisión de una infracción de carácter leve prescrita al iniciarse el procedimiento, la resolución sancionadora altera esta calificación e impone una multa de seiscientos (600) euros a la entidad por haber realizado una infracción de carácter grave. Finalmente, estando todavía en tramitación el procedimiento sancionador, la Administración da inicio a uno distinto al advertirse los mismos hechos, como consecuencia de una nueva inspección. Disconforme con este cúmulo de actuaciones administrativas, la empresa afectada entabla recurso a cuyo objeto formula la siguiente consulta jurídica.

1. ¿Pueden los defectos del procedimiento dar lugar a una infracción constitucional? Formulada la pregunta de otro modo ¿reconoce la Constitución el derecho de defensa y proscribe la indefensión en el ámbito de los procedimientos administrativos sancionadores?
2. ¿Comprende el derecho de defensa la utilización de los medios de prueba?, ¿vulnera, en consecuencia, los derechos de defensa la inadmisión de la práctica de una prueba?
3. ¿Puede la Administración alterar la propuesta de resolución en sentido perjudicial al particular implicado? Si la respuesta es afirmativa, ¿de qué modo y bajo qué condiciones pueden alterarse los hechos, en su caso, y su calificación jurídica?
4. ¿Puede la Administración iniciar un nuevo procedimiento sancionador estando todavía pendiente alguno, por los mismos hechos y contra el mismo sujeto?

DOCTRINA

La jurisprudencia ha cumplido un papel decisivo en la configuración del procedimiento sancionador. Dicho sea de paso, como, en general, en la totalidad del Derecho administrativo sancionador. Reconocido el derecho constitucional a la tutela judicial efectiva (art. 24.1) y a su socaire una serie de derechos de defensa (art. 24.2) a fin de evitar la indefensión que el precepto en conjunto proscribe, la jurisprudencia no vaciló en declarar tempranamente la aplicabilidad del art. 24 CE a la Administración, en el ejercicio de su potestad sancionadora, de manera que no cabe imponer sanción alguna sin procedimiento y, además, éste ha adecuarse a una determinada estructura a fin de asegurar la vigencia en el mismo del derecho constitucional de defensa. Lógicamente, ha correspondido a la legislación general sobre el procedimiento administrativo la tarea de determinar, a partir de los mandatos constitucionales antes referidos, el contenido de los derechos que pueden hacerse valer en el procedimiento sancionador, así como las condiciones y los límites bajo los cuales pueden invocarse y ejercitarse dichos derechos.

LEGISLACIÓN

- LAP: arts. 80.3, 134, 135 y 137.4.
- RD 1398/93, de 4 de agosto, por el que se aprueba el Reglamento del procedimiento para el ejercicio de la potestad sancionadora de la Administración: arts. 4, 17, 18, 19 y 20.
- RD 1945/83, de 22 de junio, por el que se regulan las infracciones y sanciones en materia de defensa del consumidor y de la producción agroalimentaria: arts. 3, 6, 9, 10, 16 y 17, en particular, estos dos últimos.

JURISPRUDENCIA

- STC 212/90, de 20 de diciembre: Sobre la relevancia constitucional de la prueba en el procedimiento sancionador y sobre la determinación de su pertinencia. Véase también el voto particular.
- STC 29/89, de 6 de febrero: El valor de la propuesta de resolución en el procedimiento sancionador y las condiciones para su alteración.

BIBLIOGRAFÍA

- DOMÍNGUEZ VILA, A.: *Constitución y Derecho sancionador administrativo*, Madrid 1997, págs. 299 y ss.
- GARBERI LLOBREGAT, J.: *El procedimiento administrativo sancionador*, 2ª ed., Madrid, 1996, págs. 253 y ss; 456 y ss; y 615 y ss.

– GARCÍA DE ENTERRIA, E. y FERNÁNDEZ RODRÍGUEZ, T.R.: *Curso de* *Derecho Administrativo*, t. II,Civitas, Madrid, 2002.
– PARADA VÁZQUEZ, R.: *Derecho administrativo*, t. I, Marcial Pons, Madrid, 2000.
– TRAYTER JIMÉNEZ, J.M. y AGUADO I CUDOLA, V.: *Derecho administrativo sancionador (Materiales)*, Barcelona 1995, págs. 127 y ss.

ACTIVIDAD ECONÓMICA

Marta Franch i Saguer
Universidad Autónoma de Barcelona

Caso nº 1: ACTIVIDAD ECONÓMICA DE LAS ADMINISTRACIONES LOCALES

PLANTEAMIENTO

El Ayuntamiento de Vilamalla crea una empresa denominada «Servicios y promociones de iniciativas municipales S. A.». Se trata de una sociedad mercantil, con capital íntegramente público. Entre los objetivos establecidos en sus estatutos cabe destacar los siguientes:

«1. La gestión y administración de los mercados municipales.

2. La construcción y explotación de aparcamientos en el término municipal.

3. La organización técnica y la gestión de ferias artesanales, muestras comerciales y turísticas, y similares, en el término municipal».

El Sr. Rubirola, empresario de la construcción, decide comprar un terreno para construir un aparcamiento en el centro de la ciudad. La compra del terreno y las obras van a costarle 150.000.000. El empresario se entera que la empresa «Servicios y promociones de iniciativas municipales S. A.» quiere construir en dicho terreno, situado debajo de la plaza mayor, un parking subterráneo y los trabajos van a ser realizados por la empresa municipal y la brigada municipal.

La empresa del Sr. Rubirola pide un dictamen en el que solicita respuesta a las siguientes cuestiones:

1. ¿Qué tipo de empresa es «Servicios y promociones de iniciativas municipales S.A.»?, ¿es una empresa pública?, ¿de actividad económica o de servicio público?, ¿qué actividades puede llevar a cabo?

2. Analizar cuáles son las finalidades de la empresa pública.
3. En el caso de que la empresa realizara actividad económica ¿en qué circunstancias debería realizarla?
4. Deberíamos plantearnos si la empresa puede utilizar la brigada municipal para las obras y qué normas se deben seguir para la celebración del contrato de construcción.

DOCTRINA

El concepto de empresa pública es un concepto doctrinalmente controvertido debido a que está a caballo entre lo público y lo privado. Dentro de la doctrina mercantilista algún sector considera que dar la calificación de «empresa» a la empresa pública no responde a la realidad ya que la Administración no es en todo caso un empresario porque no tiene como finalidad «unir factores de producción, crear una unidad organizativa para la aportación de bienes y servicios al mercado». Parece, desde este punto de vista, incompatible esta misión con la finalidad institucional del «interés público».

El objetivo de la creación por parte de la Administración de empresas públicas es que las mismas realicen o bien una actividad de producción y distribución de bienes o de gestión de servicios públicos de contenido específico. Son empresas que realizan su actividad sujetas al Derecho Privado aunque siempre persiguiendo una finalidad de utilidad pública o interés general pero que en su estructura y control participa la Administración.

Cuando la empresa pública realiza actividades de producción o comercialización de bienes está sometida a las normas de libre competencia.

LEGISLACIÓN

- CE: arts.38, 103.1, 128.2.
- Tratado Constitutivo de la Comunidad Europea: arts.90, 92 y 94.
- TRRL: arts. 97, 103 y 104.
- LRBRL: arts. 85 y 86.
- Ley de Sociedades Anónimas: arts. 7, 8 y 311.
- Ley 2/1995, de 23 de marzo, de Sociedades de Responsabilidad limitada: arts.126, 128 y 229.

JURISPRUDENCIA

- Sentencias del Tribunal de Justicia de la Comunidad Europea de 14 de septiembre de 1994, España/Comisión (MERCO) (c-42193, Rec. 1994, pp. I-4188-4197); de 14 de febrero de 1990, Francia/Comisión (BOUSSAC) (C-301/87, Rec. 1990, pp. 352-367); de 21 de noviembre de 1991, Federation Nationale de Commerce Exterieur des Produits Alimentaires et Syndicat National de negotiants et transformateurs de saumon (C-354/90, Rec. 1991, pp. I-5523-5530).
- STS 10.10.89: «...Mientras que los particulares pueden crear sus empresas con plena libertad de criterios, sin más condición que la de que sus fines sean lícitos (artículo 38 de la Constitución), todas las actuaciones de los Órganos de la Administración Pública deben responder al interés público que en cada caso y necesariamente ha de concurrir (artículo 193.1 de la Constitución)...»; «...las empresas públicas que actúen en el mercado, se han de someter a las mismas cargas sociales, fiscales, financieras y de toda índole que afecten a las privadas...»; «Esta total indefinición de las concretas actividades o negocios que la Sociedad que se aprobaba fuera a desarrollar, conculcaba evidentemente el principio de la especialidad de las empresas públicas que exige determinar con rigor y precisión el objeto de la empresa y la actividad o negocio que ella deba desarrollar, pues sólo conociéndolos la misma se podrá desarrollar en todos sus aspectos. Y se podrá determinar después objetivamente si su ejercicio conviene o no al interés público...».
- STS 14.2.90

BIBLIOGRAFÍA

- ALONSO UREBA, A.: *La Empresa Pública. Aspectos Jurídico-Constitucionales y de Derecho Económico*, Montecorvo, Madrid, 1985.
- FERNÁNDEZ FARRERES, G.: *Régimen de las ayudas estatales en la CE*, Madrid, 1993.
- ENDEMAÑO ARÓSTEGUI: «Las sociedades mercantiles participadas por el municipio. Particularidades más relevantes de su régimen jurídico», *REALA* n° 270, 1996.
- HURTADO: *La iniciativa pública local en la actividad económica*, FMV, 1994.
- MONTOYA MARTÍN: *Las empresas públicas sometidas al Derecho privado*, Marcial Pons, Madrid, 1996.
- RODRÍGUEZ CURIEL: *Compatibilidad con el mercado común de las ayudas de Estado a las empresas públicas*, *RAP* n° 112, 1990.
- TRONCOSO REIGADA, A: *Privatización, empresa pública y constitución,* Marcial Pons, Madrid, 1997.

Caso n° 2: CENTRO COMERCIAL

PLANTEAMIENTO

La empresa Carrefour quiere establecer un gran centro comercial en el término municipal de Terrassa y siguiendo el procedimiento establecido en la ley del Parlamento de Catalunya 17/2000, de 29 de diciembre, de equipamientos comerciales, vigente en el momento de su petición, pide el informe a la Comisión Territorial de equipamientos comerciales de Barcelona. El informe emitido por la Comisión es desfavorable y basa su decisión en «que la zona en la que se localiza el proyecto tiene la concentración de grandes superficies comerciales más elevada de Catalunya» y en que «no se dispone de un estudio integral de evaluación del impacto que una implantación como la que se propone tendría sobre la estructura comercial».

La decisión le sorprende a la empresa que decide pedir un informe jurídico para saber si hay argumentos o no para impugnar. El informe deberá responder a las siguientes cuestiones:

1. ¿Cuál es la Administración competente y la legislación aplicable?, ¿todas las CCAA tienen competencia en la materia?, ¿qué competencia tiene el Estado?, ¿qué competencia tiene la Administración Local?
2. ¿La Comisión puede valorar la concentración de grandes superficies? Si lo puede hacer deberíamos establecer en qué términos. ¿Los requisitos no establecidos en una norma pueden ser exigidos?
3. El informe que emite la Comisión ¿es preceptivo? y ¿vinculante?
4. ¿Los informes están basados en conceptos jurídicos indeterminados o en potestades discrecionales?
5. Si los informes han sido mayoritariamente favorables ¿puede la Comisión cambiar su decisión?, ¿debe motivarlo?

DOCTRINA

Acotar el contenido del concepto de comercio ha sido siempre un tema polémico pero si nuestra aproximación al concepto es desde el Derecho Administrativo aún lo es más ya que la Administración interviene en muchas de las materias relacionadas con el mismo.

La primera cuestión es establecer quién tiene el título competencial sobre «comercio». El término «comercio interior» no aparece en los arts. 148 y 149. Por tanto, debemos ver la delimitación competencial que realizan los Estatutos de Autonomía y las leyes orgánicas de transferencia.

La noción de gran superficie comercial basada a veces sólo en el concepto espacial es importante precisarla ya que si se trata de una gran superficie el régimen jurídico es distinto al de un comercio no incluido dentro del concepto. La apertura de una gran superficie está sometida a dos autorizaciones administrativas. Las CCAA pueden tener competencia en materia de comercio.

La ley de comercio minorista define lo que se entiende por gran establecimiento en los siguientes términos: «los establecimientos comerciales que, destinándose al comercio al por menor de cualquier clase de artículos, tengan una superficie útil para la exposición y venta al público superior a 2500 metros cuadrados» (Disp. 3ª de la ley 7/96).

Debe estudiarse cuál es el procedimiento administrativo y las decisiones que debe tomar la Administración.

La doctrina distingue la distinta naturaleza entre potestades discrecionales del empleo por el legislador de conceptos jurídicos indeterminados. Con la aplicación de un concepto jurídico indeterminado se trata de encontrar una solución justa en la aplicación de un concepto que necesariamente se define de un modo impreciso en la misma.

LEGISLACIÓN

- CE: arts 149.1.1, 149.1.13, 149.1.6.
- Estatuto de Autonomía de Cataluña: arts 9.9, 9.20, 12.1.1, 12.1.5.
- Ley del Parlamento de Cataluña 17/2000, de 29 de diciembre de equipamientos comerciales (DOG 5.1.2001).
- Decreto de la Generalitat de Cataluña 97/1993, de 23 de febrero, por el que se regula la composición de las comisiones territoriales de equipamientos comerciales y establece su funcionamiento (DOG 2.4.93).
- Ley 7/ 1996 de 15 de enero de 1996 de ordenación del comercio.

JURISPRUDENCIA

- STC 227/93, de 9 de julio, dictada en el recurso de inconstitucionalidad promovido contra la ley catalana de equipamientos comerciales. El TC declaró que «La Constitución no veta el uso de los conceptos jurídicos indeterminados ni podrá hacerlo, conforme a la naturaleza de las cosas, puesto que no es sencillo resolver como podría el legislador autonómico, de forma general y apriorística, concretar estos criterios de forma más detallada». Y continúa: «La misma naturaleza cambiante y dinámica, por otra parte del comercio y del urbanismo, así como la pluralidad de supuestos de hechos imaginables aconsejan dejar a las Comisiones un razonable margen de interpretación de estos criterios y en su aplicación al caso». «La ley catalana, por el contrario, fija unos cánones o pautas dotados de una razonable precisión, que, inevitablemente, sólo pueden ser determinados caso por caso —y no desde la generalidad que la ley entraña— por los miembros de ese órgano colegiado, cuyos informes vienen sometidos luego, en su caso, al control de los Tribunales. Se está en un margen de discrecionalidad técnica de las Comisiones en la emisión del informe, ...».
- SSTC 225/1993, de 9 de julio y 264/1993, de 22 de julio.
- STS 11.10.94.
- STSJ de Cataluña 27.10.95, 8.5.96 y 25.10.95.

BIBLIOGRAFÍA

- CASES, Ll. y PONS, F: *La implantación de grandes establecimientos comerciales*, Marcial Pons, Madrid, 1998.
- POMED SÁNCHEZ, L.A.: «Evolución reciente de la ordenación administrativa de la actividad comercial: horarios comerciales y Comunidades Autónomas», *Derecho privado y Constitución* n° 8, 1996.

Caso nº 3: CAJAS DE AHORROS

PLANTEAMIENTO

El Consejo de Administración de una Caja de Ahorros de Andalucía decide tomar las siguientes decisiones:

– No tener Comisión de Obra Benéfico-Social.

– Realizar toda la Obra Benéfico-Social en colaboración.

– Destinar un 5% de sus beneficios a las actividades de Obra Benéfico-Social.

La residencia de ancianos «Santa Justa», de Madrid, que hasta el momento recibía un ayuda anual de seis mil (6.000) euros recibe una carta en la que se le informa que va a ser imposible otorgarle la ayuda debido al recorte que se ha hecho en la distribución de sus beneficios.

1. ¿Qué puede hacer la Residencia Santa Justa? Estudiar qué tipo de entidades son las Cajas de Ahorros.
2. ¿Cuál es la Administración competente y la normativa aplicable?, ¿qué normativa se aplicaría si la residencia Santa Justa estuviera localizada en Madrid?
3. Estudiar qué órganos de gobierno tiene una Caja de Ahorros. ¿Quién puede decidir la existencia o no de la Comisión de Obra Social?
4. La asignación a Obra benéfico-social ¿quién la aprueba?, ¿la Administración interviene en algún momento?, ¿qué Administración?

DOCTRINA

Las Cajas de Ahorros por razones históricas son entidades de carácter social y al mismo tiempo de carácter financiero. La Administración ha ejercido desde siempre un protectorado sobre estas entidades para mantener la seguridad del sistema financiero. Esta intervención sobre las mismas ha supuesto un heterogéneo régimen jurídico-administrativo.

La estructura institucional de estas entidades está caracterizada por una composición diversa que permite que la dirección y el control de las mismas lo lleven a cabo personas que no disponen de ninguna titularidad patrimonial sobre la Caja de Ahorros.

La ley prevé dos destinos para los excedentes de las Cajas la constitución de reservas obligatorias y la financiación de la obra social.

LEGISLACIÓN

- CE: art.149.1.11.
- Estatuto de Autonomía de Andalucía: art. 18.1.3.
- Ley que regula los órganos rectores de las cajas de ahorros 31/1985, de 2 de agosto.
- Ley 13/1994, de 1 de junio de autonomía del Banco de España.
- Ley 26/1988, de 29 de julio, sobre disciplina e intervención de las entidades de crédito.
- Ley de la Comunidad Autónoma de Andalucía 15/1999, de 16 de diciembre, de Cajas de Ahorros de Andalucía

JURISPRUDENCIA

- SSTC 48/1988, de 22 de marzo, 49/1988, de 22 de marzo, 178/1992 de 16 de noviembre y 33/1993, de 1 de febrero.
- SSTS 24.1.90; 9.5.90; 24.11.90 y 27.12.90.

BIBLIOGRAFÍA

- GAMERO CASADO, E.: *La intervención de empresas. Régimen jurídico-administrativo*, Marcial Pons, Madrid, 1996.
- FRANCH SAGUER, M.: *Intervención administrativa sobre bancos y cajas de ahorros*, Civitas, Madrid, 1989.
- JÍMENEZ-BLANCO, A: «Notas sobre la Ley 15/1999, de 16 de diciembre, de Cajas de Ahorros de Andalucía», *RAAP* nº 36, 1999.
- NIETO GARCÍA, A.: *Dictámenes sobre las Cajas de Ahorros españolas (años 1981-1988)*, Burgos, 1991.

Caso nº 4: TRANSPORTE

PLANTEAMIENTO

La Consejería del Gobierno Vasco dicta un Decreto en el que regula las autorizaciones para el transporte discrecional de mercancías por carretera para vehículos con domicilio en el País Vasco. La Compañía «Osvaldo» con domicilio en Tolosa trabaja para una empresa que vende su producto a Murcia.

A la vista de estos antecedentes, la compañía de transporte realiza la petición de un informe jurídico que responda a las siguientes cuestiones:

1. ¿Quién tiene competencia en materia de transporte de mercancías?
2. Cuando el transporte transcurre por más de una Comunidad Autónoma ¿qué normativa se debe aplicar?
3. ¿Qué relación existe entre el ejercicio de una competencia y el territorio?

DOCTRINA

Las redes de transporte tienen una especial importancia en el sistema económico. La legislación ha pasado de una gran dispersión normativa a la unidad de un sistema de transporte en el que la Administración del Estado es la encargada de coordinar las competencias de las diferentes Administraciones.

El territorio ha sido uno de los criterios de delimitación constitucional de competencias pero se ha ido matizando este criterio para el reparto competencial en materia de transporte.

LEGISLACIÓN

- Tratado Constitutivo de la CEE: arts. 74 a 84.
- CE: art. 148.1.5, 149.1.21.
- Estatuto Vasco: art 10.32.
- RD 1446/1981, de 19 de junio, sobre traspasos de servicios del Estado a la Comunidad del País Vasco.

- Ley de Ordenación del Transporte Terrestre 16/1987, de 30 de julio de 1987.
- Ley Orgánica 5/1987, de 30 de julio, de delegación de facultades del Estado en las Comunidades Autónomas en materia de transportes por carretera y por cable.
- RD 1211/1990, de 28 de septiembre, por el que se aprueba el Reglamento de la Ley de Ordenación de Transportes Terrestres.

JURISPRUDENCIA

- SSTC 37/1981, de 16 de noviembre, 97/1983, de 15 de noviembre, 86/1988, de 3 de mayo, 149/1991, de 4 de julio (F.J. 1) y 180/1992, de 16 de noviembre.
- STS 28.11.96

BIBLIOGRAFÍA

- PEMÁN GAVÍN, J.: *Igualdad de los ciudadanos y autonomías territoriales*, Civitas, Madrid, 1992.
- PIÑANES LEAL, J.: *Régimen Jurídico del transporte por carretera*, Marcial Pons, Madrid, 1993.
- RAZQUÍN LIZÁRRAGA: *Derecho Público del transporte por carretera*, Aranzadi, Pamplona, 1995.

Caso nº 5: PRIVATIZACIÓN

PLANTEAMIENTO

En 1987 se constituyó una sociedad anónima participada al 100% por el INH. En 1989 el Consejo de Ministros inició un proceso de ampliación accionarial, a través de la cual se incorporaron más de 350.000 nuevos accionistas a la empresa. Posteriormente, en 1989 y 1992, se fueron colocando más acciones en manos de los particulares

La empresa con una participación pública superior al 25% decide, en junio de 1997, enajenar acciones hasta que el capital público quede por debajo del 15% del capital social. El Presidente de la empresa consulta al Ministro que le da su aprobación y, posteriormente, informa de la misma a empresas que pueden estar interesadas en privatizar. Pasadas unas semanas el Ministerio le concede la autorización publicando en el BOE un Real Decreto de régimen de la autorización administrativa.

Nos piden un informe aquellas empresas que no fueron informadas en un primer momento sobre la futura enajenación aprobada por el Ministro sin ningún tipo de procedimiento.

1. ¿Se trata de una privatización? A pesar de la venta de acciones ¿puede que no sea una privatización?
2. ¿Puede el Ministro autorizar la autorización?
3. ¿Qué tipo de autorización se aprueba en BOE?, ¿es definitiva?
4. ¿Qué proceso necesita el régimen de autorización administrativa previa?
5. ¿Quién puede impugnar esta decisión y ante quién se puede impugnar?
6. ¿Puede el Presidente de la Compañía informar a los posibles compradores?

DOCTRINA

Las tendencias privatizadoras dependen en gran parte del modelo económico que haya adoptado cada país. La crisis del Estado del bienestar ha traído como consecuencia un proceso privatizador superando las diferencias políticas.

Hace falta realizar un análisis sobre el concepto de privatización, aunque en un sentido amplio del término sería el proceso de reducción de toda intervención pública en la actividad económica. A este concepto amplio la doctrina lo ha ido matizando y concretando.

Las técnicas para privatizar y sus objetivos son bien difíciles de definir pero en todo caso bien heterogéneos. Existen diferentes formas: colocación en bolsa de paquetes accionariales, venta directa de empresas, venta de activos.

LEGISLACIÓN

- Tratado de la Comunidad Europea: arts: 36, 37, 45, 48, 56, 90 y 222, 223.
- Directiva 80/273, de 25 de junio (modificada por la 85/413, de 24 de julio y 93684, de 30 de septiembre).
- LAP
- RD 1778/1994, de 5 de agosto por el que se adecúan a la Ley 30/ 92 las normas reguladoras de los procedimientos de otorgamiento, modificación y extinción y autorizaciones.
- Ley 5/1995, de 23 de marzo, de Régimen Jurídico de Enajenación de Participaciones Públicas en determinadas empresas.

BIBLIOGRAFÍA

- ARIÑO, G.: *Economía y Estado. Crisis y reforma del sector público*, Marcial Pons, Madrid, 1993.
- BEL I QUERALT: *Privatización, desregulación y competencia*, Civitas, 1996.
- DE LA SERNA BILBAO, Mª de las N.: *La privatización en España*, Aranzadi, Pamplona, 1995.
- GARCÍA LLOVET, E.: «Procesos de privatización del sector público en Italia», RAP nº 138, 1995.
- HURTADO: *La iniciativa pública local en la actividad económica*, FMV, 1994.
- RODRÍGUEZ ARANA: *La privatización de la empresa*, Montecorvo, Madrid, 1991.
- RODRÍGUEZ CHIRILLO: *Aspectos jurídicos de la privatización de la empresa pública en España*, IEE, 1993.
- PIÑAR MAÑAS, J.L.: *Reflexiones sobre la privatización de la empresa pública en España*, RAP nº 84, 1994.
- RUZA: *La privatización y la Reforma del sector público*, Minerva, 1994.

ACTIVIDAD SANITARIA Y SOCIAL

Francisca Villalba Pérez
Universidad de Granada

Caso nº 1: DERECHO A LA PROTECCIÓN DE LA SALUD. DERECHOS Y DEBERES DE LOS CIUDADANOS EN SUS RELACIONES CON LA ADMINISTRACIÓN SANITARIA

PLANTEAMIENTO

Irene Sousa, ciudadana portuguesa, decidió con su marido Ítalo, español de nacimiento, abandonar Portugal en busca de mejores condiciones de vida. Se instalaron en Madrid en un barrio marginal, dedicándose a la venta ambulante, dada su falta absoluta de medios económicos. Mientras formalizaban su situación en España, Irene tuvo un grave quebranto en su salud que le hizo poner en peligro su vida, por lo que fue trasladada con toda urgencia al hospital más cercano, siendo éste de la Seguridad Social. En un primer momento, le negaron toda asistencia alegando su condición de extranjera. Ítalo solicitó ayuda a una ONG recién constituida, cuya intervención fue decisiva para el internamiento de Irene en dicho hospital; en él hicieron saber que pertenecían a los Testigos de Jehová. Posteriormente, Ítalo se enteró que a Irene le habían realizado varias transfusiones de sangre, que la intervinieron quirúrgicamente sin el consentimiento de ninguno de ellos, y le aplicaron tratamiento de cobaltoterapia con posibilidad de que en el futuro se le reproduzcan secuelas, debido a la agresión radiológica a que fue sometida. Ante su sorpresa e indignación Ítalo acudió a la ONG para que le asesoraran sobre sus derechos y deberes en relación con la Administración sanitaria. Pero la incipiente constitución de ésta, y su inexperiencia sobre temas sanitarios, le obligan a pedir un dictamen sobre los siguientes temas:

1. ¿Tiene derecho Irene a una asistencia sanitaria gratuita en nuestro país?, ¿cuál es el ámbito subjetivo de aplicación del derecho a la protección de la salud?, ¿existe en España una universalización de la sanidad?

2. ¿Estará obligado Ítalo a pagar el importe de las prestaciones sanitarias?, ¿es el sistema sanitario español exclusivamente contributivo? Fundamente jurídicamente las respuestas.

3. ¿Garantiza nuestra Constitución la sanidad preventiva y la asistencia sanitaria? Razonar las diferencias entre ambos conceptos y los efectos que pueda tener sobre el derecho a la protección de la salud. ¿Tiene derecho Irene a que le presten una sanidad preventiva y curativa, o por no ser española sólo tendrá derecho a prestaciones colectivas?

4. Si no tuviera derecho Irene a la asistencia sanitaria, ¿se podría ligar esta prestación a otro derecho que le amparara y cubriera aquélla?

5. ¿Es la sanidad un servicio público esencial?, ¿legalmente se puede negar el hospital a prestar los auxilios médicos a Irene?

6. Detallar y enumerar los derechos y deberes de los usuarios y pacientes del sistema sanitario.

7. ¿Ha sido correcta la actuación del hospital con Irene e Ítalo o se le han vulnerado alguno de sus derechos?

8. ¿Será el derecho a la protección de la salud exigible ante los tribunales de justicia?, ¿qué derechos colaterales se podrían alegar para hacer efectivo aquél?, ¿de qué medios legales disponen para su defensa?

9. ¿Vincularían a la Administración sanitaria las convicciones religiosas de ambos en el tratamiento a seguir?

DOCTRINA

Los Derechos Humanos que hoy se proclaman con validez universal, tienen su último asiento, su fundamento más radical, en la dignidad del hombre. Así lo establece la Constitución en el artículo 10. Todos los demás derechos y valores: libertad, igualdad y justicia, son derechos y valores derivados. El Estado debe asegurar la protección necesaria para que quede salvaguardada la dignidad de la persona y otros valores constitucionales que se ponen en juego en este ámbito. Esta noción de la dignidad de la persona, el valor de la vida misma, son la fortaleza última, la capa que cubre el núcleo irreductiblemente público de los servicios sanitarios.

La actividad sanitaria pública ha discurrido, históricamente, por tres vías diferentes, que en muchas ocasiones se ignoraban recíprocamente.

Por un lado, la sanidad preventiva, destinada a preservar los peligros que pudieran acechar a la salud colectiva, aunque con el tiempo iría extendiendo su campo de acción hacia el tratamiento de algún tipo de enfermedades que, aunque no fueran difusivas o supusieran estrictamente un riesgo de transmisión o contagio, fuesen socialmente relevantes por su intensidad. Por otro lado, las actuaciones administrativas ligadas a la beneficencia, que incluían también prestaciones sanitarias curativas y, cuya finalidad se enmarcaba en la más general de atención a los indigentes (hoy asistencia social). Finalmente, la actividad sanitaria de atención a la enfermedad, que en un primer momento se ligará exclusivamente a los trabajadores y después a todos los ciudadanos en general. Estas últimas prestaciones sanitarias están ligadas al sistema de Seguridad Social, convirtiéndose en el servicio sanitario público más relevante, ya que desde 1989 ha asumido las prestaciones sanitarias de las personas sin recursos económicos (asistencia social).

La asistencia sanitaria social se dirigirá principalmente a una franja de ciudadanos necesitados que, al quedar fuera del sistema de Seguridad Social, precisan de protección de las instituciones públicas. Aparece así la asistencia social como un mecanismo protector de situaciones de necesidad específicas, sentidas por grupos de población a los que no alcanza aquel sistema. Desde 1989 es prestada dentro de la Seguridad Social.

En todo caso, parece claro, que de la Constitución se deriva un mandato de «universalidad» en la asistencia (el derecho a la salud se reconoce en términos genéricos sin distinciones) y de «igualdad» en la misma (lo que se deduce de la conexión del art. 43 con otros preceptos constitucionales: arts. 9.2, 14, 149.1.1º). En particular la universalidad de la asistencia implica que la condición de ciudadano sea suficiente para beneficiarse de las prestaciones sanitarias del Estado y no es necesario que concurran otros títulos específicos. Lleva implícita, por tanto, la superación de los planteamientos tradicionales, según los cuales las prestaciones sanitarias públicas se organizaban sobre la base de títulos concretos: asistencia benéfica a enfermos pobres; asistencia sanitaria a los beneficiarios de la Seguridad Social y, asistencia sanitaria pública en relación con determinadas enfermedades de especial relevancia.

Hoy, la Constitución permite tanto una asistencia sanitaria configurada como una prestación a cargo de la Seguridad Social, como la articulación de esa asistencia sanitaria a través de un Servicio de Salud abierto a todos los ciudadanos al margen de la acción protectora de la Seguridad Social. Con todo, la LGS no ha establecido de forma inmediata la universalización de las prestaciones sanitarias gratuitas, pues aunque en su artículo 3.2 señala que la asistencia sanitaria pública se extenderá a todo la población, del conjunto de la Ley se desprende que ello es tan sólo un propósito que se anuncia y no una realidad operativa de forma inmediata.

LEGISLACIÓN

- CE: arts. 9.2, 10, 13, 15, 41, 43.
- Declaración Universal de Derechos Humanos: arts. 22 y 25.
- Pacto de Derechos Económicos, Sociales y Culturales de 16 de diciembre de 1966: arts. 9, 10, 11 y 12.
- Carta Social Europea de 18 de octubre de 1961: arts. 7, 11, 12, 13 y 19.
- Reglamento CEE 1408/71, de la Seguridad Social: arts 22.1, 22.3 y 31.a.
- Reglamento CEE 574/72, de la Seguridad Social: arts. 20.4, 21.1 23, 31.1 y 3.
- Convención Europea de Asistencia Social y Médica, firmada en París, el 11 de diciembre de 1953.
- Convenio Europeo de Seguridad Social, 14 de diciembre de 1972, ratificado por España el 10 de enero de 1986: arts. 2.1 a) del Título I, y 21.1 a) del Título III, y Acuerdo complementario sobre este Convenio de 10 de abril de 1989.
- LO 4/2000, de 11 de enero, modificada por LO 8/2000, de 22 de diciembre, de derechos y libertades de los extranjeros en España e integración social: arts. 10, 12 y 14.
- Ley 14/1986, de 25 de abril, General de Sanidad: arts. 1, 2, 3, 6, 7, 9, 10, 11, 18, 19, 46, 80, 81 y Disp. transitoria quinta.
- RD 1088/1989, de 8 de septiembre, de Asistencia Sanitaria de la Seguridad Social.
- RD 63/1995, de 20 de enero, de ordenación de las prestaciones sanitarias del Sistema Nacional de Salud.
- Ley catalana 21/2000, de 29 de diciembre, sobre los derechos de información a la salud y a la autonomía del paciente.
- Ley gallega 3/2001, de 28 de mayo, reguladora del consentimiento informado y e la historia clínica de los pacientes.

JURISPRUDENCIA

- SSTC 76/1986, de 9 de junio y 146/1986, de 25 de noviembre: La asistencia social se define como una actividad de auxilio con cargo a fondos públicos (no los propios de la Seguridad Social), proporcionada a todos los ciudadanos que no estén incluidos en el campo de aplicación de la Seguridad Social, y que no se encuentran en condiciones económicas de atender por sí mismos sus necesidades vitales básicas. Es característica de la asistencia social su sostenimiento al margen de toda obligación contributiva o previa colaboración económica de los destinatarios o beneficiarios.

- STC 137/1990, de 19 de julio: La aplicación de un tratamiento forzoso (transfusiones), implica el uso de medidas que comportan restricciones a la libertad en algunas de sus manifestaciones. Pero tales restricciones, en cuanto inherentes a la intervención médica, no violan derechos fundamentales ni constituyen lesión de aquellos mismos derechos.

- STC 103/ 1983 de 22 de noviembre: El art. 41 CE concluye afirmando que «los poderes públicos mantendrán un régimen público de Seguridad Social para todos los ciudadanos, que garantice la asistencia y prestaciones sociales suficientes ante situaciones de necesidad». Es significativa al respecto la concreta referencia, una vez más, a «todos los ciudadanos» sin distinción alguna, y la relativa a «situaciones de necesidad».

- SSTS 24.5.94 (3743), 12.7.94 (6730) y ATS de 13.11.89: Todo facultativo de la medicina, especialmente si es cirujano, debe saber la obligación que tiene de informar de manera cumplida al enfermo acerca de los posibles efectos y consecuencias de cualquier intervención quirúrgica, y de obtener su consentimiento al efecto; a excepción de presentarse un supuesto de urgencia que haga peligrar la vida del paciente o pudiera causarle graves lesiones de carácter inmediato, siendo preciso el previo consentimiento escrito del usuario para la realización de cualquier intervención. La obligación contraída por el médico que practicó la intervención quirúrgica, no sólo comprendía la aplicación de la técnica quirúrgica adecuada, sino que también, como se desprende del derecho reconocido en el artículo 10.5 de la Ley 14/1986, de 25 de abril, General de Sanidad, estaba obligado a dar una información completa y continuada, verbal y escrita, en términos comprensibles, sobre los riegos que de la misma pueden derivarse, incluyendo diagnóstico, pronóstico y alternativa de tratamiento.

- STS 21.2.1995 (1168)
- STS 7.10.1996 (7496)
- SAN 31.4.2000
- STS 26.9.2000 (8126)
- STS 27.11.2000 (9404)
- STS 12.1.2001 (3): Declara que "el consentimiento informado constituye un derecho humano fundamental en cuanto derecho a decidir por sí mismo en lo atinente a la propia persona y a la propia vida..."

BIBLIOGRAFÍA

- ALONSO OLEA, M.: *Las prestaciones sanitarias de la Seguridad Social,* Madrid, 1991.

- ALONSO OLEA, M.: *Las prestaciones del Sistema Nacional de Salud,* Cívitas, Madrid, 1999
- ALONSO OLEA, M.: "El consentimiento informado en medicina y cirugía", RAP, n° 155, mayo-agosto, 2001.
- ALONSO GARCÍA R.: "La Carta de derechos fundamentales de la Unión Europea", Gaceta Jurídica de la UE, n° 201, 2000.
- BEATO ESPEJO, M.: «Derechos de los usuarios del sistema sanitario a los diez años de aprobación de la LGS», *RAP* n° 141, 1996.
- COBREROS MENDAZONA, E.: voces «Sanidad» y «Beneficencia» en *Enciclopedia Jurídica Básica,* t.IV, págs. 6066 y t.I, págs. 771, respectivamente, Civitas, Madrid, 1995.
- LÓPEZ BORJA DE QUIROGA: «El consentimiento informado» en *Responsabilidad del personal sanitario,* CGPJ, 1995.
- MUÑOZ MACHADO, S.: *La formación y crisis de los servicios sanitarios públicos,* Madrid, 1995.
- PEMÁN GAVÍN, J.: *Derecho a la salud y Administración sanitaria,* Bolonia, 1989.
- PEMÁN GAVÍN J.: "Las prestaciones sanitarias públicas: configuración actual y perspectivas de futuro", RAP n° 155, mayo-agosto 2001.
- PIÑAR MAÑAS, J. L.: «Fundaciones constituidas por entidades públicas. Algunas cuestiones», *REDA,* n° 97.
- PIÑAR MAÑAS, J. L.: «Fundaciones sanitarias. De la perplejidad a la confusión pasando por la demagogia», *Revista General de Legislación y Jurisprudencia,* n° 1, 2000.
- PIÑAR MAÑAS, J. L. y REAL PÉREZ, A.: *Derecho de fundaciones y voluntad del fundador,* Marcial Pons, Madrid, 2000.
- REBOLLO PUIG, M.: «Sanidad preventiva y salud pública en el marco de la Administración sanitaria española», *REALA* n° 239.
- ROMEO CASABONA, C. M.ª: «Configuración sistemática de los derechos de los pacientes «, en *Jornadas sobre los derechos de los pacientes,* INSALUD, 1990.
- VIANA CONDE y SAS FOJÓN: «El consentimiento informado del enfermo», *La Ley,* 7 de marzo de 1996.

Caso nº 2: INTERVENCIÓN DE LA ADMINISTRACIÓN EN RELACIÓN CON LA SALUD COLECTIVA: PRESTACIONES PERSONALES FORZOSAS

PLANTEAMIENTO

Como consecuencia de una «gota fría» el sureste español se ha visto sacudido por unas fuertes lluvias que han ocasionado inundaciones, corrimientos de tierra y la rotura de la red principal en el abastecimiento de agua potable, produciendo una alta contaminación en la misma e innumerables casos de una fuerte gastroenteritis. Ante el temor de una generalización de la epidemia, las autoridades sanitarias de zonas concretas de Murcia, Almería, y Granada, a través de una resolución administrativa, han requisado los servicios profesionales de médicos, farmacéuticos y veterinarios, para que mientras subsista la emergencia, de lunes a viernes en jornada intensiva de trabajo, depuren las aguas y tomen todas aquellas medidas profilácticas necesarias para poder garantizar la salud pública de toda la población.

Don Luis, médico de una de las zonas afectadas, se niega a prestar sus servicios alegando las siguientes razones:

a) Que la Administración, a través de simples órdenes, no puede restringir derechos fundamentales, como es el derecho a ejercer libremente su profesión.

b) Que la Administración le deberá requerir formalmente y al detalle todos los servicios y las horas que tenga que prestar.

c) Que le tendrá que poner a su disposición una persona que le sustituya en su puesto de trabajo.

d) Y deberá fijar previamente su contraprestación económica.

1. ¿Es correcta jurídicamente la actuación de Don Luis?
2. ¿De qué actuación administrativa se trata? Analice la naturaleza jurídica de la misma.
3. ¿Deberá contar la Administración con alguna específica y concreta habilitación legal?
4. ¿Qué tipos de normas están admitidas en estos ámbitos?
5. ¿Tendrá la Administración alguna limitación en esta concreta actuación?, ¿qué principios jurídicos la deberán presidir?

6. ¿En qué vicio incurrirá la Administración si no se atiene en su actuación a esos límites y principios?, ¿qué consecuencias jurídicas conlleva la sanción de ese vicio?
7. ¿Es preceptivo el seguimiento por parte de la Administración de un procedimiento formal y solemne en su actuación?

DOCTRINA

El párrafo 2° del art. 43 CE establece, que «compete a los poderes públicos organizar y tutelar la salud pública a través de medidas preventivas y de las prestaciones y servicios necesarios. La ley establecerá los derechos y deberes de todos al respecto». En este precepto constitucional tiene hoy su punto de arranque una amplísima legislación sectorial relativa a los diversos aspectos que presenta la protección de la salud colectiva: control de enfermedades transmisibles; sanidad ambiental; sanidad veterinaria y farmacéutica; control de las aguas de consumo humano; sanidad alimenticia, etc. También se contienen en este precepto constitucional, la imposición de deberes, ya que la sanidad preventiva o salud pública, exige predominantemente medidas de limitación sobre los derechos, bienes y, actividades de los particulares, para garantizar la salud de todos los ciudadanos. Las técnicas administrativas de intervención sanitaria pueden ser de distintos tipos: autorizaciones administrativas, actividad inspectora y sancionadora, imposición administrativa de obligaciones de hacer, tratamientos sanitarios obligatorios, incautaciones, requisas de bienes y, prestaciones personales forzosas.

Las prestaciones personales sólo se podrán establecer mediante Ley. Y sobre ese fundamento normativo, la Administración especificará las personas, el momento y el tipo de actividades impuesto. La utilización de esta técnica por parte de la Administración implica la sumariedad procedimental de la imposición, normalmente actuable por meras órdenes instantáneas, incluso generales y orales, así como el carácter indemnizable del servicio personal impuesto.

Esta manifestación jurídica de la Administración requiere un previo estado de necesidad, de calamidad pública, lo que le dispensa del procedimiento formal ordinario para poder atender a las necesidades imperiosas que tratan de solucionar. La Administración, ordena directamente la prestación del servicio, y el estado de necesidad relega a un momento posterior el previo pago de la prestación. La regla *ad imposibilia nemo tenetur* y la dogmática del estado de necesidad justifican aquí la quiebra del procedimiento común e impide hablar de inconstitucionalidad de la medida.

En el Derecho español procede distinguir las situaciones de necesidad formalmente declaradas (estados de alarma, excepción y sitio) y aquellas otras situaciones excepcionales no declaradas como tales, inundaciones, epidemias, terremotos, incendios, etc., (calamidades públicas), que apoderan a las autoridades administrativas de potestades de excepción. La Administración actúa en estos casos priorizando los valores humanos más elementales y profundos, la fraternidad de los humanos ante la vida, sobre la formalidad de las competencias, los procedimientos y la legalidad en el uso de los poderes públicos.

Como notara García de Enterría, la peculiaridad de la requisa se resume, en cuanto expropiación ejercitada en estado de necesidad, en la amplitud de su posible objeto (todo lo que en ese momento se considere pertinente para atajar la situación de emergencia), en la falta de procedimiento formalizado de ejercicio, y en la preterición de las fases normales de valoración y pago de la indemnización, que tienen lugar en un momento posterior.

LEGISLACIÓN

- CE: arts. 31.3, 33.3, 36, 43, 53, 55 y 116.
- Ley Orgánica 4/1981, de 1 de junio, reguladora de los estados de Alarma, Excepción y Sitio: arts. 4, 11 y 32.3.
- Ley 2/1985, de 21 de enero, de Protección Civil: art. 4.7.
- Ley Orgánica 3/1986, de 14 de abril, de Medidas Especiales en Materia de Salud Pública: arts. 1 y 3.
- Ley 14/1986, de 25 de abril, General de Sanidad: arts. 3, 6, 26, 28, 29.3 y 31.2.
- LEF: arts. 120 y 125.
- LRBRL: art. 21.1.j.
- Ley Orgánica 1/1992, de 21 de febrero, sobre Protección de la Seguridad Ciudadana: art. 9.2.
- Convenio Europeo de Derechos Humanos y Libertades Fundamentales de 4 de noviembre de 1950.

JURISPRUDENCIA

- STC 37/1992, de 23 de marzo: La intervención recogida en el art. 120 LEF, es una forma excepcional de expropiación, sin las formalidades normalmente exigibles, como consecuencia de graves razones de orden público que requieren la adopción rápida de medidas por parte de las autoridades. Se trata, pues, de una acción que sustituye a la acción ordinaria por motivos de urgencia.
- STC 37/1987, de 26 de marzo: La Constitución no ha recogido una concepción abstracta del derecho de propiedad como mero ámbito subjetivo de libre disposición o señorío reservado a su titular. Por el contrario, la Constitución reconoce un derecho a la propiedad privada que se configura y protege, como un haz de facultades individuales, pero también, y al mismo tiempo, como un conjunto de deberes y obligaciones establecidos, de acuerdo con las leyes, en atención a valores o intereses de la colectividad, es decir, a la finalidad o utilidad social que cada categoría de bienes o derechos esté llamada a cumplir.
- STS 12.5.92 (3628): En un estado de necesidad perentorio en el que subyacen problemas de orden público, la Administración tiene plenas facultades y hasta deberes para imponer prestaciones personales que ordenen los servicios públicos necesarios y esenciales. El art. 33 CE no supone obstáculo alguno para las modalidades expropiatorias habilitadas por leyes especiales, sino que constitucionaliza, al lado de la utilidad pública, el interés social como causa justificante de la privación de bienes y derechos.
- STS 24.2.94 (1168): Una situación de alerta que ponga en peligro el abastecimiento de agua a la población, es un caso de fuerza mayor que autoriza a la Administración a adoptar las medidas necesarias y a tomar el agua de donde la hay, porque la necesidad impone soluciones de emergencia y el abastecimiento de agua a la población constituye un uso prioritario y vital.
- STS 8.11.96 (7903): La correcta interpretación del art. 26 LGS supone admitir que las intervenciones administrativas que tienen por objeto garantizar o preservar la salud de las personas, conllevan implícitamente la habilitación a la Administración para que pueda adoptar las medidas precisas para proteger la salud pública.
- STS 14.5.96 (4368): Cuando se produce una privación singular de derechos de un sector en favor del restablecimiento de un servicio público que beneficia a la demás población, se produce una lesión que ha de conllevar una adecuada compensación económica. Ello supone, que se deba indemnizar conforme a lo establecido con carácter general para cualquier privación singular de derechos o intereses patrimoniales legítimos, por causa de utilidad pública o interés social, de acuerdo con lo dispuesto en los arts. 33.3 CE y 120 LEF.
- STS 18.4.95 (3407): Todas estas actuaciones administrativas-sanitarias, deberán estar presididas por los principios de proporcionalidad en la medida a adoptar, el de igualdad, interdicción de la arbitrariedad, el derecho a la tutela judicial efectiva, así como el de *favor libertatis*, ya que cuando la Administra-

ción pueda elegir entre varias formas de actuar para conseguir una finalidad determinada, deberá emplear precisamente aquélla que resulte menos lesiva a los derechos de los administrados.

BIBLIOGRAFÍA

- CRUZ VILLALÓN, P.: voz «Estado de Alarma» en *Enciclopedia Jurídica Básica,* Civitas, Madrid, 1995, págs. 2905 y ss.
- CRUZ VILLALÓN, P.: *Estados excepcionales y suspensión de garantías,* Madrid, 1984.
- GARCÍA DE ENTERRÍA, E. y FERNÁNDEZ RODRÍGUEZ, T.R.: *Curso de Derecho Administrativo,* t.II, Civitas, Madrid, 2002.
- GARCÍA DE ENTERRÍA, E.: *Los principios de la nueva ley de Expropiación Forzosa,* Madrid, 1956.
- GARCÍA DE ENTERRÍA, E.: «Sobre los límites del poder de policía general y del poder reglamentario», *REDA* n° 5, 1975.
- ESCRIBANO COLLADO, P.: «Ocupación temporal», *RAP* n° 106, 1985.
- LESSONA, S.: «La tutela della salute pubblica», en *Comentario sistemático della Costituzione,* (Dir. CALAMANDREI y LEVI), Florencia, 1950, págs. 333 y ss.
- LÓPEZ GONZÁLEZ, J.I.: *El principio general de proporcionalidad en el Derecho Administrativo,* Sevilla, 1988.
- LOPERENA ROTA, D., «La protección de la salud y el medio ambiente adecuado para el desarrollo de la persona en la Constitución», en *Estudios sobre la Constitución Española. Homenaje al Profesor E. García de Enterría,* t.II, Civitas, Madrid, 1991.
- PARADA VÁZQUEZ, R.: «El artículo 33.3 de la Constitución y la crisis de la garantía expropiatoria», en *Estudios sobre la Constitución Española. Homenaje al Profesor E. García de Enterría,* t.II, Civitas, Madrid, 1991.
- TENA PAZUELO, V.: voz «Requisa» en *Enciclopedia Jurídica Básica,* Civitas, Madrid, 1995, págs. 5845 y ss.

Caso nº 3: TRATAMIENTOS SANITARIOS OBLIGATORIOS

PLANTEAMIENTO

Ante el alarmante aumento de los casos de meningitis en España, los responsables estatales y autonómicos de salud pública han elevado un documento al Consejo Interterritorial de Sanidad proponiendo la obligación de vacunación de todos los niños y jóvenes con edades comprendidas entre los 18 meses y los 19 años, en las Comunidades Autónomas de Madrid, País Vasco y Extremadura. El Consejo Interterritorial hace suya la propuesta elevándola al Ministerio de Sanidad para su aprobación.

Un sector de dicha población de Madrid, de alto nivel económico, se niega rotundamente a someterse a dicha vacunación, argumentando: 1º) que la incidencia de la enfermedad en esta Comunidad se sitúa por debajo de los criterios epidemiológicos que establece la OMS (4'14 casos por 100.000 habitantes frente a los recomendados de 10 por cada 100.000 habitantes); 2º) que creen innecesaria la imposición de tal medida por tratarse de zonas residenciales con unas inmejorables condiciones higiénicas y profilácticas; 3º) que el derecho a la protección de su salud conlleva para la Administración sanitaria una vertiente negativa que le imposibilita a intervenir en el núcleo de su libertad individual; 4º) que un órgano administrativo colegiado como es el Consejo Interterritorial de Sanidad no puede tomar decisiones restrictivas de derechos fundamentales.

Elabore un dictamen en el que se especifíquen las siguientes cuestiones:

1. En el supuesto de hecho ¿de qué manifestación jurídica de la Administración se trata?
2. ¿Cómo podrá la Administración obligar a este sector de la población a que se vacune?, ¿de qué mecanismos jurídicos dispone?
3. ¿A quién corresponde tomar decisiones en esta materia, qué órganos administrativos serían competentes?
4. ¿Qué límites y principios jurídicos ordenarán esta actividad de la Administración sanitaria?
5. ¿En qué vicio incurrirá la Administración si no se atiene a esos límites y principios jurídicos?, ¿cómo podrá defenderse el particular de ese vicio de la Administración?

6. ¿Qué respaldo legal será necesario para que la Administración pueda intervenir conforme a Derecho?, ¿qué clase de normas jurídicas están admitidas por el Ordenamiento para que pueda intervenir la Administración en la salud colectiva e individual de la población?

7. Analice jurídicamente los argumentos expuestos por ese sector de la población de Madrid para negarse a la vacunación contra la meningitis, haciendo referencia a la postura de los padres en relación con sus hijos menores de edad.

DOCTRINA

Los medios y actuaciones del sistema sanitario estarán orientados prioritariamente a la prevención de enfermedades, y, aun cuando en el contexto de la LGS, queda claro que esta prevención incluye la salud individual, resulta evidente que la sanidad preventiva abarca también la tutela de la salud pública, que es el medio más idóneo de prevención de las enfermedades. Por tanto, para que sea prioritaria la prevención de las enfermedades, y no sólo la curación de las mismas, es necesario conferir un valor destacado a la acción de protección de la salud pública.

La acción administrativa que en el seno de la salud pública pueda desarrollarse, se aisla como un fin específico y un bien a proteger distinto de la salud individual, que determina o posibilita actuaciones administrativas diferenciadas. La protección de la salud pública y también las perturbaciones individuales de ésta, justifican que la autoridad sanitaria ostente las más intensas potestades de limitación sobre los ciudadanos, incluso sobre sus derechos fundamentales.

La expresión más rotunda de esta protección, la constituye la Ley Orgánica 3/1986, de 14 de abril de medidas especiales en materia de salud pública. La razón de ser de esta Ley, separada de la Ley General de Sanidad, es la de haberse considerado las medidas en ella previstas incluidas en la reserva de ley orgánica del art. 81 CE, por su incidencia directa sobre derechos fundamentales y libertades públicas. En ella, la Administración sanitaria encuentra prefigurados legalmente sus poderes, necesariamente amplios, pero tasados y mensurables. Además, todos estos poderes, tendrán un carácter exclusivamente defensivo y temporal, y estarán restringidos a lo que sea imprescindible para garantizar la salud pública.

Son los estados de crisis sanitaria, los que habilitan a la Administración para dictar excepcionalmente los llamados reglamentos de necesidad que pueden ser, incluso *contra legem*, esto es, que pueden romper el principio de primacía de la Ley. Su justificación se centra en una situación de emergencia, cuya excepcionalidad coloca en primer plano el viejo principio *salus populi suprema lex*.

En estos estados de necesidad es donde la Administración sanitaria está facultada para adoptar las medidas coercitivas necesarias en las personas en sus bienes y derechos, a fin de asegurar u obligar al cumplimiento de las previsiones contenidas en las disposiciones generales sanitarias, en órdenes orales, o en actos administrativos singulares o generales acordados por la autoridad competente.

No es necesario que se dé un estado de necesidad sanitario proclamado o expreso para que la Administración pueda utilizar los medios coercitivos de que dispone, basta que, sin crisis sanitaria, se dé un supuesto previsto en la norma, por ejemplo una vacunación obligatoria, para que la autoridad sanitaria pueda acudir a los medios coercitivos habilitados por la Ley, vacunando forzosamente al ciudadano que se niega a esta acción.

El Derecho administrativo contempla dos sistemas de coacción: la coacción directa, y dentro del sistema de ejecución forzosa, la llamada compulsión sobre las personas.

LEGISLACIÓN

- CE: arts. 10.1, 15, 41, 43, 45, 51, 53.1, 55 y 81.
- Ley Orgánica 3/1986, de 14 de abril, de Medidas Especiales en materia de Salud Pública: arts. 1, 2 y 3.
- Ley 14/1986, de 25 de abril, General de Sanidad: arts. 10.6, 10.9, 11, 18.2, 24, 26, 28 y 40.2.
- Ley Orgánica 4/1981, de 1 de junio, de los estados de Alarma, Excepción y Sitio: arts. 4.b, 11, 12 y 32.3.
- RD 2050/1982, de 30 de julio de Normas complementarias sobre enfermedades de declaración obligatoria: arts. 1, 2.1.c, 3.2, 3.3 y 4.
- Ley 2/1998, de 15 de junio, de Salud, de Andalucía.
- Ley Foral Navarra 2/2000, de 25 de mayo, de Salud.
- La disposición final 14ª.1 de la LEC (1/2000, de 7 de enero) añadió un párrafo al número 5 del artículo 8 de la LJCA (29/1998, de 13 de julio) conforme al cual se atribuye a los jueces de lo contencioso-administrativo la autorización o ratificación de las medidas de las autoridades sanitarias

urgentes y necesarias para la salud pública que impliquen privación o restitución de la libertad o de otro derecho fundamental.

JURISPRUDENCIA

- STC 120/1990 de 27 de junio: La asistencia médica obligatoria no vulnera derechos fundamentales, pues constituye tan sólo una limitación a la integridad física y moral, y una restricción a la libertad, que vienen justificadas en la necesidad de preservar el bien de la vida humana, constitucionalmente protegido, y que se realiza mediante un ponderado juicio de proporcionalidad, en cuanto entraña el mínimo sacrificio que exige la situación en que se hallan aquéllos respecto de la intervención.
- STC 61/1990 de 20 de marzo: La libertad personal protegida por el art. 17 CE es la libertad física, la libertad frente a la detención, condena o internamientos arbitrarios, sin que pueda cobijarse en el mismo una libertad general de actuación o una libertad general de autodeterminación individual. Conforme a dicha doctrina, la libertad de rechazar tratamientos terapéuticos, como manifestación de la libre autodeterminación de la persona no puede entenderse incluida en la esfera del art. 17.1 CE.
- STC 137/1990 de 19 de julio: La aplicación de tratamientos sanitarios obligatorios implica el uso de medidas coercitivas que, inevitablemente, han de comportar concretas restricciones a la libertad de movimiento o a la libertad física en algunas de sus manifestaciones. Pero tales restricciones, en cuanto inherentes a la intervención médica, no constituyen lesión de aquellos mismos derechos.
- La Corte Suprema de Estados Unidos ha determinado en varias sentencias que la vacunación obligatoria no constituye una infracción a la libertad del ciudadano garantizada por la Constitución, y que la libertad no implica en modo alguno el derecho del ciudadano a eludir toda coerción en cualquier momento y circunstancia, en cuyo caso podría peligrar la existencia misma de la sociedad. El interés público requiere que cada ciudadano se someta a la vacunación, lo que implica la posibilidad de sanciones en el caso de negativa justificada. Sentencias citadas en el trabajo de J. DE MOERLOOSE.
- ATC 369/1984, de 20 de junio.
- SSTC 61/1982, de 13 de octubre, 159/1986, de 12 de diciembre y 168/1986, de 22 de diciembre.
- STS 27.12.80 (1012): En el supuesto de que los padres o familiares de menores de edad se negasen a la imposición de un tratamiento sanitario obligatorio, resulta evidente que el médico, la Dirección Provincial de Salud, o del centro sanitario que se trate, podrán dirigirse al juez y solicitar autorización judicial, superando así el obtáculo que supone su negativa. Ahora bien, cuando la salud de terceros corre peligro, la autonomía de la voluntad cede y en consecuencia, aunque una persona se niegue a someterse a un tratamiento, la Ley puede disponer su aplicación coactiva, ya que en este caso

no es necesario el consentimiento del paciente ni el de sus familiares. La legitimidad de un tratamiento sanitario puede venir del consentimiento del paciente, de una situación de necesidad, o de la Ley, como es el caso de los tratamiento sanitarios obligatorios.

- SSTS 25.6.82 (4852), 18.12.85 (6403) y 8.11.96 (9407).
- STS 14.4.1993 (3338): A propósito de una negativa a recibir una transfusión e sangre por parte de un testigo de Jehová.
- SSTS de 8 y 17 de abril de 2000 (3034 y 3730 respectivamente)
- STS 24.7.2000 (7119): Autoriza ampliamente los controles radiológicos personales en orden a constatar la presencia de droga en el interior del cuerpo humano con fines de transporte; si el interesado niega su consentimiento, "el agente policial puede ordenar su detención... y... proceder de conformidad con el artículo 520 de la Ley de Enjuiciamiento Criminal... al examen radiológico con presencia de letrado". Nada de lo cual es preciso si el examen radiológico ha ido aceptado: ni la asistencia de letrado, ni la previa detención con instrucción de derechos. En ello vuelven a insistir las SSTS de 5 y 13 de diciembre de 2000 (10715 y 254 de 2001).
- STS 26.12.2000 (10471): Recluso que se reintegra al establecimiento penitenciario tras un permiso y pretende introducir en el mismo sustancias estupefacientes ocultas en el interior del organismo. Al negarse a ser examinado por el personal facultativo, se actúa con autorización del juez de instrucción oído el fiscal.

BIBLIOGRAFÍA

- ÁLVAREZ-CIENFUEGOS SUÁREZ J.M.: "El control jurisdiccional de las medidas urgentes y necesarias para la salud pública", *Actualidad Aranzadi* nº 478 de 22 de marzo de 2001.
- BAJO FERNÁNDEZ, M.: «La intervención médica contra la voluntad del paciente», *Anuario de Derecho Penal*, 1979.
- BASILE, S.: «Los valores superiores, los principios fundamentales y los derechos y libertades públicas» en *La Constitución española de 1978,* (Dirs. GARCÍA DE ENTERRÍA y PREDIERI), Madrid, 1980.
- BELTRÁN AGUIRRE, J.L.: «La incidencia de la actividad administrativa sanitaria en los derechos y libertades fundamentales de la persona», *RVAP* nº 6.
- BELTRÁN AGUIRRE, J.L.: «Prestaciones sanitarias del Sistema Nacional de Salud: aspectos jurídicos», *Revista de Derecho y Salud*, t. 2/2, 1994.
- COBREROS MENDOZA, E.: «Notas acerca de los requisitos de un eventual tratamiento sanitario obligatorio», *REDA* nº 57, 1988.
- COBREROS MENDOZA, E.: *Los tratamientos sanitarios obligatorios y el derecho a la salud,* Oñati, 1988.
- D´ALESSIO, R.: «I limiti costituzionali dei tratamenti sanitari», *Dir. soc.*, 1981.
- DE MOERLOOSE, J.: «Vacunación obligatoria o voluntaria», *Cuadernos de Salud Pública* nº 8, OMS, Ginebra.
- DE VEGA RUIZ, J.A.: *El tratamiento sanitario del SIDA,* Madrid, 1992.

– ESPÍN CÁNOVAS, D.: "Libertad religiosa y protección de la salud en la transfusión de sangre", Anales RAJL, n° 26, 1996.
– FILLASTRE C.: *La prévention des maladies contagieuses* en *La prévention sanitarie en France,* (Dir. LIGNEAU), París, 1983.
– MARTÍN GONZÁLEZ, M.: *Sanidad Pública, concepto y encuadramiento,* t.II, Madrid, 1970.
– MARTÍN RETORTILLO, L. y DE OTTO I. : *Derechos fundamentales y Constitución,* Madrid, 1988, págs. 88 y ss.
– PANUNZIO, S.: *Tratamenti sanitari obbligatori e Costituzione (a proposito della disciplina delle vaccinazioni),* Dir. soc., 1979.
– VILLANUEVA CAÑADAS, E.: «El consentimiento en los estados límites», en *El Derecho en las Fronteras de la Medicina,* Córdoba, 1985.

Caso nº 4: COMPETENCIAS ESTATALES Y AUTONÓMICAS EN MATERIA DE ORDENACIÓN FARMACÉUTICA

PLANTEAMIENTO

D. José Miguel Sánchez, de 60 años de edad, después de una vida dedicada al comercio al por mayor de medicamentos y productos parafarmacéuticos (cooperativas farmacéuticas), consigue el sueño de su vida, la Licenciatura de Farmacia, por lo que solicita de la Consejería de Salud de la Junta de Extremadura la apertura de una nueva oficina de farmacia, al reunir los requisitos establecidos por la Ley sobre número de habitantes y distancias entre farmacias. La Consejería le concede la autorización de nueva apertura, y en ella le recuerda que la Ley extremeña de Ordenación Farmacéutica, prohibe la transmisión de la oficina de farmacia, y sólo permite el ejercicio de la profesión hasta los 70 años, edad en la que obliga a jubilarse a todos los farmacéuticos titulares de oficinas de farmacia.

D. José Miguel, ante las pocas expectativas de ejercicio profesional que la Ley extremeña le permite, y recordando que en casi todo el resto de territorio nacional no son éstas las circunstancias que rigen, consulta con un abogado para que le aclare las siguientes cuestiones:

1. ¿Qué competencias tiene el Estado sobre sanidad y ordenación farmacéutica?
2. ¿Qué competencias tienen las Comunidades Autónomas sobre sanidad y ordenación farmacéutica?
3. Teniendo en cuenta que la normativa estatal no prohibe la transmisión de la oficina de farmacia, ni obliga a los farmacéuticos a jubilarse a los 70 años, ¿puede la Comunidad extremeña regular estos aspectos de la profesión?
4. En caso de no ser competente la Comunidad Autónoma en esta materia ¿qué preceptos constitucionales infringiría?
5. Si por el contrario fuera competente ¿qué fundamentos jurídicos se pueden esgrimir a su favor?
6. ¿Se puede recurrir la prohibición legal de transmisión de la oficina de farmacia?, ¿y la obligación de jubilación a los 70 años?
7. ¿Es el servicio farmacéutico un servicio público desde un punto de vista técnico-jurídico? Requisitos necesarios para que una actividad se pueda considerar jurídicamente servicio público.

8. ¿De quién es la titularidad del servicio?, ¿y la propiedad de la oficina de farmacia?

9. ¿A través de qué mecanismo jurídico concede la Comunidad Autónoma la apertura de la oficina de farmacia: concesión, autorización o licencia de explotación? Realizar un deslinde jurídico de ambos conceptos.

DOCTRINA

El Estado se reserva en exclusiva la regulación de las bases y la coordinación general de la sanidad interior, así como las actuaciones profesionales sobre dispensación de medicamentos, y toda la legislación sobre productos farmacéuticos. Las CCAA que hayan asumido competencias en esta materia, podrán desarrollar esas bases estatales y ejecutarlas. Las oficinas de farmacia como «establecimientos sanitarios» integran el título de sanidad interior aunque no lo agotan, ya que éste puede ser concurrente en algunos Estatutos de Autonomía con el específico de ordenación farmacéutica, establecimientos farmacéuticos y establecimientos sanitarios.

La doctrina parece bastante unánime en entender que la llamada «ordenación farmacéutica» debe relacionarse con la dispensación de medicamentos a sus destinatarios finales, y con las actuaciones anteriores y posteriores pero directamente conectadas con esta fase del ciclo farmacéutico. Así comprenderá, fundamentalmente, la planificación y autorización de las oficinas de farmacia, la farmacia hospitalaria, los botiquines rurales, etc, esto es, los llamados establecimientos farmacéuticos; todos ellos a su vez incluidos en el concepto legal de establecimientos sanitarios.

A la Administración sanitaria del Estado le compete la determinación con carácter general o básico de los requisitos técnicos y condiciones mínimas para la aprobación, autorización, organización y régimen de funcionamiento de los «establecimientos sanitarios». Pero, en este régimen general aplicable a todos los establecimientos sanitarios, la oficina de farmacia, por estar directamente relacionada con los «productos farmacéuticos», configura un régimen peculiar en el reparto de competencias.

Todas las CCAA que, en uso de sus competencias, decidan realizar el desarrollo legislativo sobre «ordenación farmacéutica» tendrán que tener en cuenta la normativa básica estatal. Pero, a la vez, deberán respetar toda la legislación sobre productos farmacéuticos, competencia exclusiva del Estado, sobre la que no caben competencias de las CCAA, como no sean de mera ejecución.

Se da, no obstante, una situación paradójica sobre esta materia, ya que los títulos jurídicos que cubren la distribución de potestades en el establecimiento de oficinas de farmacia, pueden venir asumidos en los distintos Estatutos de Autonomía bajo la denominación de «ordenación farmacéutica» o de «sanidad interior o higiene», llegándose a igualar los efectos jurídicos que de ellas derivan. Respecto de los Estatutos que silencian el ámbito material concreto de «ordenación farmacéutica», y sí lo hayan incluido como «sanidad interior e higiene», se podrá utilizar en favor de la asunción autonómica de competencias en esta materia, la teoría aludida por el prof. Muñoz Machado sobre las «materias conexas», según la cual, se utiliza la noción de bloque orgánico competencial para postular que se reconozca la competencia regional no sólo sobre las materias reseñadas expresamente en el art. 148.1 CE, sino sobre todas las demás que están conectadas o subsumidas de modo sistemático en las mismas, de forma que las CCAA puedan atender plena y debidamente, no parcialmente, áreas de actividad o sectores de la realidad completos. Si admitimos que la ordenación farmacéutica es un subsistema dentro del sistema sanitario, resulta evidente que la primera está conectada y subsumida en la segunda.

LEGISLACIÓN

- CE: arts. 36, 139, 149.1.1°, 149.1.16°, 149.1.17°, 149.1.30° y 148.1.21.
- Ley Orgánica 1/1983, de 20 de febrero: art. 8.5.
- Ley 16/1997, de 25 de abril, de Regulación de Servicios de las Oficinas de Farmacia: arts. 2, 3 y 4.
- Ley 14/1986, de 25 de abril, General de Sanidad: 29, 38 a 43 y 103.
- Ley 25/1990, de 20 de diciembre, del Medicamento: arts. 87, 88, 91 y 92.
- Ley de Atención Farmacéutica de la CA de Extremadura de 25 de junio de 1996: arts. 6, 14 y Disp. transitoria cuarta.
- RD 909/1978, de 14 de abril, en todo aquello que no se oponga a lo establecido en la Ley 16/1997.
- RD 2178/1978, de 1 de septiembre, sobre Registros y Catalogación de Centros y Establecimientos Sanitarios: art. 12.
- RD 2824/1981, de 27 de noviembre, sobre Coordinación y Planificación Sanitaria: art. 6.2.

- Ley 31/1991, de 13 de diciembre, de Ordenación Farmacéutica de Cataluña: art. 9.
- Ley 11/1994, de 17 de Junio, de Ordenación Farmacéutica del País Vasco: art. 17.
- Ley 11/1994, de 26 de julio, de ordenación farmacéutica de Canarias.

JURISPRUDENCIA

- STC 80/1984, de 20 de julio: La determinación general de los requisitos y condiciones de las actividades y establecimientos sanitarios debe entenderse como una competencia de fijación de bases, y por tanto, en virtud del mandato del art. 149.1.16° CE, de titularidad estatal, en cuanto trata de establecer las características comunes de dichas actividades y establecimientos sanitarios. Las CCAA que posean competencias en materia sanitaria pueden establecer medidas de desarrollo legislativo y añadir a los requisitos mínimos determinados con carácter general por el Estado, otros que entiendan oportunos o especialmente adecuados.
- STC 83/1984, de 24 de julio: Las oficinas de farmacia legalmente están consideradas como establecimientos sanitarios, donde se ejercen funciones, actividades, y servicios asistenciales farmacéuticos. Basándose en ese carácter asistencial, el Estado debe garantizar, a todos los ciudadanos, unas condiciones mínimas de acceso a los servicios. Por ello, ha de establecer las bases que diseñen el modelo a seguir por todas las Comunidades Autónomas, así como definir las técnicas más apropiadas para la distribución geográfica de las oficinas de farmacia, de modo que se permita una mayor adecuación a las necesidades de cada población.
- STS 8.11.1996 (9407): En cuanto a las profesiones sanitarias, es competencia exclusiva del Estado la regulación de las condiciones de obtención, expedición y homologación de títulos académicos y profesionales, y dichas competencias están vinculadas, cuando menos, al ejercicio profesional de dichas profesiones.
- SSTS 11.12.91 (9371) y 28.5.93 (3458): El clima constitucional vigente en nuestro país, implica ante todo, un principio general de libertad a la hora de autorizar el establecimiento de una oficina de farmacia (primer plano), por ser establecimientos sanitarios privados; principio, del que la limitación (ya en segundo plano), opera como una excepción, y por tanto ha de ser interpretada restrictivamente, al contradecir el principio general de libertad comercial y de ejercicio libre de las profesiones tituladas, principios consagrados no sólo a nivel constitucional, sino también supranacional, ya que sirven de fundamento al ordenamiento de la Comunidad Europea a la que España pertenece.
- STS 10.5.88 (3737): La jurisprudencia viene calificando de interés público la actividad desarrollada por el farmacéutico en oficina de farmacia, y conceptúa a ésta como una empresa privada cualificada por la tutela administrativa para preservar la función social que le ha sido encomendada. En el farmacéutico,

profesional sanitario de carácter empresarial, concurre además la condición de ser el titular de la autorización administrativa de oficina de farmacia. Por tanto, la propiedad de la oficina de farmacia y el título facultativo para desarrollar la actividad (titularidad) complementan una unidad funcional indivisible.

- Providencia del TC de 17 de octubre de 1996 (BOE de 30 de octubre, pág. 32): Contra la prohibición de transmisión de la oficina de farmacia que contiene la Ley de Atención Farmacéutica de Extremadura, se ha interpuesto recurso de inconstitucionalidad.

BIBLIOGRAFÍA

- BASSOLS COMA, M.: «Competencias transferidas a las CCAA en materia de Derecho sanitario y farmacéutico», en *Derecho Farmacéutico de las CCAA,* Madrid, 1987.
- BELL PRIETO y SUÑE ARBUSSA: «Estudio crítico de la Ley de Ordenación Farmacéutica de Cataluña», *Revista de la Oficina de Farmacia,* (OFFARM), febrero 1993.
- BELTRÁN AGUIRRE J.L.: «Las competencias autónomicas sobre ordenación farmacéutica y la LM», *Revista Jurídica de Navarra,* n° 11, 1991.
- BELTRÁN y UZÚE: «La ordenación farmacéutica navarra», *El Farmacéutico* n° 105, 1991.
- CERDÁ OLMEDO, M.: *Derecho Civil y Farmacia,* Madrid, 1993.
- GARCÍA DE ENTERRÍA, E.: «La naturaleza jurídica y mercantil de la oficina de farmacia», *R. Farmacia-Empresa,* julio, 1996.
- GONZÁLEZ NAVARRO, F.: «El sistema farmacéutico en la Comunidad Europea», *Noticias CEE* n° 105 y 106, 1992.
- INFORME sobre el régimen de distribución de competencias entre el Estado y las CCAA: Sanidad, Madrid, MAP, 1992.
- MARTÍN MATEO, R.: «Ordenación farmacéutica, medicamentos y productos sanitarios», *Jornadas Técnicas sobre Sanidad en el Estado de las Autonomías,* Barcelona, 1984.
- MUÑOZ MACHADO, S.: «La organización de los Sistemas de Salud», *I Congreso de Derecho y Salud,* Madrid, 1993.
- PARADA VÁZQUEZ, R.: «La Sanidad en el Estado de las Autonomías», *Jornadas Técnicas sobre Sanidad en el Estado de las Autonomías,* Barcelona, 1984.
- VILLALBA PÉREZ, F.: *La Profesión Farmacéutica,* Madrid, 1996, págs. 235 a 277.

Caso nº 5: EXCEPCIONES A LA LIBRE CIRCULACIÓN DE MEDICAMENTOS Y PRODUCTOS PARAFARMACÉUTICOS

PLANTEAMIENTO

La SARL Svenssons Tour Pol, sociedad francesa con domicilio en Niza y cuyo gerente era el Sr. Jean Marie Delattre, residente en Bruselas, importaba y vendía por correo en Francia productos de origen belga que, en aquel país, se calificaban como complementos alimenticios o productos cosméticos y no como medicamentos. Estos productos también se distribuían en los países del Benelux, en Alemania, Reino Unido y en España.

El ministro de Asuntos Sociales francés basándose en el artículo L.552 del Code de la Santé Publique, prohibió a esta sociedad hacer publicidad de los productos, pues no habían aportado prueba científica alguna en apoyo de las propiedades que le atribuían. Y el Consejo Nacional de Colegios de Farmacéuticos presentó ante el Tribunal de Instance de Niza denuncia contra dicha empresa por infracción de los artículos L.512, L.596 y L.601 del Code de la Santé Publique, debido a que los productos distribuidos tenían en Francia el carácter de medicamentos y por lo tanto sólo podían ser comercializados en las oficinas de farmacia. El Sr. Delattre alegó ante el Juez de Instance que estas exigencias las consideraba contrarias al Derecho comunitario, en particular, a las normas sobre libre circulación de mercancías, ya que constituían una prohibición de importar productos como los que distribuía Svessons, que en todos los demás países no eran considerados como medicamentos.

Señaló también que sujetarse a las normas francesas suponía para su empresa: 1º) solicitar autorización de comercialización, 2º) tener en Francia un laboratorio farmacéutico, 3º) distribuir los productos únicamente en las oficinas de farmacia, imposibilitando con ello la venta por correo, que era la distribución idónea que había elegido a efectos mercantiles.

El Juez de Instance del Tribunal de Niza somete la cuestión al TJCE, invocándole que le dé respuesta a las siguientes preguntas:

1. ¿Es competencia de los Estados miembros la distribución geográfica de las oficinas de farmacia y el monopolio de dispensación de medicamentos?
2. ¿Se incluyen en este monopolio sólo la comercialización de especialidades farmacéuticas, o por el contrario, también se incluyen en él, todos los medicamentos y los productos parafarmacéuticos?
3. ¿Quién define o delimita lo que puede considerarse jurídicamente como medicamento o como producto sanitario?
4. ¿Existe a nivel comunitario alguna norma que coordine y armonice las distintas legislaciones relativas a los medicamentos?
5. ¿Constituye dicho monopolio una medida de efecto equivalente a una restricción cuantitativa?, ¿en qué condiciones puede considerarse que esta medida es incompatible con el Derecho comunitario?

DOCTRINA

El medicamento en su libre circulación por Europa se encuentra con notables dificultades debido a la doble óptica con la que se le aprecia. Por un lado, el medicamento es un bien económico y, por otro, un bien social que promueve la salud. La excepción a la libre circulación y cormecialización, encuentra su justificación en la protección de la salud de las personas, que prevé el Tratado CE para garantizar unos mínimos niveles sanitarios a todos los Estados miembros.

Las definiciones legales de medicamento en los Estados miembros no recogen un concepto jurídico acabado, únicamente se refieren a su aspecto material, medicamento como producto, y donde interesa sobre todo, no estrechar sus límites, sino dejarlos abiertos para que puedan entenderse como tales todos aquellos productos que tengan alguna finalidad terapéutica. La consecuencia directa de que un producto sea considerado, según la definición legal, como medicamento, es el requisito de su «autorización sanitaria» previa a la puesta en el mercado, y el que su dispensación o venta sólo pueda realizarse en unos determinados establecimientos: las oficinas de farmacia.

Son los cualificados intereses de salud pública que concurren en el medicamento, los que obligan a un control particularmente intenso por parte de la Administración sanitaria.

La normativa europea que define el concepto jurídico de medicamento faculta a las autoridades nacionales, bajo control judicial, a determinar en caso de duda si un determinado producto puede ser considerado legalmente como medicamento o no. Pero, sucede, que aunque existe en todos los Estados miembros una norma general en virtud de la cual estos productos sólo pueden venderse al público en oficinas de farmacia, (medicamentos denominados «especialidades farmacéuticas de prescripción», pues necesitan en su dispensación receta médica); sin embargo, existen enfoques particulares que difieren notablemente de un Estado a otro. Por ejemplo, Alemania, Irlanda, los Países Bajos, y el Reino Unido admiten que algunos medicamentos denominados de gran consumo *OTC* (*Over the counter*, o «especialidades publicitarias») puedan ser vendidos fuera de las oficinas de farmacia. Y esta diversidad de enfoques puede tener efectos restrictivos sobre las importaciones, que podrían resultar afectadas al imponer un circuito de comercialización determinado de estos productos. Ya que una medida que reserve en exclusiva la venta al por menor de una categoría de productos a determinadas personas, puede obstaculizar el comercio intracomunitario provocando una reducción de ventas y aumentando su precio. Si estas medidas se justifican en los amplios y vagos intereses generales señalados en el art. 36 TCE, y no se logra entre los Estados miembros, la más mínima homologación en la interpretación de esos intereses generales, rara vez no estará justificada una medida restrictiva a la libre circulación, ya que estas excepciones estarían en ocasiones justificadas bajo la protección de un determinado interés y en otras, bajo la elección de cualquiera de los restantes.

LEGISLACIÓN

- Tratado Constitutivo de la Comunidad Europea de 25 de marzo de 1957: arts. 30, 36, 52, 53 y 56.
- Reglamento CEE del Consejo n° 2309/93, de 22 de julio, sobre procedimientos comunitarios para la autorización de medicamentos de uso humano y veterinario. En él se crea la Agencia Europea para la Evaluación de Medicamentos.
- Directiva 65/65/CEE, de 26 de enero de 1965, relativa a la aproximación de las disposiciones legales, reglamentarias y administrativas sobre especialidades farmacéuticas: arts. 2 y 3.
- Directivas 85/432/CEE y 85/433/CEE, de 16 de septiembre de 1985, relativas a la coordinación de las disposiciones legales, reglamentarias y administrativas, para ciertas actividades farmacéuticas: exposición de motivos.
- Ley 25/1990, 20 de diciembre, del Medicamento: arts. 6, 8, 9, 10, 11 y 31.

- RD 767/1993, de 21 de mayo, sobre evaluación, autorización, registro y condiciones de dispensación de especialidades farmacéuticas y otros medicamentos de uso humano fabricados industrialmente: arts. 4, 14 y 29.

JURISPRUDENCIA

- STJCE 30 noviembre 1983, Asunto 227/82, Leen-dert Van Bennekom, Repertorio 1983, pág. 3883: Aunque el establecimiento del monopolio farmacéutico continúa siendo competencia de los Estados miembros, y a pesar de que no se ha conseguido una armonización de las normas relativas a la comercialización de medicamentos; una nomativa que imponga un circuito de distribución determinado, constituye una medida de efecto equivalente a una restricción cuantitativa, y dicha restricción no puede considerarse justificada cuando se aplica a productos que no exigen para su venta y consumo el consejo de un farmacéutico, por no existir en ellos razones de protección de salud pública.
- STJCE 21 marzo 1991, Asunto C-369/1988, Delattre, Repertorio 1991, pág. 1487: Sólo las especialidades farmacéuticas definidas en la Directiva 65/1965, de 26 de enero, justifican las restricciones de su comercialización. No así los productos que no estén comprendidos en esta definición comunitaria por no representar un peligro directo o indirecto para la salud pública. Pues, el monopolio comercial en manos de los farmacéuticos no puede justificarse en términos absolutos.
- STJCE 21 marzo 1991, Asunto C-60/1989, Monteil y Samanni, Repertorio 1991, pág. 1547: En lo referente a productos parafarmacéuticos, si se confiere a los farmacéuticos un monopolio para su comercialización, la necesidad de este monopolio para la protección de la salud pública, o de los consumidores, debe probarse en cada caso, sea cual fuere su clasificación con arreglo al Derecho nacional, y siempre que estos objetivos no puedan alcanzarse a través de medidas menos restrictivas del comercio intracomunitario.
- STJCE 10 noviembre 1994, Asunto 320/1993, Landgerich Saarbrückem, DOCE C, n° 370, 24 diciembre de 1994: La única razón que justifica la existencia del monopolio farmacéutico la podemos encontrar en uno de los intereses generales mencionados en el art. 36 del Tratado CE, entre los que figuran la protección de la salud y de la vida de las personas. Además, al ser este monopolio aplicable indistintamente a los productos nacionales y a los importados, también puede estar justificado, por la protección de los consumidores, que conforme a la jurisprudencia de este Tribunal de Justicia, figura entre las exigencias imperativas que pueden justificar una medida que obstaculice el comercio intracomunitario.
- STJCE 29 junio 1995, Asunto 319/1992, Comisión/ República Helénica: libre circulación de mercancías, Repertorio 1995, pág. 1621: En principio, los Estados miembros pueden reservar a los farmacéuticos la venta al por menor

de los productos que estén comprendidos en la definición comunitaria de medicamentos, pero se podrá aportar prueba en contrario, respecto de algunos medicamentos cuyo empleo no haga peligrar seriamente la salud de los ciudadanos y, para los cuales, la sujeción al monopolio farmacéutico puede resultar evidentemente desproporcionada, es decir, contraria a los principios definidos por este Tribunal en la interpretación conjunta de los arts. 30 y 36 del Tratado CE.

BIBLIOGRAFÍA

- ALBA ROMERO, S.: *Farmacia y Unión Europea,* Madrid, 1995.
- AUBY, J.M. y COUSTOU, F.: «La notion de base de droit pharmaceutique: le medicament», *Droit pharmaceutique,* fasc. 10, París, 1992.
- CABIEDES, L.: «Pasado, presente y futuro de los medicamentos en la CE», *Boletín de Información sobre las Comunidades Europeas* nº 48, Principado de Asturias, 1993.
- CABIEDES, L.: «Cómo se autoriza un medicamento en la CE», *Gaceta Jurídica de la CE y de la competencia,* B-91, 1994.
- CABIEDES, L.: «La regulación de la industria farmacéutica» en *Regulación y Competencia en la Economía española* (Dirs. VELARDE, GARCÍA DELGADO Y PEDREÑO), Madrid, 1995.
- GARCÍA VELASCO: «Régimen general de las actividades farmacéuticas», en *Libre circulación de profesionales liberales en la CEE,* Valladolid, 1991.
- GONZÁLEZ NAVARRO, F.: «El sistema farmacéutico en la Comunidad Europea», *Noticias CEE* nº 105 y 106, 1992.
- MARTÍNEZ LANGUE, S.: «La libre circulación de mercancías: las medidas de efecto equivalente a restricciones cuantitativas» en *Tratado de Derecho Comunitario,* t.II, Madrid, 1986.
- MARTÍN DEL CASTILLO, J.M.: *El mercado único del medicamento. Realidad o ficción,* Madrid, 1992.
- OLIVER P.: *Libre circulación de mercancías en la CEE, artículos 30 a 36 del Tratado de Roma,* Madrid, 1990.
- VALLEJO LOBETE, E.: «La noción de medicamento en Derecho Comunitario», *Gaceta Jurídica de la CEE,* 1991.
- AAVV: «Concepto jurídico de medicamento», *Ciencia Pharmacéutica* nº 2, 1992.
- VIALA et MAURAIN: «Medicament et monopole devant la Cour de Justice de Luxembourg», *Petites Affiches,* juill, 1992.
- VILLALBA PÉREZ, F.: *La Profesión Farmacéutica,* Madrid, 1996.

ACTIVIDAD CULTURAL Y EDUCATIVA

Estanislao Arana García
Universidad de Granada

Caso nº 1: LIBERTAD DE CREACIÓN DE CENTROS DOCENTES PRIVADOS Y EL DERECHO AL CONCIERTO EDUCATIVO

PLANTEAMIENTO

La institución religiosa de las «Teresianas» pretende crear un nuevo centro de educación primaria en Granada con la intención de comenzar su actividad a partir del curso 2000-2001. La ubicación del citado centro tendría lugar en el barrio de Almanjayar, suburbio de la capital granadina con especiales dificultades de escolarización. Junto a la solicitud de apertura del centro, se pretende instar de la Administración competente apoyo económico para emprender tal empresa.

A pesar de que varios miembros de dicha entidad son licenciadas en Derecho, no tienen la suficiente experiencia práctica en materia de educación para encauzar jurídicamente su pretensión. Por esta razón, solicitan un informe o dictamen a un experto en materia educativa sobre las siguientes cuestiones:

1. Administración competente y legislación aplicable en la materia. ¿Es correcta la técnica de desarrollo de una ley orgánica a través de reglamentos?
2. Naturaleza y carácter de la intervención administrativa para la apertura de centros privados de enseñanza. ¿Es compatible con nuestro sistema constitucional la vigente reglamentación del ejercicio del derecho fundamental a la libertad de enseñanza? ¿Podría una Comunidad Autónoma con competencia plena en materia educativa establecer un régimen de intervención administrativa diferente?

3. En caso de que el órgano competente no resolviese el procedimiento autorizatorio en el plazo legalmente establecido, ¿qué carácter tendría el silencio administrativo?
4. Posibilidades y mecanismos de financiación pública de este tipo de centros. ¿Variarían las posibilidades de obtención de apoyo económico si se decide cambiar las enseñanzas a impartir solicitando la autorización para un centro de Formación profesional?; en este último caso ¿el régimen autorizatorio sería el mismo?, ¿y si deciden crear una escuela de idiomas?
5. Relación entre la autorización y el apoyo económico. Concedida la autorización de apertura del centro, ¿es obligatoria la concesión de ayuda económica para el mismo?; ¿podría condicionar la Administración la concesión de aquélla a la acreditación de suficiencia financiera de la entidad?
6. ¿La potestad de concesión de ayudas económicas es reglada o discrecional?, ¿qué criterios tendría que utilizar la Administración competente para la concesión de la ayuda económica dadas las especiales características de la ubicación del centro educativo que se pretende establecer? El criterio de las necesidades de escolarización, ¿es compatible con el principio de libertad de elección de centro docente?
7. En caso de denegación de la ayuda económica, ¿qué vías jurisdiccionales podría emplear la entidad solicitante?

DOCTRINA

Entre los derechos fundamentales especialmente protegidos por la CE, el art. 27 reconoce el de la educación junto con la libertad de enseñanza. La diferenciación que hace el precepto entre educación y enseñanza, es la de dos vertientes (activa y pasiva) de una misma realidad. Para la resolución de este caso, interesa centrarse en el aspecto activo de esta realidad, es decir, en la «libertad de enseñanza» que es aquella actividad que tiene por objeto producir el resultado de la educación (aspecto o vertiente pasiva). Se trata de un derecho, tras la reforma del Tratado de la Comunidad Europea por el de Maastricht, con dimensión comunitaria (arts. 3, p, 126.4 y 127.4 del TCE), si bien limitada al campo del fomento obviando cualquier posible armonización legislativa en la materia.

El reconocimiento constitucional de la libertad de enseñanza supone, en primer lugar y como mínimo, proclamar la inexistencia e imposibilidad de un monopolio educativo del Estado. Por el contrario, para el correcto cumplimiento de este derecho fundamental, se habilita la intervención de la iniciativa privada. Es el art. 27.6 CE el que, expresamente, contiene este principio, reconociendo «a las personas físicas y jurídicas la libertad de creación de centros docentes, dentro del respeto a los principios constitucionales».

Sin embargo, a diferencia de otros ordenamientos como el francés o, incluso dentro del nuestro, para el ejercicio de otros derechos fundamentales como el de la creación de partidos políticos, el ejercicio del derecho fundamental a la libertad de enseñanza está sometido en nuestro país a un intenso control administrativo previo. Por esta razón, el sistema autorizatorio vigente para la creación y funcionamiento es cuestionado por parte de la doctrina planteando su flexibilización (Díaz Lema, 1994).

Íntimamente relacionada aunque, sustancialmente, distinta a la libre creación de centros está la cuestión de la financiación de la enseñanza privada. Expresamente, la CE ha consagrado el principio de la financiación pública de la educación en los arts. 27.4 (obligatoriedad y gratuidad de la enseñanza básica) y 27.9 (obligatoriedad de constitución de un sistema de ayudas a los centros docentes que cumplan los requisitos legalmente establecidos).

Respecto a la enseñanza básica, la que más problemas plantea, parte de la doctrina interpreta que dado que el art. 27.4 no liga el carácter gratuito a la naturaleza pública o privada de los centros de enseñanza, el deber público de financiar en el nivel obligatorio alcanza a cualquier centro de enseñanza por cuanto ha instituido un auténtico derecho público subjetivo; de otra manera se estaría vulnerando el principio de libertad educativa por cuanto que las personas carentes de recursos tendrían que acudir, en cualquier caso, a centros estatales de enseñanza (De los Mozos Touya). En el otro lado se sitúan autores que entienden que el derecho a la gratuidad, únicamente es exigible ante los centros públicos ya que el art. 27.4 establece un auténtico derecho público subjetivo que sólo ante centros públicos puede hacerse valer; no se puede convertir una libertad pública en un derecho de prestación, es decir, de la CE no se desprende el derecho a la financiación de cada centro privado (Fernández-Miranda y Campoamor).

El instrumento creado por el ordenamiento jurídico educativo para cumplir con el principio de financiación pública de la enseñanza privada, es el denominado «concierto educativo». El título IV de la LODE reconoce el derecho al concierto de los centros privados que impartan los niveles de enseñanza obligatoria, eso sí, condicionado a que reúnan los requisitos previstos en dicha Ley. En la práctica, aparte de las disponibilidades presupuestarias, escasas en todo momento y sujetas a criterios políticos, es el de las «necesidades de escolarización» el condicionamiento al concierto más frecuentemente empleado.

En la práctica, la Administración ha convertido esta condición de las «necesidades de escolarización» en un instrumento para planificar o zonificar la educación. Es decir, nuestro actual sistema educativo responde a una concepción de la enseñanza concertada privada como una prolongación de la enseñanza pública, condicionándola a la planificación o zonificación geográfica establecida por la Administración. De esta manera se mutila la libre creación de centros y se desequilibra el sistema porque la libre elección de centro prácticamente no juega ningún papel o, en todo caso, juega un papel muy secundario. En un sistema de subvenciones (conciertos) que desee realmente favorecer la elección de centro (exigencia constitucional), la decisión administrativa de concertar debe ser subsiguiente a aquella libre decisión; la Administración debe concertar con aquellos centros que efectivamente satisfagan necesidades de escolarización, lo cual se demuestra sólo por la presencia de alumnos, no como ocurre en la actualidad en la que se planifican los centros públicos y concertados a la vez y la libre elección de centro tiene que encajar en esa oferta. El Estado puede y debe programar la enseñanza pública (planificación de centros y necesidades educativas), pero de ninguna manera la enseñanza privada, sea o no concertada. El concierto debe seguir a la elección de los padres, y no viceversa (Díaz Lema, 1994).

LEGISLACIÓN

- Tratado constitutivo de la Comunidad Europea de 25 de marzo de 1957: arts. 3 p), 149.4 y 150.4.
- Protocolo Adicional al Convenio para la protección de los Derechos Humanos y de las libertades fundamentales, hecho en París el 20 de marzo de 1952.
- CE: art. 27.
- LODE.
- LOGSE.
- RD 2377/1985, de 18 de diciembre, por el que se aprueba el Reglamento de normas básicas sobre conciertos educativos (BOE nº 310, de 27 de diciembre).

- RD 139/1989, de 10 de febrero (BOE nº 36, de 11 de febrero), por el que se modifica la Disposición adicional primera 2 del RD 2377/1985 antes citado.
- RD 1004/1991, de 14 de junio, por el que se aprueban los requisitos mínimos de los centros que impartan enseñanzas de régimen general (BOE nº 152, de 26 de junio).
- RD 332/1992, de 3 de abril de 1992, por el que se aprueba el procedimiento de autorización de centros privados para impartir enseñanzas de régimen general (BOE nº 86, de 9 de abril).
- Estatuto de Autonomía para Andalucía: arts. 12 y 19.
- Decreto 109/1992, de 9 de junio, de la Consejería de Educación y Ciencia de la Junta de Andalucía, por el que se aprueba el Reglamento de autorizaciones de Centros docentes privados para impartir Enseñanzas de régimen general (BOJA nº 56, de 20 de junio): art. 1.

JURISPRUDENCIA

- STC de 13 de febrero de 1981: La libertad de enseñanza que reconoce el art. 27.1 CE puede ser entendida como una proyección de la libertad ideológica y religiosa y del derecho a expresar y difundir libremente los pensamientos, ideas u opiniones que también garantizan y protegen otros preceptos constitucionales (especialmente arts. 16.1 y 20.1 a).
- STEDH de 23 de julio de 1968 (BJC 1981-1): Derecho a la educación y libertad de enseñanza que exige una actitud positiva del Estado para garantizarlo efectivamente.
- STC 86/1985 de 10 de julio: El derecho a la educación tiene dos vertientes claramente diferenciadas: un contenido primario como derecho de libertad junto al que se sitúa una dimensión prestacional.
- STC de 13 de febrero de 1981: Una de las manifestaciones más importantes de la libertad de enseñanza como derecho-libertad es el de la libre creación de centros docentes. Junto a ella, el TC ha incluido dentro de aquél otros dos aspectos como son la libertad de cátedra (art. 20.1 c) y el derecho de los padres a que sus hijos reciban la formación religiosa y moral por ellos deseada (art. 27.3 CE) (fundamento jurídico 7). Igualmente, también forma parte de la garantía de creación de centros educativos, el derecho de establecer la dirección ideológica concreta, dentro de unas determinadas condiciones legales. Este punto diferencia la garantía constitucional de creación de centros del mero ejercicio de libertad de empresa que también consagra la CE pero en su art. 38.
- STS 30.05.95 (4400): A pesar de que la libre creación de centros docentes es parte del derecho fundamental de la libertad de enseñanza, se ha declarado constitucional que se mediatice su ejercicio por la facultad, también constitucional, de los poderes públicos de inspeccionar y homologar el sistema educativo para garantizar el cumplimiento de las leyes. Intervención que se ha

articulado, entre otras técnicas, mediante el sistema de autorización administrativa previsto en el art. 23 LODE.

- STC 86/1985 de 10 de julio: La vertiente prestacional de la libertad de enseñanza implica que los poderes públicos habrán de procurar la efectividad de tal derecho y hacerlo, para los niveles básicos de enseñanza, en las condiciones de obligatoriedad y gratuidad que demanda el apartado 4° del art. 27 CE. Para esta acción prestacional cuentan los poderes públicos, además de con los instrumentos de planificación y promoción mencionados en el número 5 del mismo precepto, con el mandato, en su apartado 9°, de las correspondientes ayudas públicas a los centros docentes que reúnan los requisitos que la Ley establezca.

- SSTS 13.02.95 (3201), 16.01.95 (420) y 24.11.94 (604): El principio de libertad de creación de centros docentes (tanto creación en sentido estricto, ampliación como modificación), a pesar de su evidente conexión, es un plano diferente al del apoyo financiero público a través de la técnica de los conciertos educativos. En ningún modo se puede denegar la autorización de apertura o la simple ampliación de un centro para evitar una posterior reclamación o solicitud de la ampliación de un concierto.

- SSTS 21.10.94 (8296) y 11.07.90 (6592): En un centro es viable la existencia de unidades concertadas y otras no concertadas. Desde el otro punto de vista, el de la conexión entre ambas instituciones, es jurisprudencia reiterada el condicionar el acceso a un concierto educativo a que el centro privado de que se trate esté debidamente autorizado.

- STC 86/1985 de 10 de julio, SSTS 27.11.95 (8820) y 21.10.94 (8296): El art. 27.9 CE no encierra un derecho subjetivo a la prestación pública. Se trata, por el contrario, de un derecho de configuración legal por lo que será de la Ley de la que nazca, con los requisitos y condiciones que en la misma se establezcan, la posibilidad de instar dichas ayudas y el correlativo deber de las Administraciones Públicas de dispensarlas, según la previsión normativa.

- STC 86/1985 de 10 de julio y STC 77/1985 de 27 de junio: El hecho de que el art. 27.9 CE no contenga un derecho fundamental a la prestación pública, no significa dejar plena libertad al legislador para habilitar de cualquier modo este necesario marco normativo. La Ley reguladora de esta materia no podrá contrariar los derechos y libertades educativas presentes en el mismo artículo y deberá, asimismo, configurar el régimen de ayudas en el respeto al principio de igualdad. De la misma forma, el legislador habrá de atenerse en este punto a las pautas constitucionales orientadoras del gasto público y a la insoslayable limitación de los recursos disponibles.

- STC 86/1985 de 10 de julio: El derecho a la educación gratuita en la enseñanza básica no comprende el derecho a la gratuidad educativa en cualesquiera Centros privados, porque los recursos públicos no han de acudir, incondicionadamente, allá donde vayan las preferencias individuales.

- SSTS 13.10.95 (7489), 18,10.90 (7745) y 19.07.90 (6137): Cuando lo que se discute es si un centro privado reúne o no los requisitos legalmente establecidos para suscribir un concierto educativo en los términos solicitados, la cuestión planteada tiene trascendencia constitucional y es susceptible de discusión por el procedimiento privilegiado de la Sección II de la Ley 62/1978 de Protección jurisdiccional de los Derechos Fundamentales (hoy regulado en los arts. 144 a 122 LJCA), aunque para resolverla deban manejarse preceptos legales, o incluso reglamentarios, pues no en vano del art. 27. 9 surge un derecho de configuración legal, ciertamente no absoluto, pero que habiendo sido desarrollado a través del régimen de conciertos educativos permite discutir la constitucionalidad del acto recurrido.

BIBLIOGRAFÍA

- BARNÉS VÁZQUEZ, J.: «La educación en la Constitución de 1978», *REDC* nº 12, 1984, págs. 23 y ss.
- DE LOS MOZOS TOUYA, I.: *Educación en libertad y concierto escolar*, Montecorvo, Madrid, 1995.
- DÍAZ LEMA, J.M.: «El régimen de las autorizaciones de los centros privados de Enseñanza no universitaria», *RAP* nº 133, 1994, págs. 441 y ss.
- DÍAZ LEMA, J.M.: *Los conciertos educativos en el contexto de nuestro Derecho nacional y en el Derecho comparado*, Marcial Pons, Madrid, 1992.
- EMBID IRUJO, A.: «El contenido del derecho a la educación», *REDA* nº 31, 1981, págs. 653 y ss.
- EMBID IRUJO A.: *Las libertades en la enseñanza*, Tecnos, Madrid, 1983.
- EMBID IRUJO, A.: «Derecho a la educación y derecho educativo paternos», *REDC* nº 7, 1983, págs. 375 y ss.
- EMBID IRUJO, A.: «Los principios de la jurisprudencia ordinaria sobre la enseñanza tras la Sentencia del Tribunal Constitucional sobre la LODE», *RAP* nº 116, 1988, págs. 39 y ss.
- EMBID IRUJO A.: voces «libertad de enseñanza», «centro docente concertado», «centro docente público» y «centro docente privado» en *Enciclopedia Jurídica Básica*, Civitas, Madrid 1995.
- EMBID IRUJO, A.: «La enseñanza privada en España: consideraciones sobre su problemática actual en el marco de la política europea sobre educación», *RAP* nº 142, 1997, págs. 75 y ss.
- FERNÁNDEZ-MIRANDA Y CAMPOAMOR, A.: *De la libertad de enseñanza la derecho a la educación. Los derechos educativos en la Constitución española*, CEURA, Madrid, 1988.
- JIMÉNEZ-BLANCO CARRILLO DE ALBORNOZ, A.: «De nuevo en torno a las leyes orgánicas, las bases y las competencias legislativas de las Comunidades Autónomas», *REDA* nº 53, 1987, págs. 117 y ss .
- MARTÍNEZ LÓPEZ-MUÑIZ, J.L.: «Subvenciones al ejercicio de libertades y derechos fundamentales en el Estado social de Derecho: educación y sindicatos», *REDA* nº 47, 1985, págs. 397 y ss.
- VILLAR EZCURRA, J.L.: «El derecho a la educación como servicio público», *RAP* nº 88, 1979, págs. 155 y ss.

Caso nº 2: LIBRE ELECCIÓN DE CENTRO Y POTESTAD DISCIPLINARIA SOBRE LOS ALUMNOS NO UNIVERSITARIOS

PLANTEAMIENTO

Antonio López Garrido no fue admitido por falta de plazas en el colegio de los padres Escolapios, centro educativo concertado de Valladolid, para la realización del primer curso de enseñanza secundaria obligatoria. El citado centro se encuentra muy próximo al lugar de trabajo de sus padres, propietarios de una tienda de regalos con unos ingresos declarados entre una y dos veces el salario mínimo interprofesional. A pesar de encontrarse en idéntica situación familiar, su amigo Fernando Rodríguez Salazar sí fue admitido al otorgarle el centro un punto más que a Antonio por ser colaborador habitual de la entidad religiosa propietaria del centro educativo, criterio hecho público con anterioridad al inicio del proceso de admisión.

Antonio López fue adscrito al centro público «Torrecilla» de la capital vallisoletana. Desconcertado por la obligación de cursar sus estudios en un centro que no era de su agrado, el comportamiento de Antonio, irreprochable en su anterior período académico, cambió radicalmente mostrando una actitud extremadamente agresiva con sus profesores, llegando a golpear violentamente en una ocasión al de Matemáticas. Por esta conducta el centro educativo expulsó al mencionado alumno.

Los padres de Antonio López decidieron emprender acciones legales contra las decisiones de ambos centros educativos: la inadmisión al centro concertado de los padres Escolapios y la expulsión del centro público «Torrecilla». Elabore un dictamen sobre estos problemas que incida sobre las siguientes cuestiones:

1. ¿Forma parte del contenido esencial del derecho a la educación la libre elección de centro?
2. ¿Pueden los centros determinar libremente los criterios de acceso a los centros educativos?, ¿es desproporcionado el punto de discrecionalidad que se otorga a los mismos?
3. ¿Son éstos los criterios de aplicación en todo el territorio nacional?, ¿ante quién se puede recurrir la decisión del centro de no admitir a Antonio López?, ¿qué consecuencias podría tener para este centro el que la autoridad educativa comprobase que no se ha

hecho una correcta aplicación de los criterios legales de elección de centro?

4. ¿Pueden establecer las autoridades educativas una sanción disciplinaria consistente en la expulsión del centro?; ¿qué alcance tiene en la actualidad la competencia de los centros educativos para establecer su propio régimen disciplinario?; ¿qué objetivo deben cumplir las sanciones disciplinarias sobre los alumnos no universitarios?; ¿dificulta este objetivo el normal desarrollo del derecho a la educación del resto de alumnos?

5. ¿Cuál es el régimen jurídico de la potestad disciplinaria en centros no universitarios?, ¿y en los universitarios?; ¿a quién corresponde la instrucción y resolución en primera instancia de una sanción disciplinaria?; ¿ante quién se puede recurrir tal decisión?; ¿cuándo prescriben las sanciones disciplinarias?; ¿qué normativa rige la potestad disciplinaria de los centros privados?

DOCTRINA

La libre elección de centro docente es uno de los contenidos de la libertad de enseñanza y del derecho a la educación. El art. 20 LODE establece, como punto de equilibrio entre la efectividad del derecho a la educación y la posibilidad de elegir centro docente, un sistema de programación educativa. De la misma manera, dicho precepto establece para el caso de no haber plazas suficientes los criterios prioritarios que deben regir tal programación: rentas anuales de la unidad familiar, proximidad del domicilio y la existencia de hermanos matriculados en el centro. Queda expresamente prohibida cualquier discriminación en la admisión de alumnos por razones ideológicas, religiosas, morales, sociales, de raza o nacimiento.

El derecho a cursar lo que en cada momento la legislación califique como enseñanza básica, no implica el de poder hacerlo en un centro determinado ubicado en las proximidades de donde se resida, si bien, el art. 65 LOGSE y para el nivel de educación primaria, los poderes públicos asumen la garantía de un puesto escolar en el propio municipio que sólo por razones excepcionales puede obviarse, obligándose, en ese caso, las Administraciones públicas a la prestación gratuita del servicio de transporte, comedor y, en su caso, internado. Evidentemente, la ubicación de los centros puede hacer más fácil o difícil el ejercicio del derecho a la educación, sobre todo en los medios rurales, pero no puede considerarse contenido necesario del derecho a la educación porque ello implicaría que se podría reclamar judicialmente la instauración de un centro público en cualquier municipio, parroquia, entidad local menor etc, del país, con independencia del contenido real de la programación de la enseñanza atribuido como responsabilidad última a los poderes públicos según el art. 27.5 CE (Embid Irujo).

El derecho a la educación implica que el acceso a los centros educativos sólo puede ser negado por razones de interés público establecidas, además, en un instrumento normativo adecuado. Consecuentemente con esta idea, los criterios que ordenen el acceso a los centros de enseñanza, en caso de que existan más solicitudes que plazas —niveles económicos, proximidad, hermanos en el centro- deben establecerse en función del interés general (art. 20 LODE). No cabe, por tanto, imaginar criterios de ordenación que puedan responder a otro tipo de interés. En cuanto al rango de la norma que contenga dichos criterios, éstos deben estar establecidos con carácter general en una Ley orgánica aunque cabe su precisión o desarrollo en normas de rango inferior.

Los criterios de elección de centro docente que, como hemos visto, establece con carácter general el art. 20 LODE, están desarrollados actualmente, en el ámbito territorial de gestión del Ministerio de Educación y Cultura, por el polémico RD 366/1997, de 14 de marzo y por la Orden de 26 de marzo de 1997 que concreta el procedimiento de elección de centro y admisión de alumnos.

Esta normativa se plantea como objetivos flexibilizar los criterios de elección de centros para evitar que la excesiva planificación termine limitando la libertad de enseñanza hasta hacerla inefectiva. A tal fin, el Decreto 366/1997 establece alguna modificación de los criterios establecidos en la legislación anterior, entre otras cuestiones, amplía las zonas de influencia de los centros públicos, reinterpreta el criterio de la proximidad domiciliaria considerando indistintamente el domicilio familiar o el lugar de trabajo de cualquiera de los padres, introduce algún criterio complementario reforzando la competencia de los centros en la admisión de alumnos y trata de forma diferenciada la educación infantil y la obligatoria con respecto a la educación secundaria post-obligatoria.

Se trata de una reinterpretación de los criterios establecidos por la LODE muy contestada por parte de la sociedad, que ve en ellos una puerta a la «arbitrariedad» de los centros a la hora de elegir a sus alumnos. Sobre el papel, y sin conocer los criterios de aplicación práctica de estos criterios, no pensamos que la modificación sea tan radical como en un principio se podría pensar.

Por lo que se refiere a la segunda parte del supuesto práctico, hemos de señalar que la LODE en sus arts. 6, 7 y 8 regula los derechos de los alumnos no universitarios. Estos preceptos están desarrollados, en la actualidad, por el RD 732/1995, de 5 de mayo, que a los derechos añade la regulación de los deberes de los alumnos y, consiguientemente y respecto a su infracción, se construye el sistema disciplinario de los alumnos no universitarios.

Parte del contenido del derecho a la educación es el derecho a un tratamiento disciplinario exento de arbitrariedades y a la existencia de garantías procedimentales en la imposición de sanciones. El art. 6.2 LODE se refiere al deber de los alumnos que, además del estudio, es el respeto a las normas de convivencia del centro docente. Esta norma es el título en que se apoya la potestad disciplinaria de la Administración en materia educativa. Competencia disciplinaria que la propia LODE en sus arts. 42 d) y 57 d) atribuye a los Centros Escolares de los Centros docentes públicos y de los concertados.

A diferencia de lo que ocurría con la regulación anterior, a partir de la entrada en vigor del RD 732/1995, aplicable en los territorios sobre los que el Ministerio de Educación y Cultura ejerce sus competencias, los reglamentos de régimen interior de los centros podrán tipificar conductas sancionables, otorgándoles así un amplio margen competencial en materia disciplinaria de los alumnos no universitarios.

LEGISLACIÓN

- Protocolo Adicional al Convenio para la protección de los Derechos Humanos y de las libertades fundamentales, hecho en París el 20 de marzo de 1952.
- CE: art. 27.
- LODE.
- LOGSE.
- Ley Orgánica 5/2000, de 12 de enero, reguladora de la responsabilidad penal de los menores (BOE n° 11, de 13 de enero).
- RD 366/1997, de 14 de marzo, por el que se regula el régimen de elección de centro educativo (BOE n° 64, de 15 de marzo).
- Orden de 26 de marzo de 1997, por la que se regula el procedimiento para la elección de centro educativo y la admisión de alumnos en centros

sostenidos con fondos públicos de Educación Infantil, Educación Primaria y Educación secundaria (BOE nº 78, de 1 de abril).

– RD 732/1995, de 5 de mayo, por el que se establecen los derechos y deberes de los alumnos y las normas de convivencia en centros educativos no universitarios (BOE nº 131, de 2 de junio).

JURISPRUDENCIA

– STC 77/1985, de 27 de junio: El art. 20 de la LODE y con él todo el sistema de programación pública de la enseñanza, fue sometido a un juicio de constitucionalidad por entender que el mismo podría poner en peligro y violaría el contenido esencial del derecho a la libre elección de centro reconocido por la CE.

Ante este reproche el TC precisa que, en todo caso, la posible restricción o limitación de este derecho tendría lugar en el caso de que la demanda de plazas fuera superior a la oferta. Por tanto, entiende el Alto tribunal que en el instante en que se plantea el problema, los padres de los alumnos ya han manifestado su preferencia por un determinado Centro escolar, y se ha consumado el derecho de optar por el tipo de educación que desean para sus hijos. Por tanto, el «problema» no se sitúa como un conflicto entre el derecho de elección de los padres o tutores, de un lado, y unos criterios selectivos distintos arbitrados coactivamente por el Estado, de otro, sino entre las diversas personas que -titulares de idénticos derechos- hacen uso de su respectiva opción educativa. Por tanto, en definitiva, para el TC los criterios que establece el art. 20.2 de la LODE no pueden considerarse inconstitucionales por cuanto su aplicación queda condicionada a «cuando no existan plazas suficientes» y este hecho condicionante surge, precisamente, por efecto del ejercicio de un derecho de opción educativa por parte de los padres que por lo demás se encuentra garantizado en el art. 4 de la Ley. En caso contrario, es decir, si las opciones de los padres pudieran prevalecer sobre la propia capacidad racional de plazas del Centro escogido, se pondría en peligro el normal desenvolvimiento del derecho a la educación.

– STS 23.03.93 (4962): En parecidos términos se ha pronunciado el TS, para el que el derecho de los padres a elegir centro docente para sus hijos, a pesar de no venir enunciado expresamente por el art. 27 CE, hay que considerarlo presente a través de la Declaración Universal de Derechos Humanos y en diversos acuerdos y tratados internacionales que, por imperativo del art. 10.2 CE deben ser tenidos en cuenta para interpretar los derechos fundamentales. El derecho a la elección de centro docente es una consecuencia de la libertad de enseñanza y de creación de centros docentes, derechos reconocidos expresamente en el art. 27.1 y 27.2. Consiste en el derecho de los padres a escoger el tipo de educación que habrá de darse a sus hijos (art. 26.3 de la Declaración Universal de Derechos Humanos).

- SSTS 13.5.96 (4584), 3.03.95 (2304), 9.10.95 (7903), 22.2.94 (1193) y 29.3.93 (2260): En líneas generales, puede aceptarse que el derecho de los padres o tutores a elegir centro de enseñanza para sus hijos o pupilos constituye un ingrediente «habitual» del derecho fundamental a la educación, pero cuando choca con las conveniencias didácticas, el ejercicio de ese derecho sólo puede ser satisfecho como manifestación de preferencia que debe ser cumplida siempre que sea posible, no pudiéndose, por tanto, considerar el derecho a la elección de centro como un derecho absoluto que traspase los límites legales o reglamentarios razonadamente establecidos para su ejercicio. Existen una serie de razones materiales y presupuestarias que hace que sean limitados tanto los centros existentes como las plazas en ellos disponibles, por esta razón el legislador se ve obligado a establecer criterios objetivos que sirvan para determinar quiénes deben ser admitidos, en el supuesto de que para algún centro existan más solicitudes que plazas.

- STS 21.7.00 (6169) en la que se establece que el derecho a la educación (art. 27 CE) comprende el derecho a la libre elección de centro docente. Pero no es menos cierto que ese derecho no es absoluto. Resulta constitucionalmente válido que los Poderes Públicos, en su deber de programación general de la enseñanza, garanticen la calidad de la misma, estableciendo una ratio alumno/unidad.

BIBLIOGRAFÍA

- AMENOS ÁLAMO, J.: «Visión crítica del régimen jurídico de la Universidad privada», *RVAP* n° 49, 1997, págs. 303-323.
- BARNÉS VÁZQUEZ, J.: «La educación en la Constitución de 1978», *REDC* n° 12, 1984, págs. 23 y ss.
- BARRANCO VELA, R.: «Los derechos de los dupondios y demás estudiantes», CABS (*Cuadernos andaluces de bienestar social*) n° 0, 1997, págs. 47-71.
- CHINCHILLA MARÍN, C.: «El nuevo régimen disciplinario de los alumnos no universitarios», *REDA* n° 64, 1989, págs. 547-568.
- DE LOS MOZOS TOUYA, I.: *Educación en libertad y concierto escolar*, Montecorvo, Madrid, 1995.
- EMBID IRUJO, A.: *Las libertades en la enseñanza*, Tecnos, Madrid, 1983.
- EMBID IRUJO, A.: «Derecho a la educación y derecho educativo paternos», *REDC* n° 7, 1983, págs. 375 y ss.
- EMBID IRUJO, A.: voces «alumno», «libertad de enseñanza», «centro docente concertado», «centro docente público» y «centro docente privado», «disciplina escolar y académica» en *Enciclopedia Jurídica Básica*, Civitas, Madrid, 1995.
- EMBID IRUJO, A.: «La enseñanza privada en España: consideraciones sobre su problemática actual en el marco de la política europea sobre educación», *RAP* n° 142, 1997, págs. 75 y ss.
- EMBID IRUJO A.: «Los principios de la jurisprudencia ordinaria sobre la enseñanza tras la Sentencia del Tribunal Constitucional sobre la LODE», *RAP* n° 116, 1988, págs. 39 y ss.

- FERNÁNDEZ-MIRANDA Y CAMPOAMOR, A.: *De la libertad de enseñanza la derecho a la educación. Los derechos educativos en la Constitución española*, CEURA, Madrid, 1988.
- PARADA VÁZQUEZ R. y CÁMARA DEL PORTILLO, D.: «La enseñanza libre y el derecho a examen en la educación universitaria», *RAP* n° 117 1988, págs. 71-97.

Caso nº 3: AUTONOMÍA UNIVERSITARIA

PLANTEAMIENTO

La Ley 2/96 de las Cortes valencianas crea la Universidad de Elche estableciendo en su art. 5 que obligatoriamente deberán segregarse de la Universidad de Alicante las facultades de Medicina y Estadística que pasarán a integrarse desde ese mismo momento en aquélla. Lógicamente, dicha segregación conlleva el traspaso de bienes materiales y personales de la Universidad de Alicante a la de nueva creación de Elche.

La decisión del Parlamento valenciano de segregar dos Facultades de una Universidad ya existente es calificada por la Comunidad universitaria alicantina como atentatoria a la «autonomía universitaria» que garantiza el art. 27.10 CE. Por esta razón, solicita asesoramiento jurídico acerca de las medidas legales que, para evitar dicha injusticia, debe adoptar. Elabore un Dictamen sobre este problema que tenga en cuenta las siguientes cuestiones:

1. ¿Vulnera la autonomía universitaria la segregación de Facultades de una Universidad ya constituida para la creación de una nueva?; ¿la adscripción de bienes materiales y personales de una a otra viola la autonomía económica y financiera de las Universidades?; ¿debería emplearse el procedimiento expropiatorio?

2. ¿Qué naturaleza jurídica tiene la autonomía universitaria, derecho fundamental o autonomía institucional?; ¿qué vías procesales pueden utilizar los legitimados para defender la autonomía universitaria?; ¿quiénes son los titulares de este derecho y, por tanto, a quién corresponde la defensa ante los tribunales de la autonomía universitaria?

3. La proyectada Universidad de Elche, ¿debe cumplir para su creación con unos requisitos mínimos?; ¿a qué Administración compete la fijación de estos mínimos?, ¿qué grado de concreción tendrán estos requisitos mínimos?; ¿puede la Ley valenciana establecer unos requisitos distintos a los del RD 557/1991, de 12 de abril?

4. ¿Vulneraría la autonomía universitaria el hecho de que sea el Estado el que elaborase los nuevos Planes de Estudios para las dos Facultades segregadas de la de Alicante?

5. Una vez creada la Universidad de Elche, el art. 10 de sus Estatutos determina que, en lo referente a la lengua en que deberá impartirse la docencia en esta Universidad, tendrá preferencia el «valenciano o catalán» sobre el «castellano». ¿Entra dentro de las posibilidades que ofrece la autonomía universitaria a la Universidad de Elche el optar por esta denominación a pesar de que el art. 7.1 del Estatuto valenciano establece que: «Los dos idiomas oficiales de la Comunidad Autónoma son el valenciano y el castellano. Todos tienen derecho a conocerlos y usarlos»?

DOCTRINA

Desde su reconocimiento en el art. 27.10 CE, la autonomía universitaria ha sido objeto de un prolífico tratamiento doctrinal. Sin embargo, se trata de un análisis científico que se ha centrado, casi en exclusiva, en el tratamiento que a esta materia ha dado el Tribunal Constitucional por cuanto son varios y muy importantes sus pronunciamientos sobre la problemática general que la autonomía universitaria plantea. Así, si con carácter general se afirma que la ley no dice lo que dice, sino lo que los jueces dicen que dice, en el caso de la cobertura que la CE da a la autonomía de las Universidades se podría afirmar: la CE dice lo que el TC dice que dice (López-Jurado). Por esta razón, necesariamente, en este supuesto práctico la extensión del extracto doctrinal debe ceder en espacio e importancia al extracto jurisprudencial.

A pesar de ser una cuestión también resuelta por el TC, por su mayor calado teórico, puede tener cabida en este espacio dedicado a la doctrina la polémica acerca de la naturaleza jurídica de la autonomía universitaria. A este respecto, la doctrina, al igual que el propio TC, se divide entre quienes piensan que la autonomía universitaria constituye un «derecho fundamental» (Leguina Villa y Ortega Álvarez) y entre quienes opinan que encaja mejor dentro de la conceptuación de la «garantía institucional» (López-Jurado y Alegre Ávila). Independientemente de que el TC se haya inclinado más del lado de los primeros, merece la pena referir los argumentos de los que defienden el carácter de garantía institucional, o al menos aciertan a ver los problemas que plantea la consideración como derecho fundamental de la autonomía universitaria.

En primer lugar, puede considerarse contradictoria la categoría de derecho fundamental con la remisión que el texto constitucional efectúa a la ley para que precise los términos en que aquélla queda reconocida (Alegre Ávila). En segundo término, se plantea la difícil consideración de las personas jurídico-públicas como portadoras de derechos fundamentales, abordada en varias ocasiones por el TC y no del todo resuelta. Por último, otra de las cuestiones problemáticas es la de identificar y deslindar claramente al portador de este derecho fundamental: la Universidad o la comunidad universitaria (López-Jurado).

A nuestro parecer, la consideración final por el TC de la autonomía universitaria como derecho fundamental tiene que pasar por asumir el carácter ordinamental de las Universidades; esto es, su carácter de instituciones que tienen como elementos constitutivos: una organización, una normación propia y un conjunto de sujetos que forman parte de ella, siendo este elemento de la plurisubjetividad el más importante por cuanto la finalidad del reconocimiento de un derecho fundamental es la defensa de los derechos fundamentales individuales de las personas físicas que forman parte de cada Universidad (López-Jurado).

Aceptada definitivamente la consideración de la autonomía universitaria como derecho fundamental, la consecuencia más importante es que va a disponer de todos los mecanismos de protección que la CE otorga a los derechos fundamentales reconocidos en los arts. 14 a 29: reserva de Ley orgánica que, indirectamente, supone reconocer un título competencial al Estado cosa que no ocurriría si fuese considerado como una simple garantía institucional; prohibición de legislación delegada y de Decretos-leyes en su desarrollo; la modificación o supresión de la autonomía de las Universidades requeriría de un procedimiento especial o extraordinario de reforma constitucional equivalente al previsto para la revisión total de la CE; en último lugar, la autonomía universitaria es susceptible de ser protegida en amparo por los tribunales ordinarios y, en su caso, por el propio Tribunal Constitucional (Leguina Villa, 1991).

Finalmente, hay que afirmar que la autonomía universitaria es un derecho fundamental de estricta configuración legal que carece de contenido preceptivo constitucional, a diferencia de lo que ocurre con otros derechos fundamentales, en cuya regulación la propia Constitución establece algunas determinaciones (Leguina Villa, 1991). La labor configuradora es llevada a cabo, fundamentalmente, por la Ley Orgánica 3/2001, de 21 de diciembre, de Universidades cuyo art. 2 trata de concretar todos los elementos necesarios para el aseguramiento de la libertad académica. Sin embargo, a pesar de este intento de concreción, se trata de un derecho relativamente indeterminado que deja bastante margen de concreción a la ley, correspondiendo al TC la comprobación de una hipotética violación de su contenido esencial (Embid Irujo).

LEGISLACIÓN

- CE: arts. 27.10 y 149.1.30
- LOU
- RD 557/1991, de 12 de abril, sobre creación y reconocimiento de Universidades y Centros universitarios, modificado por el Real Decreto 485/1995, de 7 de abril (BOE nº 95, de 20 de abril).
- Estatuto de Autonomía de la Comunidad Valenciana.
- Ley 2/1996, de 27 de diciembre, de Creación de la Universidad "Miguel Hernández" de Elche (DO Generalitat Valenciana de 30 de diciembre de 1996, nº 2899/1996).
- Decreto 129/2000, de 5 de septiembre por el que se aprueba el Reglamento de organización y funcionamiento de la Universidad "Miguel Hernández" (DO Generalitat Valenciana nº 3836, de 14 de septiembre).
- Decreto 138/1997, de 1 de abril, por el que se aprueba la readscripción de centros y enseñanzas de titularidad pública existente en la provincia de Alicante (DO de la Generalitat Valenciana nº 3013, de 13 de junio).
- Decreto 137/1997, de 1 de abril, por el que se aprueba la normativa singular reguladora de la actividad de la Universidad "Miguel Hernández" de Elche (DO de la Generalitat Valenciana nº 2964, de 4 de abril).

JURISPRUDENCIA

- STC 26/1987, de 27 de febrero: El desarrollo de la ciencia, la técnica y la cultura, fin último de la Universidad, necesita un eficaz instrumento de protección que garantice su libre desenvolvimiento y evolución inmune a injerencias externas. A este fin de crear un espacio de libertad intelectual trata de servir el supraconcepto básico de la libertad académica que engloba la libertad de enseñanza, estudio e investigación y que tiene una doble vertiente: institucional o colectiva (autonomía universitaria en sentido estricto) e individual (libertad de cátedra).
- STC 196/1990 de 16 de junio y STC 132/1990 de 17 de julio: En relación con el problema principal planteado en este caso, esto es la creación por ley de una Universidad mediante el desdoblamiento de una existente con anterioridad, el TC entendió en un caso similar, que no se viola el principio de

autonomía universitaria porque la autonomía no incluye el derecho de las Universidades a contar con unos u otros centros concretos, imposibilitando o condicionando así las decisiones que al Estado o a las CCAA corresponde adoptar en orden a la determinación y organización del sistema universitario en su conjunto. Es decir, la necesaria libertad académica con que deben contar las Universidades para el ejercicio de la docencia y la investigación, tiene que desarrollarse en el marco de las efectivas disponibilidades personales y materiales con que cuenten cada una de ellas, decisión, esta última, que en gran medida corresponde hacer a los Parlamentos tanto estatal como, sobre todo, Autonómicos. Por tanto, en definitiva, la creación de Universidades es un límite inmanente a la autonomía universitaria.

Por lo que se refiere a la pérdida de profesores que se produce por la segregación de los centros en los que prestan sus servicios y su correlativa incorporación a otra Universidad no es, en sí misma, considerada lesiva de la autonomía universitaria. En el caso de la adscripción de bienes materiales de una a otra Universidad, hay que diferenciar si se produce la supresión de centros universitarios o simplemente una readscripción. En este segundo supuesto se produce una mutación demanial por cambio de la competencia sobre la gestión de determinados centros que siguen integrados en el servicio público universitario, mutación que no puede estimarse lesiva de la autonomía universitaria en su manifestación económica y financiera, por cuanto que ésta no es ajena, ni independiente, de las competencias y servicios concretos encomendados a la Universidad.

– STC 235/1991 de 12 de diciembre: Sobre la problemática cuestión de la titularidad del derecho a la autonomía universitaria, el TC, a diferencia de la libertad de cátedra que pertenece a cada docente o investigador, ha otorgado la misma a la Universidad como institución, referida al colectivo universitario en su conjunto y no a sus miembros a título individual ni al conjunto de Universidades. Por tanto, la defensa de este derecho corresponde a las Universidades (y no al Estado ni a las CCAA) a través del recurso de amparo, lo que no quiere decir que en los procedimientos de control abstracto de inconstitucionalidad, o incluso en otros procesos, puedan las CCAA aducir la violación del art. 27.10 CE, siempre que dicha violación menoscabe alguna de las competencias autonómicas. Lógicamente, esta capacidad procesal no corresponde a cualquier persona integrada en la organización universitaria sino a quienes hayan previsto a estos efectos los Estatutos que representen a la Universidad.

– STC 131/1996, de 11 de julio: En lo referente a la problemática de la competencia estatal para dictar normas de desarrollo de la LORU tendentes a fijar los mínimos que deben cumplir las Universidades de nueva creación (RD 557/1991 de 12 de abril), el TC la ha declarado acorde con el sistema constitucional por cuanto en materia de enseñanza superior o universitaria, el Estado tiene atribuida, ex art. 149.1.30 la competencia para dictar «normas básicas para el desarrollo del art. 27 de la Constitución, a fin de garantizar el cumplimiento de las obligaciones de los poderes públicos en esta materia».

Competencia no absoluta por cuanto el Estado debe establecer esas bases de forma suficientemente amplia y flexible como para permitir que las Comunidades Autónomas con competencias normativas en la materia puedan adoptar sus propias alternativas políticas en función de sus circunstancias específicas, teniendo en cuenta además que en este ámbito debe preservarse el ámbito de autonomía de las Universidades reconocido por la propia Constitución (art. 27.10 CE).

- STC 149/1992, entre otras muchas: En cuanto a la cuestión de que reglamentariamente se determinen los requisitos mínimos que deben cumplirse para la creación de Universidades privadas, es doctrina reiterada del TC que para garantizar la generalidad y estabilidad consustanciales a las reglas básicas (STC 147/1991), éstas deben establecerse mediante ley formal votada en Cortes, aunque, como excepción, quepa admitir que en ciertas circunstancias el Gobierno pueda regular por Real Decreto aspectos básicos de una determinada materia. Excepcionalidad que cabe apreciar cuando se comprueba que el Reglamento es indispensable por cuanto la ley formal no resulta instrumento idóneo para regular exhaustivamente todos los aspectos básicos, debido al «carácter marcadamente técnico o a la naturaleza coyuntural y cambiante» de los mismos.

- STC 187/1991 de 3 de octubre y STS 23.4.97: En lo referente a la competencia para la elaboración y aprobación de los Planes de Estudios, ésta queda, con carácter general, comprendida en el derecho a la autonomía universitaria. Sin embargo, esta competencia tiene una serie de límites entre los que figura la existencia de un sistema universitario nacional impuesto por los arts. 27.8 y 149.1.30 CE y por el art. 28.1 LRU que permiten, entre otras cosas, que el Estado pueda fijar en los Planes de Estudio un contenido que sea el común denominador mínimo exigible para obtener los títulos académicos y profesionales oficiales y con validez en todo el territorio nacional, eso sí, siempre que el Estado haga uso de este poder de una manera racional y apropiada al contenido mismo del título de que se trata.

- SSTC 130/1991 de 6 de junio y 75/1997, de 21 de abril; STS 20.11.1992 (8912): La polémica acerca de la denominación de la lengua, es una cuestión que difiere en algo de las anteriores. Aquí no se trata de determinar el contenido material de la autonomía universitaria sino del alcance del control judicial de una concreta decisión adoptada en el ejercicio de esa autonomía. Es doctrina reiterada ya del TC (a pesar de ciertas divergencias del TS) entender que el control judicial nunca puede llegar a fiscalizar una decisión de una Universidad, utilizando criterios de oportunidad y conveniencia.

- STC 103/2001, de 23 de abril: la finalidad esencial de la autonomía universitaria se halla en la tutela de las libertades académicas de enseñanza, investigación y estudio. Los planes de estudio integran la autonomía universitaria en la medida que sirven a las libertades académicas: no todos los contenidos de los planes de estudio están relacionados por igual con la autonomía universitaria. En cuanto a los límites de la autonomía universitaria en lo que a los planes de estudio se refiere, señalar que encuentran su límite en la fijación por el Estado del bagaje indispensable de conocimientos que debe alcanzarse para obtener cada uno de los títulos oficiales con validez en todo el territorio nacional.

BIBLIOGRAFÍA

- ALEGRE ÁVILA, J.M.: «En torno al concepto de autonomía universitaria», *REDA* n° 51 ,1986, págs. 367-396.
- EMBID IRUJO, A.: «La autonomía universitaria: límites y posibilidades a través de la reciente jurisprudencia constitucional u ordinaria», *Autonomies* n° 17, 1993, págs. 9-27.
- GARCÍA DE ENTERRÍA, E.: «La autonomía universitaria», *RAP* n° 117, 1988, págs. 7-33.
- LEGUINA VILLA, J.: «La autonomía universitaria en la jurisprudencia del Tribunal Constitucional», en *Estudios sobre la Constitución española, Homenaje al Profesor E. García de Enterría*, Civitas, Madrid 1991, págs. 1199-1211.
- LEGUINA VILLA, J. y ORTEGA ÁLVAREZ, L.: «Algunas reflexiones sobre la autonomía universitaria», *REDA* n° 35, 1982.
- LÓPEZ-JURADO ESCRIBANO, F.: *La autonomía de las Universidades como derecho fundamental: la construcción del Tribunal Constitucional*, Civitas, Madrid, 1991.
- SÁNCHEZ BLANCO, A.: «El derecho fundamental a la autonomía universitaria», *RVAP* n° 22, 1988, págs. 155-168.

Caso n° 4: EDUCACIÓN: LIBERTAD DE CÁTEDRA

PLANTEAMIENTO

D. Antonio Rodríguez Uría, avezado alumno de la Universidad de Granada, abrumado por la intensidad y el grado de exigencia que para superar la asignatura de «Derecho Administrativo I» en el Grupo 9° de la Facultad de Derecho ha impuesto su profesor, teniendo en cuenta las mayores facilidades de sus compañeros de otros grupos, recurre al Rector de esta Universidad reclamándole uniformidad en el programa de esta asignatura. Junto a esta primera petición, el mencionado alumno hace saber al Rector que el profesor que imparte la asignatura de «Derecho Administrativo I» en su grupo hace una continua defensa en sus clases a la consideración de la protección ambiental como la «nueva religión del S.XXI», invitando a sus alumnos en repetidas ocasiones a formar parte de la asociación que preside con este fin denominada «PRONATU», asociación que no cuenta con reconomiento oficial.

Sin esperar ningún tipo de medida por parte del Rectorado, el Departamento de Derecho Administrativo de la Universidad de Granada, de acuerdo con el art. 35 de sus Estatutos, aprueba el denominado «Proyecto de plan de trabajo para los cursos 1997-1998 y 1998-1999» en el que se establece un programa común para todo su profesorado, el material docente necesario para su preparación, además de determinar un procedimiento de evaluación y control de los conocimientos de los estudiantes común a todos los alumnos de la asignatura de Derecho Administrativo, consistente en una prueba oral ante un Tribunal compuesto por 3 miembros del mencionado Departamento. Junto a estas medidas estrictamente organizativas, otro punto del plan declara que el Departamento de Derecho Administrativo de la Universidad de Granada parte de una concepción orgánico-funcional del Derecho Administrativo, debiéndose impartir la docencia de esta asignatura conforme a la misma.

El profesor del Grupo 9° de «Derecho Administrativo I» considera que todo el «proyecto de plan de trabajo» aprobado por el Departamento vulnera su derecho fundamental a la libertad de cátedra, por lo que decide acudir a los Tribunales en defensa del mismo. Antes de que se produzca la resolución judicial correspondiente, de acuerdo con su elevado nivel de exigencia, plantea este caso en el examen final de prácticas haciendo las siguientes cuestiones:

1. ¿Qué naturaleza jurídica tiene la libertad de cátedra y que consecuencias prácticas derivan de la misma?

2. ¿Protege la libertad de cátedra a todos los docentes o sólo a los docentes universitarios?; dentro de los docentes universitarios ¿tiene la misma amplitud para todas las categorías?; ¿protege la libertad de cátedra como derecho fundamental a otros trabajadores distintos de los docentes?

3. ¿Incluye el derecho a la libertad de cátedra la posibilidad de cada profesor la confección de su propio programa de la asignatura, la designación o elaboración del material didáctico correspondiente, la indicación de las orientaciones bibliográficas y la autonomía en la evaluación de los alumnos?

4. ¿Podría el Consejo de Departamento correspondiente detallar exhaustivamente el contenido del programa así como aconsejar una determinada concepción o doctrina de la asignatura a impartir?

5. ¿Puede el Departamento de Derecho Administrativo, a través del órgano competente, fijar los criterios de evaluación de los alumnos?; ¿se puede deslindar la elaboración concreta del programa de la asignatura de los criterios a emplear para la evaluación de los alumnos?

6. ¿Tiene la libertad de cátedra en los niveles de enseñanza inferiores al universitario idénticos límites internos?; ¿y para los docentes de centros privados?

7. ¿Atenta a la libertad de conciencia del alumno su consideración radical y extrema de la defensa del ambiente?

DOCTRINA

A pesar de su evidente conexión con artículos como el 16 CE que garantiza la libertad ideológica y religiosa o el 27 CE que recoge el derecho a la educación, el constituyente ha optado por incluir la libertad de cátedra dentro del art. 20, precepto dedicado a la libertad de expresión, pudiéndose decir, por tanto, que libertad de cátedra es sinónimo en la CE de libertad de expresión en el ejercicio de la enseñanza. No obstante, parte de la doctrina entiende que el lugar más adecuado para el reconocimiento constitucional de este derecho, tanto por su contenido como por el ámbito de su ejercicio, hubiera sido el art. 27 CE, es decir, como uno de los derechos educativos.

Al igual que sobre la autonomía universitaria, se plantea doctrinalmente la polémica de la naturaleza jurídica de la libertad de cátedra dividiéndose los autores entre los que la consideran una garantía institucional y los que se inclinan más por su consideración como derecho fundamental, entendiendo que la categoría de la garantía institucional es más adecuada para la «libertad de enseñanza». En una posición intermedia se sitúan autores que consideran la libertad de cátedra como un derecho fundamental que participa de una doble dimensión: subjetiva y objetiva. Desde el punto de vista subjetivo, la libertad de cátedra se podría definir como aquel derecho que tiene todo profesor en virtud del cual se le otorga un derecho individual que le permite reaccionar frente a injerencias que traten de imponérsele desde fuera. Desde la vertiente objetiva, también conocida como institucional, la libertad de cátedra operaría como un elemento configurador del sistema político en cuanto que, por sí misma, también expresaría un interés colectivo y público que excede del ámbito de reconocimiento individual a favor de su titular (Expósito).

La extensión del derecho de libertad de cátedra ha sufrido una auténtica expansión desde su concepción originaria, limitada al ámbito universitario público, hasta reconocer la vigencia de este derecho a todos los docentes, incluidos los que desarrollan su labor en centros privados (arts. 3 y 22.1 LODE). Ampliación producto del efecto de «difusión» o «irradiación» de los derechos fundamentales a todos los ámbitos del Derecho no sólo como técnica de defensa de la libertad individual y social frente al Estado, sino también a las relaciones *inter privatos*.

La ampliación del ámbito de aplicación de este derecho ha ido acompañada de una reducción de su contenido positivo, en la medida necesaria para hacer compatible su ejercicio con las necesidades educativas de los niveles inferiores de docencia y para conciliarlo con otros derechos, bienes o valores constitucionalmente protegidos y vinculados también a la enseñanza. Reducción que afecta incluso al ámbito donde tradicionalmente y por excelencia se ha aplicado la libertad de cátedra, el de la enseñanza pública superior, aplicándose con mayor o menor amplitud en función de la capacidad docente del profesor (Blanca Lozano).

Como todos los derechos, el derecho a la libertad de cátedra no es absoluto sino que, por el contrario, tiene una serie de límites tal y como reconoce el propio art. 20.4 CE. La primera parte del precepto alude a algo inherente a cualquier derecho fundamental como es la necesaria armonización con el resto de los derechos fundamentales constitucionalmente protegidos, mientras que en segundo lugar contiene la denominada cláusula de especialidad que la doctrina coincide en interpretar como una llamada de atención sobre aquellos derechos que con más frecuencia suelen ser ignorados, perturbados o lesionados a través del ejercicio de alguna de las libertades consagrada en el art. 20 CE. Se trata de un derecho que, por un lado, tiene su propio contenido que determina su extensión y alcance y, por otro, se encuentra limitado y condicionado por el derecho de los demás.

La libertad de cátedra tiene, además de su tradicional consideración de derecho reaccional o de defensa frente a cualquier tipo de injerencia externa que limite cualquier tipo de imposición de orientación ideológica de la docencia, un claro correlato organizativo que, de la misma forma, puede afectar, vulnerándolo, el derecho a la libertad de cátedra. La declaración por la LOU y su reconocimiento por el TC de la enseñanza universitaria como servicio público, lleva aparejado reconocer la competencia de las universidades para completar la planificación de la enseñanza así como su organización, independientemente de las directrices generales que el Estado haya podido diseñar. La universidad, concretamente los Departamentos, en ejercicio de estas competencias va a poder organizar y disciplinar la actividad docente en la que se desarrolla la libertad de cátedra, estableciendo de esta forma los «límites internos» que condicionan su ejercicio. El punto de encuentro entre el ejercicio por la universidad de disciplinar la organización de la docencia en virtud de su autonomía, y la libertad de cátedra ha sido, tradicionalmente, fuente de conflictos que ha obligado a los tribunales a posicionarse sobre la cuestión.

LEGISLACIÓN

- CE: arts. 16, 20 y 27.
- LOU: arts. 8 y 33.2, entre otros.
- RD 2360/1984, de 12 de diciembre de Departamentos universitarios (BOE nº 12, de 14 de enero): art. 2.
- RD 732/1995, de 5 de mayo, regulador de los derechos y deberes de los alumnos y normas de convivencia en centros docentes no universitarios (BOE nº 131, de 2 de junio).

JURISPRUDENCIA

- STC 26/1987, de 27 de febrero: El principio de libertad académica tiene dos vertientes: una colectiva o institucional constituida por la autonomía universitaria, y una vertiente individual, compuesta por la libertad de cátedra.

- STC 217/1992, de 1 de diciembre: La libertad de cátedra consiste en una proyección de la libertad ideológica del docente y del derecho a difundir libremente los pensamientos, ideas y opiniones, que cada profesor asume como propios en relación con la materia objeto de su enseñanza.

- Desde sus primeros pronunciamientos, el TC ha considerado que la libertad de cátedra es un derecho que se extiende a todos los docentes, sea cual fuere el nivel de enseñanza en que actúan y la relación que media entre su docencia y su propia labor investigadora (STC 5/1981, de 13 de febrero). Si el carácter público o privado del centro docente no es un criterio suficiente para suprimir el derecho a la libertad de cátedra, sí ha reconocido el TC que puede ser un elemento que module su ejercicio, por cuanto estos profesores tienen el deber de respetar el ideario propio del centro, que constituye la expresión del ejercicio de la libertad de enseñanza por su titular (STC 5/1981, de 13 de febrero y STC 47/1985, de 27 de marzo).

  Otro de los criterios que sirven para modular la mayor o menor amplitud del ejercicio del derecho a la libertad de cátedra será el de la capacidad docente del profesor. Así, el TC ha reconocido que la libertad de cátedra corresponde a todos los docentes «dentro de los límites del puesto docente que ocupan» (SSTC 5/1981, de 13 de febrero y 217/1992, de 1 de diciembre). Con este criterio, el TC reconoce un «contenido negativo uniforme» o contenido mínimo de la libertad de cátedra, extensible a cualquier docente independientemente del carácter público o privado del centro donde ejerza la docencia y del grado o nivel de los profesores de centros públicos, consistente en un derecho de resistencia a cualquier mandato que intente dar a su enseñanza una orientación ideológica determinada (STC 5/1981, de 13 de febrero). A partir de este contenido mínimo, los límites al contenido del derecho a la libertad de cátedra varían sustancialmente en los distintos ámbitos educativos.

Tras una primera interpretación jurisprudencial maximalista del alcance de la libertad de cátedra en relación con los poderes organizativos de los Departamentos universitarios llegando a asimilarla con una ilimitada capacidad docente que habilitaba al profesor para regular íntegramente el contenido y el método la enseñanza a impartir (STS 29.10.90), la jurisprudencia ha optado, parece que definitivamente, por la imposición de límites a dicha libertad cuasi absoluta. Así, el TC ha consolidado una doctrina mucho más atemperada que entiende que el derecho a la libertad de cátedra no elimina cualquier posibilidad de los centros docentes para disciplinar la organización de la docencia dentro de los márgenes que la autonomía universitaria les reconocen (STC 217/1992, de 1 de diciembre; ATC 457/1989, de 18 de septiembre y STS 10.2.89 —1001—; en sentido negativo para el caso enjuiciado que no con carácter general, puede verse la STC 179/1996, de 12 de noviembre).

BIBLIOGRAFÍA

- BAÑO LEÓN, J.M.: «La distinción entre derecho fundamental y garantía institucional en la Constitución española», *REDC* nº 24, 1988, págs. 155 y ss.

– EMBID IRUJO, A.: *Las libertades en la enseñanza*, Tecnos, Madrid, 1983.
– EMBID IRUJO, A.: voz «Libertad de cátedra» en *Enciclopedia Jurídica Básica*, Civitas, Madrid, 1995, págs. 4017-4020.
– EXPÓSITO, E.: *La libertad de cátedra*, Tecnos, Madrid, 1995.
– LOZANO, B.: *La libertad de cátedra*, UNED-Marcial Pons, Madrid, 1995.
– LOZANO, B.: «La libertad de cátedra en la enseñanza pública superior (A propósito de la STC 217/1992, de 1 de diciembre)», *RAP* nº 131, 1993, págs. 191-217.
– PEMÁN GAVÍN, J.: «El régimen jurídico de los departamentos universitarios. Acotaciones de la jurisprudencia», *RAP* nº 142 ,1997, págs 247-304.

Caso nº 5: CULTURA: CINEMATOGRAFÍA

PLANTEAMIENTO

La empresa francesa de producción cinematográfica «DIJON CINE-MA», pretende la realización de una película en coproducción con la productora norteamericana «WARNER». El lugar elegido para llevar a cabo esta obra es la Comunidad Valenciana.

Las dos empresas objeto de este supuesto práctico tienen proyectada la realización de un documental sobre la violencia sexual infantil que se ejerce en los dos continentes. Mediante la exhibición de imágenes violentas los productores pretenden concienciar a la sociedad mostrando, con el fin de erradicarlas, la crudeza de este tipo de prácticas.

Para la producción de esta obra, la empresa francesa solicitó al Ministerio de Educación, Cultura y Deportes español las ayudas financieras previstas en el RD 1039/1997, de 27 de junio. Dicha solicitud fue denegada por aquél alegando que se trata de una coproducción en la que no participa ninguna empresa española y que, por tanto, no entra en el ámbito de aplicación de las medidas de fomento previstas por nuestro Ordenamiento jurídico.

«DIJON CINEMA» le solicita, con el objetivo de recurrir la denegación de la ayuda y, a la vez, conocer el complejo jurídico-administrativo regulador de la cinematografía en España para evitar futuros conflictos, un Dictamen que incida sobre las siguientes cuestiones:

1. ¿Es conforme a Derecho la denegación de la subvención a la empresa cinematográfica francesa para una coproducción con una empresa norteamericana?; ¿vulnera el sistema de ayudas económicas a la cinematografía española el Derecho, tanto comunitario como nacional, de las ayudas de Estado?
2. ¿Qué órganos son competentes en materia de subvenciones a la cinematografía?; ¿a qué órgano del Ministerio le habrá correspondido denegar la subvención solicitada?; ¿cabe algún recurso administrativo contra sus resoluciones?
3. ¿Podría el Ministerio haber denegado la solicitud de ayudas en base al contenido de la película proyectada?; ¿a quién corresponde la calificación de las películas?; ¿qué procedimiento hay que seguir?; de no tratarse de una película X ¿a quién y

conforme a qué procedimiento se concederían las subvenciones?

4.¿Qué Administraciones públicas tienen en España competencias sobre cinematografía?

5. ¿Qué son las cuotas de pantalla y las de distribución cinematográfica?; ¿le parece adecuado en la actualidad este sistema de regulación e intervencionismo económico?; ¿qué sanciones y con qué procedimiento se regulan las violaciones de estas normas?

DOCTRINA

La transcendencia de la industria cinematográfica tanto para la economía como para la cultura ha justificado, tradicionalmente, una importante presencia del Derecho en esta parcela del Arte. Salvo los aspectos de propiedad intelectual, quizás, más propios del Derecho civil, el resto de este sector del ordenamiento está dedicado a reglamentar la intervención de la Administración pública en las tres actividades cinematográficas esenciales: la producción, la distribución y la exhibición.

En el caso de nuestro país, dos han sido los objetivos principales que ha perseguido esta regulación: la protección y el fomento de la industria cinematográfica nacional, en primer lugar, y, en segundo, la divulgación y protección de los valores propios del régimen político vigente en cada momento. La incorporación de nuestro país a la Comunidad Europea ha obligado a adecuar todo este esquema a los parámetros, sobre todo económicos, comunitarios, si bien todavía no se ha logrado definitivamente este objetivo.

El cine es un sector económico protegido. Los instrumentos que, principalmente, ha empleado nuestro Derecho para la protección de la cinematografía española son las denominadas cuotas, las de pantalla y las de distribución. En virtud de las primeras, las salas de exhibición cinematográfica están obligadas a programar, dentro de cada año natural, películas comunitarias en versión original o dobladas, de tal forma que, al concluir cada año, se observe determinada proporción entre los días de exhibición de aquéllas y los de películas de terceros países en versión doblada a cualquier lengua oficial española. Las cuotas de distribución obligan a que las empresas distribuidoras contraten para su distribución en España una proporción determinada de películas de países comunitarios, en caso contrario dichas empresas no obtendrán la correspondiente licencia de doblaje imprescindible para la distribución de películas de terceros países. A pesar de las últimas reformas legales tendentes a la liberalización del sector, todavía se mantiene este antiguo mecanismo intervencionista.

Además de este sistema ideado con claros fines defensivos, el otro pilar del proteccionismo cinematográfico nacional o comunitario es el de las ayudas públicas. Son varias las modalidades de ayudas que prevén estas medidas de fomento: ayudas a la producción cinematográfica para largometrajes o cortometrajes, ayudas para la promoción de la cinematografía, sean para la distribución o la exhibición y otras ayudas entre las que se incluyen las destinadas a la creación de guiones o para la organización y participación en festivales y certámenes. La propia reglamentación de estas ayudas contiene un extenso cuadro de exclusiones y excepciones en la concesión de las mismas.

El régimen jurídico de las ayudas económicas a la cinematografía española plantea numerosas dudas de compatibilidad con el ordenamiento jurídico vigente. Aparte de la problemática general sobre el rango normativo que deban tener las medidas de fomento económico por su afectación a la libertad de empresa, la cuestión más polémica deviene de su compatibilidad con las normas, tanto nacionales como comunitarias, reguladoras del Derecho de la competencia. Dada la ineficaz regulación de las ayudas de Estado en el Derecho de la competencia estrictamente nacional, será el art. 92 del TCE el que debe darnos criterios suficientes para determinar su adecuación o no a nuestro sistema legal. Consecuentemente con la amplísima interpretación llevada a cabo por el TJCE en la aplicación de este precepto, son fundadas las dudas que nos surgen acerca de la compatibilidad de este sistema de ayudas económicas con el Derecho de la competencia vigente nuestro ordenamiento.

El órgano que en el nivel de la Administración del Estado ejerce la mayor parte de las competencias en materia cinematográfica es el Instituto de la Cinematografía y de las Artes Audiovisuales, regulado en la actualidad por el RD 7/1997, de 10 de enero. Se trata de un organismo autónomo de carácter administrativo adscrito al Ministerio de Educación, Cultura y Deportes y dependiente del titular del Departamento. Del Instituto depende, igualmente, un órgano consultivo con importantes competencias en esta materia, se trata de la Comisión de Calificación de Películas Cinematográficas, órgano encargado de la calificación de películas y que, en la actualidad, desarrolla su función no como en el régimen anterior, es decir, conforme a criterios políticos o morales, sino de control de la compatibilidad de la producción cinematográfica con los postulados del sistema democrático así como la protección de bienes constitucionalmente amparados como la protección de la juventud y de la infancia, la adecuada información del usuario o el fomento de la cultura.

Son varias las Comunidades Autónomas que han creado sus propios órganos para el desarrollo de sus competencias en materia de cinematografía. Este es el caso, por ejemplo, de Valencia, que, tras varias modificaciones organizativas, crea el Instituto Valenciano de Cinematografía «Ricardo Muñoz Suay», mediante la Ley 5/1998, 18 de junio.

Conectado con la cuestión de la calificación de las películas, es necesario destacar la existencia de un régimen jurídico específico para las denominadas películas X así como para las salas donde las mismas deben proyectarse. Se trata de películas cinematográficas de carácter pornográfico o que realicen apología de la violencia que sean calificadas como tales mediante Resolución del Ministerio, previo informe de la Comisión de Calificación (art. 19 del RD 81/1997, de 24 de enero). El régimen jurídico de este tipo de películas tiene consecuencias que tienen su reflejo en la reglamentación de las ayudas a la cinematografía.

LEGISLACIÓN

- Tratado constitutivo de la Comunidad Europea: arts. 28, 49 y 87.
- CE: arts. 20.4, 38, 149.2 y 148.1.17.
- Ley 15/2001, de 9 de julio que regula el fomento y promoción de la cinematografía y el sector audiovisual.
- Ley 16/1989, de 17 de julio, de Defensa de la competencia (BOE n° 170 de 18 de julio): art. 19, modificada por la Ley 52/1999, de 28 de diciembre.
- RD 81/1997, de 24 de enero, de desarrollo parcial de la Ley 17/1994, de 8 de junio (BOE n° 46 de 22 de febrero). Está en vigor en la medida en que no se oponga a la Ley 15/2001.
- RD 7/1997, de 10 de enero, de estructura orgánica y funciones del Instituto de la cinematografía (BOE n° 24 de 28 de enero).
- Real Decreto 1282/1989, de 28 de agosto, de ayudas públicas a la cinematografía (BOE n° 259 de 28 de octubre).
- Orden de 12 de marzo de 1990 del Ministerio de Cultura por la que se desarrolla el RD 1282/1989, de 28 de agosto de ayudas públicas (BOE n° 66 de 17 de marzo).
- Orden de 7 de septiembre de 1992 del Ministerio de Cultura, por la que se regula la realización de películas en coproducción (BOE n° 232, de 26 de septiembre de 1992).

- RD 196/2000, de 11 de febrero por el que se modifican los RRDD 81/1997, de 24 de enero y 1039/1997 de 27 de junio para actualizar las normas relativas a la producción y difusión cinematográfica.
- Ley 5/1998, 18 de junio de la Comunidad Autónoma Valenciana, por la que se crea el Instituto Valenciano de Cinematografía «Ricardo Muñoz Suay» (DO Generalitat Valenciana nº 3270, de 23 de junio de 1998).
- Ley 1/2002, de 21 de febrero, de Coordinación de las competencias del Estado y de las Comunidades Autónomas en materia de defensa de la competencia.
- RD 526/2002, de 14 de junio, por el que se regulan medidas de fomento y promoción de la cinematografía y la realización de películas en coproducción (BOE de 27 de junio)

JURISPRUDENCIA

- SSTC 143/1985, de 24 de octubre, 149/1985, de 5 de noviembre, 157/1985, de 15 de noviembre y 13/1992, de 6 de febrero: Sobre el problema de la distribución competencial en materia cinematográfica el TC ha destacado la consideración de la cinematografía como uno de los sectores de la vida social en los que se produce una concurrencia competencial entre el Estado y las Comunidades Autónomas; por esta razón no cabe considerar una competencia exclusiva ni excluyente de ningún ente territorial en esta materia. El título competencial que provoca el mencionado entrecruzamiento competencial es el del fomento de la cultura, ámbito para el que tienen competencias tanto el Estado (art. 149.2 CE) como las CCAA (art. 148.1.17 CE). No obstante, existen determinados ámbitos de la regulación de la cinematografía que encajan mejor en otro título competencial como es el de espectáculos públicos, ámbito sobre el que la mayor parte de las CCAA ostentan competencias exclusivas. En virtud de esta competencia, numerosas CCAA han adoptado su propia normativa en cuestiones como el acceso a salas cinematográficas o la inspección y sanción en la materia.
- STS 26.09.91 (1340): El establecimiento por el Estado de un régimen de ayudas públicas a la cinematografía no es incompatible con las ayudas que puedan establecer las diferentes CCAA en la materia.
- STS 2.06.98 (5044): Para el TS no se puede considerar discriminatorio condicionar el otorgamiento de subvenciones a películas que deban exhibirse en lengua catalana en todo el territorio de Cataluña. Véanse también las SSTS 4.2.99 (723) y 24.4.99 (4146). Sobre la cuestión competencial en materia sancionadora dentro del ámbito de los espectáculos taurinos, puede verse, igualmente, STS 17.5.01 (7208).
- STJCE de 4 de mayo de 1993: En relación con las medidas de protección de la industria cinematográfica nacional el Tribunal declaró contraria al Derecho comunitario la restricción contenida en el Real Decreto legislativo 1257/1986, de 13 de junio (BOE nº 153 de 27 de junio) que no tenía en cuenta la

distribución de películas comunitarias para la obtención de licencias de doblaje. A consecuencia de este pronunciamiento del TJCE, la STS 3.11.93 (8847) tuvo que anular parte del citado Real Decreto legislativo. Efectos completados por la Orden del Ministerio de Cultura de 28 de abril de 1994 que equiparó a estos efectos todas las películas comunitarias.

– STS 21.9.01 (8596): procedencia de la subvención solicitada para la producción de un cortometraje.

– STS 4.2.99 (723): declara procedente la subvención a la producción de películas en catalán ya que no produce desigualdad ante la Ley.

BIBLIOGRAFÍA

– ALCANTARILLA HIDALGO, F.J.: *Régimen jurídico de la cinematografía*, Comares, Granada, 2001.

– ALCANTARILLO HIDALGO, F.J.: «La actividad administrativa en la cinematografía y el audiovisual: análisis de la nueva Ley 15/2001, de 9 de julio», *Actualidad administrativa,* n° 12 (18-24 marzo de 2002), págs. 307-343.

– ALONSO IBÁÑEZ, M.R.: voz «Cine», en *Enciclopedia Jurídica Básica*, Civitas, Madrid, 1995, págs. 1036 a 1038.

– FORASTER SERRA, M.: «Régimen administrativo de la producción cinematográfica en España», *REDA* n° 53, 1987, págs. 43 a 54.

– LAFUENTE BENACHES, M.: «Las ayudas económicas a la cinematografía española», *RAP* n° 124, 1991, págs. 379 a 395.

– VVAA., *Derecho administrativo. Parte especial* (Dir. BERMEJO VERA), 3ª ed., Civitas, Madrid, 1998, págs. 292 a 297.

Caso nº 6: CULTURA: ESPECTÁCULOS TAURINOS

PLANTEAMIENTO

La Directora General de espectáculos públicos, juego y actividades recreativas de la Junta de Andalucía, mediante resolución de 15 de noviembre de 1999, impone una sanción de seis mil (6.000) euros a la ganadería «Herederos de Romero Fernández» por modificación artificial de las astas de uno de sus toros lidiados en la feria del Corpus granadino el día 6 de junio de 1999, con base en el art. 15 de la Ley 10/1991, de 4 de abril, sobre potestades administrativas en materia de espectáculos taurinos.

Respaldado por la Unión de Criadores de Toros de lidia, la ganadería sancionada decide iniciar acciones legales en las que no sólo recurre la sanción impuesta sino que, además, cuestiona gran parte de la reglamentación taurina vigente en nuestro país.

Ante la envergadura e implicaciones teóricas de sus pretensiones, la asesoría jurídica de la Asociación de ganaderos de reses de lidia acude a la Universidad solicitando un dictamen jurídico que se pronuncie sobre las siguientes cuestiones.

1. ¿Es competente el órgano que impuso la sanción?; ¿cuál es la distribución de competencias en nuestro país en materia de espectáculos taurinos?
2. ¿Qué títulos habilitan a los poderes públicos para la intervención en la «Fiesta Nacional»?; ¿sería más conveniente dejar mayor protagonismo a los participantes en la fiesta y limitar la intervención pública en la misma?; ¿de quién depende, qué funciones tiene y por quién está compuesta la Comisión Consultiva Nacional de Asuntos Taurinos?; ¿es el grado de intervención de la Administración idéntico en todos los tipos de espectáculos taurinos?
3. ¿Podrían los espectadores de dicha corrida haber iniciado algún tipo de medida legal por los mismos hechos? Analice la incidencia de la normativa de defensa de los consumidores en este tipo de casos.
4. ¿Vulnera la reglamentación vigente de los espectáculos taurinos la libertad de empresa garantizada por el art. 38 CE?
5. ¿Tiene la suficiente cobertura legal la Administración para imponer este tipo de sanciones?; ¿y si la sanción se hubiese impuesto en 1990?

6. ¿Cabe la asistencia de menores a una corrida de toros?
7. ¿Qué funciones tienen y con qué criterios son elegidos los presidentes y veterinarios de una corrida de toros?
8. ¿Qué incidencia tiene la legislación protectora de animales en relación con la reglamentación de espectáculos taurinos, teniendo en cuenta que la mayor parte de aquélla prohíbe «el uso de animales en espectáculos, peleas y otras actividades si ello puede ocasionarles sufrimiento o pueden ser objeto de burlas o tratamientos antinaturales, o bien si puede herir la sensibilidad de las personas que las contemplen» (art. 4.1 de la Ley catalana 3/1988, de 4 de marzo, de protección de animales y plantas —DOGC n° 967, de 18 de marzo—)

DOCTRINA

Los espectáculos taurinos no han merecido, tradicionalmente, la atención por parte de la doctrina jurídica que su transcendencia social merecía. Desinterés que, como ha denunciado Tomás Ramón Fernández, es reflejo de una actitud intelectual generalizada en nuestro país y que si en el siglo XIX se rompió por algunos autores del Derecho Administrativo (Posada; Colmeiro), fue para defender la prohibición definitiva y efectiva de la fiesta, siendo, por tanto, herederos de la actitud beligerante ilustrada desde el siglo XVIII (con Jovellanos a la cabeza).

Esta contradicción entre realidad social y la actitud científica de la época, tiene su lógico correlato en la normativa que desde el siglo XVIII expresamente alude a las corridas de toros. Así, a pesar de la prohibición formal de la fiesta iniciada en 1785 por parte de Carlos III y que se prolongó a lo largo de gran parte del siglo XIX, los espectáculos taurinos continuaron celebrándose gracias al enorme respaldo del pueblo. Fue a partir de la segunda mitad del siglo XIX cuando aparecen las primeras normas que tratan de regular los espectáculos taurinos. Estas primeras reglamentaciones tienen a la Administración local, autoridades municipales y provinciales, como protagonistas en su elaboración. Tras un nuevo período crítico con la fiesta en los años de la Restauración y con la generación del 98 a la cabeza, en el siglo XX aparecen los primeros reglamentos taurinos, más perfeccionados y con un ámbito de aplicación nacional (1917, 1923, 1924, 1930 y 1962). Tras la Constitución del 78 se hacía imprescindible dar cobertura legal a los espectáculos taurinos, cuestión solucionada con la Ley 10/1991, de 4 de abril, sobre potestades administrativas en materia de espectáculos taurinos, que supone un auténtico hito en las reglamentaciones taurinas por cuanto, por primera vez, la fiesta queda regulada, en sus aspectos más importantes, por una norma con rango de ley.

Las razones que hacían necesaria la promulgación de una norma de rango legal eran fundamentalmente dos: la habilitación legal de potestades a la Administración para intervenir en este sector de espectáculos públicos que inciden en la libertad de empresa, y la tipificación legal de infracciones y sanciones hasta ahora sólo contemplados en normas a nivel reglamentario.

Si el título de intervención que tradicionalmente han invocado los poderes públicos para reglamentar los espectáculos taurinos fue el del orden público, en la actualidad, sin olvidar totalmente éste, aparecen otros más intensamente implicados. Así, en primer lugar, hay que proteger los derechos e intereses de los espectadores como consumidores de un espectáculo público que, en muchos aspectos, constituye un patrimonio cultural de todos los españoles, siendo este fomento de la cultura el segundo gran título legitimador de la intervención pública en nuestros días.

La transcendencia que para la sociedad española tiene la fiesta de los toros, hace que la distribución de competencias entre las diferentes administraciones tenga características especiales que no permiten aplicar las reglas que rigen esta cuestión en otros espectáculos públicos. Es tal la importancia de este espectáculo que muchos ven en él el signo más importante de la unidad de los distintos pueblos que conforman nuestro país. La necesidad de mantener, en sus aspectos más importantes, esta unidad ha llevado al Estado a promulgar una Ley sobre la materia, de aplicación general, que, ante la ausencia de referencia expresa en la CE, se ampara en títulos como el orden público y la seguridad ciudadana (art. 149.1.29 CE) y, sobre todo, la promoción de la cultura (art. 149.2 CE). No obstante, hay que señalar que, actualmente, todas las CCAA excepto Ceuta y Melilla, tienen competencias, tanto normativas como ejecutivas, en materia de espectáculos públicos. Sin embargo, conscientes del perjuicio que para todos los sectores que intervienen en los toros significaría la existencia de diversas reglamentaciones de las corridas de toros en el conjunto del Estado, por el momento, se ha llegado a un pacto tácito entre CCAA y Estado por el que la reglamentación de los aspectos básicos de los espectáculos taurinos debía ser común en toda España, limitándose la normativa de las CCAA a regular aquéllos aspectos peculiares de los festejos tradicionales en el ámbito de cada Comunidad. De hecho, aquéllas CCAA que han dictado un reglamento propio de espectáculos taurinos (Navarra, Valencia, La Rioja, Madrid, País Vasco y Cataluña) no inciden en ninguna de las disposiciones básicas de la legislación estatal.

En cuanto al contenido material de esta reglamentación, la misma incluye aspectos jurídicos junto con otros meramente técnicos. Entre los primeros se sitúan los relativos a la organización del espectáculo, a la intervención administrativa en el mismo, a la prevención de los eventuales fraudes y abusos que pueden adulterarlo y a su ulterior corrección y al orden y policía general del espectáculo en cuanto tal. Entre los aspectos técnicos hay que incluir lo que atañe al desarrollo mismo de la corrida y a la ejecución de las distintas suertes o reglas del arte (Tomás Ramón Fernández).

Actualmente, desde distintos ámbitos, se reclama un menor intervencionismo público que conduzca a una más positiva «autorregulación» de la misma. En el lado opuesto se sitúan «los buenos aficionados» que reclaman, precisamente, lo contrario, mayor rotundidad y eficacia de la intervención administrativa que evite el fraude generalizado que, en nuestros días, sacude la Fiesta Nacional.

LEGISLACIÓN

- Ley 10/1991, de 4 de abril, sobre potestades administrativas en materia de espectáculos taurinos (BOE nº 82, de 5 de abril).
- RD 145/1996, de 2 de febrero, por el que se modifica y da nueva redacción al Reglamento de espectáculos taurinos (BOE nº 54, de 2 marzo de 1996). Modificado por el RD 1034/2001, de 21 de septiembre (BOE de 8 de noviembre).
- Orden de 7 de mayo de 1992, por la que se determina el material necesario para la realización del reconocimiento *post mortem* de las reses de lidia y se designan los laboratorios encargados de los correspondientes análisis y estudios (BOE nº 113, de 11 de mayo de 1992), disposición en vigor en lo que no se oponga a la que a continuación se indica.
- RD 2283/1998, de 23 de octubre, por el que se modifica el art. 58 del Reglamento de Espectáculos Taurinos, aprobado por RD 145/1996, de 2 de febrero (BOE nº 265, de 5 de noviembre de 1998).
- Estatuto de Autonomía para Andalucía, aprobado por Ley Orgánica 6/1981, de 30 diciembre: art. 13.32.

- Ley andaluza 13/1999, de 15 de diciembre, de espectáculos públicos y actividades recreativas (BOJA nº 152, de 31 de diciembre de 1999).
- Decreto 322/1988, de 22 de noviembre de la Junta de Andalucía, sobre competencias en materia de espectáculos públicos (BOJA nº 95, de 25 de noviembre).
- Decreto 29/1986, de 19 de febrero de la Junta de Andalucía, sobre competencias en materia de espectáculos taurinos (BOJA de 15 de marzo de 1986; rect. en BOJA de 3 de mayo de 1986).
- Decreto 138/2000, de 16 de mayo (BOJA nº 59, de 20 de mayo de 2000; corrección de errores en BOJA de 29 de junio de 2000).
- Ley catalana 3/1988, de 4 de marzo (DOGC nº 967, de 18 de marzo) de protección de animales y plantas.
- Decreto 112/1996, de 25 de julio, de espectáculos taurinos populares de la Comunidad autónoma de Madrid (BOCM nº 179, de 29 de julio).
- Decreto 30/1996, de 31 de mayo de 1996, por el que se aprueba el Reglamento de espectáculos taurinos para la Comunidad autónoma de la Rioja (BOLR nº 69, de 4 de junio).
- Decreto de la Junta de Andalucía número 143/2001, de 19 de junio (BOJA nº 74, de 30 de junio), por el que se establece el régimen de autorización y funcionamiento de las plazas de toros portátiles.

JURISPRUDENCIA

La potestad sancionadora de la Administración ha sido una de las materias, en lo que a los espectáculos taurinos se refiere, sobre las que el TS ha tenido que realizar un mayor número de pronunciamientos. Desde la promulgación de la Constitución y con anterioridad a la entrada en vigor de la Ley 10/1991, la mayor parte de las sentencias recaídas en esta materia se enfrentaban con el problema de la imposición de sanciones por la Administración en base a normas con rango reglamentario, contradiciendo con ello lo dispuesto en el art. 25.1 de nuestra CE y la interpretación que del mismo ha realizado el TC, por carecer de la necesaria cobertura legal de la potestad sancionadora de la Administración (entre otras, SSTC 42/1987 de 7 de abril y 153/1996 de 30 de septiembre). Sin embargo, no nos encontramos con una jurisprudencia uniforme sobre el asunto. Así, en una más que discutible sentencia, el TS entendió que la imposición de sanciones administrativas en virtud del Reglamento General de Policía de Espectáculos Públicos y Actividades Recreativas, aprobado por RD 2816/82, de 27 de agosto, tenía cobertura legal, entre otras, en la Ley de Orden Público de 30 de julio de 1959 (STS 29.11.90 —9136—). Entre otras cuestiones criticables de este pronunciamiento, hay que señalar que contradice la doctrina del propio Tribunal en un caso anterior (STS 29.05.85 —2946—) en el que se declaró que el Reglamento taurino de 1962 era norma especial con respecto al Reglamento General de Policía de Espectáculos Públicos y Actividades Recreativas, por lo que tendría que ser aquél el que se aplicase cuando se tuviera que sancionar por hechos cometidos en un espectáculo taurino.

Más correcta nos parece la argumentación del TS en otras sentencias en las que declara no ser conforme a Derecho las sanciones administrativas impuestas en relación a los espectáculos taurinos por insuficiente cobertura legal (SSTS 18.01.90 —138— y 28.09.92 —6860—).

En lo que a la delimitación de competencias se refiere, el TS ha confirmado lo que en el apartado de doctrina habíamos afirmado, es decir, que a pesar de que, en este caso, la Comunidad Autónoma andaluza tenga competencia exclusiva en materia de espectáculos públicos, queda excluida de ésta el ejercicio de la potestad reglamentaria en materia de espectáculos taurinos (STS 28.05.94 —4326—).

Para parte de los ganaderos de reses de lidia y de los empresarios de espectáculos taurinos, la reglamentación tan exhaustiva e intervencionista que lleva a cabo nuestro ordenamiento jurídico en su ámbito de actuación, podría considerarse como atentatoria al derecho fundamental a la libertad de empresa. Aplicando la interpretación tanto doctrinal como jurisprudencial que del art. 38 CE se ha realizado, el TS entiende que la reglamentación de los espectáculos taurinos no vulnera dicha libertad fundamental, por cuanto el derecho proclamado por el art. 38 CE no debe entenderse como un derecho absoluto, sino que debe convivir con otros proclamados dentro del texto constitucional entre los que se encuentra la garantía de la pureza e integridad de la raza del toro de lidia (STS 2.07.96 —5508—).

Otra de las cuestiones en relación al régimen jurídico de las corridas de toros sobre las que la jurisprudencia se ha pronunciado, es la relativa a la tradicional prohibición a los menores de 14 años de asistencia a los espectáculos taurinos, prohibición establecida por el RD de 21 de diciembre de 1929 desarrollado por la Real Orden de 2 enero 1930 (RA 1930\26 y NDL 12184, nota). A pesar de que la STS 16.06.84 (3613), confirmó dicha prohibición, la jurisprudencia posterior al Reglamento del 92 ha interpretado que en el mismo ha tenido lugar la derogación expresa de aquélla norma (SSTS 18.02.93 —9377— y 30.11.94 —8964—)

También ha tenido el TS la oportunidad de pronunciarse sobre la interrelación entre normativa de protección de los animales de alguna Comunidad Autónoma y la celebración de espectáculos taurinos. La ley catalana 3/1988, de 4 de marzo, de protección de animales y plantas que, básicamente, ha servido de modelo al resto de CCAA que han dictado normas sobre la materia, lleva a cabo una auténtica paralización de la difusión de la fiesta por cuanto prohíbe la celebración de espectáculos taurinos en plazas no permanentes, limitando la posibilidad de celebración de corridas de toros en aquéllas localidades que, a la entrada en vigor de dicha ley, tuviesen plazas construidas para celebrar la fiesta y, por otro lado, las fiestas con novillos sin muerte del animal en las fechas y localidades donde tradicionalmente se celebren. Ante la consideración por parte de algunos ciudadanos de que dicha normativa viola el principio de igualdad constitucional por cuanto tales restricciones no existen en el resto del país, el TS entendió que eso no implica una discriminación anticonstitucional al basarse este principio restrictivo en situaciones objetivas preexistentes (STS 21.02.90 —1151—).

- STS 24.10.00: El Tribunal analiza la distribución de competencias entre el Estado y las Comunidades Autónomas en materia de espectáculos taurinos, tanto en el plano normativo como en el de la ejecución. Reconoce así, la competencia de la Comunidad Autónoma andaluza para sancionar en el caso al lidiador infractor, cuya infracción (negarse a torear unas reses) se encuentra tipificada en la Ley estatal 10/1991, de aplicación supletoria, en virtud del art. 149.3 de la Constitución y de la disposición adicional de la propia ley, en efecto de normativa específica de la Comunidad Autónoma.
- SSTS 2.6.99 (4044) y 3.11.99 (4856): Establecen criterios interesantes sobre las sanciones a ganaderos por manipulación fraudulenta de astas de toro.

BIBLIOGRAFÍA

- BENITO MORENO, F.F., «La reglamentación de espectáculos taurinos», *Tapia* n° 51 (1990), págs. 3-10.
- FERNÁNDEZ RODRÍGUEZ, T.R.: *Reglamentación de las corridas de toros*, Espasa-Calpe, Madrid, 1987.
- FERNÁNDEZ RODRÍGUEZ, T.R.: «La ordenación legal de la fiesta de los toros», *RAP* n° 115, 1988, págs. 27-56.
- GARRIDO FALLA, F.: «Poderes de policía en relación con los espectáculos públicos», *REDA* n° 76, 1992, págs. 501-510.
- GILPEREZ FRAILE L.: *La vergüenza nacional. La cara oculta del negocio taurino*, Penthalon, Madrid, 1991.
- IZU BELLOSO, M.J.: «En torno a la reforma del Reglamento de espectáculos taurinos» *Actualidad Administrativa* n° 43, 1989, págs. 2705-2711.
- MARTÍNEZ PALLARÉS, P.L.: «El contrato de gestión o explotación de plaza de toros. Reflexiones sobre su naturaleza», *Revista aragonesa de Administración Pública* n° 8 (1996), págs. 335-352.
- NEILA NEILA, J.M.: «La responsabilidad administrativa del ganadero de reses de lidia», *La Ley* n° 4253 de 20 de marzo de 1997, págs. 1-5.
- QUINTANA LÓPEZ, T.: «Espectáculos taurinos y sanciones gubernativas», *REDA* n° 74, 1992, págs. 267-274.
- ROMERO SOLÍS, E.: «La reciente evolución jurisprudencial en torno al principio de legalidad en el Derecho administrativo sancionador. A propósito del Reglamento general de policía de espectáculos públicos y actividades recreativas, de 27 de agosto de 1982», *Revista Andaluza de Administración pública* n° 21, 1995, págs. 123-128.
- VERA FERNÁNDEZ-SANZ, A.: «Festejos taurinos, asistencia médico-quirúrgica y prácticas restrictivas de la competencia», *REDA* n° 85, 1995, págs. 133-136.
- VERA FERNÁNDEZ-SANZ, A.: «Espectáculos taurinos», en la obra colectiva *Derecho local especial*, Abella, Madrid, 1997.
- VVAA.: *Derecho administrativo. Parte especial*, (Dir. BERMEJO VERA), 3ª ed., Civitas, Madrid, 1998, págs. 300-305.

TELECOMUNICACIONES Y AUDIOVISUAL

Arturo González Quinzá
Universidad San Pablo-CEU. Madrid

Caso nº 1: LA INSTALACIÓN DE LAS TELECOMUNICACIONES Y LA OCUPACIÓN DEL DOMINIO PÚBLICO. CABINAS TELEFÓNICAS EN LA VÍA PÚBLICA. TÍTULOS HABILITANTES. COMPETENCIAS MUNICIPALES. COMPETENCIAS EN EL MERCADO

PLANTEAMIENTO

El Ayuntamiento de Fuengirola decidió convocar un concurso para la adjudicación de concesiones de ocupación del dominio público municipal para la instalación de cabinas telefónicas en el viario del casco urbano, resultando adjudicataria la empresa «López & Vázquez Telecommunications, S. A».

Simultáneamente se adopta el acuerdo municipal consistente en requerir a «Telefónica» para que en término de quince días desmantele las existentes al entender que de otro modo se frustraría la apertura a la competencia en el sector y, al entender, que su explotación se efectuaba en virtud de una simple autorización singular de uso, otorgada en precario.

En este punto en Telefónica, S. A. se plantea la conveniencia de poner los hechos en conocimiento de la Comisión del Mercado de las Telecomunicaciones (CMT), debiendo redactar el oportuno escrito en que se plantean las siguientes cuestiones:

1. Dado que la ocupación del dominio público local puede ser calificada como uso privativo del mismo ¿es adecuada la fórmula concesional empleada por el Ayuntamiento costasoleño? Indíquese a tales fines las disposiciones legales y reglamentarias en materia

de telecomunicaciones que resulten aplicables, precisando los trámites y documentos oportunos.

2. Además del correspondiente título para la ocupación demanial, ¿la empresa adjudicataria —López & Vázquez— debería contar con título habilitante en materia de telecomunicaciones? Razónense las diferentes alternativas.

3. López & Vázquez decide emplear equipos homologados en Alemania cuyo formato puede resultar familiar a los usuarios de la zona, ¿debe acudir a la Administración española para homologarlos en nuestro país?

4. El Ayuntamiento de Fuengirola entiende que Telefónica, S. A. debe desmantelar sus instalaciones para así poder dar pleno cumplimiento a la buscada apertura del mercado de telecomunicaciones ¿pueden plantearse ante la CMT cuestiones relativas a defensa de la competencia?

DOCTRINA

El «nuevo Derecho de las telecomunicaciones» ha venido a suponer la sustitución de los viejos mecanismos regulatorios por otros de nuevo cuño mediante los cuales la Administración pública (léanse, Administración territorial y en especial la Estatal, y también las «agencias independientes» o autoridades reguladoras (CMT, órganos de defensa de la competencia, etc.) viene a intervenir en bienes y servicios en un entorno liberalizado.

En cuanto a los bienes —léase, equipos— tal intervención se instrumenta, por ejemplo, a través de «políticas de standarización» (que han de ser compatibles con la existencia de un mercado único e incluso con los compromisos adquiridos en el seno de la Organización Mundial del Comercio), y por lo que atañe a los servicios (en sentido amplio), a través del sistema de los llamados en España, «títulos habilitantes», es decir, autorizaciones generales y licencias individuales, dependiendo de qué tipo de servicio y/o infraestructura pretenda prestarse y/o establecerse, sistema en el que se persigue aunar la tutela de determinados intereses públicos con las políticas liberalizadoras de la economía, es decir, facilitar el acceso de nuevas empresas (o «nuevos entrantes» en la terminología al uso) al mercado, ello sin descartar la existencia de actividades exentas de la obligación de contar con título habilitante.

En este sentido, en los próximos años asistiremos al mantenimiento del sistema pero con una profundización en el empleo de las autorizaciones generales y una reducción en la aplicación de las licencias individuales, evidenciando la constante voluntad de impulso en la creación de un genuino mercado en competencia (en sentido más correcto, un conjunto de «mercados» —o «submercados» bien con señas de identidad propia bien conexos a otros— en los que aplicar las reglas sobre defensa de la competencia) cuyo nacimiento se encuentra en un sector reservado durante años al monopolio —con todos los problemas que ello supone de controles y regulación asimétrica—.

Como consecuencia de la mismas circunstancias «re-regulatorias», la prestación de servicios de telecomunicaciones —especialmente en cuanto que se quiera compaginar con el establecimiento de red o infraestructuras propias— precisa de una serie de derechos denominados genérica y recientemente «de paso», es decir, que faciliten el establecimiento de dicha infraestructura en bienes de particulares y en bienes de dominio público mediante la ocupación del mismo, todo ello sin perjuicio de la ocupación demanial por aquellos sujetos que no siendo operadores de servicios de telecomunicaciones instalen o exploten teléfonos públicos de pago en la vía pública.

Dicha ocupación debe resultar compatible no sólo con la ordenación territorial, sino también con el respeto a las competencias y aún la titularidad sobre los mismos de las distintas administraciones públicas, máxime cuando en muchas ocasiones estaremos hablando de demanio municipal, lo que no obsta para que tal modo de ocupación se ajuste a un singular régimen jurídico en cuanto al título pertinente para efectuarla, el procedimiento para obtenerlo, etc.

En este sentido, la regulación de los «teléfonos de uso público» —las populares «cabinas»— corresponde, por un lado, a su papel tradicional de mecanismo de generalización del servicio telefónico, es decir, de singular instrumento de aseguramiento del «servicio universal», y, por otra parte, cuando tales «cabinas» se instalan en dominio público a los problemas propios de dicha instalación.

LEGISLACIÓN

- – CE: art. 149,11, 210.
- – LGTe: arts. 7, 10 y ss; 37, c); 43, 44 y 45; 55 y ss (en particular, 59) y Disposiciones Transitorias Primera y Tercera.
- – LLT: art. 1,2.

- LRBRL: arts. 81 y ss.
- Ley andaluza 7/1999, de 29 de septiembre, de Bienes de las entidades locales.
- RD 1736/1998, de 31 de julio, por el que se aprueba el Reglamento que desarrolla el Título III de la LGTe, en lo relativo al servicio universal de telecomunicaciones, a las demás obligaciones del servicio público y a las obligaciones de carácter público en la prestación de los servicios y en la explotación de las redes de telecomunicaciones: arts. 12 y 15 (en cuanto a los teléfonos públicos de pago y el concepto de servicio universal) y arts. 43, 44 y 46 (respecto de la ocupación del dominio público).
- RD 1787/1996, de 19 de julio, por el que se aprueba el Reglamento que establece el procedimiento de certificación de los equipos de telecomunicación a que se refiere el art. 29 de la LOT.
- RD 1994/1996, de 6 de septiembre, que aprueba el Reglamento de la Comisión del Mercado de las Telecomunicaciones: arts. 19 y ss.
- RBEL: arts. 74 y ss.
- Orden de 22 septiembre de 1998 (modificada en 19 de mayo de 1999), de licencias individuales: arts. 23 y 26.

Téngase en cuenta la reciente aprobación de las Directivas comunitarias que proceden a la revisión del marco normativo y que habrán de ser traspuestas al Derecho interno:

- Directiva 2002/19/CE del Parlamento europeo y del Consejo, de 7 de marzo de 2002, relativa al acceso a las redes de comunicaciones electrónicas y recursos asociados, y a su interconexión (Directiva acceso).
- Directiva 2002/20/CE del Parlamento europeo y del Consejo, de 7 de marzo de 2002, relativa a la autorización de redes y servicios de comunicaciones electrónicas (Directiva autorización)
- Directiva 2002/21/CE del Parlamento europeo y del Consejo, de 7 de marzo de 2002, relativa a un marco regulador común de las redes y los servicios de comunicaciones electrónicas (Directiva marco).
- Directiva 2002/22/CE del Parlamento europeo y del Consejo, de 7 de marzo de 2002, relativa al servicio universal y los derechos de los usuarios en relación con las redes y servicios de comunicaciones electrónicas (Directiva servicio universal).

JURISPRUDENCIA

- Resolución de la CMT de 23 de marzo de 2000, asunto «Ayuntamiento de Fuengirola, Telefónica de España, S. A. U.».
- Resolución de la CMT de 8 de febrero de 1999 y 15 de julio de 1999.

BIBLIOGRAFÍA

- GONZÁLEZ QUINZÁ, A.: «Telefonía. Régimen general» en VV. AA. *El Estado de las Autonomías. Los sectores productivos y la organización territorial del Estado,* Madrid, 1997, págs. 1837 y ss.
- MUÑOZ MACHADO, S.: *Servicio público y mercado, II: Las telecomunicaciones,* Madrid, 1997, págs. 209 y ss.
- RAMÓN PEÑALVER, J. y BUITRAGO MONTORO, I: «La posición del Tribunal de Defensa de la Competencia sobre liberalización de las telecomunicaciones» en CREMADES, J. (Coord.) *Derecho de las telecomunicaciones,* Madrid, 1997, págs. 821 y ss.
- GARCÍA-BRAGADO ACÍN, R.: «El establecimiento de infraestructuras. Expropiación, dominio público, urbanismo y medio ambiente» en CREMADES, J. (Coord.), *Derecho de las Telecomunicaciones,* Madrid, 1997, págs. 949 y ss.
- ALABAU, A.: *La Unión Europea y su política de telecomunicaciones. En el camino hacia la Sociedad de la Información,* Ed. F. Airtel, 1998, págs. 191 y ss (en cuanto a normalización).
- LLANEZA GONZÁLEZ, P.: *Telecomunicaciones. Régimen general y evolución legislativa.* Madrid, 1998, págs. 88 y ss.
- VV. AA. (Asoc. Gratel, ed. Luis Castejón) *Competencia y regulación en los mercados de las telecomunicaciones, el audiovisual e internet,* Madrid, 1998.
- MOLLINEDA CHOCANO, J. J.: «Los servicios de telecomunicaciones» en VV. AA. *El nuevo marco jurídico de las telecomunicaciones y de los servicios audiovisuales,* Escuela Judicial, CGPJ, 1998, págs. 196 y ss.
- BERMÚDEZ ODRIOZOLA, L.: «Autoridades reguladoras» en VV. AA. *El nuevo marco jurídico de las telecomunicaciones y de los servicios audiovisuales.* Escuela Judicial, CGPJ, 1998, págs. 222 y ss.
- LAVILLA RUBIRA, J. J.: «Operadores dominantes y los nuevos entrantes en la Ley General de Telecomunicaciones» en VV. AA. *El nuevo marco jurídico de las telecomunicaciones y de los servicios audiovisuales.* Escuela Judicial, CGPJ, 1998, págs. 243 y ss.
- GONZÁLEZ SANFIEL, A.: «Libre competencia en la infraestructura demanial» *REDETI* nº 4 (marzo), 1999.
- GARCÍA DE ENTERRÍA, E. y QUADRA SALCEDO, T. (Coord.): *Comentarios a la Ley General de Telecomunicaciones,* Madrid, 1999, págs. 68 y ss. (ALBI, J.) y 101 y ss. (FERNÁNDEZ FARRERES, G.) ambos en materia de títulos habilitantes; págs. 340 y ss. (GARCÍA DE ENTERRIA y QUADRA-SALCEDO) respecto de la ocupación demanial; 501 y ss. —en particular, 526 y ss. — (CALVO DÍAZ, G.) en cuanto a normalización de equipos.
- ARPÓN DE MENDIVIL, A. y FIGUERA, C.: «El estatuto de los operadores dominantes» en ARPÓN DE MENDIVIL ALDAMA, A. y CARRASCO PÉREZ, A., *Comentarios a la Ley General de Telecomunicaciones,* 1999, págs. 205 y ss.
- CARRASCO, A. y CORDERO, E.: «El derecho a prestar servicios de telecomunicaciones» en ARPÓN DE MENDIVIL ALDAMA, A. y CARRASCO PÉREZ, A.: *Comentarios a la Ley General de Telecomunicaciones,* 1999, págs. 271 y ss.
- CARRASCO, A. y CORDERO, E.: «Servicios de telecomunicaciones y derechos inmobiliarios» en ARPÓN DE MENDIVIL ALDAMA, A. y CARRASCO PÉREZ, A.: *Comentarios a la Ley General de Telecomunicaciones,* 1999, págs. 773 y ss.

- ARPÓN DE MENDIVIL, A., CARRASCO, A. y CRESPO, M.: «La administración de las telecomunicaciones» en ARPÓN DE MENDIVIL ALDAMA, A. y CARRASCO PÉREZ, A., *Comentarios a la Ley General de Telecomunicaciones,* 1999, págs. 823 y ss.
- MONTERO PASCUAL, J. J. y SOUTO SOUBIER, L.: «Telecomunicaciones y defensa de la competencia» en CREMADES, J. y MAYOR, P. (Coord.) *La liberalización de las telecomunicaciones en un mundo global.* Madrid, 1999, págs. 391 y ss.
- MONTERO, J. J. y BROKELMAN, H.: *Telecomunicaciones y Televisión. La nueva regulación en España.* Valencia, 1999, págs.. 120 y ss (respecto de la CMT), 213 y ss (títulos habilitantes), 280 y ss (normalización de equipos) y 386 y ss (ocupación del dominio público).
- CASTELLANO TREVILLE, J. L.: «Claves para un análisis técnico jurídico de las telecomunicaciones» en PÉREZ BUSTAMANTE, R, MERINO MERCHÁN, J. F. y CASTELLANO TREVILLE, J. L.: *Política y Derecho de las Telecomunicaciones.* Madrid, 2000, págs. 149 y ss.
- NEBREDA PÉREZ, J. M.: *Títulos habilitantes en el sector de las telecomunicaciones.* Madrid, 2000, págs. 101 y ss; 119 y ss, y 141 y ss.
- Véase también, la página abierta por la CMT: «www. cmt. es».

Caso nº 2: TELECOMUNICACIONES. SERVICIO UNIVERSAL

PLANTEAMIENTO

La Asociación de Usuarios de Telecomunicaciones «Hablamos» recibe cartas de los alcaldes de dos pequeñas poblaciones del país que motiva que encarguen a sus servicios jurídicos que elaboren un informe sobre las cuestiones que suscitan.

En el primer caso, el Ayuntamiento de Villarluergo comunica que en toda la población, de poco menos de cien habitantes y localizada en una zona montañosa de la provincia de Teruel, sólo cuentan con un teléfono de uso público, además no localizado en la vía pública sino en el zaguán de la casa de quien fue su alcalde hace veinte años. Ante esa circunstancia, conociendo la existencia de un convenio entre Telefónica, S. A. y la Diputación Provincial cuyo objeto era facilitar la extensión del servicio telefónico, veinte vecinos solicitaron otras tantas líneas en sus hogares, petición de la que sólo han obtenido como respuesta una carta de Telefónica, S. A. anunciándoles que su petición se verá satisfecha dentro de nueve meses.

Por su parte, el Ayuntamiento de Viver i Serrateix (Barcelona), cuya población también ronda el centenar de personas, mayoritariamente de más de 65 años, y con escaso nivel cultural y económico, refiere el hecho de que el verano de 1994 se produjo un voraz incendio forestal que afectó a la instalación telefónica, produciéndose la suspensión del servicio que fue restablecido una semana más tarde con carácter provisional y dadas las dificultades orográficas mediante el empleo de telefonía celular (modalidad «Telefonía Rural Celular —TRC—). Afirman los afectados que los servicios de telefonía son de peor calidad, soportando interferencias en las comunicaciones de voz, siendo también deficientes las de fax, y prácticamente imposible la de datos.

El servicio restituido con carácter provisional aún se mantiene cuando está a punto de concluir la primavera siguiente.

En el informe que encargan a los servicios jurídicos se busca respuesta a las siguientes preguntas.

1. ¿Cuál es la razón por la que sea Telefónica, S. A. la obligada a atender a las peticiones de los vecinos de ambos municipios?

2. Una vez calificada jurídicamente la obligación impuesta a este operador y determinados los preceptos aplicables, y respecto del Ayuntamiento turolense de Villarluego ¿podría Telefónica, S. A. negarse a la instalación de la líneas solicitadas? Y, en caso negativo, ¿qué respuesta debe dar Telefónica a los peticionarios? ¿Puede cobrarles el sobrecoste de la instalación a los usuarios?

3. Y en el caso del Ayuntamiento de Viver y Serrateix, y atendiendo a las características de dicha obligación ¿qué servicios debe prestar Telefónica, S. A. ?

4. ¿Podría la CMT efectuar las pertinentes inspecciones y comprobaciones técnicas sobre los servicios prestados a los vecinos del referido pueblo catalán?

DOCTRINA

La nueva regulación de las telecomunicaciones tiene mecanismos de intervención administrativa que permitan asegurar la extensión del servicio no sólo en aquellos casos en que dependa del simple funcionamiento del mercado, sino a todos los administrados, con independencia de su localización geográfica y a un precio asequible, estableciendo igualmente niveles de calidad en la prestación de los servicios.

Al asegurar esta universalización del servicio la consecuencia es la necesidad de garantizar la extensión de la propia red y, desde luego, que los servicios de telecomunicaciones universalizables se correspondan con aquéllos que resultan básicos en el actual nivel de desarrollo social y económico, mucho más dado que las telecomunicaciones se convierten en básicas para el desarrollo de la sociedad de la información.

El legislador ha optado por imponer la correspondiente obligación al operador tradicional, articulando un sistema de financiación por el resto de los nuevos entrantes en el sector, que encomienda a la CMT junto con otras importantes funciones de control sobre el cumplimiento de las obligaciones de servicio público.

LEGISLACIÓN

- LGTe: arts. 35, 37, 38, 76 y Disposición Transitoria Tercera.
- LLT: art. 1,2.

- RD 1736/1998, de 31 de julio, por el que se aprueba el Reglamento que desarrolla el Título III de la LGTe, en lo relativo al servicio universal de telecomunicaciones, a las demás obligaciones del servicio público y a las obligaciones de carácter público en la prestación de los servicios y en la explotación de las redes de telecomunicaciones, arts. 2; 8; 11 y siguientes; 54 y Disposición Transitoria Tercera.
- RD 1994/1996, de 6 de septiembre, que aprueba el Reglamento de la CMT: arts. 19 y ss.
- Orden de 9 de abril de 1997, por el que se aprueba el Reglamento de régimen interior de la CMT.
- Orden de 14 de octubre de 1999, por la que se regulan las condiciones de calidad en la prestación de los servicios de telecomunicaciones.

Téngase en cuenta la reciente aprobación de las Directivas comunitarias que proceden a la revisión del marco normativo y que habrán de ser traspuestas al Derecho interno:

- Directiva 2002/19/CE del Parlamento europeo y del Consejo, de 7 de marzo de 2002, relativa al acceso a las redes de comunicaciones electrónicas y recursos asociados, y a su interconexión (Directiva acceso).
- Directiva 2002/20/CE del Parlamento europeo y del Consejo, de 7 de marzo de 2002, relativa a la autorización de redes y servicios de comunicaciones electrónicas (Directiva autorización)
- Directiva 2002/21/CE del Parlamento europeo y del Consejo, de 7 de marzo de 2002, relativa a un marco regulador común de las redes y los servicios de comunicaciones electrónicas (Directiva marco).
- Directiva 2002/22/CE del Parlamento europeo y del Consejo, de 7 de marzo de 2002, relativa al servicio universal y los derechos de los usuarios en relación con las redes y servicios de comunicaciones electrónicas (Directiva servicio universal).

JURISPRUDENCIA

- Resolución de la CMT de 2 de diciembre de 1999, asunto «solicitud de intervención del Consell Comarcal de Begueda».
- Resolución de la CMT de 30 de septiembre de 1999, asunto «solicitud de intervención de la Asociación para el desarrollo de Montoro de Mezquita».
- Contestación a consulta de la CMT de 28 de octubre de 1999, «Diputación de Salamanca».

BIBLIOGRAFÍA

- MUÑOZ MACHADO, S.: *Servicio público y Mercado, II: Las Telecomunicaciones*, Madrid, 1997, págs. 209 y ss.

− ARIÑO ORTIZ, G.: «El servicio público y servicio universal en las telecomunica-ciones» en CREMADES, J. (Coord.), *Derecho de las Telecomunicaciones,* Madrid, 1997, págs. 757 y ss.

− GONZÁLEZ QUINZÁ, A.: «El servicio universal: el gran reto del nuevo Derecho de las Telecomunicaciones» en Boletín Ilustre Colegios de Abogados Madrid n° 7 (monográfico sobre Derecho de las Telecomunicaciones II), octubre, 1997.

− ALABAU, A.: *La Unión Europea y su política de telecomunicaciones. En el camino hacia la Sociedad de la Información,* ed. F. Airtel, 1998, págs. 265 y ss (respecto a servicio universal).

− VV. AA. (Asoc. Gratel, ed. Luis Castejón) *Competencia y regulación en los mercados de las telecomunicaciones, el audiovisual e internet.* Madrid, 1998, págs. 183 y ss.

− LLANEZA GONZÁLEZ, P.: *Telecomunicaciones. Régimen general evolución legislativa.* Madrid, 1998, págs. 85 y ss.

− MOLLINEDA CHOCANO, J. J.: «Los servicios de telecomunicaciones» en VV. AA. *El nuevo marco jurídico de las telecomunicaciones y de los servicios audiovisuales,* Escuela Judicial, CGPJ, 1998, págs. 186 y ss.

− BERMÚDEZ ODRIOZOLA, L.: «Autoridades reguladoras» en VV. AA. *El nuevo marco jurídico de las telecomunicaciones y de los servicios audiovisuales.* ES-CUELA JUDICIAL, CGPJ, 1998, págs. 218 y ss.

− LAVILLA RUBIRA, J. J.: «Operadores dominantes y los nuevos entrantes en la Ley General de Telecomunicaciones» en VV. AA. *El nuevo marco jurídico de las telecomunicaciones y de los servicios audiovisuales.* Escuela Judicial, CGPJ, 1998, págs. 243 y ss.

− MONTERO, J. J. y BROKELMAN, H.: *Telecomunicaciones y Televisión. La nueva regulación en España.* Valencia, 1999, págs. 365 y ss.

− GARCÍA DE ENTERRÍA, E. y QUADRA SALCEDO, T. (Coord.) *Comentarios a la Ley General de Telecomunicaciones.* Madrid, 1999, págs. 274 y ss., CHINCHI-LLA MARÍN, C. respecto a servicio universal.

− ARPÓN DE MENDIVIL, A.: «Las obligaciones de servicio público» en ARPÓN DE MENDIVIL ALDAMA, A. y CARRASCO PÉREZ, A., *Comentarios a la Ley General de Telecomunicaciones,* 1999, págs. 403 y ss.

− MERINO MERCHÁN, J. F.: «Marco jurídico de las telecomunicaciones y los usuarios» en PÉREZ BUSTAMANTE, R, MERINO MERCHÁN, J. F. y CASTE-LLANO TREVILLE, J. L. *Política y Derecho de las Telecomunicaciones,* Madrid, 2000, págs. 130 y ss.

− REVUELTA DEL PERAL, J.: «El servicio universal telefónico y el déficit de acceso en entornos liberalizados», *REDETI* n° 1 (junio), 1998.

− DE LA CUÉTARA MARTÍNEZ, J. M.: «Sobre el estatuto jurídico de operador telefónico dominante», *REDETI* n° 3 (diciembre), 1998.

− Véase también, la página abierta por la CMT: «www. cmt. es».

Caso nº 3: TELECOMUNICACIONES. NUMERACIÓN. SERVICIOS DE INTELIGENCIA DE RED. OPERADORES DE CABLE. PUBLICIDAD Y COMPETENCIA

PLANTEAMIENTO

La dirección de la entidad «Castellonense de Cable» que es la habilitada para la prestación del servicio de telecomunicaciones por cable en dicha demarcación recibe a través de su departamento comercial la solicitud de distintas empresas y entidades de poder ofrecer a terceros servicios (de los denominados de «inteligencia de red») vinculados a números telefónicos que resulten gratuitos para el cliente (denominados «de cobro revertido automático»), y así competir en este nicho de mercado con otras operadoras (singularmente Telefónica) que ya los venía ofreciendo tradicionalmente.

Dadas las posibilidades del producto, la dirección de «Castellonense de Cable» solicita a sus servicios jurídicos que elabore la documentación pertinente para solicitar tales números, requiriendo además un breve y urgente informe con el que ir preparando la documentación comercial y en la que se explique las utilidades de este tipo de números y otros similares.

Al conocer este hecho otra operadora de la competencia decide modificar la oferta de este tipo de servicio mejorando las condiciones para los clientes, para lo que prepara una agresiva campaña publicitaria bajo el slogan «los planes inteligentes para los números inteligentes», lo que indigna a «Castellonense de Cable» pues entiende que es una campaña improvisada para evitar el trasvase de clientes, y se plantea acudir a los servicios de defensa de la competencia para denunciar estos hechos.

Ante este cúmulo de acontecimientos, las preguntas que habrán de contestar los servicios jurídicos de la operadora de cable en el dictamen solicitado son:

1. Explíquese en qué consisten estos servicios de «cobro revertido automático» para el abonado, y otros similares («coste compartido»), indicándose cómo se componen los números telefónicos correspondientes.

2. Especifíquese cómo solicitar la asignación de este tipo de números telefónicos, precisando a qué órgano deben pedirse, documentación, procedimiento y resolución.

3. ¿Están limitadas las posibilidades publicitarias de «Telefónica» en un caso como el expuesto?, y, en su caso, ¿podrían denunciarse los hechos ante los servicios de defensa de la competencia?

DOCTRINA

Otro de los ejes del nuevo Derecho de las telecomunicaciones lo constituye todo cuanto se refiere al régimen de los «números telefónicos», como aspecto clave para ordenar un mercado en competencia en el que éstos se constituyen en: a) un recurso —en cierto modo— escaso; b) un valor comercial en muy diversos sentidos (entre otros, el acceso a determinados tipos de servicios de inteligencia de red); y, c) el valor que ostentan con garantía de la posición de los usuarios, en el sentido de poder asegurar la intercomunicación entre ellos y acceder a la red (seleccionando «llamada a llamada» al operador o «preseleccionándolo»), sean clientes de uno u otro operador, y también les permite cambiar de operador manteniendo el número.

Tales consideraciones imponen la intervención de la Administración pública en la planificación y gestión del recurso, y —en otro sentido— en la ordenación de las posibilidades de portabilidad o acceso a la red a partir de la marcación del número telefónico, al efectuar la llamada. Dichos cometidos son encomendados no sólo al Consejo de Ministros, y en particular al departamento competente, sino en muy buena medida residenciados en la autoridad reguladora nacional, léase, la Comisión del Mercado de las Telecomunicaciones.

Añadidamente, al hilo del supuesto práctico debe reseñarse la relevancia que la publicidad tiene en los mercados derivados de una decidida liberalización «post-servicio público» o «post-monopolio». La publicidad es importante para que los nuevos operadores («nuevos entrantes») puedan presentarse ante los potenciales usuarios (muchos de los cuales habrán de atraer desde el viejo monopolista) y también lo es para el «operador tradicional» cuyas posibilidades —también— financieras en el apoyo de una campaña publicitaria no deben descartarse. Además, esas campañas publicitarias habrán de ser necesariamente agresivas en un sector fuertemente competitivo. Todos estos factores remiten a la aplicación de normativas específicas en materia de control de la publicidad, de defensa de la competencia, etc.

LEGISLACIÓN

- LGTe: arts. 30, 31 y 32; Disposición Adicional Séptima.
- LLT: art. 1, Dos 2, c), art. 3, que modificaba la Ley 42/1995, de 22 de diciembre, de Telecomunicaciones por Cable, tomando en consideración la Disposición Derogatoria y Transitoria Primera de la LGTe.
- Ley 16/1989, de Defensa de la competencia: art. 6.
- R D 1651/1998, de 24 de julio, por el que se desarrolla el Titulo II de la LGTe, en lo relativo a interconexión y al acceso a las redes públicas y a la numeración: arts. 27 y ss.
- RD 225/1998, de 16 de febrero, por el que se aprueba el Reglamento de procedimiento de asignación y reserva de recursos públicos de numeración por la CMT.
- Acuerdo del Consejo de Ministros de 14 de noviembre de 1997, por el que se aprueba el Plan Nacional de Numeración para los Servicios de Telecomunicación: apartado 1. 3 y 9 («Otros servicios de inteligencia de red»).
- Circular 1/1997, de la CMT, en materia de publicidad.

Téngase en cuenta la reciente aprobación de las Directivas comunitarias que proceden a la revisión del marco normativo y que habrán de ser traspuestas al Derecho interno:

- Directiva 2002/19/CE del Parlamento europeo y del Consejo, de 7 de marzo de 2002, relativa al acceso a las redes de comunicaciones electrónicas y recursos asociados, y a su interconexión (Directiva acceso).
- Directiva 2002/20/CE del Parlamento europeo y del Consejo, de 7 de marzo de 2002, relativa a la autorización de redes y servicios de comunicaciones electrónicas (Directiva autorización)
- Directiva 2002/21/CE del Parlamento europeo y del Consejo, de 7 de marzo de 2002, relativa a un marco regulador común de las redes y los servicios de comunicaciones electrónicas (Directiva marco).
- Directiva 2002/22/CE del Parlamento europeo y del Consejo, de 7 de marzo de 2002, relativa al servicio universal y los derechos de los usuarios en relación con las redes y servicios de comunicaciones electrónicas (Directiva servicio universal).

JURISPRUDENCIA

- Resolución de la CMT de 13 de abril de 2000, de asignación de numeración para servicios de inteligencia de red «Cableuropa, S. A. y otros».

- Resolución de la CMT de 30 de marzo de 2000, asunto sobre «Denuncia de la Asociación de Internautas sobre aplicación por Telefónica de planes de descuento para determinados servicios de acceso al servicio de internet».
- Resolución de la CMT de 2 de diciembre de 2000, asunto «Servicios infovía».
- Resolución del TDC de 8 de marzo de 2000, asunto «Planes claros».

BIBLIOGRAFÍA

- ARIÑO, G., AGUILERA, L. y DE LA CUÉTARA, J. M.: *Las telecomunicaciones por cable: su regulación presente y futura,* Madrid, 1996.
- RAMÓN PEÑALVER, J. y BUITRAGO MONTORO, I: «La posición del Tribunal de Defensa de la Competencia sobre liberalización de las telecomunicaciones» en CREMADES, J. (Coord.) Derecho de las telecomunicaciones, Madrid, 1997, págs. 821 y ss.
- LLANEZA GONZÁLEZ, P.: *Telecomunicaciones. Régimen general y evolución legislativa.* Madrid, 1998, págs. 85 y ss.
- MUÑOZ MACHADO, S.: *Servicio público y mercado (II). Las telecomunicaciones.* Madrid, 1997, págs. 209 y ss.
- BERMÚDEZ ODRIOZOLA, L.: «Autoridades reguladoras» en VV. AA. *El nuevo marco jurídico de las telecomunicaciones y de los servicios audiovisuales,* Escuela Judicial, CGPJ, 1998, págs. 216 y ss.
- VV. AA. (Asoc. Gratel, ed. Luis Castejón) *Competencia y regulación en los mercados de las telecomunicaciones, el audiovisual e internet,* Madrid, 1998, págs. 243 y ss.
- GARCÍA DE ENTERRÍA, E. y QUADRA SALCEDO, T. (Coord.) *Comentarios a la Ley General de Telecomunicaciones.* Madrid, 1999, págs. 191 y ss. (CREMADES, J.) en particular respecto a «numeración».
- MONTERO, J. J. y BROKELMAN, H.: *Telecomunicaciones y Televisión. La nueva regulación en España.* Valencia, 1999, págs. 273 y ss.
- CARRASCO, A.: «Numeración y selección de operador» en ARPÓN DE MENDIVIL ALDAMA, A. y CARRASCO PÉREZ, A.: *Comentarios a la Ley General de Telecomunicaciones,* 1999, págs. 563 y ss.
- CASTELLANO TREVILLE, J. L.: «Claves para un análisis técnico jurídico de las telecomunicaciones» en PÉREZ BUSTAMANTE, R, MERINO MERCHÁN, J. F. y CASTELLANO TREVILLE, J. L. *Política y Derecho de las Telecomunicaciones.* Madrid, 2000, págs. 158 y ss.
- Véase también la página abierta por la CMT: «www. cmt. es».

Caso nº 4: MEDIOS DE COMUNICACIÓN. OPERADORES DE CABLE. OBLIGACIONES EN MATERIA DE PROGRAMACIÓN. OPERADOR DE TELEVISIÓN. COMPETENCIAS ESTATALES Y AUTONÓMICAS

PLANTEAMIENTO

Llegado el momento de diseñar la programación de lanzamiento, la dirección de «Madricable» decide acudir a un despacho de abogados externo al que plantean dos cuestiones: a) si deben poner en conocimiento de alguna autoridad administrativa, con alguna antelación, su programación, y b) si además de facilitar en tiempo real a sus abonados la programación difundida por la televisión por ondas hertzianas les cabe también la posibilidad de retransmitir parte de dicha programación de forma «decalada», es decir, en diferentes horarios.

Para ello aportan determinada documentación en la que hacen constar que, en su día, «Madricable» resultó adjudicataria de la demarcación de cable de la zona noreste de la Comunidad de Madrid, teniendo reconocida su condición de operador de telecomunicaciones por cable y de servicios telemáticos e interactivos y de operador de servicios de telecomunicaciones, además de constar inscrita en el Registro de operadores de Sistemas de Acceso Condicional para la Televisión Digital, aclarando que sus emisiones no exceden de los límites territoriales de la Comunidad.

En particular la solicitud de dictamen la concretan en los siguientes extremos:

1. ¿A qué tipo de operadores se impone la necesidad de facilitar anticipadamente la programación televisiva, y determinados los sujetos obligados ¿qué rejilla de programación puede prever Madricable para evitar tal exigencia?
2. En el caso de tener que facilitar dicha programación, ¿a qué Administración habría de dirigir la comunicación?
3. Correlativamente, ¿podría la Comunidad Autónoma imponer obligaciones adicionales respecto de la comunicación de programación?
4. Por fin, por lo que respecta a la llamada «programación decalada», razónese si ello está prohibido o resulta posible, y —en este último caso— si habría que negociar tal programación y con quién.

DOCTRINA

Los operadores de cable vienen a suponer un escenario idóneo para poner de manifiesto tres circunstancias que marcan la evolución del sector de las telecomunicaciones y el sector de los medios de comunicación social. A saber:

Primero, la convergencia entre las grandes columnas del llamado «hipersector de las telecomunicaciones», que serían estrictamente éstas, el denominado sector audivisual, y la informática, servicios telemáticos e internet (tecnologías de la información).

Segundo, la poliédrica realidad actual del medio televisivo. Léase ello en sus más diversos sentidos, desde el de carácter técnico, legal, administrativo, etc. Así, hoy mas que hablar de televisión podría hablarse de televisiones, añadiendo adjetivos como: analógica, digital, por cable, ondas hertzianas, terrenal, por satélite, en «abierto» o «de pago», «acceso condicionado», de ámbito estatal, autonómico, local, privadas, públicas, etc. Pero, aún más, se asiste a una progresiva disociación entre la empresa operadora y quienes producen los programas de los que aquéllas se alimentan, siendo el mercado de los «contenidos» un sector de relevancia creciente.

Tercero, en el mismo sector televisivo confluyen distintos títulos competenciales, diferentes «razones regulatorias», que no se circunscriben sólo al art. 149.1.27 CE, sino que remiten también a otros intereses públicos vinculados directamente con la programación, como pueden ser los intereses de los consumidores en conocer con antelación qué programas pueden ver, y evitar así el agresivo fenómeno de la «contraprogramación».

LEGISLACIÓN

- CE: 149,11, 210 y 270.
- LGTe: Disposición Transitoria Sexta y Derogatoria única.
- Ley 22/1999, de 7 de junio, que modifica la Ley 25/1994, de 12 de julio, por la que se incorpora al ordenamiento jurídico español la Directiva 89/552/CEE, sobre la coordinación de disposiciones legales, reglamentarias y administrativas de los Estados miembros relativas al ejercicio de actividades de radiodifusión televisiva: art. 2, 3, 18 y 19.

- LTCa: art. 11,1 e), f) y g), Disposición Adicional Tercera y Quinta (tomando en consideración la derogación del art. 12 por la Ley 22/1999).
- Ley 10/1988, de 3 de mayo, de Televisión Privada.
- Ley 4/1980, de 10 de enero, de Estatuto de la Radio y la Televisión.
- Ley 26/1984, de 19 de julio, de consumidores y usuarios.
- RD 2066/1996, de 13 de septiembre, por el que aprueba el Reglamento Técnico y de prestación del servicio de telecomunicaciones por cable: arts. 29.21 y 41.1.
- RD 1462/1999, de 17 de septiembre, por el que se aprueba el Reglamento que regula el derecho de los usuarios del servicio de televisión a ser informados de la programación a emitir.
- RD 1994/1996, de 6 de septiembre, que aprueba el Reglamento de la CMT: art. 29. 2, a).

Téngase en cuenta la reciente aprobación de las Directivas comunitarias que proceden a la revisión del marco normativo y que habrán de ser traspuestas al Derecho interno:

- Directiva 2002/19/CE del Parlamento europeo y del Consejo, de 7 de marzo de 2002, relativa al acceso a las redes de comunicaciones electrónicas y recursos asociados, y a su interconexión (Directiva acceso).
- Directiva 2002/20/CE del Parlamento europeo y del Consejo, de 7 de marzo de 2002, relativa a la autorización de redes y servicios de comunicaciones electrónicas (Directiva autorización)
- Directiva 2002/21/CE del Parlamento europeo y del Consejo, de 7 de marzo de 2002, relativa a un marco regulador común de las redes y los servicios de comunicaciones electrónicas (Directiva marco).
- Directiva 2002/22/CE del Parlamento europeo y del Consejo, de 7 de marzo de 2002, relativa al servicio universal y los derechos de los usuarios en relación con las redes y servicios de comunicaciones electrónicas (Directiva servicio universal).

JURISPRUDENCIA

- Contestación de la CMT de 30 de marzo de 2000, a consulta formulada por «Madritel» sobre aplicación del RD 1462/1999, de 17 de septiembre.
- Contestación de la CMT de 18 de febrero de 1999, a la consulta de la «Agrupación de Operadores de Cable» (AOC) sobre programación «decalada».

BIBLIOGRAFÍA

- ARIÑO, G., AGUILERA, L. y DE LA CUÉTARA, J. M.: *Las telecomunicaciones por cable: su regulación presente y futura,* Madrid, 1996.
- CARRILLO, M.: «El papel de las regiones en la regulación del sector televisivo: el caso español» en VV. AA. (Coord. MUÑOZ MACHADO, S.) *Derecho europeo del audiovisual.* Sevilla, 1996. Vol. I, págs. 601 y ss.

– MERINO, C.: «La nueva regulación del cable en España» en VV. AA. (Coord. MUÑOZ MACHADO, S.) *Derecho europeo del audiovisual.* Sevilla, 1996. Vol. II, págs. 1115 y ss.

– CALVO CLARO, M.: *La televisión por cable.* Madrid, 1997.

– CALLEJA, D.: «Derecho audivisual de la Unión Europea» en VV. AA. *El nuevo marco jurídico de las telecomunicaciones y de los servicios audiovisuales,* Escuela Judicial, CGPJ, 1998, págs. 263 y ss.

– MARROQUÍN MOCHALES, J. L.: «Vigencia de la Ley 42/1995, de 22 de diciembre, de Telecomunicaciones por Cable, tras la entrada en vigor de la Ley 11/1998, de 24 de abril, General de Telecomunicaciones. En particular, el problema de la alteración de las demarcaciones territoriales y de las concesiones especiales no renovables» en *REDETI* nº 2 (septiembre), 1998.

– FERNÁNDEZ FARRERES, G.: *El paisaje televisivo en España. Características e insuficiencia del ordenamiento de la televisión,* Aranzadi, 1999.

– MONTERO, J. J. y BROKELMAN, H.: *Telecomunicaciones y Televisión. La nueva regulación en España,* Valencia, 1999, págs. 507 y ss.

– DOMINGO, T.: «Telecomunicaciones y audivisual en la España de los años 90. Sectores en convergencia, ¿políticas en convergencia?» en VV. AA. (JORDANA, J. y SANCHO, D., editores) *Política de Telecomunicaciones en España,* Madrid, 1999, págs. 35 y ss.

– ARPÓN DE MENDIVIL, A. y CRESPO, M.: «Finalidad y ámbito de aplicación de la Ley» en ARPÓN DE MENDIVIL ALDAMA, A. y CARRASCO PÉREZ, A.: *Comentarios a la Ley General de Telecomunicaciones,* 1999, págs. 141 y ss.

– ALONSO LATORRE, M. A.: «Viabilidad, tras la entrada en vigor de la Ley 11/1998, de 24 de abril, General de Telecomunicaciones, de la Agrupación de Demarcaciones Territoriales de Contratos Concesionales adjudicados en virtud de la Ley 42/1995, de 22 de diciembre, de Telecomunicaciones por Cable» en *REDETI* nº 5 (junio), 1999.

– NEBREDA PÉREZ, J. M.: *Títulos habilitantes en el sector de las telecomunicaciones.* Madrid, 2000, págs. 221 y ss.

– CARLÓN RUIZ, M.: *Régimen jurídico de las telecomunicaciones: una perspectiva convergente en el Estado de las autonomías.* Madrid, 2000 —entre otras— págs., 469 y ss.

Caso nº 5: MEDIOS DE COMUNICACIÓN. RADIODIFUSIÓN EN FRECUENCIA MODULADA. COMPETENCIAS AUTONÓMICAS. CONDICIONES PARA ADJUDICACIÓN Y PRÓRROGAS CONCESIONALES.

PLANTEAMIENTO

Al publicarse en el Diario Oficial catalán la convocatoria de concurso público para la adjudicación de concesiones para emisoras de radiodifusión en modulación de frecuencia, «Espai-Radioelectric», empresa ya implantada en el sector, y que en las emisoras que tiene en funcionamiento cuenta con un especial seguimiento de su programación por los ciudadanos castellanoparlantes de esa comunidad, procede al análisis del pliego en conexión con lo prevenido en el Decreto 269/1998, de 21 de octubre, de régimen jurídico de las concesiones para la prestación del servicio de radiodifusión sonora en ondas métricas con modulación de frecuencia por emisoras comerciales.

En particular, el apartado B) del Pliego relaciona una serie de criterios que puntuarán hasta veinte puntos (cuando los del apartado A) serían puntuados con hasta diez puntos cada uno de ellos, incluyéndose en éstos el A. 7) «vinculación del licitador con otros medios de comunicación social de Catalunya») y que giran en torno al fomento de la cultura y lengua catalana. Entre ellos, los indicados como B. 1), B. 2), B. 3) y B. 6) vienen a reiterar las obligaciones sobre programación en lengua catalana (y aranesa en las zonas correspondientes) contenidas en la Ley 1/1998, de Política Lingüística, añadiendo el B. 7) que se valorará la «vocación histórica del licitador al servicio de la radiodifusión sonora en Catalunya y especialmente el uso de la lengua catalana en el transcurso de esa trayectoria».

A partir de todo ello, y sin perjuicio de su decisión de presentarse al concurso optando por varias emisoras, solicitan de su departamento jurídico la siguiente consulta:

1. ¿Debería esperarse al resultado del concurso para trasladar a la Administración la impugnación de tales criterios de adjudicación?
2. Habida cuenta de la fuerte implantación entre los oyentes castellanoparlantes y que pudiera verse perjudicada por los crite-

rios de adjudicación expuestos, expóngase qué argumentos legales pudieran emplearse en defensa de «Espai-RE».

3. Como quiera que «Espai-RE» cuenta con emisoras en funcionamiento, próximas al vencimiento del plazo concesional ¿pudiera aplicarse lo previsto en el criterio B. 7) para denegar la prórroga de la concesión?

DOCTRINA

Las emisoras comerciales de radio en frecuencia modulada constituyen un importante sector en el conjunto de los medios de comunicación social españoles. Su regulación se encuentra aún en parte contenida en la LOT de 1987, marcada por su consideración como servicio público, gestionándose a través de concesión, quedando afectadas por competencias estatales y autonómicas.

Dentro del margen de intervención autonómica, éste ofrece peculiares características en aquellas Comunidades Autónomas con lengua cooficial, cuyo fomento y uso son objeto de especial regulación. Dichas competencias autonómicas afectan a la fase de adjudicación, al funcionamiento y a la extinción de unas concesiones que recayendo sobre el elemento empresarial, sobre los «medios de comunicación», evidentemente entra en relación con la sustancia de éstos, la libertad de expresión, lo que reitera por otra vía la doble entrada competencial del 149.1.21 CE (regulación material del soporte o instrumento que la radio emplea para su funcionamiento, y aparatos que constituyen la infraestructura de estos medios de comunicación) y 27 (aspectos conectados con el derecho contemplado en el art. 20 CE).

El precitado art. 149.1.27 determina que corresponde al Estado la determinación de las normas básicas sobre el régimen de las concesiones, también reconoce un ámbito de normación autonómica, amén de la elaboración de planes técnicos, inspección y control de condiciones técnicas de las emisoras, etc.; siendo competencia autonómica la resolución de las solicitudes de concesiones, su otorgamiento, regulación del procedimiento de adjudicación, inspección de los servicios, imposición de sanciones derivadas de infracciones a la normativa autonómica, etc.

LEGISLACIÓN

- Convenio Europeo para la protección de derechos humanos y libertades fundamentales: art. 10,2.
- CE: arts. 3, 20, y 149,11, 210 y 270.
- Estatuto de Autonomía de Cataluña: art. 16.
- LGTe: art. 1, Disposición Final Primera y Disposición Transitoria Sexta.
- LOT (modificada por la Ley 32/1992, de 3 de diciembre), arts. 25, 26 y Disposición Adicional Sexta.
- Orden de 9 de marzo de 2000, por la que se aprueba el Reglamento que desarrolla la LGTe, en lo relativo al dominio público radioeléctrico: arts. 42 y 43.
- LCAP.
- Ley catalana 1/1998, de 7 de enero, de Política Lingüística: art. 26.
- Decreto 269/1998, de 21 de octubre, de régimen jurídico de las concesiones para la prestación del servicio de radiodifusión sonora en ondas métricas con modulación de frecuencia por emisoras comerciales.

Téngase en cuenta la reciente aprobación de las Directivas comunitarias que proceden a la revisión del marco normativo y que habrán de ser traspuestas al Derecho interno:

- Directiva 2002/19/CE del Parlamento europeo y del Consejo, de 7 de marzo de 2002, relativa al acceso a las redes de comunicaciones electrónicas y recursos asociados, y a su interconexión (Directiva acceso).
- Directiva 2002/20/CE del Parlamento europeo y del Consejo, de 7 de marzo de 2002, relativa a la autorización de redes y servicios de comunicaciones electrónicas (Directiva autorización)
- Directiva 2002/21/CE del Parlamento europeo y del Consejo, de 7 de marzo de 2002, relativa a un marco regulador común de las redes y los servicios de comunicaciones electrónicas (Directiva marco).
- Directiva 2002/22/CE del Parlamento europeo y del Consejo, de 7 de marzo de 2002, relativa al servicio universal y los derechos de los usuarios en relación con las redes y servicios de comunicaciones electrónicas (Directiva servicio universal).

JURISPRUDENCIA

- SSTEDH de 28 de marzo de 1990: asunto «Groppera» y 26 de noviembre de 1993: asunto «Lentia».
- SSTC 168/1993, de 28 de mayo: asunto «recurso de inconstitucionalidad contra la LOT»; 26 y 44/1988, sobre distribución de competencias entre Estado y Comunidades Autónomas.
- SSTC 119/1991 y 31/1994, de 31 de enero —entre otras— sobre exigencia de concesión en medios de comunicación.

- STSJ de Cataluña, Secc. 20, de 16 de marzo de 2000, asunto «Radio 13 y otros».
- STSJ de Cataluña, de 14 de octubre de 1999.

BIBLIOGRAFÍA

- GARCÍA LLOVET, E.: *El régimen jurídico de la radiodifusión,* Madrid, 1991.
- CHINCHILLA MARÍN, C.: «Radio. Régimen general» en VV. AA. *El Estado de las Autonomías. Los sectores productivos y la organización territorial del Estado,* Madrid, 1997, págs. 1683 y ss.
- ENCUENTRA BAGÜES, J. y GRAU VIDAL, J. M.: «Radio. Cataluña (Autonomías)» en VV. AA. *El Estado de las Autonomías. Los sectores productivos y la organización territorial del Estado.* Madrid, 1997, págs. 1723 y ss.
- CHINCHILLA MARÍN, C: «Régimen jurídico de la radiodifusión sonora» en CREMADES, J. (Coord.) *Derecho de las telecomunicaciones.* Madrid, 1997, págs. 597 y ss.
- QUADRA SALCEDO, T: «Disposiciones generales. Artículo 1» en GARCÍA DE ENTERRÍA, E. y QUADRA SALCEDO, T. (Coord.) *Comentarios a la Ley General de Telecomunicaciones.* Madrid, 1999, págs. 31 y ss.
- ARPÓN DE MENDIVIL, A. y CRESPO, M.: «Finalidad y ámbito de aplicación de la Ley» en ARPÓN DE MENDIVIL ALDAMA, A. y CARRASCO PÉREZ, A.: *Comentarios a la Ley General de Telecomunicaciones,* 1999, págs. 141 y ss.
- NEBREDA PÉREZ, J. M.: *Títulos habilitantes en el sector de las telecomunicaciones.* Madrid, 2000, págs. 221 y ss.
- CARLÓN RUIZ, M.: *Régimen jurídico de las telecomunicaciones: una perspectiva convergente en el Estado de las autonomías,* Madrid, 2000 —entre otras— págs. 448 y ss.

Juan Antonio Hernández Corchete
Universidad de Vigo

Caso nº 1: TRANSPORTES. COORDINACIÓN REGIONAL DE TRANSPORTES TERRESTRES

PLANTEAMIENTO

El Consejo de Gobierno de la Generalidad de Valencia pretende aprobar, al amparo de la Ley 1/1991, de 14 de febrero, de la Generalidad Valenciana, un Decreto mediante el que se establece un Plan de Transporte Metropolitano del Área de Valencia, que afecta a los de la propia ciudad de Valencia y otros 60 municipios. Su contenido contempla el trámite para aprobar y modificar dicho Plan, los convenios mediante los que se desarrollaría, concesiones y autorizaciones de transporte y coordinación de servicios de interés metropolitano.

Por parte de varios de los municipios afectados, e incluso de algunas empresas de transportes cuya actividad se desarrolla en esa zona se suscitan las siguientes cuestiones:

1. ¿Cuál es el fundamento y características de la pretensión autonómica?
2. ¿En su caso, cuál sería la razón de las entidades locales para oponerse a ella?
3. ¿Podrían las Corporaciones locales afectadas recurrir contra el Decreto autonómico y/o contra la Ley 1/1991?
4. ¿Qué papel le corresponde al Estado en caso de que, aunque esta red de transporte no supere el territorio de la Comunidad Autónoma, produzca efectos fuera de ese ámbito?
5. ¿Qué implica que la LOTT se refiera en el art. 3 a un sistema común de transporte?, ¿cuál es la doctrina establecida por el TC?

DOCTRINA

De entre las muchas perspectivas desde las que el ordenamiento jurídico administrativo se ocupa de los transportes (y particularmente, los terrestres de viajeros) una de ellas corresponde a su organización. En este punto, en el presente supuesto se plantea la coincidencia de las competencias e intereses de las distintas Administraciones públicas en su estructuración, funcionamiento, etc., máxime ante la generalización de la idea de los transportes como algo más que diversos y dispersos subsectores, y su comprensión como un «sistema» que debe ser coordinado, interrelacionado. Esta exigencia se hace especialmente sensible en lo que se refiere al transporte terrestre de viajeros en áreas geográficas supramunicipales, en particular en grandes courbanaciones metropolitanas respecto de las que algunas Comunidades Autónomas (Madrid, Andalucía, Cataluña, Comunidad Valenciana) han establecido mecanismos de coordinación de los transportes urbanos, materia ésta en la que la legislación local afirma la competencia municipal propia -contenido específico de la autonomía local-, cuando no sucede que las empresas públicas de transporte urbano son eje de sus respectivos sectores públicos municipales.

Así, a la función coordinadora estatal de las competencias autonómicas y locales, se añade la competencia local sobre el transporte público de viajeros (servicio obligatorio para municipios de más de 50.000 habitantes) y la posición autonómica en atención a los intereses regionales, y sus propias competencias en materia de transportes y de régimen local, especialmente respecto de los entes infra y supramunicipales. De este modo, la concreción última de las competencias locales queda remitida a la correspondiente legislación sectorial, ya sea estatal o autonómica, según el sistema de distribución de competencias entre el Estado y las Comunidades Autónomas, a lo que debe añadirse la posibilidad de que, bien el Estado, bien las Comunidades Autónomas -nuevamente, en el ámbito de sus respectivas competencias- puedan crear órganos de cooperación (con funciones deliberantes y consultivas) y/o de coordinación administrativa, de acuerdo con la legislación sectorial específica y con pleno respeto siempre a la noción de autonomía local y su garantía institucional.

Para acabar de comprender el sistema de reparto de competencias no se debe olvidar que en virtud de la LO 5/87 el Estado cede muchas de sus competencias de gestión, de inspección, sancionadoras y de arbitraje en las Comunidades Autónomas. En la Administración estatal, después de la reestructuración ministerial, las Direcciones Generales del ramo continúan dependiendo del Ministerio de Fomento, pero ahora están adscritas a la Subsecretaría.

LEGISLACIÓN

- CE: arts. 137, 140, 141, 148.1.5, 149.1.13 y 149.1.21.
- LOTC: art. 59.2 (según redacción dada por LO 7/1999, de 21 de abril).
- LO 5/87, de 30 de julio, de delegación de facultades del Estado en relación con los transportes por carretera y por cable.
- LOTT: especialmente, arts. 2, 3 y 5.
- Estatuto de Autonomía de la Comunidad Valenciana: arts. 31.8, 31.15 y 33.8.
- Estatuto de Autonomía de la Comunidad de Madrid: art. 26, según redacción dada por LO 5/1998, de 7 de Julio.
- LRBRL: arts. 2, 3, 10, 25.2.ll, 26.1.d, 42 y ss, 58, 59, 63, 86.3 y 119.
- Ley Valenciana 1/1991, de 14 de febrero, de Ordenación del Transporte metropolitano en el Área de Valencia.
- Ley Andaluza 3/1985, de 22 de marzo, de coordinación de servicios regulares de transportes de viajeros por carretera de Andalucía.
- Ley Aragonesa 14/1998, de 30 de diciembre, de Transportes Urbanos.
- Ley Madrileña 5/1985, de 16 de mayo, de Creación del Consorcio Regional de Transportes Públicos Regulares de Madrid.
- Ley Madrileña 20/1998, de 27 de noviembre, de Ordenación y Coordinación de los Transporte Urbanos de la Comunidad de Madrid.
- Ley Foral 7/1998, de 1 de junio, de Transportes Públicos Urbanos por Carretera.
- Ley Catalana 7/1987, de 4 de abril, sobre actuaciones públicas especiales en la conurbación de Barcelona: arts. 16 y ss.
- Ley valenciana 12/1986, de 31 de diciembre, de creación del Consell Metropolitano de L'Horta.
- RD 690/2000, de 2 de mayo, por el que se establece la estructura orgánica básica del Ministerio de Fomento.

JURISPRUDENCIA

- SSTC 27/1987, de 27 de febrero y 214/1989, de 21 diciembre: Principio de autonomía local y, particularmente, el efecto sobre el mismo de las competencias estatales y autonómicas, y sus posibilidades de coordinación.
- STC 118/1996, de 27 de junio: Reparto de competencias entre el Estado y las Comunidades Autónomas, doctrina general, y especialmente respecto del

carácter intracomunitario del transporte urbano, también SSTC 33/1981, de 5 de noviembre y 179/1985, de 19 de diciembre.
- STS 18.7.92 (6477).
- Dictamen del Consejo de Estado 7.9.95 (expediente 1616/95, marginal 52 de la Recopilación de Doctrina Legal del Consejo de Estado de 1995): Expediente relativo al principio de autonomía municipal y plan de transporte metropolitano.

BIBLIOGRAFÍA

- ASÍS ROIG, A. De: «Los transportes urbanos colectivos» en la obra colectiva *Tratado de Derecho Municipal* (Coord. MUÑOZ MACHADO)), Civitas, Madrid, 1988.
- ASÍS ROIG, A. De: *Legislación sobre transportes terrestres* (Prólogo), Tecnos, Madrid, 1989.
- BERMEJO VERA, J. (Coord.): *Estudios sobre el régimen jurídico del transporte*, Zaragoza, 1990.
- CARBONELL PORRAS, E.: «Régimen general de la distribución de competencias entre el Estado y las Comunidades Autónomas en el transporte terrestre» en la obra colectiva *El Estado de las Autonomías. Los sectores productivos y la organización territorial del Estado* (Director JIMÉNEZ-BLANCO), CEURA, Madrid, 1997, págs. 1341 y ss.
- GARCÍA DE ENTERRIA, E.: «La Sentencia constitucional 118/1996, de 27 de junio, sobre la Ley de Ordenación de los Transportes Terrestres de 1987 y sus implicaciones de futuro», *REDC*, n° 55, 1999.
- GONZÁLEZ-CARBAJAL, J.M.: *El transporte público de mercancías por carretera*, Colex, Madrid, 1998.
- MARTÍN-RETORTILLO BAQUER, L.: «Transportes», en la obra colectiva *Derecho Administrativo Económico II*, Madrid, 1991, págs.773 y ss.
- MAYOR MENÉNDEZ, P.: «Competencias en materia de obras públicas transportes e infraestructuras», en *Comentarios al Estatuto de la Comunidad de Madrid*, Comunidad de Madrid, 1999, págs. 752 y ss.
- PIÑANES LEAL, J.: *Régimen Jurídico del transporte por carretera*, Madrid, 1993, págs. 279 y ss.
- SUAY RINCÓN, J.: «La organización del transporte madrileño de viajeros: El Consorcio Regional de Transportes», en la obra colectiva *Estudios sobre el Derecho de la Comunidad de Madrid* (Coord. R. GÓMEZ-FERRER), Madrid, 1987.

Caso nº 2: TRANSPORTES: REPARTO DE COMPETENCIAS EN SU REGULACIÓN, FORMAS DE ACTIVIDAD ADMINISTRATIVA, SERVICIOS FUNERARIOS, SERVICIOS REGULARES DE VIAJEROS DE USO GENERAL COINCIDENTES CON OTROS DE USO ESPECIAL, INFRACCIONES Y PRINCIPIO DE LEGALIDAD

PLANTEAMIENTO

El Gobierno de la Nación plantea a sus asesores jurídicos varias cuestiones en materia de transportes terrestres por carretera. En primer lugar, estudia la aprobación de un *Real Decreto* mediante el que se regule la protección de animales durante su transporte, en particular respecto de aquéllos que provengan de la Unión Europea, dando con ello cumplimiento a la Directiva 91/628/CEE. En el proyecto de dicha norma reglamentaria se contempla el establecimiento de un Sistema de solución de conflictos mediante el dictamen de expertos y un Registro para este tipo de transportes. En conexión con este proyecto les formula las siguientes consultas:

1. ¿Corresponde al Estado o a las Comunidades Autónomas regular dicha materia?, ¿mediante qué instrumento normativo habría de efectuarse?
2. Atendiendo a las medidas de intervención administrativa indicadas en el supuesto ¿cómo habría de calificarse el sistema de solución de conflictos?, ¿cuáles serían los límites del mismo?
3. En el mismo sentido que lo anterior respecto del Registro mencionado.

En segundo lugar, les consulta acerca de la legalidad de un proyecto de reforma parcial del Reglamento de la LOTT consistente en liberalizar el transporte funerario, eximiendo al transportista de pedir autorización al Ayuntamiento y de la obligación de tener sede en el lugar de origen del transporte, y en limitar el derecho preferente de los titulares de un título habilitante para prestar servicios regulares de viajeros de uso general a obtener autorizaciones de transporte regular de viajeros de uso especial con itinerarios coincidentes.

Finalmente, habiéndose elevado varias cuestiones de inconstitucionalidad respecto del art. 142.n, de la LOTT, quiere conocer su opinión acerca de su congruencia con el art. 25.1 CE.

DOCTRINA

Complementariamente con lo propuesto en el caso anterior, en el presente lo que plantea es la regulación de la actividad misma, -diríase- un tipo, no un modo, concreto de transporte, específicamente el de animales, cuya finalidad parece ser ordenar dicha actividad buscando al tiempo no desatender su protección, las condiciones de la exportación e importación de animales y de su acceso al mercado interno.

La regulación de esta materia, como otras muchas que atañen a los transportes, corresponde a un complejo -profundo- cuadro normativo que va desde los Convenios internacionales, a Directivas comunitarias que habrán de ser traspuestas al Derecho nacional, lo que significa decidir sobre si la competencia es estatal o autonómica, y en virtud de qué títulos. En este punto, en primer lugar habrá de tenerse en cuenta que el hecho mismo de que haya de trasponerse una norma europea no presupone la competencia estatal, que en modo alguno le otorga carácter básico, ni la exigencia de un determinado rango normativo; y, en segundo término, que debe atenderse a la presencia de diversos posibles títulos competenciales, habiendo de decantarse por aquél que resulte más específico. El Tribunal Constitucional ha declarado que el criterio territorial se configura como elemento esencial en el sistema de distribución de competencias de transportes terrestres, de modo que el Estado no puede incidir sobre la ordenación de los transportes intracomunitarios, excepto cuando se halle habilitado para hacerlo por títulos distintos del transporte (ejemplos de títulos concurrentes serían, seguridad industrial, tráfico y circulación de vehículos de motor, sanidad, igualdad de los españoles en el ejercicio de derechos y deberes, legislación mercantil y civil, etc.).

Al tiempo, y también tratando la ordenación de la actividad de transportes, se emplean tradicionalmente por la normativa española distintas técnicas de actuación administrativa, como son las de solución de conflictos a través de órganos arbitrales y de inscripción en Registros como mecanismo de control.

Respecto al Sistema de solución de conflicto, añadido a las conocidas Juntas Arbitrales, debe tenerse en cuenta su conexión con la materia estrictamente procesal, y de ello también que tales sistemas de solución arbitral pueden resultar auxiliares a los de carácter jurisdiccional pero no sustitutivos de los mismos. En cuanto a la exigencia de inscripción en un Registro se incardina en el más amplio esquema de requisitos para el desarrollo de la actividad de transportes —incluso algunas complementarias—, tales como la obtención de una concesión, una autorización, a la inscripción en un Registro, etc., o la exigencia de que para obtener el pertinente título habilitante o inscripción se acrediten determinadas circunstancias (capacitación profesional, honorabilidad y capacidad económica), de carácter reglado, y en el bien entendido caso de que tales requisitos habilitan para la obtención de un título administrativo y no profesional, sin que vengan a establecer unas garantías mínimas de igualdad, lo que habrá de ser tomado en consideración a efectos de distribución competencial para su regulación.

Por lo que se refiere al segundo grupo de cuestiones, la desaparición de la necesidad de obtener una autorización municipal para realizar la actividad de transporte funerario se entiende en el seno de una serie de medidas liberalizadoras de la actividad económica. Esto no supone que no haya control sobre quien presta el servicio, pues necesariamente debe tratarse de empresas legalmente establecidas. La determinación, más o menos flexible, de las condiciones en que los titulares de un título habilitante para prestar servicios regulares de viajeros de uso general tienen derecho preferente a obtener autorizaciones de transporte regular de viajeros de uso especial con itinerarios coincidentes, implica equilibrar el mandato de los párrafos 1° y 2° del art. 4 LOTT —asegurar la satisfacción de las necesidades de transporte en zonas y núcleos de población alejados, así como las de las categorías sociales desfavorecidas, mediante una adecuada utilización de los recursos disponibles— con el párrafo 3° que consagra el principio de libre competencia y el de libre elección del usuario.

La posible tara de inconstitucionalidad del art. 142.n LOTT obedece a que, en trance de definir las conductas constitutivas de infracción, olvida el principio de legalidad y hace un remisión en blanco a las normas reglamentarias.

LEGISLACIÓN

- Convenio Europeo de Protección de Animales en el Transporte Internacional de París de 13 de diciembre de 1968 (Instrumento de adhesión, BOE de 6.11.75); Convenio sobre el Comercio Internacional de Especies Amenazadas de Fauna y Flora Silvestre -CITES-, Washington 3 de marzo de 1973 (Instrumento de adhesión, BOE de16.05.86).
- Tratado de la Unión Europea: art. 8A.

- Reglamento CEE 3626/82, del Consejo, de 3 de diciembre, relativo a la aplicación a la Comunidad del Convenio sobre el comercio internacional de especies amenazadas de fauna y flora; Reglamento 938/97, de la Comisión, de 26 de mayo, relativo a la protección de especies mediante el control del comercio; Directiva 91/628/CEE, del Consejo, de 19 de noviembre, de protección de animales durante el transporte.
- CE: arts. 25.1, 96, 148.1.5, 149.1.6, 149.1.16, 149.1.20 y 149.1.21.
- LOTT: arts. 4, 38 (véase la redacción del mismo dada por la Ley 13/1996, de 30 de diciembre) 42 yss, 53, 64, 65, 67, 70, 72 (véase la redacción del mismo dada por RD Ley 4/2000, de 23 de junio), 87, 89 y 142 n.
- Ley 14/1986, de 25 de abril, General de Sanidad: arts. 38 y Disposición Final 8ª.
- Ley 36/1988, de 5 de diciembre, de Arbitraje.
- RD 1211/1990, de 28 de septiembre: arts. 108 y 139, según la redacción dada por el Real Decreto 927/1998, de 14 de mayo.
- RD 66/1994, de 21 de enero, de protección de animales durante el transporte: especialmente, art. 9.3).
- RD 1316/1992, de 30 de octubre, de controles veterinarios y zootécnicos aplicables en intervención en animales vivos y productos con vistas al mercado; RD 1513/1992, de 11 de diciembre, de epizootías; RD 1882/1994, de 16 de septiembre, de condiciones de sanidad animal aplicables a la puesta en el mercado y RD 2459/1996, de 2 de diciembre, de epizootías.

JURISPRUDENCIA

- SSTC 37/1981, 16 de noviembre; 53/1984, de 4 de mayo; 59/1985, de 6 de mayo; 86/1988, de 3 de mayo; 43/1990, de 15 de marzo; 123/1990, de 2 de julio; 181/1992, de 16 de noviembre; 203/92, de 26 de noviembre; 2/1993, de 14 de febrero; 14/1994, de 20 de enero; 183/1996, de 14 de noviembre y -muy especialmente- 118/96, de 27 de junio: Reparto de competencias normativas y ejecutivas entre el Estado y las Comunidades Autónomas en materia de transporte terrestre y su concurrencia con otros títulos competenciales. También, STC 329/1994, de 15 de diciembre: en materia de sanidad y transportes.
- SSTC 252/1989, de 20 de diciembre; 79/1992, de 28 de mayo; 80/1993, de 8 de marzo y 102/1995, de 26 de junio: Respecto de la inexistencia de una competencia estatal para trasponer las normas de Derecho comunitario, ni la consideración de éstas como normas básicas.
- Dictamen del Consejo de Estado 16.12.93 (expediente 1579793, marginal 284, Recopilación de la Doctrina Legal del Consejo de Estado de 1993).
- STC 60/2000, de 2 de marzo: En materia de tipificación de infracciones, el art. 25.1 prohíbe la remisión de la Ley al Reglamento sin una previa determinación de los elementos esenciales de la conducta antijurídica y, en consecuencia, declara la inconstitucionalidad y nulidad del 142, n LOTT en lo que respecta al inciso «o reglamentarias».

- SSTS 26.1.00 (70), 1.2.20 (219) y 16.2.00 (961): Transportes funerarios.
- Dictamen del Consejo de Estado 2.4.98 (n° 1153/98, marginal 262, Recopilación de la Doctrina Legal del Consejo de Estado de 1998): Transportes funerarios, derecho preferente a obtener autorización para prestar un servicio regular de uso especial.

BIBLIOGRAFÍA

- BERMEJO VERA, J. (Coord.): *Estudios sobre el régimen jurídico del transporte*, Zaragoza, 1990.
- CARBONELL PORRAS, E.: «Régimen general de la distribución de competencias entre el Estado y las Comunidades Autónomas en el transporte terrestre» en la obra colectiva *El Estado de las Autonomías. Los sectores productivos y la organización territorial del Estado* (Director JIMÉNEZ-BLANCO), CEURA, Madrid, 1997, págs. 1341 y ss.
- CARBONELL PORRAS, E: *Régimen administrativo del transporte interurbano por carretera*. Madrid, 1993.
- MARTÍN-RETORTILLO BAQUER, L.: «Transportes», en la obra colectiva *Derecho Administrativo Económico II*, Madrid, 1991, págs.773 y ss.
- MARTÍN-RETORTILLO BAQUER, L.: «Honorabilidad y buena conducta como requisitos para el ejercicio de profesiones y actividades», *RAP* n° 130, 1993, págs. 23 y ss.
- MATEO, M.: *La actividad arbitral de la Administración en el transporte terrestre*, Marcial Pons, Madrid, 1998.
- PIÑANES LEAL, J.: *Régimen Jurídico del transporte por carretera*, Madrid, 1993, págs. 279 y ss, 317 y ss, 342 y ss.
- RAZQUÍN LIZÁRRAGA, J.A.: *Derecho público del transporte por carretera*, Aranzadi, Pamplona, 1995, págs. 255 y ss. y 361 y ss.

Caso n° 3: ENERGÍA EÓLICA: REPARTO DE COMPETENCIAS Y CONTROL ADMINISTRATIVO SOBRE INSTALACIONES

PLANTEAMIENTO

La entidad «Alvent, S.A.», dado el actual impulso de las energías renovables desde distintos ángulos nacionales e internacionales, pretende establecer nuevas instalaciones para el aprovechamiento de energía eólica en varias zonas de España que entiende idóneas al efecto, suscitándose una serie de dudas que plantea a una consultora, y especialmente a su departamento jurídico. Destacan los siguientes extremos:

1. ¿Cómo es el reparto de competencias entre el Estado y las Comunidades Autónomas?; ¿a qué órgano administrativo hay que pedir la autorización para establecer estas instalaciones?; ¿cuál es el competente para otorgar la condición de instalación en régimen especial? Interprete el art. 16 del Decreto gallego 205/95, de 6 de julio, sobre energía eólica, en conexión con el 3.3.c) de la Ley 54/1997 a la luz del antedicho reparto competencial.

2. ¿Qué ventajas comporta la calificación de instalación en régimen especial?; ¿qué requisitos deben reunir las instalaciones en régimen especial para beneficiarse de los apoyos económicos previstos? ¿Las instalaciones que se habían establecido hace cinco años pueden seguir rigiéndose por la normativa anterior?

3. ¿Las instalaciones de energía eólica pueden disfrutar de otros tipos de ayudas?; ¿cuándo es competente el Estado para prever en el Presupuesto partidas de ayuda según la jurisprudencia constitucional?

4. En la implantación de instalaciones de producción y transporte de energía —particularmente, como la indicada en el supuesto— ¿habrán de tenerse en cuenta exclusivamente las exigencias propias de la normativa sectorial específica o también otros controles impuestos por la legislación urbanística o ambiental?, ¿cuál sería la Administración competente? Descríbanse las exigencias documentales y los trámites precisos.

5. La legislación de algunas Comunidades Autónomas requiere expresamente una previa evaluación de impacto ambiental para establecer una instalación de aprovechamiento de energía eólica.

En el resto esta verificación ¿es o no necesaria?; ¿lo exigen otras normas prevalentes? En este caso, ¿puede el Estado imponer la obligación sustituyendo el comportamiento omisivo de la Comunidad Autónoma?

6. ¿Existe alguna planificación territorial que reserve espacios para el aprovechamiento de la energía eólica y que reconozca derechos preferentes a quien desarrolle actividades de investigación?

DOCTRINA

Hoy día en España el estudio de cualquier problema práctico que implica una intervención administrativa requiere, como requisito previo, el examen de los arts. 148 y 149 CE, las disposiciones de los Estatutos de Autonomía y la jurisprudencia del TC interpretando estos preceptos. Además es necesario comprobar si las normas legales y reglamentarias dictadas por el Estado o las Comunidades Autónomas son conformes con ese esquema. Finalmente, no se han de perder de vista las modificaciones en la organización administrativa. Téngase en cuenta, por ejemplo, la reciente reestructuración ministerial llevada a cabo en la primavera del 2000.

Como en el caso de los transportes, en lo que se refiere a la energía, son varios los subsectores y distintas las facetas de su régimen jurídico. En el presente supuesto se plantea un problema sobre una de las llamadas energías alternativas, es decir, como fuente primaria de carácter renovable, cuyo régimen jurídico ha sido calificado de fragmentario, y especialmente atento a las características de las instalaciones y al fomento de su implantación.

En este sentido, la búsqueda de una energía que no perjudique el medio ambiente hace que las instalaciones que utilizan la fuerza del viento como fuente tengan reconocido, si cumplen ciertas previsiones, la condición de instalaciones en régimen especial, lo que les reporta una serie de ventajas en términos de acceso de la energía que producen a la red, de precios especiales tanto de conexión como de venta a los consumidores, y de apoyos económicos directos. Al respecto de esto último también hay que advertir las ayudas en el marco del Plan de Ahorro y Eficiencia Energética —actualmente reguladas por RD 615/98— y las provenientes de los programas especiales elaborados en el seno de la Unión Europea (ALTENER I y II). El interés de la UE por potenciar estos modos de obtener energía ha sido confirmado recientemente con la aprobación por la Comisión de una Propuesta de Directiva sobre energías renovables.

Por otro lado, la legislación urbanística y la de ordenación territorial han venido imponiendo que el planificador urbanístico prevea el emplazamiento de instalaciones de producción y transporte, y por otro, la exigencia de licencia para poder construir instalaciones eléctricas, lo que supone una condición suplementaria a la mera autorización industrial, cuya justificación y finalidad es el control de la legalidad urbanística y la conveniente previsión global de los usos a que va a servir cada zona del territorio.

En el mismo sentido, y por lo que se refiere, concretamente, al presente supuesto, también se impone el cumplimiento por dichas instalaciones de la normativa medioambiental, y la obtención, en su caso, de las autorizaciones que prevé el Ordenamiento Jurídico. Así, la legislación de algunas Comunidades Autónomas prevé que los proyectos de dichas instalaciones habrán de someterse a una evaluación de impacto ambiental, con arreglo a la legislación estatal vigente, y, en todo caso, de conformidad con lo previsto en la legislación autonómica en materia de medio ambiente, dado que éstas cuentan, no sólo con competencias ejecutivas en materia ambiental o de desarrollo de la legislación básica, sino que también están habilitadas para dictar normas adicionales de protección del medio ambiente, de manera que pueden completar o reforzar los niveles de protección previstos en la legislación básica, siempre que tales medidas sean compatibles, no contradigan, ignoren, reduzcan o limiten la protección establecida en la legislación básica estatal.

Respecto de la Comunidades Autónomas que no contienen esta previsión no se debe olvidar que la Directiva 11/97/CE, dotada de primacía, lo exige expresamente. Variables a tener presente son: cuándo vence el plazo para transponerla, si produce algún efecto antes de transcurrido ese plazo, su efecto directo y, en otro caso, la responsabilidad del Estado. En este último caso, hay que ver qué armas tiene el Estado, que es el responsable frente a la Unión Europea, para conseguir que la Comunidad Autónoma de que se trate, que es la única titular de la competencia, la ejerza o, al menos, responda de algún modo.

LEGISLACIÓN

- Directivas 337/85/CEE y 11/97/CE: Alcance de la obligación de hacer previamente la Evaluación de impacto ambiental.
- CE: arts. 45, 148.1.3 y 9, y 149.1.15, 22 y 23.
- Estatuto de Autonomía de Aragón: arts. 35.1.10 y 36.2.
- Estatuto de Autonomía de Cataluña: art. 9.16.
- Ley 54/1994, de 27 de noviembre, de Reguladora del Sector Eléctrico: arts. 3, 27 y ss.
- Ley 82/1980, sobre Conservación de la energía.
- TRLS 92: art 242 y ss.
- TRLS 76: arts 124 ss.
- RD Legislativo 1302/1986, de 28 de junio, de Evaluación de impacto ambiental: art. 1 y anexo; Ley 4/1989, de 27 de marzo, de Conservación de los Espacios Naturales y de la Flora y Fauna Silvestres: Disp. Adicional 2ª.
- Ley 4/1989, de 27 de marzo, de Conservación de Espacios Naturales y de la Flora y Fauna Silvestres: Disp. Adicional 2ª.
- RD 2818/1998, de 23 de diciembre, sobre producción de energía eléctrica por instalaciones abastecidas por recursos o fuentes de energía renovables, residuos y cogeneración; transitoriamente para las instalaciones preexistentes sigue vigente el RD 2366/1994, de 9 de diciembre, de producción de energía eléctrica por otras fuentes.
- Ley Andaluza 7/1994, de 18 de mayo, por el que se aprueban las normas reguladoras de protección ambiental: Anexo 1, 4.
- Ley de Castilla y León 8/1994, de 24 de junio, reguladora de las Evaluaciones de impacto ambiental y auditorias ambientales.
- Ley Murciana 1/1995, de 8 de marzo, por la que se aprueban las normas reguladoras de protección ambiental: Anexo I, 2, f.
- Ley Canaria 11/1990, de 13 de julio, de prevención de impacto ecológico.
- Ley Madrileña 10/1991, de 4 de abril, de protección del medio ambiente; Decreto 123/96, de 1 de agosto, se refiere en especial a las instalaciones de producción y transformación de electricidad.
- Ley Valenciana 2/1989, de 3 de marzo, de Evaluación de impacto ambiental.
- Decreto Aragonés de 279/1995, 19 de diciembre (BOA nº 1, de 3 de enero de 1996); Decreto Aragonés 93/1996, de 28 de mayo (BOA nº 67, de 10 de julio de 1996); Decreto Aragonés 95/1996, de 28 de mayo (BOA nº 67, de 10 de julio de 1996); Decreto Aragonés 51/1997, de 29 de abril (BOA nº 51 de 7 de mayo de 1997), todos ellos en materia de regulación del procedimiento para la autorización de las instalaciones de producción de energía eólica en el ámbito de la Comunidad Autónoma de Aragón.
- Decreto Gallego 205/1995, de 6 de julio (DOG nº 136, de 17 de julio de 1995), regulador del aprovechamiento de energía eólica.

– Decreto Foral de Navarra 125/1996, de 26 de febrero, sobre implantación de Parques Eólicos.
– Decreto de Castilla y León, 189/1997, de 26 de septiembre, en materia de procedimientos de autorización de instalaciones de producción de electricidad a partir de energía eólica reformado por Decretos 107/1998, de 4 de junio, y 50/1999, de 11 de marzo, que fijan medidas temporales en dichos procedimientos.
– Decreto de La Rioja, 48/1998, de 24 de julio, en materia de energía eólica (BOLR de 28 de julio).
– Decreto de Castilla-La Mancha 58/1999, de 18 de mayo.
– Decreto de Asturias 13/1999, de 24 de agosto.

JURISPRUDENCIA

– SSTC 170/1989, de 16 de octubre; 149/1991, de 4 de julio, y 102/1995, de 26 de junio: Competencias autonómicas en materia de Medio Ambiente, medidas adicionales.
– STC 108/96, de 13 de junio (FJ 3º): «el Estado (...) es competente (...) para autorizar cualquier instalación de transporte de energía cuando este transporte salga del ámbito territorial de la Comunidad Autónoma o su aprovechamiento afecte a otra Comunidad Autónoma»; en el mismo sentido SSTC 12/82 (FJ 1º), 119/86 (FJ 6º) y 67/92 (FJ 2º), 74/92 (FJ 1º).
– STC 13 /92, de 6 de febrero (FJ 13 F) y STC 16/96, de 1 de febrero, (FJ 2 E).
– SSTS de 9.3.83 (1399); 31.10.84 (5737); 5.11.84 (6606); 15.1.85 (437) y 12.7.88 (5982): Exigencia de licencia urbanística para instalaciones de energía eléctrica.

BIBLIOGRAFÍA

– COLOM PIAZUELO, E.: *El transporte de energía eléctrica: Régimen jurídico de la nueva regulación de la energía*, Madrid, 1997, págs. 169 y ss.
– DOMPER FERRANDO, J.: *El medio ambiente y la intervención administrativa en las actividades clasificadas*, Vol. II, Madrid, 1992, págs. 116 y ss.
– GARCÉS SANAGUSTÍN, A.: «Régimen jurídico de la utilización de la energía eólica en Aragón», *RarAP* nº 15, 1999, págs. 259 y ss.
– GONZÁLEZ-VARAS IBÁÑEZ, S.: «La jurisprudencia constitucional en materia de ordenación del territorio», *RTC* nº 5, 2000, págs. 13 y ss.
– JIMÉNEZ-BLANCO, A.: «Régimen general de las licencias», en la obra colectiva *Tratado de Derecho Municipal* (Coord. MUÑOZ MACHADO), Civitas, Madrid, 1988, págs. 1185 y ss.
– JORNADAS SOBRE ENERGÍA EÓLICA, Libro de Ponencias, Santiago de Compostela 15-17 de febrero de 1999.
– MARTÍN MATEO, R.: «Las Leyes de Eolo», *REDA* 102 (1999), 181 ss.

– PAREJA I LOZANO, C.: *Régimen del suelo no urbanizable*, Marcial Pons, Madrid, 1990, págs. 138 y ss.
– ROSA MORENO, J.: *Régimen jurídico de la evaluación de impacto ambiental.* Madrid, 1993.
– SALAS HERNÁNDEZ, J.: *Régimen Jurídico de la energía eléctrica*, Bolonia, 1977, págs. 326 y ss.
– SALAS HERNÁNDEZ, J.: «Energía», en la obra colectiva *Derecho Administrativo Económico II*, Madrid, 1991, págs.898 y ss., 930 y ss. y 940 y ss.
– SANTOS DÍEZ, R. y CASTELAO RODRÍGUEZ, J.: *Derecho urbanístico. Manual para juristas y técnicos*, 3ª ed., Abella-El Consultor, Madrid, 1999.
– VALCÁRCEL, P. y DÍAZ-ROMERAL, A.: «La tutela ambiental en la elaboración del planeamiento urbanístico. Especial referencia a la Evaluación de Impacto Ambiental», *El Consultor,* n° 11, 2000, págs. 1830 y ss.

Caso nº 4: ENERGÍA ELÉCTRICA. INSTALACIÓN Y EXTENSIÓN, DISTRIBUCIÓN DE COSTES

PLANTEAMIENTO

El Consejero de Industria y Comercio del Principado de Asturias dicta resolución en 1999 rechazando la petición de la entidad suministradora de energía eléctrica «Electra del Viesgo, S.A.» respecto de los llamados «derechos de acometida» por 1.300.000 pts., que solicita le sean abonadas por los usuarios, por entender la Administración que en este importe se incluyen buena parte de los costes precisos para atender a una nueva instalación en un polígono industrial, y no sólo el de la acometida individual. Frente a la misma se interpone recurso en vía administrativa ante el Consejo de Gobierno, que es desestimado.

Atendiendo a lo expuesto, y de cara a formular el escrito de demanda en el recurso contencioso administrativo, se formulan las siguientes preguntas:

1. ¿Recoge el ordenamiento jurídico en materia de energía eléctrica la obligación de ofrecer el servicio mediante la ampliación de la instalación?
2. ¿Qué diferencia hay entre la ampliación de las redes realizadas con ocasión de un proceso urbanístico, las llamadas «instalaciones de extensión» reguladas en el Reglamento de acometidas eléctricas y los derechos de acometida?
3. ¿Cómo es la distribución de costes en cada uno de esos casos?

De otro lado, los propietarios de una Unidad de ejecución vecina han realizado, entre otras tareas de urbanización, el establecimiento de la instalación eléctrica necesaria para conectar dicha unidad a la red de distribución, suscitándose las siguientes cuestiones:

1. ¿Pueden reintegrarse de ese gasto con cargo a la entidad suministradora?
2. En caso de que sí ¿es necesario cubrir alguna formalidad previa?, ¿cuál será la jurisdicción competente en caso de conflicto?, ¿quién tendría la legitimación cuando la ejecución se hace por el sistema de compensación?

DOCTRINA

La intervención de la Administración pública sobre el sector de la energía eléctrica tiene como objetivo la extensión del servicio de modo que éste llegue a cubrir las exigencias de los usuarios, en el sentido no ya de que el servicio establecido funcione, sino en el de atender —de acuerdo con las peculiaridades del régimen jurídico del sector— a quien pretende acceder al mismo, es decir, el «enganche» a la red. Estas dos situaciones en que se encuentra el destinatario de un servicio público son bien distintas, en la medida en que en la primera nos encontramos con un derecho subjetivo al acceso a una red en funcionamiento y a que ésta cumpla con determinados niveles de calidad, y en la segunda interesa el establecimiento de una determinada instalación que permita el acceso mismo a que antes se hizo referencia, siempre de acuerdo con la regulación sectorial.

Atendiendo al momento en que se plantea el supuesto, la legislación permite a la compañía eléctrica negarse a efectuar el suministro solicitado en determinados supuestos, uno de los cuales sería el de la falta de medios técnicos, circunstancia que la Administración habría de comprobar, pudiendo —en su caso— imponer sanciones o la obligación de realizar la obra precisa para ello, sin que la empresa suministradora pueda admitir nuevos abonados sin haber realizado el suministro denegado, salvo que se den determinadas circunstancias técnicas excepcionales.

Determinada esta imposición la cuestión queda desplazada hacia la absorción del coste por parte de dicha empresa y/o su repercusión sobre los usuarios u otras empresas, e incluso a través de las tarifas. Para determinar quién corre con los gastos en cada supuesto hay que examinar conjuntamente las normas eléctricas y las normas urbanísticas. De ahí resulta, en primer lugar, la diferencia entre la ampliación de las redes realizadas con ocasión de un proceso urbanístico, las llamadas «instalaciones de extensión» reguladas en el Reglamento de acometidas eléctricas y los derechos de acometida.

Por lo que se refiere a la ampliación de las redes la Ley del Sector Eléctrico prevé qué es obligación de los suministradores. Sin embargo, las normas urbanísticas cuentan las obras de vialidad, saneamiento, suministro de agua y energía eléctrica como costes de urbanización que deben costear los propietarios del terreno. El sistema cierra en tanto que el art. 122.1.a) de la LS76, vigente mientras no sea desplazado por la normativa autonómica, contempla el derecho de dichos propietarios a reintegrarse de esos gastos con cargo al suministrador.

A diferencia de otros supuestos similares, donde la Administrción eléctrica adopta una posición arbitral en la resolución de conflictos entre el suministrador y el usuario, lo que determina que el orden jurisdiccional competente sea el contencioso-administrativo, en este caso la intervención de la Administración, en principio la urbanística, se reduce a acreditar mediante certificación la realización de esos gastos. Los conflictos que surjan, por consiguiente, serán resueltos por la jurisdicción ordinaria.

LEGISLACIÓN

- Directiva 96/92/CE, del Parlamento y del Consejo, de 19 de diciembre, sobre normas comunes para el mercado interior de electricidad.
- Ley 54/1997, de 27 de noviembre, de Regulación del Sector Eléctrico: arts. 9.1.g), 16.8, 41.1.c) y 41.2.c).
- Decreto de 12 de marzo de 1954, en materia de Verificaciones Eléctricas y Regularidad en el Suministro de Energía Eléctrica: arts. 87 y 88, 89.
- RD 2949/1982, de 15 de octubre, de acometidas eléctricas: arts. 1 y ss., 15 y ss., y 23 y ss.
- RD 1538/1987, de 11 de diciembre, que determina la tarifa de las empresas gestoras del servicio eléctrico: art. 4.
- RD 2019/1997, de 26 de diciembre, que organiza y regula el mercado de producción de energía eléctrica.
- LS98: arts. 14.2.e) y 18.3 y 6.
- RGU: arts. 59.2 y 176.1.
- TRLS76: arts. 122.1a) y 126.1.

JURISPRUDENCIA

- SSTS 6.5.91 (4396), 25.5.91 (4395), 7.10.93 (8097), 22.10.93 (8123), 31.3.94 (2466), 14.10.94 (8084), 11.3.96 (2349), 11.6.96 (5409), 28.10.96 (7470), 23.12.96 (9275) y 4.3.97: Los costes de las instalaciones de suministro son del propietario, que tiene derecho a reintegro con cargo al suministrador. En contra SSTS 16.3.87 y 4.10.88.
- SSTS 27.11.96 y 31.10.96: Concepto estricto de acometida.
- Sentencia de la Audiencia Provincial de Palma de Mallorca 31.7.95: Legitimación de la Junta de Compensación.

BIBLIOGRAFÍA

- ARIÑO ORTIZ, G. y LÓPEZ CASTRO, L.: *Sistema eléctrico español: regulación y competencia,* Montecorvo, Madrid, 1998.
- BELENGUER MULA, V.: «Los derechos de acometida en los servicios públicos de suministro de agua potable y energía eléctrica», *REALA,* nº 273, 1997, págs. 187 y ss.
- CATALÁN SENDER, J.: «El derecho de reintegro de los gastos de urbanización contra las compañías suministradoras de energía eléctrica», *Revista de Derecho Urbanístico y Medio Ambiente,* nº 165, 1998, págs. 75 y ss.
- COLOM PASTOR, B.: «El derecho de los propietarios al reintegro de los gastos de instalación de las redes de suministro de energía eléctrica», *REALA,* nº 278, 1998, págs. 31 y ss.
- COLOM PIAZUELO, E.: *El transporte de energía eléctrica (régimen jurídico de la nueva regulación de la energía),* Madrid, 1997.
- LÓPEZ-IBOR MAYOR, V.: «La liberalización del sector eléctrico: perspectiva jurídica», *REDA,* nº 98 (abril-junio), 1998.
- MUÑOZ MACHADO, S.: *Servicio público y mercado. IV. El sistema eléctrico,* Madrid, 1997.
- NEBREDA PÉREZ, J.: *Régimen jurídico de la energía eléctrica,* Bolonia, 1977, págs. 326 y ss.
- SALAS HERNÁNDEZ, J.: *Energía (VV.AA. Derecho Administrativo Económico II),* Madrid, 1991, págs. 898 y ss., 930 y ss., y 940 y ss.